国 家 出 版 基 金 资 助 项 目

国家出版基金项目
NATIONAL PUBLICATION FOUNDATION

7

秦岭昆虫志

鞘翅目(三)

总 主 编　杨星科

本卷主编　杨星科　张润志

副 主 编　梁红斌　葛斯琴　任　立

世界图书出版公司

西安 北京 上海 广州

图书在版编目(CIP)数据

秦岭昆虫志.7,鞘翅目.三./杨星科,张润志
主编.—西安:世界图书出版西安有限公司,2017.12
ISBN 978-7-5192-3107-1

Ⅰ.①秦… Ⅱ.①杨… ②张… Ⅲ.①秦岭—昆虫志
②鞘翅目—昆虫志—秦岭 Ⅳ.①Q968.224.1

中国版本图书馆 CIP 数据核字(2017)第 222621 号

书　　名	秦岭昆虫志　鞘翅目(三)
总 主 编	杨星科
本卷主编	杨星科　张润志
副 主 编	梁红斌　葛斯琴　任　立
责任编辑	冀彩霞　赵亚强
装帧设计	诗风文化
出版发行	世界图书出版西安有限公司
地　　址	西安市北大街 85 号
邮　　编	710003
电　　话	029 - 87214941　87233647(市场营销部)
	029 - 87234767(总编室)
网　　址	http://www.wpcxa.com
邮　　箱	xast@ wpcxa.com
经　　销	新华书店
印　　刷	陕西博文印务有限责任公司
开　　本	787mm × 1092mm　1/16
印　　张	32
字　　数	650 千字
图　　幅	75 幅
版　　次	2017 年 12 月第 1 版　2017 年 12 月第 1 次印刷
国际书号	ISBN 978 - 7 - 5192 - 3107 - 1
定　　价	360.00 元

ISBN 978-7-5192-3107-1

内容简介

　　鞘翅目是昆虫纲中最大的类群，由于其前翅变为鞘翅而成为特殊类群。它多样性极为丰富，与人类关系密切，包括重要的农林害虫、仓储害虫、捕食性和寄生性天敌，以及植物的传粉昆虫。本书为秦岭昆虫志第七卷鞘翅目（三），系统记述了鞘翅目叶甲总科和象虫总科 2 总科 12 科 229 属 500 种；编写了分科、亚科、属、种的检索表，各属种均有文献出处、模式种、属征、分布和重要属种的生态习性等；各种均有鉴别特征、国内外（省内外）的分布及其重要种类的寄主、经济意义等。科后附有参考文献。

　　本志可供从事昆虫学、生物多样性研究及植物保护、森林保护等工作的人员参考。

《秦岭昆虫志·鞘翅目(三)》编委会

主　编　杨星科　张润志

副主编　梁红斌　葛斯琴　任　立

编　委　(按姓氏笔画排序)

王凤艳　王志良　任　立　阮用颖　李开琴　杨星科　张润志
罗天宏　周红章　聂瑞娥　黄正中　梁红斌　葛斯琴

《秦岭昆虫志·鞘翅目(三)》编辑出版委员会

主　任　薛春民

委　员　(按姓氏笔画排序)

马可为　王　冰　王　勇　任卫军　李文杰　李志刚　赵亚强
侯长庆　郭　茹　薛春民　冀彩霞

责任校对(按姓氏笔画排序)

王　哲　王　娟　王　骞　王晓宇　孙　蓉　李迎新　李晓静
吴天方　张弓鸣　陈成梅　易丹丹　周娟鸽　赵　芝　赵小丽

序

秦岭是我国最古老的山脉之一，在我国生物地理上占据着重要地位。它是我国南北气候的分水岭，环境的复杂性成就了生物的多样性，因此受到了世界的高度关注。关于秦岭的生物资源、区系组成、分布格局等，植物和大型动物都有较为系统的研究和显著的成果，《秦岭植物志》《秦岭动物志》陆续问世，而无脊椎动物研究却一直属于空白。

杨星科研究员长期从事昆虫区系的研究，先后组织开展过多次大型科学考察，并且都有很好的成果以专著、考察报告等形式展现给大家，为我国的昆虫多样性研究做出了实质性的贡献。2013 年，他利用在中国科学院西安分院、陕西省科学院工作的机会，积极争取项目支持，团结全国同行，全面开展秦岭地区昆虫资源的考察。通过 3 年的野外工作，在大家的共同努力下，完成了《秦岭昆虫志》这部 12 卷册的巨著。《秦岭昆虫志》所包括的种类是原已知种类的 2 倍，编写完全按照志书的规则，不同阶元都有鉴别特征及检索表，属、种都有科学引证，在保证种类准确性的同时，为大家提供了更为广泛的信息，文后附有详细的参考文献，有力地保证了《秦岭昆虫志》的质量和水平，使这套志书具有很高的科学价值和应用价值，我相信这套志书的出版必定会对我国乃至世界昆虫多样性研究产生深远的影响。

生物多样性研究，直接关系到生物资源的合理开发与科学利用，关系到生态系统的平衡与可持续发展，关系到友好型生态环境的建设。我国地域广阔，地形复杂多样，生物多样性极为丰富。但是，我国昆虫资源家底远不清楚，昆虫多样性研究与国际相比相差甚远。如何改变这种现状，在需要国家政策支持的同时，更需要我们同行的共同努力。《秦岭昆虫志》的完成与问世，为我们大家起到了很好的示范与引领作用。

随着全球化的发展态势，世界各国、不同地域之间的各种交流、来往、贸易、物流等出现新的模式和高频次现象，这也给我们带来巨大的挑战。首先是生物安全问题，随着贸易往来、物流循环、人员交流的不断增长，外来入侵生物的入侵形势严峻，农林生产及生态环境的安全威胁加大；其次是生物产业作为未来战略新兴产业，对生物资源的挖掘与开发日趋强化，生物资源的研究与保护已不仅仅是一个科学问题。这些都关系到我们国家的经济与社会发展战略。昆虫是生物界最大的家族，蕴藏着巨大的资源，摸清昆虫资源家底，不但可以有效应对外来生物入侵，破解生物安全的威胁，同时也可以对我国生物资源的保护和利用做出实质性的贡献，这是我们科技工作者义不容辞的责任和义务。我衷心希望我国昆虫界的同仁们，在国家建设科技强国战略的指引下，大家齐心协力，共同努力，把我国昆虫多样性研究推向一个新的水平，真正服务于国家战略需求！

这或许是《秦岭昆虫志》带给我们的启迪吧！

是为序！

中国科学院院士

中国科学院上海植物生理生态研究所研究员　尹文英

2016 年 11 月于上海

出版前言

秦岭自西向东，横贯我国中部，是长江、黄河两大水系的分水岭，西起甘肃临洮，东抵河南鲁山，东西长达 500km，南北宽 140～200km，地处北纬 32°5′～34°45′，东经 104°30′～115°52′。秦岭西部比较陡峭，海拔较高，一般在 2000～3000m；东部比较舒缓，海拔较低，一般在 2000m 以下。它是古北区和东洋区的分界线，同时为亚热带、暖温带的分界线，亚热带常绿阔叶林的分布北线。该地区具有从一种自然地理条件向另一种自然过渡、从一种地质构造单元向另一种构造单元过渡的特性。同时，秦岭作为我国大陆青藏高原以东的最高山地，它又具有自己独特的垂直景观带谱。正因为秦岭山地地理位置的特殊性，使得其物种多样性非常丰富且具较强的区域特异性，一直是生物分类学和生物地理学研究的热点区域。然而，之前对该地区昆虫区系研究多较为零散，缺乏系统的专著。

1997 年，中国科学院生命科学院生物技术局设立"关键地区生物资源综合考察及其评价"重大项目，并于 1998～1999 年由项目主持单位组织考察秦岭西段和甘肃南部地区。在此研究基础上，形成了 2005 年出版的《秦岭西段及甘南地区昆虫》这一专著。该书对于秦岭西部地区的昆虫类群的系统研究有着重要意义，推动了对该区生物多样性的研究，也让更多的人认识到了秦岭地区的重要性。然而，由于其工作多集中在秦岭西部地区，对秦岭中、东部地区的调查较少，未能反映整个秦岭地区昆虫的全貌。为了全面系统地评价和利用秦岭昆虫资源，我们在陕西省财政厅科技专项经费的支持下，在陕西省科学院的大力帮助下，从 2012 年开始，再次进行了为期 3 年的野外调查工作，在借鉴秦岭西段研究结果的基础上，重点加强了秦岭中、东部地区的调查工作。参加野外工作的包括陕西省动物研究所、西北农林科技大学、陕西师范大学、中国科学院动物研究所、南开大学、浙江大学、河北大学、中国农业大学、中南科技大学等十多家单位，计 120 多人次，共获得昆虫标本 50 余万号，进一步完善了秦岭地区昆虫多样性资料，为编写《秦岭昆虫志》奠定了良好基础。

《秦岭昆虫志》按照《中国动物志》的编写体例进行编写，顺序上参照六足动物的系统关系；各目按照系统发育关系，以科为单元进行编写，科下各属按照系统关系排序，属内各种以种名的首字母顺序编排，各阶元都有鉴别特征和检索表，属、种都有科学引证，文后附参考文献。为了准确体现各位专家的劳动，除了《秦岭昆虫志》编委会外，各卷都有本卷的编委会，各科作者署名紧跟其后。

《秦岭昆虫志》共分为十二卷：第一卷由廉振民教授主编，包括无翅昆虫、蜉蝣目、蜻蜓目、襀翅目、蜚蠊目、等翅目、螳螂目、革翅目、直翅目、竹节虫目；第二卷由卜文俊教授主编，包括半翅目异翅亚目；第三卷由张雅林教授主编，包括半翅目同翅亚目；第四卷由花保祯教授主编，包括啮虫目、缨翅目、广翅目、蛇蛉目、脉翅目、毛翅目、长翅目；第五卷鞘翅目（一）由杨星科、葛斯琴研究员主编，包括步甲科、龙虱科、牙甲总科、隐翅虫总科、金龟总科、花甲总科、丸甲总科、长蠹总科、吉丁甲总科、叩甲总科、郭公甲总科、扁甲总科、拟步甲总科等；第六卷鞘翅目（二）由林美英博士主编，包括暗天牛科、瘦天牛科和天牛科；第七卷鞘翅目（三）由杨星科、张润志研究员主编，主要包括叶甲总科（除去天牛类）、象甲总科；第八卷鳞翅目由薛大勇研究员、韩红香和姜楠博士主编，包括大蛾类；第九卷鳞翅目（二）由房丽君研究员主编，包括蝶类；第十卷由杨定教授、王孟卿副研究员和董慧博士主编，包括双翅目；第十一卷由陈学新教授主编，包括膜翅目。十一卷共记述了秦岭地区六足类 4 纲 27 目 334 科 3325 属 7496 种，其中包括 1 个新属、27 个新种、12 个中国新纪录属、34 个新纪录种、42 个陕西新纪录属、260 个陕西新纪录种。需要说明的是：鳞翅目小蛾类已由南开大学李后魂教授主编先期出版，我们这次没有组织重新编写；另有部分目、科因为国内没有专家研究，因此没有办法编写。为了弥补缺憾，系统总结陕西秦岭地区已知昆虫种类，同时也便于读者使用，由唐周怀研究员、杨美霞博士主编，完成了《陕西昆虫名录》，作为本志的第十二卷。

目前，《秦岭昆虫志》即将付梓。该项目成果的获得，是全国广大同行通力合作、共同努力的结果，凝聚了昆虫分类学者忠诚于神圣事业的集体智慧。项目主持单位、《秦岭昆虫志》编委会对各卷主编的辛勤劳动和各位专家的全力支持、无私奉献表示衷心的感谢！对大家的科学精神表示敬佩！

在项目立项初期，白明博士在项目建议书的起草、成稿等方面做了大量工作；张雅林、廉振民等多位教授提出了许多宝贵意见；陕西省财政厅教科文处在项目申请和审批方面给予了诸多指导和帮助。在项目执行过程中，陕西省动物研究所领导给予了全力的支持，唐周怀研究员对野外工作给予了多方面的协调和帮助。

在本志编写过程中，尹文英院士、印象初院士、康乐院士分别给予了不同程度的鼓励、支持、指导和帮助，特别是尹文英院士在大病初愈的情况下欣然为本志写序，让我们深受鼓舞和激励！

在本志的统稿过程中，杨美霞博士付出了巨大的劳动，崔俊芝女士和郭明霞同学在文字整理、格式修改、学名审核等方面做了大量的工作。本书的出版，得到了世界图书出版有限公司的鼎力支持，特别是薛春民先生的全力支持与帮助，责任编辑同志亦付出了的艰辛的努力和辛勤的劳动，终使本志得以顺利出版。

我们谨借此对以上相关单位和个人，以及在项目执行和出版过程中提供帮助和做出贡献的同志表示衷心的感谢！

由于我们的水平所限，本志的错误和缺憾在所难免，诚望大家不吝赐教！

《秦岭昆虫志》编委会

2017 年 10 月于古城西安

Preface

Through the middle China from the West to the East, the Qinling Mountains provide a natural boundary between the Yangtze River and the Yellow River, the two major river systems in China. Located around the latitude 32°5′ – 34°45′N and the longitude 104°30′ – 115°52′E, they stretch from Lintao, Gansu Province in the west to Lushan, Henan Province in the east, with the length of 500km from west to east and the breadth of 140 – 200km from north to south. The west part of the Qinling Mountains is considerably steep, with higher elevations of 2000 – 3000m, while the east part is comparatively gentle, with lower elevation generally below 2000m. The Qinling Mountains are generally accepted as the boundary between Palaearctic and Oriental Regions, subtropical and warm temperate zones, as well as the north line of distribution of subtropical evergreen broad-leaved forests. This region is characterized by transition from one natural geographical condition to another and one geological structure unit to another. Furthermore, the Qinling Mountains, as the highest mountain in the east of the Qinghai-Tibet Plateau, have their own unique vertical landscape spectrum. Because of the special geographical location of the Qinling Mountains Range, it is rich in species diversity and has strong regional endemism, which constantly makes it research hotspot both for taxonomy and biogeography. However, the study of dipster fauna in this area is fragmented and still lacks systematic monographs.

In 1997, the Biotechnology Bureau of the Chinese Academy of Sciences established a major Project of "Comprehensive Survey and Evaluation of Biological Resources in Key Regions". In 1998 – 1999, the presider of this project investigated the western part of Qinling range and southern Gansu. On the basis of these expeditions, a monograph entitled *Insect Fauna of Mid-West Qinling Range and Southern Gansu* was published in 2005. This book is of great significance for the systematic study of insects in the western Qinling region. It has promoted the study of biodiversity in this region and made more people realize the importance of Qinling region. However, since its work is mainly concentrated on the west part of Qinling, there are little surveys in the mid-east part, which hardly reflects the true state of the insect fauna of the entire Qinling Mountains. In order to comprehensively and systematically evaluate and utilize the insect resources of the Qinling Mountains, funded by special expenses of Science and Technology Project from the Financial Department of Shaanxi Province, as well as the help from Shaanxi Academy of Sciences, we have carried out a three-year field survey since 2012. Based on the expedition results of the western region, we have paid more attention to the eastern part of the Qinling Mountains during the investigations. More than 120 researchers from over 10 institutions participated in the field work, including Shaanxi Institute of Zoology, Northwest A & F University, Shaanxi Normal University, Institute of Zoology, Chinese Academy of Sciences, Nankai University, Zhejiang University, Hebei University, China Agricultural University, Central South University of Forestry and Technology etc. Over half million insect specimens were collected, which would greatly improve the biodiversity data of insect fauna in the Qinling region and lay a good foundation for the compiling of the monograph *Insect Fauna of the Qinling Mountains*.

The compiling style of *Insect Fauna of the Qinling Mountains* is mainly in accordance with *Fauna Sinica*, and the sequence is based on the systematic relationship of the hexapod system. The compiling of each orderis according to the phylogenetic relationship and one family is taken as a unit. Below the family, the sequence of each genus is also according to the phylogenetic relationship, while below the genus, the arrangement of species is in alphabetical order. each species is sorted according to the first letter. Each category is accompanied by identification feature and identification key, and each genus, as well as each species has scientific citation. At the end, references are attached. In order to accurately reflect the work of every specialist, apart from the Editorial Board of *Insect Fauna of the Qinling Mountains*, the Editorial Board for each volume is also provided, and the authors for each family immediately follow the family name.

There are totally 12 volumes for *Insect Fauna of the Qinling Mountains*. Volume I is edited by Professor Lian Zhenmin, and includes apterygot insects, Ephemeroptera, Odonata, Plecoptera, Blattodea, Isoptera, Mantodea, Dermaptera, Orthoptera and Phasmatodea. Volume II is edited by Professor Bu Wenjun, and includes Hemiptera-Heteroptera. Volume III is edited by Professor Zhang Yalin, and includes Hemiptera-Homoptera. Volume IV is edited by Professor Hua Baozhen, and includes Psocoptera, Thysanoptera, Megaloptera, Raphidioptera, Neuroptera, Trichoptera and Mecoptera. Volume V (Coleoptera I) is jointly edited by Professor Yang Xingke and Ge Siqin, and includes Carabidae, Dytiscidae, Hydrophiloidea, Staphylinoidea, Scarabaeoidea, Dascilloidea, Byrrhoidea, Dryopoidea, Buprestoidea, Elateroidea, Cleroidea, Cujoidea and Tenebrionoidea. Volume VI (ColeopteraII) is edited by Dr. Lin Meiying, and includes

Vesperidae, Disteniidae and Cerambycidae. Volume Ⅶ (Coleoptera Ⅲ) is jointly edited by Professor Yang Xingke and Zhang Runzhi, and includes Chrysomeloidea (except Cerambycid-beetles) and Curculionoidea. Volume Ⅷ (Lepidoptera Ⅰ) is jointly edited by Professor Xue Dayong, Dr. Han Hongxiang and Jiang Nan, and includes large moths. Volume Ⅸ (Lepidoptera Ⅱ) is edited by Professor Fang Lijun, and includes exclusively butterflies. Volume Ⅹ is edited by Professor Yang Ding, Associate Prof. Wang Mengqing and Dr. Dong Hui, and includes Diptera. Volume Ⅺ is edited by Professor Chen Xuexin, and includes Hymenoptera. There are totally 4 classes, 27 orders, 334 families, 3325 genera and 7496 species of Hexapoda recorded in the 11 volumes of this series, including one new genus and 27 new species. For the new record, there are 12 genera and 34 species from China, as well as 42 genera and 260 species from Shaanxi Province. It should be noted that the contents of Microlepidoptera have been published previously by Professor Li Houhun, Nankai University, therefore, we haven't rewritten the same context. Besides, due to the unavailability of suitable specialists, some insect groups unavoidably are not covered in this series. In order to make up for this defect and systematically summarize the known species of insects, as well as make convenience for the readers, the book *Insect Fauna of Shaanxi Province*, was jointly compiled by Prof. Tang Zhouhuai and Dr. Yang Meixia, which will be the twelfth volume of this series.

Currently, 12 volumes have been completed and are ready for publication. The achievements should be addressed to the cooperation and collective intelligence of numerous entomologists throughout China. The project presiding institution and the editorial board are highly appreciated with all specialists' hard work, full support and unselfish dedication!

During the initial stage of the program, Dr. Bai Ming had contributed a lot to the drafting of the research proposal. Prof. Zhang Yalin and Prof. Lian Zhenmin had proposed many valuable comments. The Financial Department of Shaanxi Province had given a lot of guidance and helps during the application process and final approval of the program. During the conduction of the program, the authority of Shaanxi Institute of Zoology had given a full support to the research. Prof. Tang Zhouhuai had made a lot of coordination and assistances in the fieldwork.

In the preparation of this series of books, Academicians Yin Wenying, Yin Xiangchu and Kang Le had provided various degrees of encouragement, supports, guidance and help! In particular, Prof. Yin Wenying readily consented to write the preface even though she had just recovered from a severe illness, which really made us encouraged and inspired!

In the process of drafting preparation, Dr. Yang Meixia had paid a great labor. Mrs. Cui Junzhi and Miss Guo Mingxia had done a lot of work in word polishing, format adjustment, and terms checking. While, the publication of this series have obtained great support from World Publishing Corporation, especially Mr. Xue Chunmin. The executive editors have also made a lot of hard work.

We would like to express our heartfelt gratitude to the above-mentioned institutes and individuals, as well as those not mentioned above but provided various assistances in the implementation period of the program, drafting preparation and publication.

Due to the limitations of our expertise, there are inevitable mistakes and shortcomings in this series. We sincerely expect you to enlighten us with your instruction!

Editorial Board of *Insect Fauna of the Qinling Mountains*

目　录

叶甲总科 Chrysomeloidea

象甲总科 Curculionoidea

叶甲总科 Chrysomeloidea

杨星科　葛斯琴

（中国科学院动物进化与系统学重点实验室，中国科学院动物研究所，北京 100101）

　　叶甲也叫金花虫、金虫。前者是由于叶甲的大部分种类取食植物叶片而得名，后者是由于其大多数昆虫体色绚丽，具有明亮的金属光泽而得此名称。叶甲科 Chrysomelidae 是由 2 个拉丁化的希腊文组成，"Chrys"意为金色，"Meli"意为肢体，中间通过"o"相连，组合起来即金色肢体，主要是指成虫多具绚丽的体色。

　　叶甲种类繁多，是鞘翅目中仅次于象甲的最大类群之一，叶甲总科（不包括天牛科）在我国分布有 3700 多种（据杨星科统计）。我国幅员辽阔，地势复杂，气候自亚寒带延伸到热带，而叶甲的区系工作仍需大量展开，因此实际存在的种数应超过目前的统计数字。叶甲总科的秦岭昆虫区系非常丰富，本卷对该地区的叶甲总科种类进行了研究和较全面的记述，共计 5 科 122 属 302 种。

分科检索表

1.　中胸背板具发音器；各足胫端具 2 刺；阳茎具 1 对中突；触角一般较长；幼虫蛃茎，腹部背、腹面有步泡突 ································ 2
　　无以上综合特征 ································ 3
2.　触角着生在额突上，一般很长，接近或超过体长，端部细长，可向后贴背曲折；产卵管很长，与腹部约等长。幼虫前胸背板长度与中、后胸之和约相等 ··········· **天牛科 Cerambycidae**
　　触角较短，不着生在额突上，长度不达体长之半，端部数节较粗宽，不向后背曲折；产卵管长度远较腹部短。幼虫前胸背板明显短于中、后胸之和 ··········· **距甲科 Megalopodidae**
3.　前口式；后头较长，在眼后收狭呈颈状，复眼不与前胸板前缘贴近；前胸背板两侧无边框；阳基一般为环式，如系叉式，则臀板具发音器 ··········· **负泥虫科 Crioceridae**
　　亚前口式、下口式或后口式；后头较短，在眼后不收狭，复眼一般与前胸背板前缘贴近；前胸背板两侧有边框；如无以上特征，则前胸背板侧缘中部必有锯齿；阳基叉式，无臀板发音器 ··········· 4
4.　跗节 4 节，第 4、5 两节完全愈合，有时仅残留分节痕迹；头部向后倾斜，后口式，口器外露或部分隐藏在胸腔内；两触角着生处十分靠近 ··········· **铁甲科 Hispidae**
　　跗节 5 节或 4 节，如为 5 节，则第 4 节很小，呈环状；下口式或亚前口式，口器全部外露；两触角着生处远离或靠近 ··········· 5
5.　下口式；前唇基不明显；额唇基前缘凹入较深，两侧角或稍突出；前足基节窝关闭。幼虫以粪便做囊，匿居囊内，负囊行走（肖叶甲亚科除外） ··········· **肖叶甲科 Eumolpidae**
　　一般为亚前口式；前唇基分明；额唇基前缘较平直；前足基节窝关闭或开放。幼虫不做囊

一、距甲科 Megalopodidae

李开琴　梁红斌

（中国科学院动物进化与系统学重点实验室，中国科学院动物研究所，北京 100101）

鉴别特征：额瘤不显；触角短于体长，至多长及鞘翅中部，端部几节常较粗，外端角突出或触角为筒形、念珠状；前胸背板不具侧边框，但侧缘一般具瘤突；中胸背板具有发音器；鞘翅刻点排列不规则；后腿节常膨粗；胫节端部有距，距式为 2-2-2 或 1-2-2。

分类：距甲科为鞘翅目内种类较少的一个科，分为距甲亚科和小距甲亚科。全世界已知不到 400 种。

分亚科检索表

中型，长度大于 6mm；下唇舌分裂；爪单齿式，有爪间突；前胸背板侧缘中部无瘤，基部后角有 1 个瘤突。幼虫蛀茎，背腹面具步泡突 .... **距甲亚科 Megalopodinae**
小型，长度小于 6mm；下唇舌不分裂；爪附齿式，无爪间突；前胸背板侧缘近中部有瘤。幼虫潜叶 .... **小距甲亚科 Zeugophorinae**

（一）距甲亚科 Megalopodinae

鉴别特征：中等大小，体长 6~11mm。头部伸出，宽度稍大于前胸背板，眼大突出，卵圆形，内缘凹切深，头颈部较短；触角较短，向后略超过鞘翅基部，两触角着生处远离，第 5~10 节长宽近等，各节外端角突出。前胸背板大致为梯形或近方形，基部较前端稍宽，侧缘无边框，近后角常具 1 个瘤突；盘区常具前、后两条较深的横沟和 1 条中央纵沟，有时沟浅或不明显。小盾片梯形或三角形，具发音锉。鞘翅较宽，长方形或长形，肩胛方圆，基部两侧近于平行，后部收狭，两翅合成半圆形，刻点分散，粗细不一，盘区无明显坑洼。臀板较大，三角形，一般外露。后足腿节特别粗大，下缘近中部和后端具齿；胫节弯曲，雄虫尤甚，每足在端部具 2 距，距式 2-2-2，跗节爪简单，爪间突发育。后胸腹板每侧常具乳状突起。腹部各节向腹部中央收缩。

分类：全世界大约 26 属 280 多种，中国有 2 属近 30 种。本志记述了 2 属 3 种。

分属检索表

前胸背板有较深的前横沟和后横沟,侧缘无瘤突,仅在盘区后基角处隆起;后胸腹板无圆锥状瘤突;小盾片一般呈三角形,端部圆或稍凹;后足腿节无端齿 ……………… 沟胸距甲属 *Poecilomorpha*

前胸背板前横沟的两侧深,中部浅,后横沟浅或不显,侧缘有瘤突;后胸腹板具 1 对圆锥状瘤突;小盾片一般呈梯形,端部平截或稍凹;后足腿节具 1 ~ 2 个端齿 ……………… 突胸距甲属 *Temnaspis*

1. 沟胸距甲属 *Poecilomorpha* Hope, 1840

Poecilomorpha Hope, 1840:178. **Type species**: *Poecilomorpha passerini* Hope, 1840.

Clythraxeloma Kraatz, 1879:143. **Type species**: *Clythraxeloma cyanipennis* Kraatz, 1879.

Clytraxeloma Clavareau, 1913:13(unjustified emendation).

属征:体长方形,鞘翅两侧近于平行,体表被毛。眼大而突出,卵圆形,凹切深;头在眼后明显收狭,头顶中央有 1 个纵沟或圆形凹坑;触角 1 ~ 4 节筒状,5 ~ 10 节长宽约等,外端角突出。前胸背板近方形,前后端近等宽或后端稍宽,四角有多根刚毛;前缘较直,无边框;后缘在中部向后微拱,有边框,两侧无边框;侧缘向外膨出,在基部无瘤突;盘区前后横沟较深且完整,在中部相向拱出,在后角处有时稍隆。小盾片三角形,端部尖或凹入。后胸腹板稍隆,中央无乳状突起。足后腿节粗大,无端齿,但在下缘近中部有齿,一般雌虫无;后胫节十分弯曲,雄虫更明显。

分布:古北区,东洋区。秦岭地区有 1 属 1 种。

(1) 蓝翅距甲 *Poecilomorpha cyanipennis* (**Kraatz, 1879**)(图 1)

Clythraxeloma cyanipennis Kraatz, 1879:143.

Temnaspis cyanipennis: Kolbe, 1886:226.

Temnaspis(*Clythraxeloma*)*cyanipennis*: Heyden, 1887:261.

Poecilomorpha cyanipennis: Yu & Liang, 2002:119.

鉴别特征:体长 7.00 ~ 9.20mm。头和前胸背板棕黄色,带有黑色斑,眼内侧各有 1 个小黑斑;触角基部两节棕黄色,其余节黑色;鞘翅深蓝色,带金属光泽,鞘翅较宽,长宽比小于 2,翅后端较拱。雌雄虫后足腿节下缘中部均有 1 个齿,该齿纵轴与腿节垂直。

分布:陕西(宁陕)、黑龙江、辽宁、内蒙古、北京、江苏、江西、福建;俄罗斯(西伯利亚)、朝鲜。

图 1　蓝翅距甲 *Poecilomorpha cyanipennis*（Kraatz，1879）整体图

2. 突胸距甲属 *Temnaspis* Lacordaire，1845

Temnaspis Lacordaire，1845：716. **Type species**：*Megalopus javana* Guérin-Méneville，1844.
Colobaspis Fairmaire，1894：225. **Type species**：*Colobaspis flavonigra* Fairmaire，1894.

属征：长方形，鞘翅两侧缘近于平行，体表被毛。眼稍突出，有的种类眼很大（例如黑翅距甲 *Temnaspis insignis* Baly），头于眼后收狭，头顶中央有 1 个圆凹或纵凹，触角1～4节筒状，5～10 节长宽近等，外端角突出。前胸背板方形，前端一般较基部狭，前缘较直，无边框，后缘平拱，有边框，侧缘自前向后扩展，或每侧稍向外膨出，后角具齿突或基瘤，盘区前横沟常在中部消失，两端较深，后横沟一般浅且不显。小盾片梯形，端缘平直或微凹。后胸腹板中央具 1 对乳状突。足后腿节粗大，后腿节端部 1/4 有 1 个或 2 个齿；雄虫后腿节下缘近中部常有 1 个齿，雌虫一般则无；后胫节弯曲，雄虫更显著。

分布：古北区，东洋区。秦岭地区已知 2 种。

分种检索表

前胸背板基瘤尖;前胸背板黑色;腹面黑色,腹部黄色略带小黑斑;足黑色,后足腿节端部黄色 ……
………………………………………………………………………… 肩斑距甲 *T. humeralis*

前胸背板基瘤矮,瘤顶端略圆;前胸背板棕黄色;腹面全棕黄色;足黑色,各足均具棕黄色斑 ………
………………………………………………………………………… 黄距甲 *T. pallida*

(2) 肩斑距甲 *Temnaspis humeralis* Jacoby, 1890(图2)

Temnaspis humeralis Jacoby, 1890: 86.

Colobaspis humeralis: Jacoby & Clavareau, 1905: pl. 1, fig. 10.

鉴别特征:体长9.50~12.50mm。头和前胸背板黑色;鞘翅棕黄色,肩部有1个黑斑,每翅中部偏后有1个小圆黑斑;腹面仅腹部棕黄色,其余全黑色;足大部分黑色,后腿节端缘棕黄色。后腿节端部外侧有1个长齿。

采集记录:1头,宁陕火地塘,1600~1700m,1998.VII.28。

分布:陕西(宁陕)、湖北、四川。

图2　肩斑距甲 *Temnaspis humeralis* Jacoby, 1890 整体图

(3) 黄距甲 *Temnaspis pallida* (Gressitt, 1942)

Colobaspis pallida Gressitt, 1942: 290.

Temnaspis pallida: Gressitt & Kimoto, 1961: 35.

　　鉴别特征:体长 8.50~12.50mm。背面、腹面棕黄至棕红色,翅端部 1/3 颜色稍淡;头部额中央有 1 个大黑斑,复眼内侧有 1 个小褐斑,头顶中央常有 1 个浅褐色斑,唇基两端与上颚连接处黑色,触角黑色,上唇基半部黑色;前胸背板黄色,或隐约有浅色斑;小盾片基半部黑色;鞘翅肩瘤黑;足黑色,前足、中足基节一部分黄色,后基节黄色,前足、中足胫节腹缘常黄色;后腿节背缘和后端大部黄色;中胸前侧片黑色。后腿节端部外侧有 1 个长齿。体表刻点粗大。

　　分布:陕西(宁陕)、浙江、江西、福建。

（二）小距甲亚科 Zeugophorinae

　　鉴别特征:体小型,一般小于 6mm。体表背腹面均被刻点和毛;眼圆形或卵圆形,内缘凹切深或浅;头部在眼后稍狭,头颈部较短;额唇基沟弧形或中部往内侧凹;触角较短或略长,念珠状、筒状,有时端部几节锯齿状。前胸背板前后缘较平;侧缘在近中部有 1 个明显瘤突,后角有 2~4 根刚毛,或无刚毛;盘区一般具较密的刻点。小盾片三角形或梯形,中部收狭,较窄,端部凹或不凹。鞘翅方形,两侧近平行,或中部向后稍膨阔,肩部稍往前伸展,端部宽圆。后腿节与前中足近等或稍膨大,较弯,下缘无齿突;胫节略弯或较直,胫节端距式为 1-2-2;跗节一般较宽,爪附齿式,无爪间突。雌雄两性外形差异不大,有些种类的雄虫腹板末节中央具 1 条隆脊。

　　生物学:幼虫潜叶,体扁平,体表毛稀而长。头壳扁平,前口式,无单眼,触角 3 节。胸部与腹部近等宽,无足,前胸背板骨化较强,中、后胸背面各有 1 条浅横沟。腹部 10 节,第 1~8 各节两侧有瘤突,瘤顶端具 1 根长毛,第 1~9 腹节背面有 1 条浅横沟。气门较小,中胸和第 1~8 腹节各 1 对。

　　分类:全世界共有 2 属近百种,中国有 1 属 30 多种。本志记述了 1 属 2 种。

3. 小距甲属 *Zeugophora* Kunze，1818

Zeugophora Kunze, 1818: 71. **Type species**: *Crioceris subspinosa* Fabricius, 1781.

Taraxis LeConte, 1850: 237. **Type species**: *Taraxis abnormis* LeConte, 1850.

Macrozeugophora Achard, 1914: 288. **Type species**: *Macrozeugophora ornata* Achard, 1914.

　　属征:体型较小,体表粗糙,被粗大刻点及卧毛;复眼卵圆形,稍突出,内缘凹切浅,额区前端缘中央有 1 个三角形的小凹坑,唇基横宽,略弯拱,头顶与后头之间常有 1 个横凹为界,凹内常具密刻点;前胸背板近方形,侧缘平行,侧瘤圆形或锥形,在侧缘中部或偏前,盘区基缘前有时具 1 条横沟,后角不具刚毛。鞘翅两侧接近平行,肩部稍往前突出,刻点粗大且一般不规则。后腿节与前中足近等或稍膨大,较弯,下缘无齿突;胫节略弯或较直,胫端距式为 1-2-2;跗节一般较宽,爪附齿式,无爪间突。雌虫末腹板端部常有 1 个深凹,雄虫则无。

分布:古北区,新北区,非洲区。

讨论:此属含 *Zeugophora* 和 *Pedrillia* 两个亚属,部分学者认为 *Pedrillia* 为单独的属,在此书中我们把它作为 *Zeugophora* 属的一个亚属。秦岭仅发现 *Zeugophora* 亚属 2 个种。

分种检索表

鞘翅棕黄色,两翅中央有 1 个锚形黑斑;前胸背板棕黄色,中纵区褐色;触角 1~4 节黄色,余节黑色;足黄色 ···························· **锚小距甲 Z.（Z.）*ancora***

体背全深蓝或稍带绿色;触角棕黑色,1~4 节略带黄色;足棕黑色或棕黄色 ····························· **蓝小距甲 Z.（Z.）*cyanea***

（4）锚小距甲 *Zeugophora*（*Zeugophora*）*ancora* **Reitter,1900**（图 3）

Zeugophora ancora Reitter,1900:164.

Zeugophora var. *pseudancora* Reitter,1900:165.

Zeugophora（*Pedrillia*）*ancora*:Jolivet,1957:12.

图 3　锚小距甲 *Zeugophora*（*Zeugophora*）*ancora* Reitter,1900 整体图

鉴别特征:体长 3.00～3.50mm。前胸背板棕黄色;鞘翅棕黄色,翅缝和鞘翅近端部棕黑色,这些棕黑色斑相连呈一船锚形,翅顶端部棕黄,缘折黑色,鞘翅黑斑的大小在个体间的变异较大。前胸背板侧瘤最宽处在中部略前,侧瘤突伸,其后缘近乎水平,和前胸侧缘接近呈直角。

分布:陕西(宁陕)、东北、内蒙古、宁夏、甘肃、青海;俄罗斯。

(5) 蓝小距甲 *Zeugophora* (*Zeugophora*) *cyanea* Chen, 1974(图 4)

Zeugophora cyanea Chen, 1974:44.

鉴别特征:体长 2.80～3.30mm。体背深蓝色或棕黑色,带金属光泽;触角近黑色,基部 2～4 节和口器有时呈棕黄色;足腿节近深褐色,基节、胫端和跗节常棕黄色。前胸背板侧瘤圆形,瘤后缘和前胸侧缘夹角为钝角,瘤后缘凹较深;盘区拱起,中央稍呈一纵脊。鞘翅两侧近于平行。

分布:陕西(宁陕)、青海、四川、云南。

图 4　蓝小距甲 *Zeugophora* (*Zeugophora*) *cyanea* Chen, 1974 整体图

二、负泥虫科 Crioceridae

李开琴　梁红斌

（中国科学院动物进化与系统学重点实验室，中国科学院动物研究所，北京 100101）

鉴别特征：体中到大型，体色各异，表面光洁，带金属光泽。具有前口式或亚前口式头型，头部具"X"形沟。前胸背板筒形，侧缘光滑无边框，明显较鞘翅基部为狭。雄性阳茎在茎甲亚科和水叶甲亚科里为环式，在负泥虫亚科里为叉式。

分类：负泥虫科是叶甲总科朝向高一级叶甲发展的另一支系的原始类群。它包括茎甲亚科 Sagrinae、水叶甲亚科 Donaciinae 和负泥虫亚科 Cricerinae。茎甲亚科体硕大粗壮，色泽鲜艳，主要分布在东方热带及亚热带。水叶甲体背稍平扁，流线型，是总科内唯一适应水生的类群，一般发生在温带，全北区分布。负泥虫亚科是科内最大的类群，以食叶为主，经济意义较大，亦是科内最进化的类群，全世界分布。

分亚科检索表

1. 体硕大，色泽鲜艳；上颚单齿，下唇舌膜质，分二叶；鞘翅刻点分散，排列不规则；前胸腹板在基节间较宽；胫节端无距。幼虫陆生蛀茎，做虫瘿 ·················· **茎甲亚科 Sagrinae**
   体较小；上颚多齿，下唇舌骨化，完整不分叶；鞘翅刻点排列成纵行；前胸腹板在基节间极狭；胫节有距 1~2 个。幼虫水生或陆生，不做虫瘿 ··············· 2
2. 体流线型，稍扁；腹面有拒水毛；眼圆形，无凹切；头部额沟浅细；前中后足胫节距 1-1-0；第 1 跗节长度为以后 4 节之和；阳基环式。成虫、幼虫水生或半水生 ·········· **水叶甲亚科 Donaciinae**
   体型不如上述；腹面毛被稀疏；眼卵圆形，内缘有凹切；额沟一般较深，"X"形；胫节端距 2-2-2；第 1 跗节长度小于以后 4 节之和；阳基叉式。成虫、幼虫均陆生 ····· **负泥虫亚科 Cricerinae**

（一）水叶甲亚科 Donaciinae

鉴别特征：成虫头尾较狭，或多或少呈流线形或梭形，稍扁；腹面生有浓密的不透水的银色毛被；腹部第 1 节很长，一般超过或等于其余 4 节的总和；头向前下方伸出，头部有 1 条细纵沟，但不呈"X"形状；复眼完整无凹切。体背一般光洁，少数种类前胸背板具毛。鞘翅一般狭长，基部较宽，渐渐向后收狭，端缘平截或内凹，外端角有时突出，中缝在近端部的"下边缘"有时明显膨阔，刻点粗大，排列成行。足细长，腿节有时稍粗，下缘常具齿，胫节较细，跗节颇狭，爪节比前几节长很多。幼虫水生，食根或食茎。

生物学:水叶甲亚科是叶甲科内唯一适应水生的类群。

分类:主要分布在北半球全北区,东洋区、非洲区的分布范围较狭且分散。全世界已知 7 或 8 属,近 170 种。中国已知 5 属 40 种,本志记述了 1 属 1 种。

4. 水叶甲属 *Donacia* Fabricius, 1775

Donacia Fabricius, 1775: 195. **Type species**: *Donacia crassipes* Fabricius, 1775.

Donacocia Gistel, 1856: 377. **Type species**: *Donacia brevicornis* Ahrens, 1810.

Donaciella Reitter, 1920: 38. **Type species**: *Donacia tomentosa* Ahrens, 1810.

Pseudodonacia Reitter, 1920: 27. **Type species**: *Donacia kraatzi* Weise, 1881.

Cyphogaster Goecke, 1934: 215. **Type species**: *Donacia provostii* Fairmaire, 1885.

Plateumaroides Iablokoff-Khnzorian, 1962: 117. **Type species**: *Donacia fastuosa* Iablokoff-Khnzorian, 1962(= *Donacia kraatzi* Weise, 1881).

Donaciomima Medvedev, 1973: 876. **Type species**: *Donacia clavareaui* Jacobson, 1906.

Askveldia Kippenberg, 1994: 20. **Type species**: *Donacia recticulata* Gyllenhal, 1817.

属征:背面颜色多样,有青铜、古铜、蓝、绿、黑、黄等色,有金属光泽,鞘翅刻点颜色基本同鞘翅;触角中度长,第 3 节长度一般小于第 4 节,不及第 2 节的 2 倍;鞘翅外角不突出呈刺状,翅缝缘直达翅端或仅露有狭窄的缝缘片;腹部第 1 节较长,为以后各节之和,雌虫第 8 腹节正常;跗节腹面毛发育,第 3 节分为双叶,跗爪节长明显短于前几节之和。

分布:世界广布。秦岭地区发现 1 种。

(6) 长腿水叶甲 *Donacia provosti* Fairmaire, 1885(图 5)

Donacia provosti Fairmaire, 1885: 64.

Donacia brevicollis Weise, 1898: 177.

Donacia nitidicollis Weise, 1898: 177.

Donacia sikanga Gressitt, 1942a: 277.

Donacia yuasai Nakane, 1963: 18.

鉴别特征:体长 6～9mm;体基底淡棕色,具铜绿色金属光泽;触角第 2 节长度为第 3 节的 2/3;前胸背板前瘤突出不明显,前背折缘有密毛区,盘区横皱细密,刻点细小;后腿节端部下缘具 1 个齿突;雄虫第 1 腹节中央有 1 对小突起。

分布:陕西(宁陕、汉中、榆林)、河北、山东、河南、江苏、安徽、浙江、湖北、湖北、江西、福建、台湾、海南、广西、四川、贵州;朝鲜,日本,俄罗斯(东西伯利亚),中南半岛。

图 5　长腿水叶甲 *Donacia provosti* Fairmaire，1885 整体图

（二）茎甲亚科 Sagrinae

鉴别特征：茎甲亚科是叶甲总科中一个较为原始的亚科。体型宽大；头部向前伸出，复眼凹切明显，颜面"X"形沟比较深，上颚端部不分齿，唇舌较大且前缘中部分裂。鞘翅后部 1/3 收狭明显，刻点浅细，一般无规则的刻点行；后腿节一般极粗壮，雄虫尤甚，雄虫后腿节端部具齿突。幼虫蛀茎，并于茎干中形成虫瘿，结茧化蛹。

分类：茎甲亚科有 12 属，其中 8 属为澳大利亚所特有，余下的 4 属分布于南美洲、亚洲、澳洲和非洲。中国 1 属 8 种，主要分布于南方，本志记述了 1 属 1 种。

5. 茎甲属 *Sagra* Fabricius, 1792

Sagra Fabricius, 1792：51. **Type species**：*Tenebrio femoratus* Drury, 1773.

Tinosagra Weise, 1905：33. **Type species**：*Sagra tristis* Fabricius, 1798.

Prosagra Crowson, 1946：106. **Type species**：*Sagra jansoni* Baly, 1860.

Sagrina Crowson, 1946：106（nec d'Orbigny, 1839）. **Type species**：*Sagra carbunculus* Hope, 1842.

Orthosagra Crowson, 1946：106. **Type species**：*Sagra bicolor* Lacordaire, 1845.

Sagrinola Monrós *et* Bechyné, 1956：1120（new name for *Sagrina* Crowson, 1946）.

　　属征：体中至大型。色泽鲜艳，有紫红、金红、蓝绿、红绿、金绿、蓝紫、黑色等，有强烈的金属光泽。背腹面光洁，仅雄虫腹部局部和后足局部被毛。头部较长，口器朝向前下方伸出，后头发达，眼凹切，眼后缘远离前胸背板前缘；颜面具一条粗深的"X"形额沟；头顶稍隆，前端形成锐角，基部中央常有凹窝，后头较长，与头顶间有横凹为界，紧靠额沟中部两侧，为近四边形的额瘤。触角基部靠近复眼内缘，长度常超过体长之半，筒形，第 1 节粗壮，第 2 节极短，环形，第 5 节之后渐长且粗，末节最长，端部稍狭扁，基部 5、6 节光亮，刻点较稀，以后几节幽暗，刻点极密。前胸背板极狭，接近方形，侧缘无边框，前角常略突出呈圆形。小盾片较小，舌形。鞘翅一般较宽阔，基部明显较前胸宽，两侧在肩后膨出，后部渐收，盖过臀板；肩胛稍隆，肩瘤显突；肩沟低洼，基凹常不明显，翅基部常隆起；刻点稀密不一，分散或排列成不规则纵行，有时仅肩沟或肩后的刻点清楚，一般外缘最后一行刻点较为整齐；除刻点外，翅表常有许多或深或浅的不规则刻纹；缝缘较平坦，在后端稍分离，端前缝缘底边外露，无缝角刺或外端刺，缘折不发育，稍隆，在端前消失。前胸腹板在基节间狭窄，中胸腹板在中足基节之间有时突起，突起端部呈马蹄状，中、后胸腹板中部一般隆起。腹部光洁，可见 5 节，一些类群雄虫腹部第 1 节中纵区凹洼、被毛或光洁。足腿节较粗，后腿节尤甚，后腿节端部下缘常有小齿，一些类群腿节下缘里侧有纵凹槽，槽内具密毛，另外腿节基部里面或端部里面常有小毛区；胫节一般较直或弯曲，末端狭尖，无距，跗节宽大，两叶发达，腹面毛较密，爪单齿式。雄虫后腿节特别粗或长，下缘端部具明显齿突，胫节端半部常加宽，腹面形成凹面，常具毛，末端较尖，外缘近中部或端前部具角状长枝、短枝或钝齿，在内缘近端部亦具较短齿突，或者内外齿等长，两齿与胫端分别形成里外 2 个凹口。

　　分布：亚洲（南部），非洲，南美洲，澳大利亚。秦岭地区记录 1 种。

（7）紫茎甲 *Sagra*（*Sagrinola*）*fulgida* **Weber**，**1801**（图 6）

Sagria fulgida Weber，1801：62.

Sagra leechi Jacoby，1888：339.

Sagra minuta Pic，1930：37.

Sagra fulgida janthina Chen，1942：105.

Sagra minuta insuturalis Pic，1953：8.

Sagra subalutacea Pic，1953：8.

　　鉴别特征：鞘翅深蓝、金绿或金红，具光泽或稍暗，头部、前胸背板、小盾片、足和体腹面绿色、蓝色或接近橙色，有金属光泽，少数个体较暗。前胸背板前瘤下沿无沟，背板盘区刻点较多；雄虫第 1 腹节中央光滑无毛，后腿节腹缘常密生丛毛，端部下缘有 3 个小齿，后胫节端部极度弯曲，外缘中部具 1 个长齿，里缘具 1 个小齿，分别在外缘和里缘形成 1 个凹口，腹面凹洼具毛；雌虫腿节下缘具小锯齿，后端 1 个小齿，后胫节末端简单，突伸呈角状。

分布:陕西(南郑)、湖北、江西、福建、广东、广西、四川、贵州。

图 6　紫茎甲 *Sagra*(*Sagrinola*)*fulgida* Weber, 1801 整体图

（三）负泥虫亚科 Criocerinae

　　鉴别特征:体长形或长方形,不特别宽大;颜面有一个清楚的"X"形沟,其末端常与眼后沟相接;复眼内缘凹切;触角丝状,端部几节有时扁平;前胸无边框,近乎方形或筒形,背板两侧在中部或基部收狭,背板常隆起,有 1~2 条横沟或凹;鞘翅狭长,两侧近乎平行,后端稍收狭,末端相合呈圆形,刻点行整齐,一般有 11 行,小盾片刻点行清楚,少数种类消失;足较短,腿节较粗,后腿节无齿,胫节端部常有距,爪单齿式,在基部合并或分离。幼虫食叶,因其幼虫将排泄物堆积于体背的习性,故名负泥虫。

　　分类:负泥虫亚科昆虫广布世界各地,主要在热带东南亚。本志记述了秦岭地区 3 属 16 种。

分属检索表

1.　爪基部合 ·· 2
　　爪基部分开 ·· **分爪负泥虫属** *Lilioceris*
2.　头顶端角大于90°,后头(头顶后方)短,宽大于长;触角短粗,6~10 节长明显小于其宽的 2 倍;

前胸背板无明显横沟,仅在基部有横凹 ……………………………………… **禾谷负泥虫属 Oulema**
头顶端角小于90°,后头长大于其宽;触角一般较长,6～10节长常为其宽的2倍;前胸背板一般
有1～2条横沟 ……………………………………………………… **合爪负泥虫属 Lema**

6. 合爪负泥虫属 *Lema* Fabricius, 1798

Lema Fabricius, 1798: 90. **Type species**: *Chrysomela cyanella* Linnaeus, 1758.

属征:小到中型,一般长5～9mm。背面蓝色及棕黄色居多,鞘翅常具色斑或条斑。头部在眼后收狭;眼卵圆形,内缘凹切;额沟后支较前支稍深,末端与后头沟相接;头顶中央常有纵沟或凹,两侧隆起,端角小于直角,后端一般与后头以后缘为界;后头稍隆。唇一般横方形,一些种类中部隆起,在前缘中央突出;上颚有2～3齿;下颚须末节形状变化较大,多数长形,端部收狭,有的粗短或膨大呈球形。触角念珠状,一般长过体长之半。前胸背板近方形,长宽近等,侧缘中部内凹,侧凹常较深,背面常具3条横沟,分别位于侧凹前、侧凹后及近基缘。前横沟较浅,中部常中断,有时仅留凹痕或全消失;后横沟一般较深且完整,基横沟较弱,一般有粗或细的刻点,中纵区及前缘的刻点较为稳定。鞘翅长过于宽,翅基部在两翅基沟及基凹前常隆起;刻点行完整,排列成纵行,小盾片行刻点在本属中变化较大,在 *Petauristes* 亚属中没有小盾片行刻点,在 *Lema* 亚属中,该行刻点明显较大。足中度长,个别的种雄虫后腿节形态变化较大,腿、胫节一般无齿,胫端具2距,爪简单,基部合生。

分布:世界广布。秦岭地区发现6种。

分亚属检索表

鞘翅无小盾片行 …………………………………………… **捷负泥虫亚属 Lema(Petauristes)**
鞘翅有小盾片行或仅有1～2个刻点 …………………………… **合爪负泥虫亚属 Lema(Lema)**

6-1. 合爪负泥虫亚属 *Lema* Fabricius, 1798

Lema Fabricius, 1798: 90. **Type species**: *Chrysomela cyanella* Linnaeus, 1758.
Atactolema Heinze, 1927: 163. **Type species**: *Lema australis* Lacordaire, 1845.
Trichonotolema Heinze, 1927: 165. **Type species**: *Lema coelestina* Klug, 1835.
Pseudolema Pic, 1928: 96. **Type species**: *Lema akinini* Heyden, 1887.
Sulcatolema Pic, 1928: 96. **Type species**: *Leptura coromandeliana* Fabricius, 1798.
Microlema Pic, 1932: 33(new name for *Pseudolema* Pic, 1928).

分种检索表

1. 前胸背板平坦无横沟;前胸背板青黑色,具金属光泽,被较多的粗刻点;鞘翅棕黄色,每翅一般有

　5 个黑色斑,小盾片行仅有 1 个刻点,位于第 1、2 刻点行基部之间 ……………………………
　　………………………………………………………… **枸杞负泥虫 *L.*（*L.*）*decempunctata***

　前胸背板仅有 1 条后横沟 …………………………………………………………………… 2

2.　背面全棕黄至棕红;腹面全黑色或部分黑色;3 对足及体腹面均黑色;前胸背板前缘在前角之间
　较拱起;鞘翅基凹较深,刻点稀疏,排列不齐,末端刻点稍小 ……　**鸭跖草负泥虫 *L.*（*L.*）*diversa***

　背面全蓝色 …………………………………………………………………………………… 3

3.　头顶平坦,上唇近半圆形,前端中央隆突;触角较短,一般不超过翅基的 1/4,端部几节节长为宽
　的近 3 倍;前胸背板刻点较粗大,但后横沟之前光洁,无粗大刻点;腹部全黑色 …………………
　………………………………………………………………… **小青负泥虫 *L.*（*L.*）*cyanella***

　头顶隆起,上唇非半圆形;触角细长,端前节节长为宽的近 2 倍;前胸背板较平坦,刻点较细,或
　粗细混淆;腹部黑色,后 3 节常黄色 ……………………………　**蓝负泥虫 *L.*（*L.*）*concinnipennis***

（8）小青负泥虫 *Lema*（*Lema*）*cyanella*（Linnaeus，1758）

　　Chrysomela cyanella Linnaeus，1758：376.

　　Crioceris cyanella：Fabricius，1775：121.

　　Lema cyanella：Fabricius，1798：93.

　　Lema puncticollis Curtis，1830：323.

　　Lema rugicollis Suffrian，1841：97.

　　Lema cyanella var. *obscurior* Pic，1887：3.

　　Lema sapporensis Matsumura，1911：140.

　　Lema inaequalicollis Pic，1924：13.

　　Lema cyanella ab. *nigricans* Jacobs，1926：166［unavailable name］.

　　Lema（*Lema*）*cyanella*：Monrós，1959：245.

　　Lema nigricans Monrós，1959：181［unavailable name］.

　　鉴别特征:背腹面铜蓝色,鞘翅具明显金属光泽,触角和足接近黑色,腹部、腹面全
黑色;头顶平坦,上唇近半圆形,前端中央隆突;触角较短,一般不超过翅基的 1/4,端
部几节节长接近宽的 3 倍;头顶平坦,其后有红斑;前胸背板刻点粗密,但后横沟之前
光洁,无粗大刻点;腹部毛被稀疏,第 1 节腹板中央光洁,雄虫在前端有 1 条纵脊。

　　分布:陕西(秦岭)、黑龙江、吉林、辽宁、内蒙古、甘肃、新疆、台湾、四川;蒙古,俄
罗斯,朝鲜,哈萨克斯坦,欧洲。

（9）蓝负泥虫 *Lema*（*Lema*）*concinnipennis* Baly，1865（图 7）

　　Lema concinnipennis Baly，1865b：157.

　　Lema haemorrhoidalis Weise，1889：576.

　　Lema kiotoensis Pic，1924：12.

　　Lema atriventris Pic，1924：13.

　　Lema inaequalicollis Pic，1924：13.

Lema concinnipennis var. *ventralis* Kuwayama, 1932：69.

Lema(*Sulcatolema*)*concinnipennis*(Baly)：Chûjô, 1951：106.

Lema(*Lema*)*concinnipennis*：Monrós, 1959：183.

图7　蓝负泥虫 *Lema*(*Lema*)*concinnipennis* Baly, 1865 整体图

鉴别特征:体背面深蓝色,具绿色光泽,触角、足和体腹面蓝褐色,腹部末3节常棕黄色;触角细长,端前节节长为宽的近2倍;头顶隆起,其后无红斑;前胸背板较平,刻点较细,或粗细混淆;胫节无齿;腹部毛被稀薄,第1腹节两侧毛较稀少、光亮。

采集记录:17头,佛坪窑沟,1998.Ⅶ.25;1头,宁陕火地塘,1580m,1998.Ⅷ.22。

分布:陕西(佛坪、宁陕)、吉林、北京、河北、山西、河南、甘肃、江苏、安徽、浙江、湖北、江西、湖南、福建、台湾、广东、广西、四川、贵州、云南;朝鲜,日本,菲律宾,土耳其。

(10) 枸杞负泥虫 *Lema*(*Lema*)*decempunctata*(Gebler, 1830)

Crioceris 10-punctata Gebler, 1830：196.

Lema rubropunctata Gebler, 1830：196.

Lema decempunctata japonica Weise, 1889：562.

Lema semiobliterata Pic, 1907：112.

Lema decempunctata japonica var. *brunneipennis* Kuwayama, 1932：80.

Lema decempunctata：Liu, 1935：114.

Lema decempunctata f. *kiautschauna* Heinze, 1943：106.

Lema 10-punctata var. *nadari* Pic, 1945：13.

Lema nankinea Pic, 1945：13.

Lema(*Microlema*)*decempunctata japonica*：Chûjô, 1957：1.

　　鉴别特征:头部(包括触角)、前胸背板和小盾片铜黑色,有紫色金属光泽,头顶基部每侧有1个棕黄色斑,鞘翅棕黄至棕红,每翅一般有5个黑斑,肩部有1个小的,其余4个斑较大,每个鞘翅在中缝和外侧的中部及端部不远处各一个,黑斑有时消失或全无,足色变异较大,有全黑色的,亦有棕黄色,仅基节和腿节端部黑色或跗节亦黑色、腹面胸部黑色、腹部中央黑色、周缘和各节端缘棕黄色的;前胸背板平坦无横沟,被较多的粗刻点;小盾片行仅有1个刻点,位于第1、2刻点行基部之间。

　　分布:陕西(临潼)、黑龙江、吉林、内蒙古、北京、河北、山西、山东、河南、宁夏、甘肃、青海、新疆、安徽、浙江、湖北、江西、湖南、福建、广东、四川、西藏;蒙古,日本,哈萨克斯坦。

(11)鸭跖草负泥虫 *Lema*(*Lema*)*diversa* Baly,1873

　　Lema diversa Baly,1873:71.

　　Lema lewisii Baly,1873:72.

　　Lema chinensis Jacoby,1890:85.

　　Lema coreana Pic,1924:13.

　　Lema diversa var. *doii* Kuwayama,1932:78.

　　Lema cyaneohumeralis Heinze,1943:106.

　　Lema quadriplagiata Heinze,1943:106.

　　Lema suturalis Heinze,1943:107.

　　鉴别特征:头部(头顶前部黑色)、前胸背板,小盾片和鞘翅棕红,触角、口器和足黑色,腹面胸部(包括前胸背板两侧)黑色,腹部大部黑色,腹节侧缘和末腹节棕红;前胸背板前缘在前角之间较拱起;鞘翅基凹较深,刻点稀疏,排列不齐,末端刻点稍小。

　　分布:陕西(佛坪、南郑)、黑龙江、吉林、辽宁、北京、河北、山东、河南、江苏、安徽、浙江、江西、福建、广东、广西、四川、贵州;俄罗斯,朝鲜,日本。

6-2. 捷负泥虫亚属 *Petauristes* Latreille,1829

　　Petauristes Latreille,1829:136. **Type species**:*Lema crassipes* Olivier,1808.

　　Bradylema Weise,1901:146. **Type species**:*Bradylema rusticella* Weise,1901.

　　Bradylemoides Heinze,1930:28. **Type species**:*Crioceris grossa* J. Thomson,1858.

　　Enoploplema Heinze,1943a:23. **Type species**:*Lema adhaerens* Weise,1913.

分种检索表

下颚须末节长形,端部渐狭,节长常超过宽的2倍,不宽于前节;背面单一色,棕黄至棕红;足和腹面全黑色;鞘翅后部行距十分隆起;触角粗短;前胸背板刻点微细 …… **短角负泥虫 L.**(**P.**)*crioceroides*

下颚须末节膨粗,近圆形或顶端钝平,节长不及宽的 2 倍,宽于前节;头部、前胸背板棕黄至棕红,触角黑色,鞘翅深蓝或绿色,足棕红色,胫节、跗节黑色,后胫节基端及腹面大部常保持棕红色,后腿节背面有时具有黑斑或各腿节均有;鞘翅行距平坦;触角细长,超过体长之半;前胸背板刻点较粗,中央有 1 对纵列刻点行 ……………………………………… **红胸负泥虫 L. (P.) fortunei**

(12) 短角负泥虫 *Lema (Petauristes) crioceroides* Jacoby, 1893

Lema robusta Jacoby, 1892: 869(nec Lacordaire, 1845).

Lema crioceroides Jacoby, 1893: 271(new name for *Lema robusta* Jacoby, 1892).

Lema semiopaca Pic, 1931: 139.

鉴别特征:背面褐红色,触角和足黑色,腹面头部和前胸部分黑色,中胸、后胸和腹部黑色;触角粗短,端前节长明显小于宽的 1.50 倍;鞘翅后部行距十分隆起。

分布:陕西(宁陕)、浙江、广东、海南、广西、云南;越南,老挝,泰国,印度,缅甸。

(13) 红胸负泥虫 *Lema (Petauristes) fortunei* Baly, 1859(图 8)

Lema fortunei Baly, 1859: 148.

Lema (Petauristes) postrema Bates, 1866: 353.

鉴别特征:体棕红色;头部、前胸背板和小盾片棕红色;口须端部黑色;触角除基部 1、2 节棕红色外,余节为黑色;鞘翅深蓝紫色,具金属光泽;足棕红色,胫节、跗节黑色,后胫节基端及腹面大部常保持棕红色,后腿节背面有时具有黑斑或各腿节均有;下颚须末节膨粗;前胸背板刻点较粗,中央有 1 对纵列刻点行。

分布:陕西(周至、长安)、北京、河北、河南、甘肃、新疆、江苏、安徽、浙江、湖北、江西、福建、台湾、广东、海南、广西、四川、贵州;朝鲜,日本。

图 8　红胸负泥虫 *Lema (Petauristes) fortunei* Baly, 1859 整体图

7. 分爪负泥虫属 *Lilioceris* Reitter, 1913

Lilioceris Reitter, 1913: 79. **Type species**: *Chrysomela mergigera* Linnaeus, 1758.
Bradyceris Chûjô, 1951: 82. **Type species**: *Crioceris lewisi* Jacoby, 1885.
Chujoita Monrós, 1960: 148. **Type species**: *Crioceris camelus* Duvivier, 1884.

属征: 中等大小。红褐色者居多,亦有蓝色或黑色,有些种类鞘翅上有花斑。胸部及腹部腹面具被毛,后胸腹板及前侧片的毛常被作为分种的重要依据。头长宽约相等,眼后明显收狭,划分出头颈部。眼突出,内缘凹切明显,眼后沟远离眼后缘,与"X"形沟相接。额瘤光洁,常隆起。触角细长或粗短,伸达或超过肩胛。前胸接近筒形,背板两侧近中部内凹,在胸部两侧形成凹面;近基缘常有 1 个浅横凹,具刻点或光洁,前部中央一般有 1~2 纵行细刻点。小盾片舌形或三角形,光洁或基部有毛,或完全被毛。鞘翅较宽,基部 1/4 常隆起,肩胛近于方形,有刻点行,基部的刻点常较后部的粗大,有些种类后部刻点完全消失;行距平坦,端部常隆起,具小盾片刻点行。足后胫节有 2 距,两爪基部分开。

分布: 亚洲,欧洲,非洲,大洋洲,北美洲,南美洲。秦岭地区发现 6 种。

分种检索表

1. 鞘翅黑色,每翅肩部有 1 个近方形橙黄色斑,斑上有 2 个小黑斑,分别位于肩瘤及靠近其内缘处 ·· 斑肩负泥虫 **L. scapularis**
   鞘翅单一色 ·· 2
2. 鞘翅基部刻点大,向后渐小,端部行距微隆或不隆起 ··································· 3
   鞘翅刻点较粗,大小在翅前后相差不大,后部行距(至少在外侧)隆起 ········· 4
3. 触角较短,约为体长的 1/3;后胸腹板被零星长毛,后胸前侧片密被毛;前胸背板棕红色,鞘翅深蓝色 ··· 红颈负泥虫 **L. sieversi**
   触角细长,约为体长之半;后胸腹板外侧 1/4 具有与后胸前侧片同等大小的长形密毛区;体棕黄色或棕红色,触角全部、足大部分黑色 ····························· 红负泥虫 **L. lateritia**
4. 小盾片被毛,体型较狭;头、前胸背板、小盾片及足黑色,鞘翅黄至棕红,具金属光泽,沿缝区常青铜色 ·· 小负泥虫 **L. minima**
   小盾片光洁或仅基部有毛 ·· 5
5. 鞘翅端部刻点略微比基部的小,端部行距隆起;后胸腹板侧面中央有 1 个纵向毛区;前胸背板刻点粗大,分布散乱;前胸背板及鞘翅棕红至褐红色 ······· 中华负泥虫 **L. sinica**
   鞘翅端部刻点粗大,端部条沟隆起;后胸腹板后角有 1 片斜毛区;前胸背板中央只有 1 纵列大刻点;前胸背板黑色,鞘翅棕红色 ························· 异负泥虫 **L. impressa**

（14）异负泥虫 *Lilioceris impressa*（Fabricius，1787）（图9）

Crioceris impressa Fabricius，1787：88.

Crioceris crassicornis Olivier，1808：781.

Crioceris castanea Lacordaire，1845：564.

Crioceris omophloides Lacordaire，1845：564.

Crioceris subcostata Pic，1921a：2.

Crioceris ruficornis Pic，1921b：136.

Crioceris coomani Pic，1928a：88.

Lilioceris impressa：Winkler，1929：1234

Crioceris laticornis Gressit，1942：300.

Lilioceris inflaticornis Gressit *et* Kimoto，1961：50.

Lilioceris maai Gressitt *et* Kimoto，1961：53.

鉴别特征: 头和前胸黑色,鞘翅棕红色;前胸有散乱大刻点,侧凹有大刻点;鞘翅端部刻点粗大,端部条沟隆起;后胸腹板后角有1片斜毛区,前侧片全被毛;前胸背板中央只有1纵列大刻点。

分布: 陕西(宁陕)、浙江、湖北、湖南、福建、台湾、广东、海南、广西、四川、贵州、云南;越南,老挝,泰国,柬埔寨,缅甸,印度,尼泊尔,斯里兰卡,菲律宾,马来西亚,印度尼西亚。

图9　异负泥虫 *Lilioceris impressa*（Fabricius，1787）整体图

(15) 红负泥虫 *Lilioceris lateritia* (Baly, 1863)

Crioceris lateritia Baly, 1863：613.

Crioceris subpolita ab. *lateritia* Clavareau, 1913：52.

Crioceris potens Weise, 1922：39.

Crioceris smilacis Gressitt, 1942b：304.

Lilioceris potens：Heinze, 1943：103.

Lilioceris lateritia：Gressitt & Kimoto, 1961：52.

鉴别特征：身体棕黄色或棕红色，触角的全部和足的大部分为黑色；前胸背板中部有 2 行短纵刻点；小盾片被毛；鞘翅基部刻点大，向后渐小；后胸腹板外侧 1/4 密被毛，后胸前侧片具密毛，两毛区相连。

分布：陕西(宁陕)、江苏、安徽、浙江、湖北、江西、湖南、福建、广东、广西、四川、贵州。

(16) 小负泥虫 *Lilioceris minima* (Pic, 1935)

Crioceris minima Pic, 1935b：12.

Lilioceris minima：Gressitt & Kimoto, 1961：54.

鉴别特征：头、前胸背板、触角、中后胸侧板黑色，鞘翅棕黄色或棕红色，腹部腹板棕红或棕黑色；头部、胸部、鞘翅部分有铜色金属光泽；前胸背板中部具 1 ~ 2 纵行粗刻点，周围有细刻点；小盾片被毛；鞘翅基部刻点大，向后几乎不变小，翅端行距隆起；后胸腹板有纵毛带；后胸前侧片被密毛。

分布：陕西(宁陕)、甘肃、浙江、福建、四川。

(17) 斑肩负泥虫 *Lilioceris scapularis* (Baly, 1859)

Crioceris scapularis Baly, 1859：195.

Lilioceris scapularis：Heinze, 1943：101.

鉴别特征：身体黑色，肩部黄色，黄色之中有 2 个小黑斑；触角端 6 ~ 10 节各节长约为宽的 1.50 倍；前胸背板刻点粗大，散乱；小盾片光洁无毛；鞘翅端部刻点细小，端部行距不隆起；后胸腹板光洁，后胸前侧片被毛。

分布：陕西(宁陕)、山东、河南、江苏、浙江、湖北、江西、福建、广东、海南、广西、贵州；俄罗斯，朝鲜，日本，越南。

（18）红颈负泥虫 *Lilioceris sieversi*（Heyden，1887）

Crioceris ruficollis Baly，1865：155（nec Fabricius，1801）.

Crioceris sieversi Heyden，1887：271.

Lilioceris sieversi：Medvedev，1958：108.

Lilioceris ruficollis：Medvedev，1958：108.

Lilioceris rubricollis White，1981：41（new name for *Crioceris ruficollis* Baly，1865）.

鉴别特征：头、触角、鞘翅、体腹面、足黑色，有蓝色金属光泽，前胸背板棕红色；触角不超过体长的一半，端部6~10节各节长和宽相等或长略过于宽；前胸背板刻点粗大，散乱；小盾片光洁无毛；鞘翅端部刻点比基部刻点小，但不消失；后胸腹板被零星长毛，后胸前侧片密被毛。

分布：陕西（秦岭）、黑龙江、吉林、内蒙古、北京、河北、浙江、湖北、江西、福建、贵州；俄罗斯，朝鲜。

（19）中华负泥虫 *Lilioceris sinica*（Heyden，1887）

Crioceris sinica Heyden，1887：270.

Crioceris chinensis Jacoby，1888：340.

Crioceris rugata Chûjô，1941：453（nec Baly，1865）.

Lilioceris chinensis：Heinze，1943：103.

Lilioceris rugata subsp. *sparsipunctata* Medvedev，1958：111.

Lilioceris sinica：Medvedev，1958：112.

鉴别特征：足黑色，腿节基部棕红，触角端6~10节长略过于宽；前胸背板刻点粗大，分布散乱；小盾片光洁无毛；鞘翅端部刻点略微比基部的小，端部行距隆起；后胸腹板侧面中央有一纵向毛区。

采集记录：1头，留坝庙台子，1470m，1999.Ⅶ.01。

分布：陕西（留坝）、黑龙江、吉林、辽宁、北京、河北、山东、甘肃、浙江、湖北、江西、福建、广西、贵州；俄罗斯，朝鲜。

8. 禾谷负泥虫属 *Oulema* DesGozis，1886

Oulema DesGozis，1886：33. **Type species**：*Chrysomela melanopus* Linnaeus，1758.

Ulema Bedel，1889：116［unjustified emendation］.

Hapsidolema Heinze，1927b：162. **Type spcies**：*Lema lichenis* Voet，1806.

Incisophthalma Heinze，1929：289. **Type species**：*Lema infima* Lacordaire，1845.

Xoidolema Heinze，1931：206. **Type species**：*Xoidolema rhodesiana* Heinze，1931.

Conradsia Pic, 1936：10. **Type species**：*Conradsia suturalis* Pic, 1936：10.

属征：小型,多数为深蓝色,我国南方少数种类为棕黄色。眼突出,眼后沟靠近眼后缘,与"X"形沟末端相连。头部宽大于长,头顶平或稍隆,端角大于90°,有少量刻点,后部中央有1个纵凹,与后头间无明显分界,后头大部分光洁无刻点,额唇基三角形,常隆起,被刻点和毛。触角长度一般超过体长的一半,第1节粗壮,球形,光洁,第2节最短,以后各节密被刻点和毛,第3、4节长度接近,第5节一般较长,基部细,第6~11节接近筒形,末节端部收狭。前胸背板近于筒形,侧缘在基部前明显凹入,基部有1个横凹,凹前背面隆起,具粗、细刻点,刻点数量和排列方式是分种的重要依据,一般粗刻点在盘区中央排成1~2或3~4纵列,其余分布在前缘和前部两侧,小刻点多位于后部两侧和基横凹中,侧凹向下延伸,其上部的刻点粗并形成粗皱,基横凹后一般较光洁,稍隆。小盾片倒梯形或三角形。鞘翅两侧近于平行,肩胛突出不明显,颈部光洁无刻点,肩浅较细,基凹极浅,凹前稍隆;刻点粗大,排列整齐,行距平坦,在端部常隆起,有小盾片行。足胫端有两个距,爪在基部合生。

分布：亚洲,欧洲,非洲,大洋洲。秦岭地区发现4种。

分种检索表

1. 鞘翅全黄色或棕黄至棕红色,至多缝缘及缘折褐色;头部、前胸背板及足(跗节稍带黑色)棕黄色,鞘翅棕黄色,缝缘及部分缘折褐色 ⋯⋯⋯⋯⋯⋯⋯⋯⋯ 黑缝负泥虫 *O. atrosuturalis*
   鞘翅深蓝色 ⋯⋯⋯⋯⋯⋯⋯⋯⋯⋯⋯⋯⋯⋯⋯⋯⋯⋯⋯⋯⋯⋯⋯⋯⋯⋯⋯⋯⋯⋯⋯⋯ 2
2. 前胸背板棕红色;前胸背板宽长相等,侧凹较深,位于中部稍后,后横沟宽而浅,刻点较疏;前胸背板盘区一般隆起,中央有2纵列成对细刻点,侧凹中刻点较疏;头部蓝黑色,足棕红色 ⋯⋯⋯ ⋯⋯⋯⋯⋯⋯⋯⋯⋯⋯⋯⋯⋯⋯⋯⋯⋯⋯⋯⋯⋯⋯⋯⋯⋯⋯⋯⋯ 稻负泥虫 *O. oryzae*
   前胸背板深蓝色 ⋯⋯⋯⋯⋯⋯⋯⋯⋯⋯⋯⋯⋯⋯⋯⋯⋯⋯⋯⋯⋯⋯⋯⋯⋯⋯⋯⋯⋯⋯⋯ 3
3. 足黄色;前胸背板中纵区刻点两侧具有无刻点的光亮区;体背腹面深蓝色,具金属光泽,头顶中央至后头具1条棕红色纵带,足棕黄至棕红色,基节、转节和跗节全部或端部几节黑褐色,腹节后缘紫棕红色 ⋯⋯⋯⋯⋯⋯⋯⋯⋯⋯⋯⋯⋯⋯⋯⋯⋯⋯⋯⋯⋯⋯ 谷子负泥虫 *O. tristis*
   足蓝色;前胸背板后盘刻点细密,几乎无空隙;体背腹面深蓝色,背面具金属光泽,后头中央具棕红色斑,触角接近黑色,有时带棕褐色,上颚、足、腹部有时呈栗色 ⋯⋯⋯⋯⋯ 密点负泥虫 *O. viridula*

(20) 黑缝负泥虫 *Oulema atrosuturalis*（Pic, 1923）

Lema atrosuturalis Pic, 1923：18.
Lema downesii Baly, 1873：75（nec Baly 1865）.
Lema（s. str.）*downesii* var. *melania* Chûjô, 1951：119.
Oulema atrosuturalis：Gressitt & Kimoto, 1961：76.

鉴别特征：背腹面棕黄至棕红色，触角黑色，基部 2 节或更多节部分棕黄，上唇黑色，有时前唇基的前缘亦带有黑色，鞘翅缝缘和翅的最外边黑色，足棕黄，跗节色深，淡棕色，负爪节端半部和爪黑色，背面大部光洁，腹面被刻点和灰白色短毛，后胸腹板中部光洁。

分布：陕西（宁陕）、山东、江苏、湖北、江西、福建、广东、台湾、海南、香港、广西、四川、云南；日本，越南，孟加拉国。

（21）稻负泥虫 *Oulema oryzae*（**Kuwayama，1931**）

Lema oryzae Kuwayama, 1931：155.

Lema suvorovi Jacobson, 1931［nomen nudum］.

Lema rugifrons Jakob, 1954：102.

Oulema jakobi Monrós, 1960：183.

Oulema oryzae：Gressitt & Kimoto, 1961：77.

鉴别特征：头部、触角（基部 2 节橙红色）、小盾片钢蓝或接近黑色，前胸背板（除前缘与头同色）、足（基节、胫端和跗节黑色）橙红色，鞘翅深蓝色并带金属光泽，体腹面一般黑色，头部中央橙红，背面光洁无毛，头、触角和体背面被金黄色毛。腹面中、后和腹部密被刻点，后胸腹板中部刻点稀疏。前胸背板盘区一般隆起，中央有 2 纵列成对细刻点，侧凹中刻点较疏。

分布：陕西（宁陕）、黑龙江、吉林、辽宁、内蒙古、浙江、湖北、江西、湖南、福建、台湾、广东、广西、四川、贵州、云南；俄罗斯，朝鲜，日本。

（22）谷子负泥虫 *Oulama tristis*（**Herbst，1786**）

Crioceris tristis Herbst, 1786：165.

Lema flavipes Suffrian, 1841：100.

Lema tristis：Weise, 1900：267.

Oulama tristis：Gressitt & Kimoto, 1961：78.

鉴别特征：体背腹面深蓝色，具金属光泽，足棕黄至棕红色，基节、转节和跗节全部或端部几节黑褐色，头顶中央至后头具 1 条棕红色纵带，腹节后缘紫棕红。前胸背板侧凹较深，两侧刻点较疏，中纵区刻点两侧具无刻点的光亮区。

分布：陕西（周至、宁陕）、黑龙江、吉林、辽宁、内蒙古、北京、河北、山东、甘肃、湖北；蒙古，俄罗斯，朝鲜，日本，西伯利亚，乌兹别克斯坦，哈萨克斯坦，欧洲。

（23）密点负泥虫 *Oulema viridula*（**Gressitt，1942**）

Lema viridula Gressitt, 1942b：322.

Lema pygmaea Medvedev, 1958：106(nec Kraatz, 1875).
Oulema viridula：Gressitt & Kimoto, 1961：79.

鉴别特征：背腹面深蓝色,背面具金属光泽,后头中央具有棕红色斑,触角接近黑色,有时带棕褐色,上颚、足、腹部节有时呈栗色。前胸背板长过于宽,基部收狭,侧凹较深,后盘刻点细密,几乎无空隙。

分布：陕西(宁陕)、黑龙江、吉林、内蒙古、北京、河北、山东、新疆、湖北、江西、福建;朝鲜。

三、肖叶甲科 Eumolpidae

罗天宏　王凤艳　周红章

(中国科学院动物进化与系统学重点实验室,中国科学院动物研究所,北京 100101)

鉴别特征：体圆柱形、卵形、长方形或五边形;一般多具鲜艳的金属色泽,表面光滑,但瘤叶甲亚科体色幽暗,体背具瘤突。头顶部分或大部分嵌入前胸内。口器为下口式。复眼完整或内缘凹切,椭圆形或肾脏形。唇基与额之间一般无明显分界。上颚一般较短,但在锯角亚科的钳叶甲属 *Labidostomis*,上颚发达。上唇横宽。触角位于复眼之间或靠近复眼的前缘,触角基部之间隔开很宽,被整个额所隔开,一般 11 节,丝状、锯齿状或端节膨阔。胸部两侧具或不具边缘。鞘翅一般覆盖整个腹部,但在瘤叶甲、隐头叶甲和锯角叶甲 3 个亚科,臀板露出于鞘翅之外;鞘翅腹面多具缘折,锯角叶甲的很多种类缘折特别发达,在肩胛下面呈半圆形。后翅翅脉有臀室 2 个。腹部在体腹面可以见到 5 个腹节,在瘤叶甲、隐头叶甲和锯角叶甲 3 个亚科,第 2~4 腹节的中部狭缩。后足腿节常较粗大或明显膨大,腹面具或不具齿,胫节一般较细长,端部凹切或不凹切,瘤叶甲和隐肢叶甲两个亚科的胫节短而侧扁;跗节 5 节(假 4 跗型),其中第 3 节分为两叶;爪简单或基部具跗齿或各爪纵裂为两片。前胸腹板较狭或宽阔。雄性外生殖器半环式。

分类：广布于世界各地。我国目前已记录了 550 种左右,其中很多种类是农林业的重要害虫。本志共记述了陕西秦岭肖叶甲科 2 亚科 25 属 55 种。

(一)隐头叶甲亚科 Cryptocephalinae

鉴别特征：体长形、圆柱形等,腹部第 2~4 节中部收狭,各节呈半环形向前拱凸。
分类：本亚科中国已知 400 多种,在秦岭地区共发现 9 属 35 种,以隐头叶甲属种类最为丰富。

分属检索表

1. 触角细长,丝状;前胸腹板宽大 ·· 2
   触角短;前胸腹板窄或消失 ·· 3
2. 前胸背板基部有成排短刺;鞘翅缘折长 ·············· **隐头肖叶甲属 *Cryptocephalus***
   前胸背板基部没有成排短刺;鞘翅缘折短 ·············· **短柱叶甲属 *Pachybrachis***
3. 触角自第 4～5 节起锯齿状或栉齿状 ··· 4
   触角非锯齿状或栉齿状 ··· 7
4. 雄虫上颚发达;前胸背板前角下弯,后角上翘 ·············· **钳叶甲属 *Labidostomis***
   雄虫上颚及前胸背板正常 ··· 5
5. 前胸背板后角直;足粗壮,跗节第 1～2 节膨阔 ·········· **粗足叶甲属 *Physosmaragdina***
   前胸背板后角圆 ··· 6
6. 体大型;跗节第 1、2 节等长或近乎等长 ·················· **锯角肖叶甲属 *Clytra***
   体小型;跗节第 1 节长于第 2 节 ························· **光叶甲属 *Smaragdina***
7. 小盾片隐藏 ··· 8
   小盾片外露;前胸背板隆凸 ······························· **切头叶甲属 *Coptocephala***
8. 复眼内缘凹切;前胸背板中央向后形成角状突 ············· **隐盾叶甲属 *Adiscus***
   复眼内缘完整;前胸背板不向后形成角状突;跗节细长 ········· **圆眼叶甲属 *Stylosomus***

9. 锯角肖叶甲属 *Clytra* Laicharting, 1781

Clytra Laicharting, 1781: 165. **Type species**: *Chrysomela quadripunctata* Linnaeus, 1758.

Camptolens Chevrolat, 1837(nec Lacordaire, 1848): 419. **Type species**: *Clytra rugosa* Fabricius, 1801.

属征:体圆柱状;复眼长卵形;触角短,锯齿状;前胸背板横宽,后角钝圆;足发达,跗节膨大。

分布:世界广布。秦岭地区记录 3 种。

分种检索表

1. 前胸背板完全黑色 ··· 2
   前胸背板棕黄色,或者黄色具有黑色斑纹或斑块 ·································
   ···································· **黑盾锯角叶甲亚洲亚种 *C.（C.）atraphaxidis asiatica***
2. 鞘翅仅肩角处各有 1 个黑斑 ······················· **黑肩锯角叶甲 *C.（C.）arida***
   鞘翅除肩角处黑斑外,在盘区中部之后有 1 个黑色横斑 ······ **光背锯角叶甲 *C.（C.）laeviuscula***

(24) 黑肩锯角叶甲 *Clytra* (*Clytra*) *arida* **Weise, 1889**

Clytra appendicina var. *arida* Weise, 1889：563.

Clytra laevivuscula var. *antistita* Weise, 1889：563.

Clytra arida：Weise, 1898：182.

Clytra (s. str.) *arida*：Regalin & Medvedev, 2010：566.

鉴别特征：体长 7.00～7.50mm。头部、前胸背板、小盾片及足黑色，触角第 2、3 节黄褐色，其余黑褐色；鞘翅黄褐色，肩角下各有 1 个黑斑。头顶具刻点及毛；触角第 4～11 节锯齿状，其长度不达前胸背板基缘；前胸背板宽大于长，盘区隆凸，光滑无刻点；鞘翅肩角发达，翅面具明显的脊纹及稀疏刻点。

采集记录：1♂，周至厚畛子，1999. Ⅵ. 25，刘缠民采。

分布：陕西（周至）、黑龙江、吉林、辽宁、内蒙古、北京、河北、山西、河南、甘肃、青海、宁夏、湖北、四川；蒙古，俄罗斯，朝鲜，日本，哈萨克斯坦。

(25) 光背锯角叶甲 *Clytra* (*Clytra*) *laeviuscula* **Ratzeburg, 1837**

Clytra laeviuscula Ratzeburg, 1837：202.

Clythra fasciata Ratzeburg, 1837：201 (nec Fabricius, 1801).

Clytra laeviuscula ab. *connexa* Fricken, 1888：325.

鉴别特征：体长 10.00～11.50mm。体长形，黑色，光亮；触角黑色，第 1、2 节红色；小盾片黑色；鞘翅棕黄色，肩胛处有 1 个黑斑，在盘区中部之后有 1 个黑色横斑。头顶密被银色毛，刻点密集；前胸背板隆凸，盘区光亮无刻点；鞘翅刻点细小。

采集记录：1 头，周至厚畛子，1350m，1999. Ⅵ. 25。

分布：陕西（周至）、黑龙江、吉林、内蒙古、北京、河北、山西、山东、甘肃、江苏、江西；俄罗斯，朝鲜，日本，欧洲。

寄主：柳，桦，榆。

(26) 黑盾锯角叶甲亚洲亚种 *Clytra* (*Clytraria*) *atraphaxidis asiatica* **Chûjô, 1941**

Clytra atraphaxidis var. *asiatica* Chûjô, 1941：455.

Clytra atraphaxidis asiatic：Regalin & Medvedev, 2010：566.

鉴别特征：头部黑色，触角黄褐色，端部 6 节黑褐色；前胸背板黄褐色，盘区中央近基缘有 3 个黑斑；小盾片黑色，鞘翅黄色，肩角外侧及鞘翅中部近中缝处各有 1 个黑斑，鞘翅端部 1/3 处具 1 个黑色横带；足黄褐色，腿节颜色较深。头部具毛及粗刻点，触角长不及前胸背板基缘；前胸背板基缘中部外凸，盘区光滑无刻点；鞘翅在小盾片下隆凸,翅面具稀疏刻点;中后足明显短于前足。

采集记录:1 头,周至厚畛子,1350m,1999.Ⅵ.25。

分布:陕西(周至)、黑龙江、吉林、内蒙古、北京、河北、山西、山东、甘肃、江苏、江西;俄罗斯,朝鲜,日本,欧洲。

寄主:柳,桦,榆。

10. 切头叶甲属 *Coptocephala* Chevrolat, 1836

Coptocephala Chevrolat, 1836: 419. **Type species**: *Clytra melanocephala* Olivier, 1808(= *Cryptocephalus plagiocephalus* Fabricius, 1792)。

属征:雄虫个体大,头部宽而短,上颚发达;触角基部远离,从第 5 节起锯齿状;前胸背板宽大于长,后角钝圆;前足明显长于中后足。雌虫个体小,上颚不发达。

分布:古北区,非洲区。中国目前已知 5 种,秦岭地区记录 1 种。

(27) 东方切头叶甲 *Coptocephala orientalis* Baly, 1873

Coptocephala orientalis Baly, 1873: 81.

Coptocephala asiatica Chûjô, 1940c: 355.

Coptocephala freija Reitter, 1900c: 165.

鉴别特征:头、小盾片及足黑色,触角基部 3 节黄褐色,其余黑褐色;前胸背板及鞘翅黄褐色,鞘翅基部及肩角黑色,端部 1/3 翅面具 1 个黑色横斑。触角长达前胸背板基缘;前胸背板基部宽,端部窄,盘区隆凸,光滑无刻点;鞘翅基部与前胸背板等宽,翅面隆凸,具稀疏刻点。

分布:陕西(秦岭)、黑龙江、吉林、辽宁、内蒙古、北京、河北、山西、山东、甘肃、青海、新疆;蒙古,俄罗斯,朝鲜,日本。

11. 钳叶甲属 *Labidostomis* Germar, 1822

Labidostomis Chevrolat, 1836: 418. **Type species**: *Cryptocephalus taxicornis* Fabricius, 1792.

属征:雄虫上颚发达如钳状,额唇基前缘凹切呈齿状;额区中央凹陷较深;触角较长,从第 5 节起锯齿状;前胸背板前角下弯,后角上翘;前足发达,明显长于中后足。

分布:亚洲,欧洲,非洲(北部);小亚细亚。中国已知 13 种,秦岭地区记录 3 种。

分种检索表

1. 鞘翅肩部具黑斑 ·· 二点钳叶甲 *L. urticarum*
   鞘翅肩部无黑斑 ·· 2
2. 体蓝绿色,具金属光泽 ··· 中华钳叶甲 *L. chinensis*
   体铜绿色,无金属光泽 ··· 陕西钳叶甲 *L. shensiensis*

(28) 中华钳叶甲 *Labidostomis chinensis* Lefèvre, 1887

Labidostomis chinensis Lefèvre, 1887: LV.

鉴别特征:体长 6~7mm。体瘦长,体色蓝绿,具金属光泽;触角蓝紫色具光泽,基部 4 节黄褐色;鞘翅黄褐色,肩部无黑斑。头长,被浓密白毛;头顶具细小刻点;触角长不超过前胸背板基部,第 5~11 节锯齿状;前胸背板具毛,盘区具稀疏的细小刻点;鞘翅表面无毛,具不规则的粗密刻点。

采集记录:1 头,华县。

分布:陕西(华县)、黑龙江、吉林、辽宁、内蒙古、北京、河北、山西、山东、甘肃;蒙古,俄罗斯,朝鲜。

寄主:杨树,胡枝子。

(29) 陕西钳叶甲 *Labidostomis shensiensis* Gressitt *et* Kimoto, 1961

Labidostomis shensiensis Gressitt *et* Kimoto, 1961: 82.

鉴别特征:体长 8.50~9.80mm。体铜绿色,鞘翅黄褐色,触角第 2~4 节红紫色,体背具黄色纤毛。头与前胸背板等宽,头顶刻点较粗密;触角短,不及前胸背板基部,第 5~10 节三角形;前胸背板前半部中央两侧及基部具密集刻点;鞘翅具不规则的大、小两种刻点。

采集记录:2 头,华县,采集人不详。

分布:陕西(华县)。

(30) 二点钳叶甲 *Labidostomis urticarum* Frivaldszky, 1892

Clytra bipunctata Mannerheim, 1825: 40[HN].

Labidostomis urticarum Frivaldszky, 1892: 119.

Labidostomis mannerheimi Monros, 1953: 49(new name for *Clylra bipunctata* Mannerheim, 1825).

鉴别特征: 体长 7~11mm。体长形;体背蓝绿至蓝黑色,具金属光泽;触角蓝黑色,基部1~4节黄褐色;鞘翅黄褐色,肩胛上各有1个黑斑。头顶及体腹被白色竖毛,前胸背板光裸无毛。头大,长方形,上颚发达;在触角窝内侧各有1个三角形深凹;头顶刻点细密;前胸背板近前缘中线两侧各有2个斜凹;鞘翅刻点细密,不规则排列。

分布:陕西(秦岭)、黑龙江、吉林、辽宁、内蒙古、北京、河北、山西、山东、甘肃、青海;蒙古,俄罗斯,朝鲜。

12. 粗足叶甲属 *Physosmaragdina* Medvedev, 1971

Physosmaragdina Medvedev, 1971: 694. **Type species**: *Clythra nigrifrons* Hope, 1842.

属征:体黄色,具黑斑,无金属光泽;头部近光滑;前胸背板光滑,后角钝角状或直角,不上翘;鞘翅缘折在肩部之前膨阔;足粗壮。

分布:东洋区。中国已知2种,秦岭地区记录1种。

(31) 黑额粗足叶甲 *Physosmaragdina nigrifrons* (Hope, 1842)

Clythra nigrifrons Hope, 1842: 51.

Clytra japonica Baly, 1873: 79.

Clythra coreana Kolbe, 1886: 226.

Gynandrophthalma japonica var. *mandarina* Weise, 1889: 579.

Physauchenia atripes Pic, 1927: 7.

Coptocephala kiotoensis Pic, 1927: 7.

Physauchenia submarginata Pic, 1927: 7.

Cyaniris kolthoffi Pic, 1938: 17.

Physosmaragdina nigrifrons: Kimoto & Gressitt, 1981: 313.

鉴别特征:体长4.50~7.10mm。头黑色,触角黑褐色,基部4节黄褐色;前胸背板、小盾片及鞘翅红褐色,前胸背板有时颜色较浅;鞘翅上具2条黑色横带,足黑色。头顶隆突,前缘有皱纹;触角短,不及前胸背板后缘;前胸背板光滑无刻点;鞘翅刻点稀疏,不规则。

采集记录:1头,留坝庙台子,1998.Ⅶ.19,张学忠采;1头,留坝庙台子,1998.Ⅶ.22,廉振民采;1头,留坝韦驮沟,1998.Ⅶ.21,廉振民采;1头,佛坪,1998.Ⅶ.23,姚建采;1头,佛坪,1998.Ⅶ.25,廉振民采;2头,佛坪窑沟,1998.Ⅶ.25,陈军采;2头,佛坪,1998.Ⅶ.25,袁德成采;3头,佛坪,1999.Ⅵ.27,胡建采;1头,佛坪,1999.Ⅵ.27,刘缠民采;2头,宁陕十八丈,1998.Ⅷ.17,袁德成采;1头,宁陕火地塘,1998.Ⅷ.22,袁德成采。

分布:陕西(留坝、佛坪、宁陕)、辽宁、北京、河北、山西、山东、河南、甘肃、江苏、安徽、浙江、湖北、江西、湖南、福建、台湾、广东、海南、广西、四川、贵州;朝鲜,日本,东洋区。

　　寄主：柳属,栗树,蒿属,白毛属。

13. 光叶甲属 *Smaragdina* Chevrolat, 1836

Smaragdina Chevrolat, 1836：419. **Type species**：*Clythra menetriesii* Ménétriès, 1832 (= *Clythra unipunctata* Lacordaire, 1848).

Cyaniris Chevrolat, 1836：420(nec Dalman,1816). **Type species**：*Cryptocephalus collaris* Fabricius, 1781.

Calyptorhina Lacordaire, 1848：81. **Type species**：*Clythra chloris* Lacordairc, 1848.

Carmentis Gistel, 1848：404 [unnecessary substitute name].

Gynandrophthalma Lacordaire, 1848：256. **Type species**：*Gynandrophthalma nigropunctata* Lacordaire, 1848.

Necyomantes Gistel, 1848：123 [unnecessary substitute name]. **Type species**：*Cryptocephalus collaris* Fabricius, 1781.

Smaragdinella Medvedev, 1971c：693(nec Adams, 1848). **Type species**：*Gynandrophthalma macilenta* Weise, 1887. As subgenus of *Smaragdina*.

Monrosia Medvedev, 1971c：694[HN]. **Type species**：*Cryptocephalus cyaneus* Fabricius, 1775 (= *Buprestis salicina* Scopoli, 1763). As subgenus of *Smaragdina*.

Nanosmaragdina Lopatin *et* Kulenova, 1986：42. **Type species**：*Gynandrophthalma macilenta* Weise, 1887.

Medvedevella Özdikmen, 2008b：643(new name for *Smaragdinella* Medvedev, 1971).

　　属征：与锯角叶甲属相似;但个体较小,前胸背板后角直角状;雄虫足发达,跗节宽阔;雌虫跗节狭。

　　分布：世界广布。中国已知 72 种(亚种),秦岭地区记录 6 种。

分种检索表

1. 鞘翅褐色 ·· 锗跗光叶甲 *S. blackwelderi*
   鞘翅蓝黑色或蓝绿色 ·· 2
2. 鞘翅蓝绿色 ·· 梨光叶甲 *S. semiaurantiaca*
   鞘翅蓝黑色或深蓝色 ·· 3
3. 鞘翅周缘颜色淡,形成包围鞘翅的带 ··················· 光叶甲 *S. laevicollis*
   非上特征 ··· 4
4. 前胸背板蓝黑色,盘区隆凸,具粗刻点 ············· 酸枣光叶甲 *S. mandzhura*
   前胸背板黄色或黄褐色,盘区有黑斑 ·· 5
5. 前胸背板黄色,中部具黑色宽纵带 ············ 杨柳光叶甲 *S. aurita hammarstraemi*
   前胸背板黄褐色,盘区具菱形黑斑 ················· 菱斑光叶甲 *S. labilis labilis*

（32）杨柳光叶甲 *Smaragdina aurita hammarstraemi*（Jakobson，1901）

Gynandrophtalma aurita var. *hammarstroemi* Jakobson，1901b：108.

Smaragdina aurita hammarstroemi：Gressitt & Kimoto，1961：103.

鉴别特征：体长 3.60～5.00mm。体蓝黑色；触角褐色，基部 4 节黄褐色；前胸背板两侧黄褐色，中部黑色；前、中足黄褐色，后足黑褐色。头部具细短毛；触角长达及前胸背板后缘。

采集记录：1 头，宁陕火地塘，1580～1650m，1999.Ⅵ.28。

分布：陕西（宁陕）、黑龙江、吉林、河北、山西、山东、甘肃；蒙古，俄罗斯，朝鲜，日本。

寄主：杨，柳，桦，野茉莉。

（33）锗跗光叶甲 *Smaragdina blackwelderi* Gressitt *et* Kimoto，1961

Smaragdina blackwelderi Gressitt *et* Kimoto，1961：97.

鉴别特征：体较瘦，体绿色具金属光泽或黄褐色；触角褐色，端部数节颜色较深；鞘翅褐色具金属光泽；前胸腹面及足黑褐色，腹部红褐色。头部具毛，有稀疏刻点；触角扁，可达鞘翅基部；前胸背板基部宽、端部窄，两侧较圆，盘区具粗、细两种刻点；鞘翅刻点在基部粗，至端部逐渐变细。

分布：陕西（秦岭）、四川、西藏。

（34）菱斑光叶甲 *Smaragdina labilis labilis*（Weise，1889）

Gynandrophthalma labilis Weise，1889m：579.

Smaragdina labilis：Gressitt & Kimoto，1961：104.

Smaragdina labilis labilis：Erber & Medvedev，1999：8.

鉴别特征：体长 4.50～5.50mm。体蓝黑色，触角褐色，基部 1～4 节黄褐色；前胸背板黄褐色，盘区具菱形蓝黑色斑纹；小盾片及鞘翅蓝色，具金属光泽；腹面蓝黑色，足黄褐色。头部具细毛，头顶稍隆，几乎无刻点；触角可伸达前胸背板后缘，从第 5 节起呈锯齿状；前胸背板两侧较直，盘区光滑，基部具稀疏刻点；鞘翅刻点粗密，不规则。

采集记录：1 头，宁陕火地塘，1999.Ⅵ.28。

分布：陕西（宁陕）、黑龙江、吉林、内蒙古、北京、河北、山西、山东、河南、甘肃、湖北。

(35) 光叶甲 *Smaragdina laevicollis*（**Jacoby，1890**）

Gynandrophthalma laevicollis Jacoby，1890：86.

Cyaniris marginata Pic，1938：17.

Smaragdina laevicollis：Gressitt & Kimoto，1961：102.

鉴别特征：体长 3.60~4.90mm。鞘翅蓝色；前胸腹面黄褐色，中、后胸及腹部腹面黑褐色；足粗壮，雄虫第 1 跗节宽阔，鞘翅周缘呈淡色带状。

采集记录：1♀，周至厚畛子，1999.Ⅵ.21，章有为采；1♀，周至厚畛子，1999.Ⅵ.22，章有为采；1♂，周至厚畛子，1999.Ⅵ.24，刘缠民采；1♂5♀，周至厚畛子，1999.Ⅵ.24，胡建采；1♀，周至厚畛子，1999.Ⅵ.24，贺同利采；1♂1♀，留坝庙台子，1999.Ⅶ.02，朱朝东采。

分布：陕西（周至、留坝）、甘肃、江苏、浙江、湖北、江西、湖南、福建、四川。

(36) 酸枣光叶甲 *Smaragdina mandzhura*（**Jakobson，1925**）

Calyptorrhina mandzhura Jakobson，1925b：10.

Smaragdina mandzhura：Gressitt & Kimoto，1961：96.

鉴别特征：体长 2.70~4.00mm。体小，近椭圆形；体色深蓝色，具金属光泽，有的呈金绿色；触角黑褐色，第 2~4 节黄褐色。头顶具粗密的刻点；前胸背板前角突出，盘区隆凸，具粗密刻点；鞘翅刻点同前胸背板；腹面具稀疏的毛。

采集记录：1 头，宝鸡，1951.Ⅵ.03；1 头，太白山，1951.Ⅷ.18；1 头，武功，1951.Ⅴ.10。

分布：陕西（宝鸡、太白、武功）、黑龙江、吉林、辽宁、内蒙古、北京、河北、山西、山东、甘肃、江苏、浙江；蒙古。

寄主：酸枣，榆树。

(37) 梨光叶甲 *Smaragdina semiaurantiaca*（**Fairmaire，1888**）

Gynandrophthalma semiaurantiaca Fairmaire，1888：150.

Gynandrophthalma japonica Fleischer，1916：223（nec Baly，1916）.

Gynandrophthalma garretai Achard，1921：61（new name for *Gynandrophthalma japonica* Fleischer，1916）.

Cyaniris fleischeri Papp，1946：7（new name for *Cyaniris japonica* Fleischer，1916）.

Smaragdina semiaurantiaca：Gressitt & Kimto，1961：101.

鉴别特征：体长 4～5mm。体长形,体色蓝绿,具金属光泽;触角褐色,第 1 节黄褐色;前胸背板黄褐色,小盾片及鞘翅蓝绿色,足黄褐色。头部密被纤毛,具粗刻点;触角可伸达前胸背板后缘,第 5～11 节锯齿状;前胸背板光滑无刻点;鞘翅两侧平行,背面具粗密刻点。

采集记录：4 头,太白山,2004. Ⅴ.05-06;4 头,宁陕,1962. Ⅵ.26。

分布：陕西(太白、宁陕)、黑龙江、吉林、辽宁、北京、河北、山东、江苏;俄罗斯,朝鲜,日本。

寄主：梨,杏,苹果,榆。

14. 隐头肖叶甲属 *Cryptocephalus* Geoffroy, 1762

Cryptocephalus Geoffroy, 1762: 231. **Type species**: *Chrysomela sericea* Linnaeus, 1758.

Anteriscus Weise, 1906b: 39. **Type species**: *Cryptocephalus ertli* Weise, 1906. As subgenus of *Cryptocephalus*.

Asiopus Lopatin, 1965c: 452(nec Sharp in Whymper, 1892). **Type species**: *Cryptocephalus flavicollis* Fabricius, 1781.

Asionus Lopatin, 1988a: 8(new name for *Asiopus* Lopatin, 1965). As subgenus of *Cryptocephalus*.

Burlinius Lopatin, 1965c: 455. **Type species**: *Chrysomela fulva* Goeze, 1777. As subgenus of *Cryptocephalus*.

Heterichnus Warchalowski, 1991b: 76. **Type species**: *Cryptocephalus macrodactylus* Gebler, 1830. As subgenus of *Cryptocephalus*.

Chrysocryptocephalus Steinhausen, 2007: 31. **Type species**: *Chrysomela sericea* Linnaeus, 1758. As subgenus of *Cryptocephalus*.

属征：体柱状,端部钝圆;体表光滑或被稀疏纤毛;触角长,丝状;前胸背板基部突出,具成排短齿;雄虫腹端具刻纹,雌虫腹端圆凹状。

分布：世界广布。中国已知 180 余种,秦岭地区记录 18 种。

分种检索表

1. 雄虫前足延长,跗节显著膨大(宽跗亚属 *Heterichnus*);体黑色,鞘翅黄色,侧缘黑色,肩部具斑纹 ……………………………………………………………… 斯氏隐头叶甲 *C.* (*H.*) *siedei*
   雄虫前足跗节不明显膨大 ………………………………………………………………… 2
2. 体背通常被浓密刚毛;第 4 跗节长(背毛亚属 *Asionus*) ……………………………… 3
   体背光裸或仅鞘翅端缘具毛;第 4 跗节短 ……………………………………………… 4
3. 鞘翅黑色,盘区具 5 个黄斑 ……………………………… 艾蒿隐头叶甲 *C.* (*A.*) *koltzei*
   鞘翅黄褐色,中缝具 1 条与小盾片等宽的黑色纵带 …………………………………………
   ………………………………………… 黑缝隐头叶甲黑纹亚种 *C.* (*A.*) *limbellus semenovi*
4. 体小型,体背光滑,具规则刻点;阳茎端三叶状(三叶亚属 *Burlinius*) ……………… 5

体中到大型,体背刻点规则或杂乱;阳茎简单状(隐头叶甲指名亚属 *Cryptocephalus*) ·········· 7

5. 前胸背板后缘黑色,其余黄色 ·· 6

　　前胸背板整体黑色·························· 小隐头叶甲俏亚种 *C.*（*B.*）*exiguus amiculus*

6. 鞘翅蓝黑色 ·································· 莽隐头叶甲 *C.*（*B.*）*petulans*

　　鞘翅土黄色,前缘及中缝黑色 ·············· 微隐头叶甲 *C.*（*B.*）*vividus*

7. 鞘翅刻点排列不规则 ·· 8

　　鞘翅刻点排列规则 ··· 14

8. 鞘翅金绿色 ·· 9

　　鞘翅非金绿色 ·· 10

9. 头部黄色,后头绿色;前胸背板具细刻点 ····· 斑额隐头叶甲指名亚种 *C.*（*C.*）*kulibini kulibini*

　　头部黄褐色,头顶具黑绿色斑;前胸背板无刻点 ···
　　·························· 斑额隐头叶甲光背亚种 *C.*（*C.*）*kulibini nasutulus*

10. 头、前胸背板、小盾片、体腹及足金绿色,鞘翅淡黄色,盘区有 3 个金绿色斑 ··········
　　·························· 绿蓝隐头叶甲指名亚种 *C.*（*C.*）*regalis regalis*

　　非上特征 ··· 11

11. 体黑色,头部额区具红色圆斑 ·············· 红斑隐头叶甲 *C.*（*C.*）*securus*

　　体非完全黑色,头部额区无红色圆斑 ·· 12

12. 头及前胸背板均黄色,触角黑色或黑褐色 ····································· 13

　　头及前胸背板均黑色,触角黄色 ·············· 双叉隐头叶甲 *C.*（*C.*）*melaphaeus*

13. 前胸背板盘区具 1 对黑色纵纹 ·········· 宽条隐头叶甲指名亚种 *C.*（*C.*）*multiplex multiplex*

　　前胸背板盘区无斑,基缘黑色;额区及触角间有红斑纹 ········ 利氏隐头叶甲 *C.*（*C.*）*licenti*

14. 体深蓝色 ··· 15

　　体黑褐色或部分黑褐色 ·· 16

15. 前胸背板刻点深 ·························· 黄头隐头叶甲 *C.*（*C.*）*parvulus*

　　前胸背板几乎无刻点 ···················· 藏滇隐头叶甲 *C.*（*C.*）*thibetanus*

16. 前胸背板黑色,具 2 个黄斑 ·············· 斑胸隐头叶甲 *C.*（*C.*）*halyzioides*

　　前胸背板黄色,基缘蓝黑色,盘区具褐色刻点 ···· 丽隐头叶甲 *C.*（*C.*）*festivus*

(38) 艾蒿隐头叶甲 *Cryptocephalus*（*Asionus*）*koltzei* Weise, 1887

Cryptocephalus koltzei Weise, 1887：171.

Cryptocephalus flavopictus Jacoby, 1890：88.

Cryptocephalus micropyga Weise, 1898：184.

Cryptocephalus ussuriskensis Pic, 1922：28.

Cryptocephalus koltzei conjunctus Chen, 1942：112.

Cryptocephalus koltzei nigricaudus Chen, 1942：112.

Cryptocephalus（*Asionus*）*koltzei koltzei*：Lopatin *et al.*, 2010：582.

鉴别特征：体长 3.50～4.80mm。体黑色,头部具黄斑,触角黑褐色;前胸背板黄色,盘区具黑斑,黑斑变异较大;小盾片及鞘翅黑色,每个鞘翅 2 列黄斑,靠近中缝 3

个,靠近外侧2个,黄斑亦有变异;足黄褐或红褐色;腹部臀板上具1块白斑。头部具毛及刻点;触角长超过鞘翅中部;前胸背板盘区具毛及刻点;鞘翅刻点排列成行。

采集记录:1♂,周至厚畛子,1999.Ⅵ.24,姚建采;1♀,周至厚畛子,1999.Ⅵ.24,朱朝东采;1♂1♀,留坝庙台子,1999.Ⅶ.01,刘缠民采;1♀,留坝红崖沟,1998.Ⅶ.22,陈军采。

分布:陕西(周至、宝鸡、留坝)、黑龙江、吉林、辽宁、内蒙古、河北、山西、山东、河南、甘肃、江苏、浙江、湖北、福建;俄罗斯,朝鲜。

(39)黑缝隐头叶甲黑纹亚种 *Cryptocephalus*(*Asionus*)*limbellus semenovi* **Weise, 1889**

Cryptocephalus semenovi Weise, 1889:580.

Cryptocephalus tentator Weise, 1889:581.

Cryptocephalus(*Asionus*)*limbellus semenovi*: Lopatin et al., 2010:582.

鉴别特征:体长3.20~4.20mm。体具毛;前胸背板黑褐色,中部具黄色纵带;鞘翅黄褐色,在小盾片下,中缝具1条与小盾片等宽的黑色纵带。前胸背板基部宽,端部窄,盘区具明显刻点,两侧具细皱纹;鞘翅表面具毛,盘区刻点大小不一,黑带上刻点较粗。

采集记录:2头,周至厚畛子,1999.Ⅶ.24,胡建采。

分布:陕西(周至)、黑龙江、吉林、内蒙古、北京、天津、河北、山西、山东、甘肃、青海、江苏;蒙古,俄罗斯,日本。

(40)小隐头叶甲俏亚种 *Cryptocephalus*(*Burlinius*)*exiguus amiculus* **Baly, 1873**

Cryptocephalus amiculus Baly, 1873:98.

Cryptocephalus exiguus var. *adocetus* Jacobson, 1901:114.

Cryptocephalus kiyosatonus Kimoto, 1964:153.

Cryptocephalus(*Burlinius*)*exiguous amiculus*: Lopatin et al., 2010:585.

鉴别特征:体长2.00~2.70mm。体黑色,头部额区及后头黄色;触角褐色,基部5节颜色较浅。头顶光滑无刻点;触角长是体长的1/2;前胸背板盘区隆凸,光滑无刻点;鞘翅刻点排列成11行。

采集记录:1♀,留坝庙台子,1999.Ⅶ.02,朱朝东采。

分布:陕西(留坝)、黑龙江、吉林、内蒙古、北京、河北、山西、山东、甘肃;蒙古,俄罗斯,朝鲜,日本,土耳其。

(41)莽隐头叶甲 *Cryptocephalus*(*Burlinius*)*petulans* **Weise, 1889**

Cryptocephalus petulans Weise, 1889:587.

　　鉴别特征:体长2.30~3.00mm。头部土黄色,头顶黑色;触角褐色,第1~4节黄褐色;前胸背板黄褐色,后缘黑色;小盾片黄色;鞘翅蓝黑色;足黄褐色。头顶具稀疏大刻点;触角长超过鞘翅中部;前胸背板盘区隆凸,具均匀的大圆刻点;鞘翅刻点排列成行,刻点间具细纹。

　　采集记录:1♀,周至厚畛子,1999. Ⅵ. 21,章有为采;1♂3♀,留坝庙台子,1998. Ⅶ. 21,张学忠采;2♂2♀,留坝韦驮沟,1998. Ⅶ. 21,张学忠采;1♂,留坝韦驮沟,1998. Ⅶ. 21,陈军采;1♀,宁陕火地塘,1979. Ⅶ. 29,韩寅恒采。

　　分布:陕西(周至、留坝、宁陕)、甘肃。

(42) 微隐头叶甲 *Cryptocephalus* (*Burlinius*) *vividus* **Lopatin,1997**

Cryptocephalus vividus Lopatin,1997b:369.

Cryptocephalus (*Burlinius*) *vividus*:Lopatin *et al*.,2010:589.

　　鉴别特征:体长2.20~2.70mm。头部黄色,头顶、触角窝黑色;触角黑褐色,基部5节黄褐色;前胸背板黄褐至深褐色,后缘黑色;小盾片黄褐色,周缘黑色;鞘翅黄色,基缘及中缝黑色,每个鞘翅具1条黄褐至褐色纵带。头部光滑无刻点;触角达体长之半;前胸背板盘区隆凸,光滑无刻点;鞘翅具粗大刻点,排列成11行。

　　分布:陕西(秦岭)、河北。

(43) 丽隐头叶甲 *Cryptocephalus* (*Cryptocephalus*) *festivus* **Jacoby,1890**

Cryptocephalus festivus Jacoby,1890:88.

Cryptocephalus flavopygidialis Pic,1922:9.

Cryptocephalus (*Cryptocephalus*) *festivus*:Lopatin *et al*.,2010:593.

　　鉴别特征:体长3.50~4.90mm。头部棕黄色,后方黑色;触角黑色,基部4节黄褐色;前胸背板淡黄色,基缘蓝黑色;鞘翅蓝黑色或蓝紫色,具金属光泽,鞘翅侧缘基半部和缘折淡黄色;足黄褐色。触角是体长的2/3,前胸背板具褐色刻点。

　　采集记录:1头,留坝庙台子,1470m,1999. Ⅶ. 01。

　　分布:陕西(留坝)、江苏、上海、浙江、湖北、江西、福建、台湾、广西、四川。

　　寄主:长梗柳(*Salix dunni*)。

(44) 斑胸隐头叶甲 *Cryptocephalus* (*Cryptocephalus*) *halyzioides* **Weise,1889**

Cryptocephalus halyzioides Weise,1889:585.

Cryptocephalus(*Cryptocephalus*)*halyzioides*：Lopatin *et al.*，2010：594.

鉴别特征：体长 3～4mm。体黑褐色，前胸背板前缘、侧缘及基部 2 个斑为黄色；鞘翅黑褐色，具 4 个黄色斑，基部及端部各 1 个，中部 2 个；盘区具 11 行规则的刻点。

分布：陕西（秦岭）、四川。

(45) 斑额隐头叶甲指名亚种 *Cryptocephalus*(*Cryptocephalus*)*kulibini kulibini* Gebler，1832

Cryptocephalus kulibini Gebler，1832：71.

Cryptocephalus(*Cryptocephalus*)*kulibini kulibini*：Lopatin *et al.*，2010：595.

鉴别特征：体长 3.50～5.00mm。体背金绿色，腹面暗绿色；头黄色，后头绿色；触角基部 5 节黄褐色，其余褐色；前胸背板前缘及侧缘黄色，有时褐色；鞘翅基部 2/3 黄色或鞘翅完全绿色；前、中足黄褐色，后足黑色。头部额区刻点粗，触角约为体长之半；前胸背板宽大于长，盘区刻点细小；鞘翅侧缘具边，盘区刻点粗大，不规则。

采集记录：1♀，周至厚畛子，1999.Ⅵ.23，章有为采；3♀，周至厚畛子，1999.Ⅵ.24，刘缠民采；1♀，周至厚畛子，1999.Ⅵ.24，胡建采。

分布：陕西（周至）、黑龙江、吉林、辽宁、北京、河北、内蒙古、山西、甘肃、山东、安徽、湖北、四川；蒙古，俄罗斯，朝鲜。

(46) 斑额隐头叶甲光背亚种 *Cryptocephalus*(*Cryptocephalus*)*kulibini nasutulus* Weise，1889

Cryptocephalus nasutulus Weise，1889：584.

Cryptocephalus kulibini nasutulus：Chen，1942：111.

Cryptocephalus(*Cryptocephalus*)*kulibini nasutulus*：Lopatin *et al.*，2010：595.

鉴别特征：体长 3.20～4.20mm。头部黄褐色，头顶具黑绿色斑。头部刻点稀疏；前胸背板稍隆，光滑，几乎无刻点。

采集记录：2 头，华阴华山，1972.Ⅶ.10。

分布：陕西（华阴）、吉林、内蒙古、北京、山东、甘肃。

(47) 利氏隐头叶甲 *Cryptocephalus*(*Cryptocephalus*)*licenti* Chen，1942

Cryptocephalus licenti Chen，1942c：115.

Cryptocephalus(*Cryptocephalus*)*licenti*：Lopatin *et al.*，2010：595.

鉴别特征：体长 4.70~5.30mm。体黄褐色,头部黑色,额区及触角间各具 1 个红色斑纹;触角黑色,基部 4 节红色;前胸背板基缘黑色;小盾片黑色;鞘翅基缘及中缝黑色,肩角具黑斑;足黑色。头部具白色短毛及稀疏细小刻点;触角长超过鞘翅的 2/3;前胸背板强烈隆凸,光亮无刻点;鞘翅刻点稀,近中缝的排列成双行,近外侧的不甚规则。

采集记录：3 头,太白山,2004. VI. 05-07;1 头,留坝,1998. VII. 20;1 头,1999. VII. 01。

分布：陕西(太白、留坝)、河北、山西、山东、宁夏、甘肃。

(48) 双叉隐头叶甲 *Cryptocephalus* (*Cryptocephalus*) *melaphaeus* **Schöller**, **Smetana** *et* **Lopatin**, **2010**

Cryptocephalus bisbicruciatus Chen, 1942c：115(nec Pic, 1907).

Cryptocephalus (*Cryptocephalus*) *melaphaeus* Schöller, Smetana *et* Lopatin, 2010：596(new name for *C. bisbicruciatus* Chen, 1942).

鉴别特征：体长 4.50~5.80mm。体黑色,具光泽;触角黄色,末端数节颜色较深;鞘翅黄色,基缘及中缝黑色,肩部有黑斑,外缘具黑色纵带;足黄色。头部具毛及不均匀的刻点;触角长超过鞘翅中部;前胸背板盘区隆凸,具明显的圆刻点;鞘翅侧缘具折边,基部刻点明显,不规则排列,端部无刻点。

采集记录：1 头,周至厚畛子,1999. VI. 22;1 头,眉县,2005. V. 28;2 头,太白山,2004. VI. 06。

分布：陕西(周至、华阴、眉县、太白)、内蒙古、山西、甘肃。

(49) 宽条隐头叶甲指名亚种 *Cryptocephalus* (*Cryptocephalus*) *multiplex multiplex* **Suffrian**, **1860**

Cryptocephalus luridipennis ab. *multiplex* Suffrian, 1860：39.

Cryptocephalus parvicollis Jakobson, 1896b：535(nec Suffrian, 1866).

Cryptocephalus jacobsoni Clavareau, 1913：157(new name for *Cryptocephalus parvicollis* Jakobson, 1896).

Cryptocephalus multiplex var. *savioi* Pic, 1928a：33.

Cryptocephalus multiplex multiplex：Gressitt & Kimoto, 1961：141.

Cryptocephalus (*Cryptocephalus*) *multiplex multiplex*：Lopatin *et al.*, 2010：597.

鉴别特征：体长 4.10~6.50mm。头部黑色,唇基及颊上各有 1 个黄斑;触角黑褐色,第 1~4 节黄褐色;前胸背板黄色,基缘黑色,盘区中央具 1 对黑色纵纹;小盾片黑色;鞘翅褐色,基缘黑色,基部 1/4 有 1 对黑斑,端部 1/3 中央各具 1 个黑斑;腹面及足黑色。头部具短绒毛及密集刻点;触角长达鞘翅 2/3;前胸背板侧缘直,盘区微隆,密布长圆形刻点;鞘翅刻点粗密,近圆形。

　　采集记录:1 头,周至厚畛子,1999.Ⅵ.25。

　　分布:陕西(周至)、北京、河北、山东、甘肃、青海、江苏、浙江、湖北、江西、湖南、四川、西藏;俄罗斯,朝鲜,日本,尼泊尔。

(50) 黄头隐头叶甲 *Cryptocephalus* (*Cryptocephalus*) *parvulus* Mülier, 1776

Cryptocephalus parvulus Mülier, 1776: 58.

Cryptocephalus nigrocoeruleus Goeze, 1777: 320.

Cryptocephalus violaceus Geoffroy, 1785: 92.

Cryptocephalus flavilabris Fabricius, 1787: 84.

Cryptocephalus coeruleus Olivier, 1790: 616.

Cryptocephalus livens Gmelin, 1790: 1711.

Cryptocephalus nitens Rossi, 1792: 94.

Cryptocephalus fulcratus Germar, 1824: 556.

Cryptocephalus obliquostriatus Motschulsky, 1866: 176.

Cryptocephalus permodestus Baly, 1873: 95.

Cryptocephalus amatus Baly, 1873: 96.

Cryptocephalus consolanus Baly, 1874: 217(new name for *Cryptocephalus amatus* Baly, 1873).

Cryptocephalus inurbanus Harold, 1874: 152(new name for *Cryptocephalus amatus* Baly, 1873).

Cryptocephalus devillei G. Muller, 1948: 85.

Cryptocephalus (*Cryptocephalus*) *parvulus*: Lopatin *et al.*, 2010: 598.

　　鉴别特征:体长 3.20~4.70mm。体背深蓝色,具金属光泽;触角黑褐色,基部 4 节颜色较浅;足蓝黑色。头部具稀疏的粗刻点;触角粗长,几乎达翅端;前胸背板盘区隆凸,刻点圆形,均匀排布;鞘翅刻点粗深,排列成纵行,刻点间有细纹。

　　采集记录:1♀,佛坪凉风垭,1999.Ⅵ.28,姚建采。

　　分布:陕西(佛坪)、黑龙江、吉林、辽宁、内蒙古、甘肃、江苏、湖北、福建、四川;蒙古,俄罗斯,朝鲜,日本,哈萨克斯坦,欧洲。

(51) 绿蓝隐头叶甲指名亚种 *Cryptocephalus* (*Cryptocephalus*) *regalis regalis* Gebler, 1830

Cryptocephalus regalis Gebler, 1830: 208.

Cryptocephalus pilosus Baly, 1873: 90.

Cryptocephalus hirtipennis Marseul, 1875b: 174.

Cryptocephalus regalis ab. *mutatus* Kraatz, 1879j: 262.

Cryptocephalus regalis ab. *flavoposticatus* Heyden, 1887b: 262.

Cryptocephalus hieracii Weise, 1889m: 583.

Cryptocephalus regalis ab. *tournieri* Pic, 1909b: 153.

Cryptocephalus angaricus Franz, 1949b：189.

Cryptocephalus flavomarginatus Machatschke, 1959：752.

Cryptocephalus regalis sutschanus Machatschke, 1959：751.

Cryptocephalus（*Cryptocephalus*）*regalis regalis*：Lopatin *et al.*, 2010：600.

鉴别特征：体长4.40~5.80mm。头部绿色,具金属光泽;胸部、小盾片、身体腹面及足颜色同头部;鞘翅淡黄色,基缘及中缝黑色,盘区具3个长形绿色斑纹。头部具长细毛和密集刻点;触角长可达鞘翅中部;前胸背板盘区刻点密集,每个刻点内具1根银色长毛;鞘翅被短毛,刻点较稀疏,排列不规则。

采集记录：2头,周至厚畛子,1999.VI.24。

分布：陕西(周至)、黑龙江、吉林、辽宁、内蒙古、河北、山西、甘肃、青海、江苏、安徽、湖北;蒙古,俄罗斯,朝鲜,日本。

（52）红斑隐头叶甲 *Cryptocephalus*（*Cryptocephalus*）*securus* **Weise, 1913**

Cryptocephalus aethiops Weise, 1889：586（nec Weise, 1882）.

Cryptocephalus securus Weise, 1913c：219（new name for *Cryptocephalus aethiops* Weise, 1889）.

Cryptocephalus（*Cryptocephalus*）*securus*：Lopatin *et al.*, 2010：601.

鉴别特征：体长4.40~4.70mm。体黑色,头部在额区具1个红色圆斑。头部被白色绒毛,头顶刻点细密,额区较粗大;触角长可达鞘翅端部;前胸背板两侧具折边,盘区隆凸,光亮无刻点;鞘翅两侧近平行,盘区刻点在中部较密,其他部位稀疏。

采集记录：1头,眉县,2004.VI.03;2头,太白山,2004.V.31-VI.06。

分布：陕西(眉县、太白)、山西、山东、甘肃。

（53）藏滇隐头叶甲 *Cryptocephalus*（*Cryptocephalus*）*thibetanus* **Pic, 1917**

Cryptocephalus thibetanus Pic, 1917：10.

采集记录：1♀,留坝庙台子,1999.VII.01,姚建采。

分布：陕西(留坝)、浙江、湖北、福建、四川、云南、西藏。

（54）斯氏隐头叶甲 *Cryptocephalus*（*Heterichnus*）*siedei* **Warchalowski, 2001**

Cryptocephalus siedei Warchalowski, 2001：81.

Cryptocephalus（*Heterichnus*）*siedei*：Lopatin *et al.*, 2010：605.

鉴别特征：体黑色;触角黑褐色,第1~4节黄色;鞘翅浅黄色,周缘黑色,肩部具黑

褐色斑纹;足黑色。头部具均匀的刻点;前胸背板盘区隆凸,具稀疏刻点;鞘翅刻点较
前胸背板粗,基半部排列较规则,端半部排列较乱。

分布:陕西(秦岭)。

15. 隐盾叶甲属 *Adiscus* Gistel, 1857

Adiscus Gistel, 1857a: 604〔= 1857b: 92〕. **Type species**: *Phaedon nigromaculatum* Redtenbach-
　　er, 1844.

Atropidius Chapuis, 1874: 175. **Type species**: *Atropidius improlus* Ohapuis, 1874.

Dioryctus Suffrian, 1860: 3. **Type species**: *Dioryctus porcatus* Suffrian, 1860.

Falsodioryctus Pic, 1955a: 21. **Type species**: *Falsodioryctus sinensis* Pic, 1955(= *Dioryctus nigrip-
　　ennis* Jacoby, 1890).

属征:体宽短,表面圆隆;复眼内缘凹切;前胸背板中央向后突出呈角状;小盾片隐
匿;鞘翅缘折呈角状膨突。

分布:东洋区。中国已知44种,秦岭地区有1种。

(55)异色隐盾叶甲 *Adiscus variabilis* (Jacoby, 1890)

Dioryctus variabilis Jacoby, 1890a: 114.

Adiscus variabilis: Gressitt & Kimoto, 1961: 119.

鉴别特征:体长2.20~3.00mm。体小,黑色,头橘黄色;触角黄色,近末端略带黑
色;前胸背板橘黄色,基缘黑色;鞘翅蓝黑色;足橘黄色。触角短,稍长于前胸背板;前
胸背板光亮无刻点。

采集记录:1头,留坝韦驮沟,1600m,1998.Ⅶ.21。

分布:陕西(留坝)、甘肃、新疆、湖北、广西、四川、云南。

16. 短柱叶甲属 *Pachybrachis* Chevrolat, 1836

Pachybrachis Chevrolat, 1836: 420. **Type species**: *Cryptocephalus hieroglyphicus* Laicharting, 1781.

Pachybrachys L. Redtenbacher, 1845: 118. **Type species**: *Cryptocephalus hieroglyphicus* Laichart-
　　ing, 1781.

Pachystylus Rey, 1883a: 263. **Type species**: *Pachybrachis testaceus* Perris, 1865.

Homoeostigmus Jakobson, 1917: 267. **Type species**: *Pachybrachys capreus* Weise, 1887.

属征:体短,圆柱形;触角丝状,超过体长之半;复眼肾形;前胸背板后缘具明显边
框;小盾片倒梯形,末端上翘;鞘翅缘折短;雄虫前中足第1跗节膨大。

　　分布:古北区。中国已知 11 种,秦岭地区发现 1 种。

(56) 花背短柱叶甲 *Pachybrachis scriptidorsum* Marseul, 1875

Pachybrachys scripticollis Suffrian, 1848:129(nec Faldermannn, 1837).

Pachybrachis piceus Suffrian, 1848:116.

Pachybrachis scriptidorsum Marseul, 1875b:261 (new name for *Pachybrachys scripticollis* Suffrian, 1848).

Pachybrachys scriptidorsum ab. *lugubris* Weise, 1882b:248.

Pachybrachys albicans var. *thoracicus* Weise, 1889m:564.

Pachybrachys scriptidorsum ab. *beckeri* Pic, 1910a:2.

Pachybrachys albicans var. *chinensis* Weise, 1913c:219 (new name for *Pachybrachys albicans* var. *thoracicus* Weise, 1889).

　　鉴别特征:体长 2.60~3.80mm。头黄色,头顶黑色,具"Y"形黑斑;触角黄褐色;前胸背板黄色,后缘黑色,盘区具"M"形黑斑;小盾片基部黑色,端部为方形黄斑;鞘翅黄色,外侧有 3 个黑斑,内侧有 2~3 个不完整的黑色条纹,中缝黑色;足腿节端部具白斑。鞘翅具 11 行规则刻点。

　　采集记录:3 头,留坝庙台子,1350m,1998.Ⅶ.21。

　　分布:陕西(留坝)、黑龙江、吉林、辽宁、内蒙古、北京、河北、山西、山东、甘肃;蒙古,俄罗斯,朝鲜,哈萨克斯坦,土耳其,叙利亚。

　　寄主:胡枝子,蒿属。

17. 圆眼叶甲属 *Stylosomus* Suffrian, 1848

Stylosomus Suffrian, 1848:146. **Type species**: *Cryplocephalus tamaricis* Herrich-Schäffer, 1838.

　　属征:体长圆柱形,两侧近乎平行;复眼卵圆形,两复眼远离;触角较短;小盾片隐藏;足跗节细长,有的几乎与胫节等长。

　　分布:古北区。中国目前已知 3 种,秦岭地区记录 1 种。

(57) 黑圆眼叶甲 *Stylosomus* (*Stylosomus*) *submetallicus* Chen, 1941

Stylosomus submetallicus Chen, 1941:20.

Stylosomus sinensis Lopatin, 1956:157.

Stylosomus (*Stylosomus*) *submetallicus*: Warchalowski, 2007:428.

　　鉴别特征:体黑褐色,具蓝色光泽;触角基部 4 节黄褐色,其余黑褐色;足黄褐色,跗节背面及端跗节黑色。前胸背板长与宽接近相等，盘区具中纵沟，两侧有凹；鞘翅基部明显宽于前胸背板，刻点排列成行。

分布：陕西（秦岭）、内蒙古、河北；蒙古。

（二）肖叶甲亚科 Eumolpinae

鉴别特征：体卵圆形，体背隆凸，腹部第 2～4 节中部不收狭。

分类：中国目前已知 400 余种，陕西秦岭地区记录了 16 属 21 种。

分属检索表

15. 触角端部 5 节明显宽扁;雄虫中胸腹板末端中部无短刺 ………… **扁角肖叶甲属 *Platycorynus***
触角端部不明显宽扁;雄虫中胸腹板末端中部有 1 个向后的短尖刺 ……………………………
……………………………………………………………………… **萝藦肖叶甲属 *Chrysochus***

18. 球肖叶甲属 *Nodina* Motschulsky，1858

Nodina Motschulsky，1858：108. **Type species**：*Nodina pusilla* Motschulsky，1858.

属征:本属种类体小型,一般在 2~3mm 以下;圆形或卵圆形,背面隆凸。体色一般墨绿,具金色光泽。头很小,复眼内沿有 1 条深纵沟,向后延伸至复眼后缘,并明显变宽。触角很短,伸达前胸背板基部,末端 7 节粗大。前胸背板横宽,与鞘翅基部等宽。鞘翅刻点行整齐。中足、后足胫节顶端外侧明显凹切,爪基具附齿。雄虫前足第 1 跗节明显较第 2、3 跗节宽阔,近似梨形;雌虫鞘翅外侧在肩部后方常有 1~4 条纵脊。

分布:东洋区。中国已知 16 种,秦岭地区发现 1 种。

(58) 中华球叶甲 *Nodina chinensis* Weise，1922

Nodina chinensis Weise，1922：49.

鉴别特征:体长 3mm。体背墨绿色,具金属光泽;腹面黑色;触角红褐色,基部 4 节黄褐色;足红褐色。头顶具粗刻点,前胸背板刻点粗大。

分布:陕西(秦岭)、河北、江苏、浙江、湖北、江西、福建、广东、香港、广西。

19. 豆肖叶甲属 *Pagria* Lefèvre，1884

Pagria Lefèvre，1884：67. **Type species**：*Pagria suturalis* Lefèvre，1884.

Colposcelis Chevrolat，1836：408(nec Dejean，1834). **Type sepcies**：*Colaspis viridiaenea* Gyllenhal，
  1808.

Odontionopa Motschulsky，1866：408. **Type species**：*Odontionopa aenea* Motschulsky，1866(=
  Rhynchites restituei Walker，1859).

Aphthonesthis Weise，1895e：329. **Type species**：*Aphthonesthis concinna* Weise，1895.

属征:体长圆形,背面光亮无毛;头顶较隆,在复眼内侧及上面各具 1 个深纵沟;触角丝状,达到或超过体长之半;前胸背板侧缘中部或之后有 1 个尖角;鞘翅刻点规则排列;中足、后足胫节端部外侧凹切。

分布:古北区,东洋区,非洲区,澳洲区。中国目前已知 4 种,秦岭地区有 1 种。

(59)斑鞘豆肖叶甲 *Pagria signata* (Motschulsky, 1858)

Metachroma signata Motschulsky, 1858: 110.

Pagria bipunctata Lefèvre, 1891: 266.

Pagria signata: Jacoby, 1908: 356

Pagria signata var. *rufithorax* Pic, 1929: 35.

Pagria diversepunctata Pic, 1950: 3.

鉴别特征: 体长 1.60～1.70mm。体色多变,单色种类在头顶、前胸背板、鞘翅基部及中缝处有黑斑;深色种类基本为黑色,触角及足黄色,鞘翅肩胛处有黄斑。头部刻点粗大,前胸背板略呈六角形,鞘翅基部下有 1 个横凹。

分布: 陕西(秦岭)、黑龙江、辽宁、河北、河南、江苏、安徽、浙江、湖北、江西、福建、台湾、广东、海南、广西、四川、云南、西藏;俄罗斯,朝鲜,日本,越南,老挝,泰国,缅甸,印度,菲律宾,马来西亚,印度尼西亚。

寄主: 豆科(Leguminosae)。

20. 角胸肖叶甲属 *Basilepta* Baly, 1860

Basilepta Baly, 1860: 23. **Type species:** *Basilepta longipes* Baly, 1860.

Nodostoma Motschulsky, 1860: 176. **Type species:** *Nodostoma fulvipes* Motschulsky, 1860.

Falsoiphimoides Pic, 1935a: 2. **Type species:** *Falsoiphimoides bicoloripes* Pic, 1935 (= *Nodostoma fulvipes* Motschulsky, 1860).

Mimoparascela Pic, 1935a: 1. **Type species:** *Mimoparascela viridis* Pic, 1935.

属征: 体卵形或近于方形,光亮。触角细长,丝形,端节有时稍粗。前胸背板横宽,前端明显束缩,两侧具完整的边缘,一般在中部、中部之后或基部之前突出成尖角,个别种类两侧弧圆,不成尖角形;近前缘处常有 1 条具有 1 列刻点的横凹沟,有时此沟在盘区的中部消失。鞘翅基部稍宽于前胸,肩部隆起,肩胛内侧的基部隆起很高,下面有 1 条横凹,肩胛的下面常有一两条斜纵脊;刻点排列成规则或不规则纵行,有时在鞘翅的外侧、中部之后或端部刻点消失,或除在基部的横凹上有刻点外,翅面光滑无刻点。前胸前侧片平直或凹入。前胸腹板宽,近乎方形,表面具皱褶,端缘平切。中胸腹板横宽。腿节中部常粗大,具齿或不具齿;中足、后足胫节端部外侧凹切,爪基具齿。雄虫前足、中足跗节第 1 节一般均较雌虫的宽阔。

分布: 东洋区。中国已知 71 种,秦岭地区记录 1 种。

(60)褐足角胸叶甲 *Basilepta fulvipes* (Motschulsky, 1860)

Nodostoma fulvipes Motschulsky, 1860: 176.

Nodostoma aeneipennis Motschulsky, 1860：177.

Nodostoma rufotestacea Motschulsky, 1860：177.

Nodostoma chinensis Lefèvre, 1877：158.

Nodostoma picicollis Weise, 1889：597.

Basilepta fulvipes：Weise, 1922：47.

Nodostoma bicoloripes Pic, 1930：7.

Nodostoma guerryi Pic, 1930：7.

鉴别特征：体长 3.00～5.50mm。体小型，卵形或近于方形。体色变异较大，一般体背铜绿色，或头和前胸棕红鞘翅绿色，或身体为一色的棕红或棕黄。头部刻点密而深刻，头顶后方具纵皱纹，唇基前缘凹切深。触角丝状，雌虫的达体长之半，雄虫的达体长的 2/3；第 1 节膨大、棒状，第 2 节长椭圆形，稍短于第 3 节而较粗，第 3、4 节最细，第 3 节稍短于第 4 节或二者近于等长。前胸背板宽短，宽近于或超过长的两倍，略呈六角形，前缘较平直，后缘弧形，两侧在基部之前、中部之后突出成较锐或较钝的尖角；盘区密布深刻点，前缘横沟明显或不明显。小盾片盾形，表面光亮或具微细刻点。鞘翅基部隆起，后面有 1 条横凹，肩后有 1 条斜伸的短隆脊；盘区刻点一般排列成规则的纵行，基半部刻点大而深，端半部刻点细浅；行距上无刻点或具细刻点，如属后一情况则刻点行凌乱而不规则，尤其在翅的中部和端部更为明显。腿节腹面无明显的齿。

采集记录：116 头，周至厚畛子，1350m，1999.Ⅵ.24；4 头，留坝庙台子，1470m，1999.Ⅶ.01；3 头，留坝韦驮沟，1160m，1998.Ⅶ.21；11 头，佛坪，800m，1999.Ⅵ.27；14 头，宁陕旬阳坝，1350m，1998.Ⅶ.29；1 头，宁陕火地塘，1580m，1998.Ⅶ.29。

分布：陕西（周至、留坝、佛坪、宁陕）、黑龙江、辽宁、内蒙古、北京、河北、山西、山东、宁夏、江苏、浙江、湖北、江西、湖南、福建、台湾、广西、四川、贵州、云南；俄罗斯，朝鲜，日本。

寄主：樱桃，梅，李，梨，苹果，枫杨，旋覆花，艾蒿，在北方成虫还危害大豆，谷子，玉米，高粱，大麻，甘草，蓟等。

21. 李叶甲属 *Cleoporus* Lefèvre, 1884

Cleoporus Lefèvre, 1884c：76. **Type species**：*Cleoporus cruciatus* Lefèvre, 1884.

属征：体长卵形，光滑无毛。头嵌入前胸直达复眼；复眼内沿有 1 条深纵沟，至眼后方明显呈扇形加宽；触角端部 5 节较粗而略扁。鞘翅基部宽于前胸，肩部隆起，盘区刻点行整齐。前胸前侧片前缘强烈拱凸，略向外反卷。各足腿节腹面一般均具 1 个小齿；中足、后足胫节端部外侧明显凹切；爪纵裂。雄虫前中足第 1 跗节明显宽于第 2、3 跗节。

分布：东洋区。中国已知 5 种，秦岭地区记录 1 种。

(61)李叶甲 *Cleoporus variabilis*(**Baly,1874**)

Paria variabilis Baly,1874:166.

Paria robustus Baly,1874:166.

Stethotes tibialis Lefèvre,1885b:ixv.

Stethotes pallidipes Fainnaire,1888:36.

Mouhotina rufipes Lefèvre,1889a:293.

Cleoporus niger Weise,1922a:52.

Cleoporus pygmaeus Weise,1922a:53.

Cleoporus suturalis Chen,1935c:287.

Cleoporus variabilis:Chen,1935:288.

鉴别特征:体长3~4mm。本种分布面广,体形和体色等变异很大。体长卵形,体背一般蓝黑到漆黑色,具或不具金属光泽;头红褐色、光亮,有时头顶黑色;触角基节黄褐色,端部5节烟褐色;足完全红褐色,或腿节黑色,胫跗节红褐色;前胸前侧片全部或仅前半部红褐色。此外,有的个体全部红铜色,有的头、胸和小盾片土红色,鞘翅墨绿有闪光。头部无刻点或具微细刻点,头顶明显高凸,光亮,中央具1条明显纵沟;复眼内沿有1条宽深纵沟,至眼的后方呈扇形加宽,并着生稀疏短毛;额唇基前缘平切,两侧明显隆起呈脊状,中部低凹,向前倾斜,整个外形呈匙状,表面具稀疏细毛,光滑无刻点,其后缘以1条明显的横沟与头顶分开。触角细长,约为体长之半,第1节粗大,圆球形,第2节长卵形,短于第3节,3~5节细长,约等长,第6节稍短,端部5节粗大,雄虫第7、8节略显粗长。前胸宽大于长,两侧缘直,向前收狭;背板盘区隆起,正面观略呈筒形,刻点粗浅,前缘和两侧刻点逐渐细疏,至边缘几乎无刻点,后缘以前有1排细刻点。小盾片半圆形,光滑无刻点。鞘翅基部宽于前胸,肩部隆起,其后微凹;盘区刻点粗大,行列清楚整齐,肩以下刻点最粗深,近外侧刻点排列较混乱,端末刻点逐渐浅细;行距光滑,微凸。各足腿节腹面各具1个小齿,有时后足的齿微小,不甚明显;雄虫前、中足第1跗节宽大。前胸前侧片前缘强烈拱凸,边缘反卷,覆盖部分复眼,表面光滑或仅内角处具刻点或皱纹。

采集记录:2头,佛坪,950m,1998.Ⅶ.23。

分布:陕西(佛坪)、黑龙江、辽宁、北京、河北、山西、山东、江苏、浙江、江西、湖南、福建、台湾、广东、海南、广西、四川、贵州、云南;俄罗斯,朝鲜,日本,越南,老挝,泰国,柬埔寨。

寄主:李,桃,梨,苹果,蔷薇属,月季,委陵菜,艾蒿,麻栎,梱木,长梗柳,算盘子属,柠檬桉,玉米,蛮青刚。

22.甘薯叶甲属 *Colasposoma* **Laporte,1833**

Colasposoma Laporte,1833:22.**Type species**:*Colasposoma senegalense* Laporte,1833.

Acis Chevrolat, 1836: 411. **Type species**: *Colasposoma senegalense* Laporte, 1833.

Anwarullahia Abdullah *et* Qureshi, 1969b: 119. **Type species**: *Anwarullahia lahorensis* Abdullah *et* Qureshi, 1969(= *Colasposoma ornatum* Jacoby, 1881).

Ballatro Gistel, 1848a: 123 [unnecessary substitute name].

Thysbe J. Thomson, 1858: 208. **Type species**: *Thysbe aurichalcica* J. Thomson, 1858.

Palesida Harold, 1874a: 23. **Type species**: *Palesida chapuisi* Harold, 1874.

Pseudomacetes Linell, 1896: 695. **Type species**: *Pseudomacetes aeneus* Linell, 1896(= *Colasposoma varicolor* Fairmaire, 1898).

Dasychlorus Fairmaire, 1898a: 19. **Type species**: *Dasychlorus passeti* Fairmaire, 1898(= *Thysbe laticornis* J. Thomson, 1858).

Cheiriphyle Jacoby, 1901b: 241. **Type species**: *Cheiriphyle metallica* Jacoby, 1901(= *Colasposoma colmanti* Burgeon, 1941).

　　属征: 本属种类色彩艳丽, 具金属光泽。触角丝状, 一般稍长于体长的 1/2, 端部数节较粗而略扁; 复眼显突, 内沿无沟。前胸背板与鞘翅基部等宽或稍狭, 具有清楚的稍向外敞出的侧缘。鞘翅刻点不规则排列, 常在肩部后方、鞘翅外侧有不规则的横皱或短脊状隆起, 雌虫的更为高隆粗糙。雄虫前足胫节顶端显著膨大且向内弯。爪纵裂。

　　分布: 古北区, 东洋区, 非洲区, 澳洲区。中国已知 9 种, 秦岭地区有 1 种。

(62) 甘薯叶甲 *Colasposoma dauricum* **Mannerheim, 1849**

Colasposoma dauricum Mannerheim, 1849: 247.

Colasposoma cyaneum Motschulsky, 1860b: 177.

Colasposoma mongolicum Motschulsky, 1860b: 178.

　　鉴别特征: 体长 5~7mm。本种的外部形态变异很大, 特别是体色, 不同地区色泽有异, 同一地区的个体也有两种颜色的, 通常为青铜色、蓝色、蓝紫色、蓝黑色、紫铜色等, 或头、胸部和体腹面暗蓝色, 鞘翅为红铜色而周缘为蓝色, 并在肩部后方有 1 个闪蓝色光泽的三角形斑。上唇黑色或暗红色, 触角基部蓝色有金属光泽, 或基节黄褐色, 端部 5 节黑色。头部刻点十分粗密, 刻点间距隆起, 形成纵皱纹状; 额唇基中央有 1 个明显的或多或少纵向延长的瘤突, 唇基前缘呈弧形凹切。触角丝状, 端部 5 节较粗, 呈圆筒形或扁阔; 第 1 节粗大, 第 2 节短, 第 3~5 节细长, 彼此略等长, 第 6 节较短, 稍长于第 2 节; 前胸背板横宽, 宽约为长的 2 倍, 侧缘圆形, 前角尖锐, 盘区表面隆凸, 密布粗深刻点, 两侧刻点比中部更粗密。小盾片近于方形, 基部具刻点。鞘翅隆凸, 肩部高隆、光亮, 其下微凹; 盘区刻点粗密混乱, 刻点间距微隆; 雌虫鞘翅外侧在肩部的后方, 直达鞘翅中部或稍后, 呈短脊状横皱, 雄虫明显较光平。腹面被白色细毛。雄虫前足胫节顶端明显膨大并向内弯。

分布：陕西（秦岭）、黑龙江、吉林、辽宁、内蒙古、北京、河北、山西、山东、河南、宁夏、甘肃、青海、新疆、江苏、安徽、湖北、湖南、四川；蒙古，俄罗斯，朝鲜，日本。

寄主：甘薯，蕹菜，打碗碗花。

23. 杨梢肖叶甲属 *Parnops* Jakobson, 1894

Parnops Jakobson, 1894f: 275. **Type species**: *Parnops glasunowi* Jakobson, 1894.

属征：身体背腹面密被鳞片，刻点全部被覆盖；触角丝状；前胸背板横宽，端部较狭，基部较宽，与鞘翅基部约等宽；前胸腹板很狭窄；中足、后足胫节端部外侧凹切。爪双裂。

分布：中国北方；俄罗斯，日本。中国已知 4 种，秦岭地区记录 1 种。

(63) 杨梢肖叶甲 *Parnops glasunowi* Jakobson, 1894

Parnops glasunowi Jakobson, 1894: 277.

鉴别特征：体长 5.00 ~ 6.50mm。体狭长，黑色或黑褐色。背、腹密被灰白色鳞片状毛；复眼内缘稍具凹切；触角丝状，等于或稍长于体长之半；前胸背板矩形；鞘翅两侧平行。

分布：陕西（秦岭）、辽宁、内蒙古、河北、山西、河南、甘肃、新疆；土库曼斯坦，塔吉克斯坦，乌兹别克斯坦。

24. 沟顶肖叶甲属 *Scelodonta* Westwood, 1837

Heteraspis Chevrolat, 1836: 413. **Type species**: *Eumolpus vittatus* Olivier, 1808.
Scelodonta Westwood, 1837b: 129. **Type species**: *Scelodonta curculionoides* Westwood, 1838.
Heteraspis LeConte, 1859: 23 (nec Chevrolat, 1836). **Type species**: *Eumolpus pubescens* Melsheimer, 1847.
Scelodontomorpha Pic, 1938b: 26. **Type species**: *Scelodontomorpha tricostata* Pic, 1938 (= *Scelodonta costata* Jacoby, 1894).

属征：体圆柱形，多具金属光泽。在复眼的内侧和后缘有 1 条明显比肖叶甲亚科其他属更深的斜沟。触角丝状，仅达体长之半，末端 5 节稍粗。前胸宽大于长，两侧边缘不完整或不明显；前胸背板表面常有横皱纹。鞘翅基部较前胸宽很多，具刻点行。足粗壮，腿节一般都具 1 个小齿；胫节端部外侧凹切；爪纵裂。

分布：东洋区，非洲区。中国已知 5 种，秦岭地区发现 1 种。

（64）葡萄沟顶肖叶甲 *Scelodonta lewisii* **Baly，1874**

Scelodonta lewisii Baly，1874：165.

Scelodonta orientalis Lefèvre，1887：56.

Scelodonta jeanvoinei Pic，1941b：13.

鉴别特征：体长 3.20～4.50mm。体紫铜色或宝蓝色，具强烈金属光泽；足和触角基部数节与体同色，跗节和触角端节黑色。头和体腹面具较密的灰白色细短毛，前胸背板和鞘翅毛微细不显。头部刻点细密，头顶中央有 1 条纵沟纹，唇基与额之间有 1 条浅横沟，上唇前缘中部凹切；复眼内侧和上方有 1 条斜深沟。触角长约达鞘翅肩部，第 1 节粗长、棒状，第 2 节小，近于球形，第 3 节细长，4～6 节约等长，短于第 3 节而较粗，末端 5 节稍粗大。前胸柱形，前胸背板宽稍大于长，刻点细密，基部及两侧刻点密集呈皱纹状。小盾片略呈方形，横宽，具深刻点。鞘翅基部明显宽于前胸；盘区刻点较浅，基部刻点较大，端部刻点细小，中部之前刻点行超过 11 行，中部之后约有 10 行刻点；行距上常有小刻点，端部行距稍圆隆。腿节粗壮，无明显的齿。

分布：陕西（秦岭）、河北、山东、江苏、浙江、湖北、江西、湖南、福建、台湾、广东、海南、广西、贵州、云南；日本，越南。

寄主：*Ampelopsis aconitifolia*。

25. 茶肖叶甲属 *Demotina* **Baly，1863**

Demotina Baly，1863b：158. **Type species：** *Demotina bowringii* Baly，1863.

属征：体长卵形或近于长方形，乌暗无光泽；体背被鳞片。唇基横宽，两侧向前斜伸，端部宽于基部，前缘凹切，无鳞片。触角细长，丝状，端节很少粗大。前胸宽大于长，侧边呈锯齿状或无侧边。鞘翅宽于前胸，刻点排列成规则或不规则纵行。腿节粗壮，具齿，中足腿节较前、后足稍细或略等粗；中足或后足胫节或二者的端部外侧有凹切；爪纵裂。本属与鳞毛肖叶甲属近似，两者的主要区别在于，本属体背仅被鳞片，无竖毛；前足、后足腿节并不较中足腿节明显粗大。

分布：东洋区。中国已知 21 种，秦岭地区记录 1 种。

（65）黑斑茶肖叶甲 *Demotina piceonotata* **Pic，1929**

Demotina piceonotata Pic，1929：45.

鉴别特征：体长椭圆形，红色，疏被灰色鳞片；胸部及部分体腹面黑褐或褐色。鞘翅盘区各具 2 个黑褐色斑，足胫节淡红。前胸背板宽小于长的 2 倍；鞘翅具小刻点；腿节腹面各具 1 个很小的齿。

　　分布：陕西（秦岭）、浙江、湖北、云南。

26．毛叶甲属 *Trichochrysea* Baly，1861

Trichochrysea Baly，1861：195．**Type species**：*Trichochrysea mouhoti* Baly，1861.

Bromius Baly，1865h：439（nec Chevrolat，1837）．**Type species**：*Eumolpus hirtus* Fabricius，1801.

Heteraspis Chapuis，1874：284（nec Chevrolat，1837；Blanchard，1845；LeConte，1859）．**Type species**：*Trichochrysea mouhoti* Baly，1861.

Lefevrella Jakobson，1894：277．**Type species**：*Heteraspis hauseri* Weise，1890（ = *Heteraspis occidentalis* Weise，1887）.

Heteraspibrachis Pic，1907：170．**Type species**：*Heteraspibrachis bipubescens* Pic，1907.

　　属征：体粗壮，长形，体背和足具长竖毛；触角丝状，有的末端 5 节变扁；前胸圆柱形，侧边完整或不完整，前侧角具瘤突；鞘翅刻点不规则；爪双齿式。

　　分布：东洋区。中国目前已知 23 种，秦岭地区记录 1 种。

（66）大毛叶甲 *Trichochrysea imperialis*（Baly，1861）

Callomorpha imperialis Baly，1861：285.

Trichochrysea imperialis：Achard，1921：172.

Trichochrysea reitteri Pic，1939h：158.

　　鉴别特征：体长 6.50 ~ 12.50mm。体蓝色、绿色或蓝紫色，具金属光泽；体表被黑色长竖毛。头部刻点细密，头顶前方中央有 1 个小瘤突；触角约为体长之半，端部 5 节扁宽；前胸背板圆柱形，盘区刻点细密，两前角各具 1 个小瘤突；鞘翅明显宽于前胸背板，翅面刻点密集。

　　采集记录：2 头，佛坪，950m，1998．Ⅶ.25。

　　分布：陕西（佛坪）、甘肃、江苏、浙江、湖北、江西、湖南、福建、广东、海南、广西、四川、贵州、云南；越南。

　　寄主：山合欢，美丽胡枝子。

27．葡萄肖叶甲属 *Bromius* Chevrolat，1836

Bromius Chevrolat，1836：412．**Type species**：*Chrysomela obscura* Linnaeus，1758.

Adoxus Kirby，1837：209．**Type species**：*Cryptocephalus vitis* Fabricius，1775（ = *Chrysomela obscura* Linnaeus，1758）.

Eumolpus Redtenbacher，1858：893．**Type species**：*Cryptocephalus vitis* Fabricius，1775.

　　属征:体短而粗,触角丝状,末端 5 节较粗;额唇基两侧各有 1 个隆起的边框;鞘翅刻点不规则排列;爪双齿式。

　　分布:古北区,新北区。中国仅知 1 种,在秦岭有记录。

(67)葡萄叶甲 *Bromius obscurus*(Linnaeus, 1758)

Chrysomela obscurus Linnaeus, 1758: 375.

Chrysomela nigroquadralus de Geer, 1775: 336.

Cryplocephalus vitis Fabricius, 1775: 108.

Chrysomela obscurus ab. *villosulus* Schrank, 1781a: 95.

Eumolpus cochlearius Say, 1859: 196.

Adoxus obscurus ab. *epilobii* Weise, 1882b: 295.

Adoxus obscurus ab. *weisei* Heyden, 1883a: 53.

Adoxus obscurus ab. *concinnus* Weise, 1898: 190.

Adoxus obscurus ab. *lewisi* Weise, 1898: 190.

Bromius japonicus Ohno, 1960e: 24.

Bromius obscurus: Gressitt & Kimoto, 1961: 255.

　　鉴别特征:体长 4.50～6.00mm。体短粗,椭圆形;体色多完全黑色,体背密被白色平卧毛。头部刻点粗密,触角丝状,约为体长之半;前胸背板柱形,后缘中部外凸,盘区密布大而深的刻点;小盾片长方形;鞘翅刻点细密,不规则排列。

　　采集记录:4 头,周至厚畛子,1350m,1999.Ⅵ.23;1 头,宁陕火地塘,1580m,1998.Ⅷ.14。

　　分布:陕西(周至、宁陕)、黑龙江、河北、山西、甘肃、新疆、江苏、湖南、四川、贵州、西藏;俄罗斯,朝鲜,日本,欧洲,北美洲。

　　寄主:葡萄。

28. 厚缘肖叶甲属 *Aoria Baly*, 1863

Aoria Baly, 1863b: 149. **Type species**: *Adoxus nigripes* Baly, 1860.

Osnaparis Fairmaire, 1889: 72. **Type species**: *Osnaparis* nucea Fairmaire, 1889. As subgenus of

　　Aoria Baly.

Pseudaoriana Pic, 1930b: 3. **Type species**: *Pseudaoria lemoulti* Pic, 1930 (= *Aoria rufotestacea*

　　Fairmaire, 1889).

Enneaoria Tan, 1981: 51. **Type species**: *Enneaoria yunnanensis* Tan, 1981.

　　属征:体卵形或近于长方形;被淡褐色或淡灰色半竖毛,每个刻点上着生 2 根毛,唇基与额之间有 1 个凹洼。触角丝状或近于丝状,端部数节稍粗。前胸两侧具明显边缘或无侧边;后缘粗厚,隆起呈边框状,中部向后凸出。鞘翅基部较前胸宽很多,刻点成纵行排列,臀板末端常外露。足较长,腿节不具齿;爪纵裂。

　　分布:东洋区。中国已知 30 种,秦岭地区记录 5 种。

分种检索表

1. 体金属蓝色,鞘翅淡绿色 ……………………………………… 蓝厚缘肖叶甲 *A.* (*A.*) *cyanea*
   非上体色 ……………………………………………………………………………… 2
2. 体黄色或棕黄色 ………………………………………………………………………… 3
   体黑褐或栗褐色 ………………………………………………………………………… 4
3. 头部无粗刻点;触角长不及鞘翅中部 ………………………… 黄厚缘肖叶甲 *A.* (*A.*) *fulva*
   头部具粗刻点;触角长超过鞘翅 2/3 ………………… 棕红厚缘肖叶甲 *A.* (*A.*) *rufotestacea*
4. 触角黑色;鞘翅刻点排列规则 …………………… 栗厚缘肖叶甲 *A.* (*Osnaparis*) *nucea*
   触角黄褐色;鞘翅刻点排列不规则 ……………… 马氏厚缘肖叶甲 *A.* (*A.*) *martensi*

(68) 蓝厚缘肖叶甲 *Aoria* (*Aoria*) *cyanea* Chen, 1940

Aoria cyanea Chen, 1940: 514.

Aoria (*Aoria*) *cyanea*: Gressitt & Kimoto, 1961: 261.

　　鉴别特征:体长 6mm。体蓝色,具金属光泽,鞘翅淡绿色;触角黑色,基部 4 节淡红色。体被灰色竖毛;头部具粗深刻点;触角基部有 1 对光滑瘤突,触角长超过体长的 2/3;前胸背板有皱褶,盘区刻点粗密;鞘翅刻点呈不规则双行排列。

　　采集记录:4 头,周至厚畛子,1350～3000m,1999.Ⅵ.21;1 头,佛坪凉风垭,1750～2150m,1999.Ⅵ.28。

　　分布:陕西(周至、佛坪)、甘肃。

(69) 黄厚缘肖叶甲 *Aoria* (*Aoria*) *fulva* Medvedev, 2012

Aoria (*Aoria*) *fulva* Medvedev, 2012: 51.

　　鉴别特征:体长 3.50～3.70mm。体黄褐色,触角 5～11 节褐色至黑色。体背被白色纤毛,头不具粗刻点;触角长达鞘翅中部;前胸背板长宽相等,盘区刻点密集;鞘翅两侧接近平行,端部宽圆,翅面具密集刻点。

　　采集记录:1 头,华阴华山,1992.Ⅵ.03。

　　分布:陕西(华阴)。

(70) 马氏厚缘肖叶甲 *Aoria* (*Aoria*) *martensi* Medvedev, 2012

Aoria (*Aoria*) *martensi* Medvedev, 2012: 51.

鉴别特征: 体长 5.30~6.10mm。体黑褐色,具金属光泽;头及前胸背板颜色较鞘翅深;触角黄褐色,到端部颜色逐渐加深;足红褐色,腿节端部黑褐色。头部具粗大刻点;触角短,仅达鞘翅基部的 1/4 处;前胸背板长明显大于宽,盘区刻点密集;鞘翅基部窄,端部宽,肩角下有短脊状隆凸,翅面刻点不规则,基部较端部密集。

采集记录: 2 头,太白,1998.Ⅶ.03。

分布: 陕西(太白)。

(71) 棕红厚缘肖叶甲 *Aoria* (*Aoria*) *rufotestacea* Fairmaire, 1889

Aoria rufotestacea Fairmaire, 1889: 72.

Aoria chinensis Jacoby, 1890: 114.

Aoria rufa Pic, 1928: 378.

Pseudaoria (*Pseudaoria*) *lemoulti* Pic, 1930: 3.

Aoria testacea Pic, 1935: 8.

Aoria (*Aoria*) *rufotestacea*: Gressitt & Kimoto, 1961: 260.

鉴别特征: 体长方形,棕红或棕黄色,被淡黄色半竖毛。触角黑色,基部 3 节黑红或淡褐色,其中第 1 节部分黑色;足黑色或除腿节外大部分黑色;头和前胸颜色变异较大,具有两种色型:一种是头、胸与鞘翅同色,均为棕黄或棕红色;另一种是头、胸黑色,鞘翅棕黄或棕红色。头部刻点较大而深,头顶两侧呈皱纹状,在触角的基部有 1 个稍隆起的小光瘤;唇基前端向两侧展宽,前缘中部凹切,表面密布大而深的刻点。触角丝状,达体长的 2/3;第 1 节膨大,球形,第 3 节长于第 2 节且约为第 4 节长的 2/3,第 4、5 节两节约等长,末端 5 节稍粗。前胸圆柱形,长宽略相等,无侧边;盘区刻点大而深,相当密,有时在中部密集呈皱纹状;前缘平直,后缘隆起,中部稍向后凸出。小盾片长形,基部宽,端部狭,端圆平切或略圆。鞘翅基部明显宽于前胸,肩部隆起,基部圆隆,后面有 1 条横凹;盘区刻点较前胸的浅弱,成双行排列,有时邻近的刻点常汇合成 1 个较大的横宽的刻点;行距宽而较平。足粗壮,腿节无齿,后足胫节较前中足胫节长很多。

分布: 陕西(秦岭)、辽宁、河北、江苏、浙江、湖北、四川、贵州。

(72) 栗厚缘肖叶甲 *Aoria* (*Osnaparis*) *nucea* (Fairmaire, 1889)

Osnaparis nucea Fairmaire, 1889: 72.

Aoria (*Osnaparis*) *nucea*: Chen, 1935: 364.

Aoria taliana Pic, 1935: 8.

鉴别特征：体长 4.80 ~ 6.70mm。体棕红至栗褐色,被淡黄色毛;触角黑色,基部 3 ~ 4 节棕黄色;足的腿节端半部黑色。头部刻点粗疏;触角丝状,约为体长的 2/3;前胸近于圆柱形,后缘具边框,盘区刻点大而深;鞘翅刻点成行排列。

采集记录：1 头,宁陕火地塘,1600 ~ 1700m,1998. Ⅶ. 28。

分布：陕西(宁陕)、北京、河北、甘肃、浙江、湖北、江西、福建、台湾、广东、海南、广西、四川、云南;日本。

29. 黄肖叶甲属 *Xanthonia* Baly, 1863

Xanthonia Baly, 1863：151. **Type species**：*Xanthonia slevensi* Baly, 1863.
Microlypesthes Pic, 1936：15. **Type species**：*Microlypesthes coomani* Pic, 1936.

属征：体长卵形,被毛;复眼完整;触角丝状;前胸背板两侧侧边不明显,前缘之后有 1 个宽横凹;鞘翅有翅坡;爪双齿式。

分布：中国;日本,南美洲,北美洲。中国目前已知 11 种,秦岭地区记录 2 种。

(73)杉针黄叶甲 *Xanthonia collaris* Chen, 1940

Xanthonia collaris Chen, 1940：512.

鉴别特征：体长 3.00 ~ 3.80mm。体黄褐或红褐色;头顶、前胸背板中部及鞘翅中缝黑褐色;触角棕黄色,端部 7 节黑褐色;中胸、后胸腹面及腹部亮黑色。头部刻点密集;触角丝状,长度是体长的 1/2;前胸背板两侧在中部之后各有 1 个横凹窝;鞘翅刻点呈不规则排列。

采集记录：3 头,周至厚畛子,1350m,1999. Ⅵ. 24;1 头,佛坪凉风垭,1750 ~ 2150m,1999. Ⅵ. 28;1 头,宁陕火地塘,1580m,1998. Ⅶ. 27。

分布：陕西(周至、佛坪、宁陕)、山西、甘肃、青海、广西、四川、云南、西藏。

寄主：云杉。

(74)斑鞘黄叶甲 *Xanthonia signata* Chen, 1935

Xanthonia signata Chen, 1935：360.

鉴别特征：体长 2.40 ~ 2.90mm。体背红褐色,腹面黑褐色;触角褐色;前胸背板中央有 1 个大黑斑;小盾片和鞘翅肩角、中缝及侧缘黑褐色,鞘翅盘区具黑褐色纵纹。头部刻点细密,触角超过体长之半;前胸背板刻点粗密;小盾片上刻点呈倒梯形;鞘翅在基部不远处有一浅横凹,翅面刻点规则排列。

　　采集记录:10头,周至厚畛子,1350m,1999.Ⅵ.21。

　　分布:陕西(周至)、甘肃、湖北、四川、贵州、云南。

　　寄主:英蒾,山桃。

30. 筒胸肖叶甲属 *Lypesthes* Baly,1863

Lypesthes Baly,1863b:152. **Type species**:*Fidia atra* Motschulsky,1860.

Endoxus Baly,1861:285[misspelling].

Leprotes Baly,1863b:158. **Type species**:*Adoxus gracilicornis* Baly,1861.

Talmonus Fairmaire,1889a:71. **Type species**:*Talmonus farinosus* Fairmaire,1889(= *Fidia atra* Motschulsky,1860)。

　　属征:体长方形或长椭圆形,被半竖毛或平卧的鳞片。复眼完整,内缘无凹切;唇基横宽,与额之间有1片凹洼区;头顶中央的纵沟纹长而明显。触角细,丝状,端部5节微粗。前胸无侧边。鞘翅基部较前胸宽很多,被毛或鳞片或二者均有,刻点粗大,常排列成不规则纵行,每翅常有3、4行稍隆起的纵脊。前胸腹板长大于宽;中胸腹板较狭于前胸腹板。各足腿节腹面均具1个齿,爪纵裂。

　　分布:东洋区。中国已知12种,秦岭地区记录1种。

(75)粉筒胸肖叶甲 *Lypesthes ater*(Motschulsky,1861)

Fidia ater Motschulsky,1861:22.

Lypesthes ater:Baly,1863:152.

Leprotes pulverulentus Jacoby,1885:203.

Talmonus farinosus Fairmaire,1889:71.

Leprotes testaceipes Pic,1928:26.

Leprotes fulvipes Chûjô,1954:106.

　　鉴别特征:体长椭圆形,黑色,密布灰白色竖毛,有时身体覆盖一层白粉状分泌物。触角大部分黑色或黑褐色,基部3节(有时第1节部分黑褐色),上唇和下颚须棕黄色。头部刻点大而密,形成皱纹状,头顶中央有1条细纵沟纹;唇基前端呈横形隆起,具稀疏的毛和刻点,其后为1个三角形凹洼。触角细长、丝状,长度约达体长的2/3;第1节膨大、棒状,长于第2节短于第3节,第3节细长,与4~7节略等长,自第8节起较短。前胸圆柱形,长稍大于宽,无侧边;背板前缘平直,后缘弧形,盘区密布大刻点,中部隆起,近前后端稍凹下。小盾片长方形或舌形,末端圆钝。鞘翅基部较前胸宽很多,两侧平行,肩部高隆,基部隆起,其后有1条横凹;盘区刻点较头、胸部的大,排列成不规则纵行,在翅的基部和侧面略呈皱纹状;有时在刻点行间有三四条稍隆起的脊纹。前胸腹板长方形,长大于宽;中胸腹板狭于前胸腹板。腿节腹面各有 1 个小齿。

　　分布:陕西(秦岭)、浙江、湖北、江西、福建、广东、广西、四川、贵州、云南;朝鲜,日本。

31. 皱鞘肖叶甲属 *Abirus* Chapuis, 1874

Abirus Chapuis, 1874: 310. **Type species**: *Cryptocephalus aeneus* Wiedemann, 1821.

　　属征:体长,近于圆柱形,具有强烈的金属光泽;触角为体长之半,端部数节较宽;前胸背板侧边明显;鞘翅盘区具横皱褶,刻点排列不规则;爪附齿式。

　　分布:东洋区。中国已知 3 种,秦岭地区记录 1 种。

(76) 桑皱鞘叶甲 *Abirus fortunei* (Baly, 1861)

　　Dermorhytis fortunei Baly, 1861: 283.

　　Abirus fortunei: Fairmaire, 1889: 71.

　　Abirus harmandi Lefèvre, 1876: 305.

　　Abirus denticollis Lefèvre, 1893: 127.

　　Abirus granosus Lefèvre, 1893: 128.

　　Abirus harmandi var. *achardi* Pic, 1923: 12.

　　Abirus atricolor Pic, 1927: 23.

　　Abirus recticollis Pic, 1927: 133.

　　Abirus sinensis Pic, 1927: 133.

　　Abirus superbus Pic, 1927: 23.

　　Abirus yashiroi Yuasa, 1930: 294.

　　Abirus kiotoensis Pic, 1944: 8.

　　Abirus malleti Pic, 1944: 8.

　　Abirus harmandi var. *cuprescens* Pic, 1946: 14.

　　Abirus harmandi var. *curtus* Pic, 1946: 14.

　　Abirus sinensis var. *guerryi* Pic, 1946: 14.

　　Abirus harmandi var. *viridescens* Pic, 1946: 14.

　　鉴别特征:体长 7.00~9.50mm,体色多变,翠绿、紫黑或铜紫色;前胸背板与鞘翅同色或异色;触角黑色,基部 2~4 节黑红或棕红色。头部有较密的毛及粗刻点;触角长超过鞘翅肩部;前胸背板侧边明显,盘区具大小不等刻点;鞘翅翅面有横皱褶及细小刻点。

　　分布:陕西(秦岭)、山东、江苏、浙江、湖北、湖南、江西、福建、台湾、广东、广西、四川、贵州、云南;朝鲜,日本,越南,老挝,泰国,缅甸。

32．萝藦肖叶甲属 *Chrysochus* Chevrolat，1836

Chrysochus Chevrolat，1836：413. **Type species**：*Chrysomela asclepiadea* Pallas，1773.

Atymius Gistel，1848a：123（unnecessary substitute name）.

属征：体长方形或长卵形，光亮。复眼内侧和上方有 1 条浅狭沟。触角末端 5 节一般多呈圆柱形，个别展宽。前胸背板横宽，较鞘翅基部稍狭，两侧具明显边缘；前缘的两端稍呈波浪形，前角向下弯；后缘较平直；两侧弧圆，基端两处较狭。鞘翅基部有 1 个横凹；刻点排列成不规则纵行或杂乱排列。前胸前侧片前缘凸出。前胸腹板长方形，在前足基节之后展宽；中胸腹板在中足基节之间呈长方形或横宽，端缘平切或中部向后突出，雄虫的端缘中部有 1 个向后指的短尖刺。雄虫前足、中足跗节第 1 节较雌虫的宽扁；爪纵裂，很少具附齿。本属种类一般均取食萝藦科植物。

分布：古北区，新北区。中国已知 5 种，秦岭地区记录 1 种。

(77) 中华萝藦肖叶甲 *Chrysochus chinensis* Baly，1859

Chrysochus chinensis Baly，1859：125.

Chrysochus caerulescens Pic，1927：25.

Chrysochus cyclostoma Weise，1889：593.

Chrysochus singularis Lefèvre，1884：ccv.

鉴别特征：体长 7.20～13.50mm。体粗壮，长卵形；金属蓝或蓝绿、蓝紫色。触角黑色，末端第 5 节乌暗无光泽，第 1～4 节常为深褐色。头部刻点或稀或密，或深或浅，一般唇基处的刻点较头的其余部分细密，毛被亦较密；头中央有 1 条细纵纹，有时此纹不明显；在触角的基部各有 1 个稍隆起的光滑的瘤。触角长达或超过鞘翅肩部；前胸背板长大于宽，基端两处较狭；盘区中部高隆，两侧低下，如球面形，前角突出；侧边明显，中部之前呈圆弧形，中部之后较直；盘区刻点或稀疏或较密或细小或粗大。小盾片心形或三角形，蓝黑色，有时中部有 1 个红斑，表面光滑或具微细刻点。鞘翅基部稍宽于前胸，肩部和基部均隆起，二者之间有 1 条纵凹沟，基部之后有 1 条或深或浅的横凹；盘区刻点大小不一，一般在横凹处和肩部的下面刻点较大，排列成略规则的纵行或不规则排列。中胸腹板宽，方形，雌虫的后缘中部稍向后凸出，雄虫的后缘中部有 1 个向后指的小尖刺。雄虫前足与中足第 1 跗节较雌虫的宽阔。爪双裂。

分布：陕西（秦岭地区广布）、黑龙江、吉林、辽宁、内蒙古、河北、山西、山东、甘肃、青海、河南、江苏、浙江、江西；朝鲜，俄罗斯，日本。

寄主：茄，芋，甘薯，蕹菜，雀瓢，黄芪属，罗布麻属，曼陀萝，鹅绒藤，戟叶鹅绒藤。

33. 扁角肖叶甲属 *Platycorynus* Chevrolat, 1836

Platycorynus Chevrolat, 1836: 413. **Type species**: *Eumolpus compressicornis* Fabricius, 1801.

Corynodes Hope, 1840: 162. **Type species**: *Eumolpus compressicornis* Fabricius, 1801.

Eudora Laporte, 1840: 513. **Type species**: *Eumolpus compressicornis* Fabricius, 1801.

Batycolpus Marshall, 1865: 46. **Type species**: *Eumolpus ignicollis* Hope, 1842.

Corynoeides Clark, 1865a: 139. **Type species**: *Corynoeides tuberculata* Clark, 1865 (= *Corynodes monstruosus* Baly, 1867).

Erigenes Marshall, 1865: 45. **Type species**: *Corynodes circumductus* Marshall, 1865.

Eurycorynus Marshall, 1865: 36. **Type species**: *Eumolpus chrysis* Olivier, 1808.

Omodon Marshall, 1865: 44. **Type species**: *Corynodes tuberculatus* Baly, 1864.

Theumorus Marshall, 1865: 35. **Type species**: *Corynodes amethystinus* Marshall, 1865.

Neolycaria Abdullah *et* Qureshi, 1969b: 118. **Type species**: *Neolycaria ahmadi* Abdullah *et* Qureshi, 1969.

属征:体长形,背面光亮;头部在复眼内侧及上方有向后展宽的深纵沟;触角末端5 节明显扁宽;前胸背板具明显的侧边;爪双齿式。

分布:东洋区,非洲区。中国目前已知 30 种,秦岭地区记录 1 种。

(78) 四川扁角叶甲 *Platycorynus plebejus* (Weise, 1889)

Corynodes plebejus Weise, 1889: 593.

Chrysochus yunnanus Pic, 1927: 25.

Chrysochus yunnanus var. *minutus* Pic, 1929: 35.

Platycorynus plebejus: Gressitt & Kimoto, 1961: 294.

鉴别特征:体长 9 ~ 12mm。体色金属蓝、蓝黑或蓝紫色;在复眼内侧和上方有1 条向后展宽的斜深沟;触角伸达鞘翅肩部;前胸背板盘区具稀疏的刻点,大而深;鞘翅刻点密集,但小于前胸背板。

采集记录:1 头,留坝韦驮沟,1600m,1998. Ⅶ. 21;2 头,佛坪,950m,1998. Ⅶ. 23;1 头,宁陕火地塘,1580m,1998. Ⅷ. 22。

分布:陕西(留坝、佛坪、宁陕)、甘肃、浙江、湖北、四川、贵州、云南;老挝。

四、叶甲科 Chrysomelidae

葛斯琴　杨星科

（中国科学院动物进化与系统学重点实验室，中国科学院动物研究所，北京 100101）

　　叶甲科是叶甲总科中危害种类最多、危害方式最为复杂、危害作物最为广泛的一个大类群，中国共记录 3 亚科 254 属 2193 种（Yang *et al.*, 2015）。迄今为止，对一些害虫种类或生物学习性等问题尚未确证。随着时间的推移，由于自然环境的改变或其他一些因素，许多新的问题又在不断发生。例如，黄尾球跳甲 *Sphaeroderma apicale* 过去鲜为人知，近年来在国内成为粮食作物的重要害虫，并在不断蔓延；桑窝额萤叶甲 *Fleutiauxia armata* 过去是我国南方桑树的食叶害虫，近几年也成为北方枣树的大害虫。此外，本科昆虫的一些类群具有明显的食性专化现象，而这种特性与这些类群在分类系统上是密切相关的。因此，厘清叶甲科在中国的分布种类，是今后分类工作的重点。本文通过对陕西秦岭地区的叶甲科种类的系统整理，共记述该地区叶甲科昆虫 3 亚科 84 属 201 种。

分亚科检索表

1.　两触角着生处相隔较宽；前足基节横形；中至大型种类，体长 3 ~ 12mm；幼虫露生食叶 ……………… **叶甲亚科 Chrysomelinae**

　　两触角着生处接近 ……………………………………………………………………… 2
2.　后足腿节不特别膨大，内无跳器；中至大型种类，体长 4 ~ 15mm；幼虫露生食叶或土中食根 …… **萤叶甲亚科 Galerucinae**

　　后足腿节特别膨大，内有跳器；善跳；小至大型种类，体长 1.20 ~ 15.00mm；幼虫露生食叶，隐生潜叶、潜柄、潜果实，或在上下食根等 ……………… **跳甲亚科 Alticinae**

（一）叶甲亚科 Chrysomelinae

杨星科　葛斯琴

（中国科学院动物进化与系统学重点实验室，中国科学院动物研究所，北京 100101）

　　鉴别特征：成虫一般中等到大型，体长为 2 ~ 15mm。体形圆、长圆、卵圆或长方形，背面较拱突或十分拱突，仅扁叶甲属背面扁平。体色多艳丽，金属光泽较强或具条带、花斑。头型为亚前口式,头部有清楚的倒"Y"形沟纹,唇基三角形或半圆形,唇基横行狭窄。触角较短,仅伸达或略超过前胸背板基部,端部 5、6 节较粗;两触角基部远离,着生在头前部额区两侧,接近上颚基部。前足基节窝关闭或开放,前足基节横卵形、不突出,两足相距较远;腿节不十分粗壮,胫端无刺;假 4 跗型,基部 3 节腹面通常毛被发达,如垫状;爪简单,附齿式或双齿式。

生物学:成虫、幼虫全部裸生食叶。多为卵生,成虫在叶面产卵,散产或成块。许多种类是农、林、牧草的重要害虫,有些种类被用于生物除草。

分类:广布世界各地,以温带、亚热带地区种类最为丰富。世界已知 3000 余种,隶属于 137 属。本志记述了陕西秦岭地区叶甲亚科 11 属 18 种。

分属检索表

1. 前足基节窝向后关闭 ……………………………………………………………… 2
   前足基节窝向后开放 ……………………………………………………………… 3
2. 体长方形,较瘦狭;爪附齿式;胫节端部外侧不呈角状突出;鞘翅刻点排列成纵行 …………
   ……………………………………………………………………… 牡荆叶甲属 *Phola*
   体卵圆形,较阔;爪单齿式;胫节端部外侧呈角状突出,鞘翅刻点混乱 …………
   ……………………………………………………………… 油菜叶甲属 *Entomoscelis*
3. 爪附齿式 ………………………………………………………………………… 4
   爪简单,不具齿 ………………………………………………………………… 5
4. 胫节端部具齿;上颚外侧缘具凹陷以收纳下颚须 ……………… 角胫叶甲属 *Gonioctena*
   胫节端部不具齿;上颚外侧缘不具凹陷 …………………………… 弗叶甲属 *Phratora*
5. 鞘翅刻点混乱 ……………………………………………………………………… 6
   鞘翅刻点排列整齐,或仅盘区中部略混乱 ………………………………………… 9
6. 鞘翅缘折内侧缘不具纤毛;下唇须基部彼此靠近 ……………………………………… 7
   鞘翅缘折内侧缘全长、端部 2/3 或仅端部具纤毛;下唇须基部彼此远离 ……金叶甲属 *Chrysolina*
7. 中胸腹板窄长,前端不具凹陷 ……………………………… 固猿叶甲属 *Sclerophaedon*
   中胸腹板短,前端具凹陷 ………………………………………………………… 8
8. 胫节端部具齿;前胸背板基部具边框,侧缘略拱弧 …………………… 齿胫叶甲属 *Gastrophysa*
   胫节端部不具齿;前胸背板基部不具边框,侧缘中部拱弧,前端缢缩并弯向腹面 …………
   ……………………………………………………………… 无缘叶甲属 *Colaphellus*
9. 鞘翅缘折凹陷,不折向鞘翅侧缘 ………………………………… 圆叶甲属 *Plagiodera*
   鞘翅缘折平,折向鞘翅侧缘 ……………………………………………………… 10
10. 前胸背板平,侧缘不具纵凹 ………………………………………… 扁叶甲属 *Gastrolina*
    前胸背板侧缘具纵凹,通过 1 行纵向刻点或纵凹与盘区中部分离 ……… 叶甲属 *Chrysomela*

34. 牡荆叶甲属 *Phola* Weise, 1890

Phola Weise, 1890: 482. **Type species**: *Chrysomela octodecimguttata* Fabricius, 1775.

属征:体长形,两侧接近平行,尾端略阔,鞘翅中部适当隆突。头较宽,中央纵沟纹不清楚;唇基后缘以弧形沟纹与额分开,唇基较隆起,与额区处于同一平面上;上颚双齿;下颚须第 3 节端部显著膨粗;下唇须末 2 节近等长。触角丝状,向后伸超过鞘翅肩胛,第 3 节略长于第 2 节,约与第 4 节等长,端部不明显加粗。前胸背板宽不足中长的2 倍,周缘具边框,前缘接近直形,各角具一刻点毛。鞘翅肩胛不甚隆突,刻点排成纵行;缘折面平,无毛。后翅 Cu1a 与 Cu1b 之间具横脉;前足基节窝关闭,爪附齿式。

分布:东洋区,我国分布于南部省区。秦岭地区记录 1 种。

(79)十八斑牡荆叶甲 *Phola octodecimguttata*(**Fabricius,1775**)(图 10)

Chrysomela octodecimguttata Fabricius,1775:100.

Chalcolampra cybele Stål,1860:464.

Chalcolampra viticis Fairmaire,1888:39.

Chalcolampra keyserlingi Weise,1890:482.

Chalcolampra octodecimguttata:Maulik,1926:87.

Phola octodecimguttata:Chen,1934:81.

Phola cybele:Chen,1934:82.

鉴别特征:体长 5.80~6.10mm,体宽 3.30~3.60mm。头、胸、腹面和足淡黄色至深棕红色,鞘翅烟褐色;头顶中央具 1 个小黑斑;前胸背板具 3 个小黑斑,排成倒三角形,前 2 后 1;鞘翅具 8 个乳白色圆形斑,排成 4 排,每排 2 个斑,其中基部 2 个斑较小,另鞘翅外侧缘和端缘为乳黄色,中缝为深棕色;触角除基部 4 节外黑色。头顶平,具细密刻点,靠近触角窝内侧具 1/2 弧形凹纹。触角基部 3、4 节光亮,端节略粗,多毛,幽暗。前胸背板两侧直,基缘中部略拱出,具边框;盘区平,刻点很细。小盾片长三角形,表面光滑。鞘翅基部较前胸背板宽,刻点较粗,除肩后刻点外,排成规则纵行,行距上具微细刻点。雄性外生殖器如图 10C-E 所示。

采集记录:2♂2♀,周至厚畛子,2500m,1999.Ⅵ.21;1♂,佛坪,900m,1999.Ⅵ.27。

分布:陕西(周至、佛坪)、河北、甘肃、江苏、浙江、湖北、江西、湖南、福建、台湾、广东、海南、广西、四川、贵州;日本,印度,缅甸,越南,斯里兰卡,马来半岛,巴布亚新几内亚。

寄主:牡荆(*Vitex negundo* var. *cannabifolia*)。

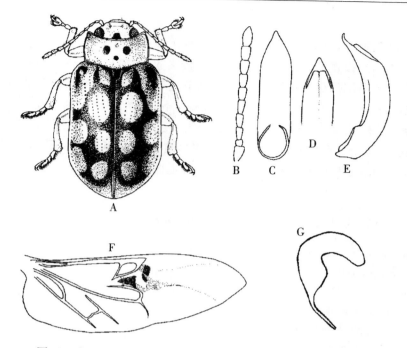

图 10   十八斑牡荆叶甲 *Phola octodecimguttata*（Fabricius，1775）

A. 整体背面观；B. 雌性触角；C. 雄性外生殖器腹面观；D. 雄性外生殖器背面观；E. 雄性外生殖器侧面观；F. 后
翅；G. 受精囊

35. 油菜叶甲属 *Entomoscelis* Chevrolat，1837

Entomoscelis Chevrolat，1837：426. **Type species**：*Chrysomela adonidis* Pallas，1771.
Chrysomelopsis Achard，1922：26. **Type species**：*Chrysomelopsis ecoffeti* Achard，1922.

　　属征：体卵圆形，背面十分拱突。头部宽，头顶隆突，中央纵沟纹清楚；额唇基后缘
以弧形沟纹与额分开；上颚发达，外侧面具粗刻点和毛；下颚须末节长于第 3 节，较粗
壮；下唇须末 2 节近等长。触角粗壮，约为体长的 1/2，向端部略加粗。前胸背板后角
具刻点毛，前缘略弧凹，基缘无边框。鞘翅刻点混乱，不成行。后翅 Cu1a 与 Cu1b 之
间通过 cv 横脉相连。前胸腹板突横宽，后缘向两侧膨突，前足基节窝向后关闭。中胸
腹板窄，前缘凹陷；后胸腹板前缘平截，具边框；胫节细长，外侧缘具齿；第 3 跗节完整，
端缘中部略凹进，爪单齿式。

　　分布：亚洲（中、东部），欧洲，北美洲，非洲（北部）。秦岭地区记录 1 种。

（80）黑腹油菜叶甲 *Entomoscelis nigriventris* **Daccordi** *et* **Yang，2009**

Entomoscelis nigriventris Daccordi *et* Yang，2009：422.

鉴别特征:体长 5.90~6.20mm,体宽 2.80~3.10mm。体背面、爪棕黄色或红褐色;头部、小盾片、腹部腹面黑色;头顶近前胸背板处具 1 个棕红色斑;前胸背板中部具 1 个黑色梯形斑,两侧各具 1 个黑色小圆斑;鞘翅中缝具 1 条窄长的黑色纵带。额唇基具稀疏、中等大小的刻点和毛;头顶具稀疏及中等大小的刻点;鞘翅长 5.30mm,肩瘤突出;盘区皮纹状,具大而粗密的刻点。

采集记录:1♂,Shaanxi:Taibai Shan Mountains, collecting date and collector unknown.

分布:陕西(太白)、北京、山西、甘肃。

寄主:白菜(*Brassica pekinensis*), *Rupr* sp.,萝卜属(*Raphanus*)。

36. 角胫叶甲属 *Gonioctena* Chevrolat, 1837

Gonioctena Chevrolat, 1837:403. **Type species**: *Chrysomela viminalis* Linnaeus, 1758.

Phytodecta Kirby, 1837:213. **Type species**: *Chrysomela rufipes* de Geer, 1758.

Asiphytodecta Chen, 1935:126. **Type species**: *Phytodecta tredecimmaculatus* Jacoby, 1888.

Sinomela Chen, 1935:126. **Type species**: *Phytodecta aeneipennis* Baly, 1862.

Platytodecta Bechyné, 1948:100. **Type species**: *Phytodecta flexuosus* Baly, 1859.

Brachyphytodecta Bechyné, 1948:101. **Type species**: *Spartophila fulva* Motschulsky, 1860.

属征:体长椭圆形或卵圆形,背面略隆或十分隆突。头缩入胸腔较深,头顶隆突,有时中央略凹;前胸背板后缘无边框,前、后角有或无刻点毛,表面均匀隆突,靠近侧缘无纵凸和纵凹陷。鞘翅刻点混乱或排成规则纵行。足粗壮,胫节外侧端前呈角状突出,这是本属的主要鉴别特征之一;前足基节窝开放;跗节第 3 节完整,不沿中线纵裂为 2 叶,爪附齿式。

分布:亚洲,欧洲,非洲(北部),北美洲。秦岭地区记录 2 种。

分种检索表

1. 体暗棕红色;前胸背板具 3 个黑斑;每鞘翅具 6 个黑斑,1 个位于小盾片及肩胛之间,与鞘翅基缘相接,2 个位于鞘翅中部之前,呈横向排列,有时彼此相接,形成横带,靠近中缝,2 个位于鞘翅中缝处,最后 1 个位于翅端,与侧缘相接 ·············· **十三斑角胫叶甲 *G*. (*A*.) *tredecimmaculata***

2. 头、前胸背板、小盾片、腹面和触角(基部 4、5 节除外)黑色;鞘翅棕黄,中部具 1 条波曲状黑色横带,为两翅所共有,另于每翅端前具 1 个近似圆形黑斑,两翅该斑有时联合,或翅完全棕黄色,不具斑、带 ·· **曲带角胫叶甲 *G*. (*P*.) *flexuosa***

(81) 曲带角胫叶甲 *Gonioctena*(*Platytodecta*)*flexuosa*(**Baly**, **1859**)

Phytodecta flexuosus Baly, 1859:156.

Gonioctena quadriplagiatus Fairmaire, 1889:75.

Phytodecta flexuosus var. *inornatus* Chen, 1934：74.

Phytodecta (*Platyphytodecta*) *flexuosus*：Bechyné, 1947：100.

Gonioctena (*Platytodecta*) *flexuosa flexuosa*：Gressitt & Kimoto, 1963：363.

Gonioctena (*Platyphytodecta*) *flexuosa melli* Gressitt et Kimoto, 1963：363.

Gonioctena flexuosa：Wang, 1996：67.

鉴别特征：体长5.50～8.50mm，体宽3.20～4.40mm。体近长方形，背面较平。头、前胸背板、小盾片、腹面和触角（基部4、5节除外）黑色；鞘翅棕黄，中部具1条波曲状黑色横带，为两翅所共有，另在每翅端前具1个近似圆形的黑斑，两翅该斑有时联合，或翅完全棕黄色，不具斑、带。额唇基及头顶刻点深显，较密。前胸背板侧缘略拱弧，侧缘从背面可见；前角不具刻点毛，后角具刻点毛。鞘翅肩胛存在，鞘翅具规则刻点行。

分布：陕西、甘肃、江苏、安徽、浙江、江西、福建、广东、四川。

寄主：黄芪（*Astragalus* sp.）。

（82）十三斑角胫叶甲 *Gonioctena* (*Asiphytodecta*) *tredecimmaculata* (Jacoby, 1888)（图11）

Phytodecta tredecimmaculatus Jacoby, 1888：347.

Paropsides nigrosparsus Fairmaire, 1888：373.

Phytodecta tredecimmaculatus var. *cinctipennis* Achard, 1924：33.

Phytodecta taiwanensis Achard, 1924：23.

Phytodecta (*Asiphytodecta*) *tredecimmaculata*：Chen, 1935：132.

Asiphytodecta tredecimmaculatus：Chen & Young, 1941：207.

Gonioctena (*Asiphytodecta*) *tredecimmaculata*：Gressitt & Kimoto, 1963：365.

Gonioctena tredecimmaculata：Kimoto, 1991：8.

鉴别特征：体长7～8mm，体宽5.00～5.50mm。体短卵形，背面拱突。体暗棕红色；前胸背板具3个黑斑；每鞘翅具6个黑斑，1个位于小盾片及肩胛之间，与鞘翅基缘相接，两个位于鞘翅中部之前，呈横向排列，有时彼此相接，形成横带，靠近中缝，两个位于鞘翅中缝处，最后1个位于翅端，与侧缘相接；小盾片黑色；腹面棕黑色。头部刻点粗深，唇基前缘隆起，向下折转，上唇下位，其前缘中央具1个圆锥形突起。前胸背板均匀隆凸，背视可见两侧边缘，前角钝圆，后角直，前角和后角均无刻点毛。鞘翅短阔。

采集记录：2♂2♀，华山，1000m，1972.Ⅷ.10，王书永采。

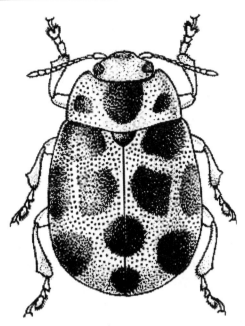

图 11　十三斑角胫叶甲 *Gonioctena*（*Asiphytodecta*）*tredecimmaculata*（Jacoby）整体背面观

分布：陕西（华阴）、浙江、湖北、江西、湖南、福建、台湾、广西、四川、贵州、云南；越南。

寄主：葛属（*Pueraria*）。

37. 弗叶甲属 *Phratora* Chevrolat，1837

Phratora Chevrolat，1837：405. **Type species**：*Chrysomela vulgatissima* Linnaeus，1758.

Phyllodecta Kirby，1837：216. **Type species**：*Chrysomela vitellinae* Linnaeus，1758.

Chaetocera Weise，1884：514. **Type species**：*Chrysomela vulgatissima* Linnaeus，1758.

Chaetoceroides Strand，1935：285（new name for *Chaetocera* Weise，1884）.

属征：体多为长方或长卵形，背面不甚隆突。体具金属光泽，以深蓝色居多，也有蓝绿、青紫、紫黑、紫铜、青铜、古铜色等。前胸背板长大于宽，均匀隆突，后缘具边框或不具边框，有时后缘边框极细，前缘向内弧凹很深。鞘翅基部较前胸背板宽，肩胛隆起，盘区刻点通常排成规则纵行，有时靠外侧肩下刻点较混乱，行列不清。前足基节窝向后开放，雄虫各足跗节第 1 节均显著膨阔，爪附齿式。

分布：全北区，东洋区。秦岭地区记录 2 种。

分种检索表

雌虫鞘翅刻点行 2、4、6 及 7 间或多或少隆起；阳茎长，端部不具锚状结构 ……………………

…………………………………………………………… 山杨弗叶甲 *Ph. costipennis*

雌虫鞘翅刻点行间不隆起；阳茎不如上所述，端部膨阔 ………… 方胸弗叶甲 *Ph. quadrithoracilis*

(83) 山杨弗叶甲 *Phratora costipennis* Chen，1965（图 12）

Phratora costipennis Chen, 1965：221，223.

鉴别特征：体长 4.20 ~ 4.70mm，体宽 2.80 ~ 3.00mm。体金属蓝色，腹面较黑；前足转节及腹部末端 2 节棕红色；腹部前 3 节有时端缘淡黄色，有时全黑，有时第 3 节部分棕红色，或第 4 节基部较黑。头部头顶中央常有 1 条很不明确的纵沟。前胸背板两侧颇直或微弧；基缘无边框。雌虫腹部末节表面显著凸起，仅侧缘及端缘区不凸，凸起的两侧常以沟纹为界；雄虫该节亦微凸，但两侧无沟纹。

采集记录：2♂2♀，宁陕，2000m，1962.Ⅵ.26，周嘉熹采。

分布：陕西（宁陕）。

寄主：*Populus tremula* var. *davisiana*。

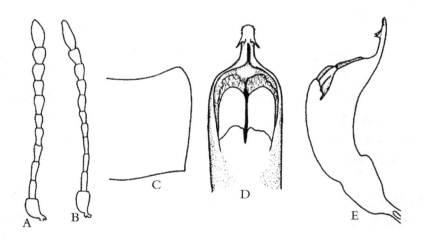

图 12　山杨弗叶甲 *Phratora costipennis* Chen

A. 雄性触角；B. 雌性触角；C. 前胸背板；D. 雄性外生殖器背面观；E. 雄性外生殖器侧面观

(84) 方胸弗叶甲 *Phratora quadrithoracilis* Ge *et* Yang，2005

Phratora quadrithoracilis Ge *et* Yang, 2005：4.

鉴别特征：体长 2.90~3.10mm，体宽 1.80~1.90mm。体长卵形，背面略拱突。体蓝黑色，具金属光泽；唇基端部、触角基部 2 节、腹部端部 3 节及爪棕黄色。头部具稀疏的粗刻点，其间散布有细刻点。前胸背板明显窄于鞘翅；侧缘略拱弧；前缘、后缘及侧缘具边框。鞘翅刻点肩内成双行，刻点行间隆起，具细刻点。

采集记录：1♂，周至厚畛子，2500~3000m，1999.Ⅵ.22，刘长明采。

分布：陕西（周至）。

38. 金叶甲属 *Chrysolina* Motschulsky，1758

Chrysomela Linnaeus，1758：368（part）.

Oreina Chevrolat，1837：402. **Type species**：not designated.

Polysticha Hope，1840：164. **Type species**：not designated.

Atechna Chevrolat，1843：282. **Type species**：not designated.

Chrysolina Motschulsky，1860：210. **Type species**：*Chrysomela staphylea* Linnaeus，1758.

属征：体长方形、长形或长卵形，背面拱突。触角着生于额区两侧，向后伸很少超过鞘翅中部。前胸背板宽大于长，有时长宽近等，似呈四方形，前缘中部弧凹，前角突出，后缘中部向后拱出，呈波曲状；盘区靠近两侧常纵凸。鞘翅基部较前胸背板宽，刻点混乱或成对纵行排列。前足基节窝开放；跗节第 3 节完整，不沿中线纵裂为两叶，爪单齿式。

分布：全世界。秦岭地区记录 3 种。

分种检索表

1. 鞘翅具圆盘状结构，排列成规则纵行，其表面光滑，不具刻点；盘区具粗密混乱刻点 ……………………………………………………………………… 粗点薄荷金叶甲 *C.*（*L.*）*laeviguttata*
   鞘翅不具圆盘状结构 ……………………………………………………………………… 2
2. 鞘翅在盘区上排成不规则的 9 行，其中靠外 8 行成双；雄性外生殖器基部略平行，近端部不收狭，顶端弧圆；侧视端部不具小齿 ……………………………… 太白金叶甲 *C. taibaica*
   排列一般不规则，有时略呈纵行趋势；雄性阳茎基部两侧近平行，端部锚状，侧视弯曲，端部具突起 ……………………………………………… 蒿金叶甲 *C.*（*A.*）*aurichalcea*

（85）蒿金叶甲 *Chrysolina*（*Anopachys*）*aurichalcea*（**Mannerheim，1825**）

Chrysomela aurichalcea Mannerheim，1825：39.

Chrysomela gibbipennis Faldermann，1835：105.

Chrysomela elevata Suffrian，1851：189.

Chrysolina violaceicollis Motschulsky，1862：21.

Chrysomela wallacei Baly, 1862：21.

Chrysomela amethystina Kolbe, 1886：228.

Chrysomela cupraria Kolbe, 1886：229.

Chrysomela pekinensis Fairmairer, 1887：331.

Chrysomela recticollis Weise, 1887：182(nec Motschulsky, 1860).

Chrysomela nigricans Jakobson, 1902：100.

Chrysomela collaris Weise, 1916：59.

Chrysolina aurichalcea：Chen, 1934：3.

Chrysolina (*Anopachys*) *aurichalcea aurichalcea*：Bechyné, 1950：147.

Chrysolina (*Anopachys*) *aurichalcea pekinensis*：Bechyné, 1950：147.

Chrysolina (*Anopachys*) *aurichalcea amethystine*：Bechyné, 1950：147.

Chrysolina (*Anopachys*) *aurichalcea omisiensis* Bechyné, 1950：147.

Chrysolina (*Anopachys*) *aurichalcea yunanica* Bechyné, 1950：147.

Chrysolina (*Anopachys*) *aurichalcea kwanghsiensis* Bechyné, 1950：147.

Chrysolina (*Anopachys*) *aurichalcea fokiensis* Bechyné, 1950：147.

Chrysolina vagesplendens Bechyné, 1950：148.

Oreina (*Chrysolina*) *aurichalcea*：Gressitt & Kimoto, 1963：314.

鉴别特征：体长 5.30～9.60mm，体宽 3.10～6.40mm。体背面通常呈青铜色或蓝色，有时紫蓝色；腹面蓝色或紫色。头顶刻点较稀，额唇基上刻点较密。前胸背板横宽，侧缘基部近于直形，中部之前趋圆，向前渐狭，前角向前突出，前缘向内弯进，中部直，后缘中部向后拱出；盘区两侧隆起。鞘翅刻点排列一般不规则。

采集记录：3♂5♀，周至厚畛子，1350m，1999.Ⅵ.24；1♂1♀，佛坪凉风垭，1800～2100m，1999.Ⅵ.28；1♂1♀，宁陕鸦雀沟，1580～1850m，1999.Ⅶ.02；1♂3♀，宁陕火地塘，1580～1650m，1998.Ⅵ.26；1♂，宁陕大水沟，1760m，1999.Ⅵ.30。

分布：陕西（周至、佛坪、宁陕）、黑龙江、吉林、辽宁、北京、河北、山东、河南、甘肃、新疆、安徽、浙江、湖北、湖南、福建、台湾、广西、四川、贵州、云南；俄罗斯（西伯利亚）、朝鲜、日本、缅甸、越南。

寄主：蒿属（*Artemisia*）。

(86) 粗点薄荷金叶甲 *Chrysolina* (*Lithopteroides*) *laeviguttata* Chûjô, 1958 (图 13)

Chrysolina (*Lithopteroides*) *laeviguttata* Chûjô, 1958：52.

鉴别特征：体长 8.00～11.40mm，体宽 4.20～5.50mm。体青铜色，具紫色金属光泽；触角基部光亮，第 1、2 节杂棕色。头部具稀疏的中等大小的刻点。触角细长，第 3 节长于第 2 节和第 4 节，端末 5 节略粗，节长大于端宽。胸部宽约为长的 1.90 倍，胸部刻点稀疏，稍大于头部刻点，前胸背板接近侧缘明显纵凸，其内侧不具纵凹；前角突出，接近圆形，前缘向内凹进很深。小盾片近于三角形，光滑，不具刻点。

鞘翅刻点约与前胸背板的等粗,但更密。每翅有 5 行无刻点的光亮的圆盘状突起,有时圆盘状突起在盘区中部不显,近侧缘明显。雄虫前足第 1 跗节略膨阔;雌虫各足第 1 跗节腹面光秃。雄性外生殖器基部近平行,端部膨阔;侧面弯曲。雌性受精囊"C"形,受精管简单。

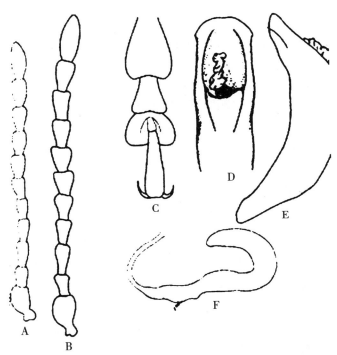

图 13　粗点薄荷金叶甲 Chrysolina（Lithopteroides）laeviguttata Chûjô
A. 雄性触角；B. 雌性触角；C. 雄性跗节；D. 雄性外生殖器背面观；E. 雄性外生殖器侧面观；F. 受精囊

采集记录：1♂,西安,2200～2500m,1998. Ⅷ. 10, P. F. Cavazzuti leg。

分布：陕西（西安）、河南、湖北、福建、台湾、四川、贵州。

(87) 太白金叶甲 *Chrysolina taibaica* Chen, 1961

Chrysolina taibaica Chen, 1961：431.

鉴别特征：体长 6.50mm,体宽 3.40mm。体长卵形,中后部不膨阔,鞘翅背面中部十分拱凸。体古铜色,腹面铜青,足较黑,触角全部及腹节第 1～4 节后缘均呈棕红色。头部刻点细小且稀疏。前胸背板前角显著前伸,侧缘平直,中部前稍阔。鞘翅肩瘤微现,刻点相当细,与前胸纵凹前部的较粗刻点近似,在盘区上排成不规则的 9 行,其中靠外 8 行成双。

采集记录：1♂，太白山，1916.Ⅸ.05，采集人不详。

分布：陕西（太白）。

39. 固猿叶甲属 *Sclerophaedon* Weise，1882

Sclerophaedon Weise，1882：303. **Type species**：*Chrysomela carniolica* Germar，1824.

Sclerophaedon（*Tantraedon*）Daccordi *et* Medvedev，2000：220. **Type species**：*Phaedonbescheti* Daccordi，1994.

属征：体近球形，强烈隆突，鞘翅端部缢缩或不缢缩。头小，深陷入前胸；缩入胸腔很深；触角伸达鞘翅基部，第7~11节端部略膨阔。前胸背板近方形，前角突出，后向中部凹陷；基部窄于鞘翅；侧缘平，略向前拱弧；后角钝，前、后及侧缘具边框，后角具或不具刻点毛。鞘翅基部宽于前胸背板，于中部之后略膨阔，具10行不规则刻点行，未包括小盾片行；近侧缘的第8刻点行完整。

分布：中国；尼泊尔，欧洲。秦岭地区记录1种。

（88）粗点固猿叶甲 *Sclerophaedon punctatus* Daccordi *et* Ge，2012（图14）

Sclerophaedon punctatus Daccordi *et* Ge，2012：93.

鉴别特征：体长4.60mm，体宽2.60mm。体长卵形，背面十分隆突，后翅退化消失。体深棕色，口器红褐色。头部额唇基和头顶具细密刻点，触角如图所示。前胸背板长1.20mm，宽2.10mm；盘区具粗密刻点，刻点行间具稀疏的刻点。鞘翅长3.30mm，具不规则刻点行，刻点粗密，刻点行间光滑，不具刻点。前背折缘具刻点，前胸腹板突窄，于端部膨阔，具粗密刻点；后胸腹板和腹部腹面具粗密刻点。雄性外生殖器背面两侧近平行，近端部变窄，内囊可见。雌性受精囊未知。

采集记录：1♂，China：S-Shannxi（Qinling Shan）mountain range W pass on rd.，Xi'an-Shagoujie，45km SSW Xi'an，35°52′N，108°46′N，2675m，leg. M. Schülke（C01-20）。

分布：陕西（西安）。

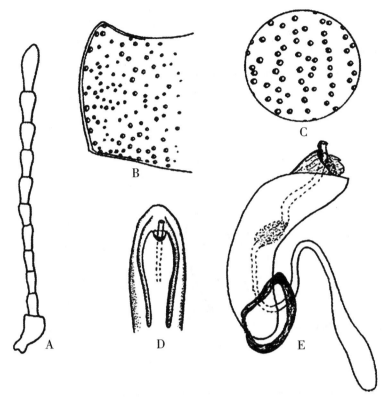

图 14　粗点固猿叶甲 *Sclerophaedon punctatus* Daccordi *et* Ge

A.雄性触角；B.前胸背板示意图；C.鞘翅刻点示意图；D.雄性外生殖器背面观；E.雄性外生殖器侧面观

40. 齿胫叶甲属 *Gastrophysa* Chevrolat，1837

Gastrophysa Chevrolat，1837：405，429. **Type species**：*Chrysomela polygoni* Linnaeus，1758.

Gastroidea Hope，1840：164. **Type species**：not designated.

Gastroidea Gemminger *et* Harold，1874：3403. emendation.

属征：长卵形，背面拱突。头部向前倾斜，上颚双齿；下颚须末节端部变尖；下唇须第 4 节略短于第 3 节；触角长，向后超过鞘翅肩胛；端部 6 节较粗。前胸背板基部较鞘翅狭，前、后缘及侧缘均具边框。小盾片盾形或舌形。鞘翅不向后膨阔，肩胛隆突，表面刻点混乱。前胸腹板狭、短，端缘截形，不向两侧膨阔；中胸腹板方形；前足基节窝向后开放。胫节端缘外侧呈角状膨出，爪单齿式。

分布：亚洲（东部），欧洲。秦岭地区记录了 1 种。

（89）蓼蓝齿胫叶甲 *Gastrophysa atrocyanea* Motschulsky，1860（图 15）

Gastrophysa atrocyanea Motschulsky, 1860：222.

Gastroidea atrocyanea：Gemminger & Harold, 1874：3403.

Gastroidea tonkinea Achard, 1926：134.

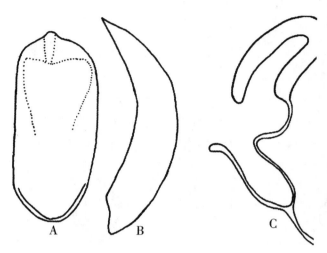

图 15　蓼蓝齿胫叶甲 *Gastrophysa atrocyanea* Motschulsky
A.雄性外生殖器背面观；B.雄性外生殖器侧面观；C.受精囊

　　鉴别特征：体长 5.40～5.70mm，体宽 2.90～3.10mm。体长椭圆形。体深蓝色，略带紫色光泽；腹面蓝黑，腹部末节端缘棕黄。头部刻点相当粗密、深刻。触角向后超过鞘翅肩胛，第 3 节约为第 2 节长度的 1.50 倍，较第 4 节长，端部 6 节显著较粗。前胸背板横阔，侧缘在中部之前拱弧，盘区刻点粗深，中部略疏。小盾片舌形，基部具刻点。鞘翅基部较前胸略宽，表面刻点更粗密。

　　采集记录：1♀，西安，1983，采集人不详；25♂♀，杨凌，1952.Ⅵ.14，采集人不详。

　　分布：陕西（西安、杨凌）、黑龙江、辽宁、内蒙古、北京、河北、河南、甘肃、青海、江苏、上海、安徽、浙江、江西、湖南、福建、四川、云南；俄罗斯（西伯利亚），朝鲜，日本，越南。

　　寄主：水蓼（*Polygonum hydropiper*），大黄（*Rumex japonicus*），萹蓄（*Polygonum aviculare*）。

41. 无缘叶甲属 *Colaphellus* Weise，1845

Colaphus Redtenbacher, 1845：116(nec Chevrolat, 1837). **Type species**：*Chrysomela sophiae* Schall, 1783.

Colaspidema Redtenbabher, 1874：484(part).

Colaphellus Weise, 1916：113(new name for *Colaphus* Redtenbacher, 1845).

属征：体长卵形,背面很拱突。头向下垂直,触角窝上沿隆起,额唇基凹陷,其前缘明显高出上唇,屋檐状。上颚具3个齿;下颚须末节略长于第3节,端部变尖;下唇须末节略短于前1节。触角向后超过鞘翅肩胛,第3节细长,端末5节明显较粗。前胸背板前缘直,基缘向后拱弧,无边框;表面刻点粗深。小盾片半圆形,基部很宽。鞘翅基部与前胸等阔,肩胛隆突,表面刻点混乱。

分布：亚洲,欧洲,非洲(北部)。秦岭地区记录1种。

(90)菜无缘叶甲 *Colaphellus bowringii*(**Baly**,**1865**)(图16)

Colaphus bowringii Baly, 1865：35.

Colaphellus grouvellei Achard, 1926：130.

Colaphellus bowringii：Chen, 1934：1.

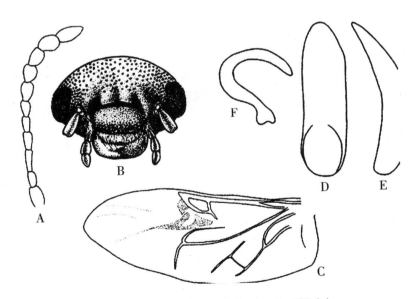

图16　菜无缘叶甲 *Colaphellus bowringii*(Baly)
A.雄性触角；B.头部正面观；C.后翅；D.雄性外生殖器背面观；E.雄性外生殖器侧面观；F.受精囊

鉴别特征：体长4.90~5.20mm,体宽1.40~1.60mm。体圆柱形,尾端略尖。背面黑蓝,带绿色光泽;腹面沥青色,跗节稍带棕色。头部刻点相当粗密,尤以两侧唇基前缘为甚,几呈皱状,并着生稀疏短毛。前胸背板十分拱凸,后缘中部强烈向后拱出,表面刻点粗深,中部略疏,两侧较密,刻点之间平。小盾片近于三角形,光滑无刻点。鞘翅基部与前胸等阔,刻点粗深,呈皱状,刻点之间隆起,以翅端更甚,紧靠缘折处呈横皱状。

采集记录:1♂1♀,凤县,1951.Ⅷ.12,采集人不详;3♂3♀,泾阳,1951.Ⅹ.24,朱弘复采。

分布:陕西(凤县、泾阳)、黑龙江、吉林、辽宁、内蒙古、北京、河北、山西、山东、河南、宁夏、甘肃、青海、江苏、浙江、湖北、江西、湖南、福建、广东、广西、四川、贵州、云南;越南。

寄主:白菜(*Brassica pekinensis*),*Rupr*,萝卜属(*Raphanus*),荠属(*Capsella*),葱属(*Allium*),甜菜属(*Beta*),莴苣属(*Lactuca*)。

42. 圆叶甲属 *Plagiodera* Chevrolat,1837

Plagiodera Chevrolat,1837:404. **Type species:** *Chrysomela versicolora* Laicharting,1781.
Plagiosterna Motschulsky,1860:196. **Type species:** *Plagiodera rufolimbata* Motschulsky,1860.
Linamorpha Motschulsky,1860:197. **Type species:** *Lina erythroptera* Blancher,1851.
Plagiormorpha Motschulsky,1860:200. **Type species:** *Chrysomela californica* Rogers,1854.

属征:体形近似圆形;背面十分拱突。头部"Y"形沟纹清楚;中央略凹;上颚双齿;下颚须末节圆锥形,顶端尖锐。前胸背板横宽,宽为长的2.50~3.00倍,侧缘拱弧,基缘具边框,很细,中部向后拱出,前缘向内弧凹很深。鞘翅肩胛显凸,刻点混乱,缘折面内凹,基部明显宽,逐渐向端收狭。前足基节窝向后开放,跗节第3节分为2叶,爪单齿式。

分布:全世界。秦岭地区记录了1种。

(91)柳圆叶甲 *Plagiodera versicolora*(Laicharting,1781)

Chrysomela versicolora Laicharting,1781:148.
Plagiodera versicolora:Gebler,1863:429.
Plagiodera versicolora var. *coelestina* Baly,1864:229.
Plagiodera versicolora var. *distincta* Baly,1874:174.
Plagiodera chinensis Weise,1898:212.
Plagiodera versicolora var. *orientalis* Chen,1934:56.
Plagiodera versicolora var. *rufithorax* Chen,1934:57.

鉴别特征:体长4.00~4.50mm,体宽2.80~3.10mm。体卵圆形,背面相当拱凸。深蓝色,有金属光泽,有时带绿光。头、胸色泽较暗,小盾片黑色。头部刻点非常细密,略呈皮纹状。前胸背板横宽,其宽约为长的3倍,侧缘向前收狭,前缘明显凹进,后缘中部向后拱弧;表面刻点紧密,中部略疏。鞘翅肩胛隆凸,肩后外侧有 1 个清楚的纵凹,外缘隆脊上有 1 行稀疏的刻点,排列规则;缘折面内凹、陡峭。

采集记录:1♀,宝鸡,1951. Ⅴ. 11,采集人不详;1♂,武功,1951. Ⅴ. 25,采集人不详。

分布:陕西(宝鸡、武功)、黑龙江、吉林、辽宁、内蒙古、北京、天津、河北、山西、山东、河南、宁夏、甘肃、江苏、安徽、浙江、湖北、江西、湖南、福建、台湾、四川、贵州、云南;俄罗斯(西伯利亚),日本,印度,欧洲,非洲。

寄主:柳属(*Salix*)。

43. 叶甲属 *Chrysomela* Linnaeus, 1758

Chrysomela Linnaeus, 1758: 368. **Type species**: *Chrysomela populi* Linnaeus, 1758.

Melasoma Stephens, 1831: 349. **Type species**: not designated.

Gymnota Gistl, 1837: 403. **Type species**: not designated.

Lina Megerle, 1837: 402. **Type species**: *Chrysomela populi* Linnaeus, 1758.

Macrolina Motschulsky, 1860: 198. **Type species**: *Chrysomela vigintipunctata* Scopoli, 1763.

Macromela Chûjô, 1958: 31. **Type species**: *Chrysomela maculicollis* Jacoby, 1890.

属征:体长椭圆形,背面拱突。头部小,伸缩入胸腔,头顶略凹,中央具明显纵沟纹。前胸背板横宽,两侧靠近侧缘纵凸,其内侧凹陷,有时很深刻,呈沟状,此处刻点粗大紧密,有时前胸背板均匀隆起,无侧缘区隆起。鞘翅基部较前胸背板宽,刻点混乱,或行列很不规则;缘折面平,内沿无细毛。

分布:全北区,东洋区,非洲区。秦岭地区记录了 3 种。

分种检索表

1. 鞘翅边缘具 2 行刻点,中缝顶端不具任何黑斑;体长 7～9mm ……………………………… 2
   鞘翅边缘具 1 行刻点,中缝顶端具 1 个黑斑;体长 10～12mm …………… 杨叶甲 *C. populi*
2. 前胸背板侧缘具很深的刻点;鞘翅刻点明显成行 ………… 柳二十斑叶甲 *C. vigintipunctata*
   前胸背板侧缘具微弱刻点;鞘翅刻点行混乱 ………………… 柳十八斑叶甲 *C. salicivorax*

(92) 杨叶甲 *Chrysomela populi* Linnaeus, 1758(图 17)

Chrysomela populi Linnaeus, 1758: 370.

Lina populi: Motschulsky, 1860: 224.

Lina violaceicollis Motschulsky, 1860: 224.

Melasoma populi: Chen, 1934: 2.

Melasoma populi asiatica Jakob, 1952: 105.

Melasoma populi nigricollis Jakob, 1952：105.

Melasoma populi kitaica Jakob, 1952：105.

Chrysomela(*Chrysomela*)*populi*：Gressitt & Kimoto, 1963：348.

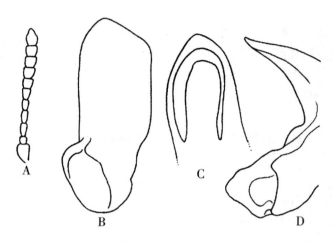

图 17　杨叶甲 *Chrysomela populi* Linnaeus, 1758
A. 触角；B. 雄性外生殖器腹面观；C. 雄性外生殖器背面观；D. 雄性外生殖器侧面观

鉴别特征：体长 8.00～12.50mm，体宽 5.40～7.00mm。体长椭圆形。头、前胸背板蓝色或蓝黑色、蓝绿色，具铜铝光泽；鞘翅棕黄至棕红色，中缝顶端常有 1 个小黑斑；腹面黑至蓝黑色；腹部末 3 节两侧棕黄色。头部刻点细密，中央略凹。前胸背板宽约为长的 2 倍，侧缘微弧，前角突出，前缘弧凹较深，盘区靠近侧缘较隆起，其内侧纵行凹陷，此处刻点较粗，中部表面刻点稀疏。鞘翅刻点粗密，刻点间略隆突，靠外侧边缘隆起上具刻点 1 行。

采集记录：1♂1♀，长安终南山，1936.Ⅴ.04，采集人不详；1♂1♀，宝鸡，1954.Ⅴ.25，采集人不详；1♂，华山，1936.Ⅵ.02，采集人不详；1♂1♀，秦岭，1580 m，1973.Ⅶ.21，采集人不详。

分布：陕西(长安、宝鸡、华阴)、黑龙江、吉林、辽宁、内蒙古、北京、河北、山西、山东、宁夏、甘肃、青海、新疆、江苏、安徽、浙江、湖北、江西、湖南、福建、广西、四川、贵州、云南、西藏；俄罗斯(西伯利亚)，朝鲜，日本，印度，亚洲，欧洲，非洲(北部)。

(93) 柳十八斑叶甲 *Chrysomela salicivorax*(**Fairmaire, 1888**)

Lina salicivorax Fairmaire, 1888：40.

Melasoma octodecimpunctata Jacoby, 1888：346.

Chrysomela(*Microdera*)*salicivorax*：Chen, 1934：62.

Chrysomela salicivorax：Wang, 1996：59.

鉴别特征：体长 6.30~8.00mm，体宽 3.60~4.50mm。体长卵形。头部、前胸背板中部、小盾片和腹面深青铜色；前胸背板两侧、腹部两侧棕黄至棕红色；鞘翅棕黄色或草黄色，每翅具 9 个黑蓝色斑，中缝有 1 狭条蓝黑色斑；足棕黄色，腿节端半部蓝黑色至沥青色。头顶中央具 1 条纵沟痕，唇基凹陷。前胸背板盘区中部较平，沿中线具 1 条纵沟痕；两侧略隆起，其内侧凹陷。鞘翅黑斑颇有变化，有时黑斑较小，有时黑斑完全消失；盘区刻点密，混乱。

采集记录：1♂，秦岭，1580m，1973.Ⅶ.21，采集人不详。

分布：陕西（秦岭）、辽宁、北京、河北、山东、甘肃、安徽、浙江、江西、四川、贵州；朝鲜。

寄主：柳属（*Salix*）。

(94) 柳二十斑叶甲 *Chrysomela vigintipunctata*（**Scopoli，1763**）

Coccinella vigintipunctata Scopoli, 1763：78.

Chrysomela（*Microdera*）*vigintipunctata*：Chen, 1934：62.

Chrysomela（*Microdera*）*vigintipunctata* var. *incontaminata*：Chûjô, 1942：59.

Chrysomela vigintipunctata vigintipunctata：Wang, 1992：635.

鉴别特征：体长 7.00~9.50mm，体宽 4.00~4.80mm。头部、前胸背板中部、腹面青铜色，光亮；前胸背板两侧棕红色；鞘翅棕红色，每翅具 10 个青铜色斑，沿中缝有 1 狭条青铜色斑。头顶略凹，中央具纵沟纹。前胸背板前角突出，前缘凹进很深，两侧隆起较高，尤以前角处为甚，其内侧的纵凹很深，伸达前缘。鞘翅狭长，有时具 3 条不十分清楚的纵行脊纹，表面刻点较前胸背板中部的粗密。

采集记录：2♂6♀，周至厚畛子，2500m，1999.Ⅵ.21；1♂，凤县红岭，1580~1800m，1973.Ⅶ.23，张学忠采；1♂，留坝庙台子，1470m，1999.Ⅶ.01；1♂，佛坪，900m，1999.Ⅵ.27；5♂6♀，宁陕火地塘，1580~1650m，1999.Ⅵ.26。

分布：陕西（周至、凤县、留坝、佛坪、宁陕）、吉林、辽宁、北京、河北、山西、甘肃、安徽、浙江、湖北、湖南、福建、四川、贵州、云南；俄罗斯（西伯利亚），欧洲。

寄主：柳属（*Salix*）。

44. 扁叶甲属 *Gastrolina* Baly，1859

Gastrolina Baly, 1859：61. **Type species**：*Gastrolina depressa* Baly, 1859.

Linastica Motschulsky, 1860：200. **Type species**：*Chrysomela peltoidea* Gebler, 1832.

属征：身体背面扁平，与一般叶甲的背面拱突特征截然不同。上颚双齿；下颚须第4节略长于第3节；下唇须末2节近等长；触角颇短，不及鞘翅基缘，第3节较细长。前胸背板基部狭于鞘翅，宽约为中长的2倍，基缘具边框，前缘凹进颇深。鞘翅刻点粗密，行列极不整齐，肩外边沿显著隆起，缘折内沿无毛。前足基节窝向后开放，中胸腹板超过前足基节；跗节端部呈齿状突出或不具齿状突出；爪单齿式。

分布：古北区，东洋区。秦岭地区记录了2种。

分种检索表

前胸背板全部淡棕黄；足全部黑色 ·· 核桃扁叶甲 *G. depressa*

前胸背板黑色，带金属光泽，仅两侧区棕黄或棕红色 ··················· 黑胸扁叶甲 *G. thoracica*

（95）核桃扁叶甲 *Gastrolina depressa* **Baly**，**1859**

Gastrolina depressa Baly，1859：61.

Gastrolina depressa depressa：Chen，1974：195.

鉴别特征：体长5～7mm，体宽2.00～2.20mm。体长方形，背面扁平。头、鞘翅蓝黑色，前胸背板棕黄色，触角、足、中后胸腹板黑色；腹部暗棕色，外侧缘和端缘棕黄色。头小，中央凹陷，刻点粗密，刻点之间光滑。前胸背板宽约为中长的2.50倍，基部明显狭于鞘翅，侧缘基部直，中部之前略弧弯。鞘翅刻点粗密，每翅有3条纵肋，彼此等距，有时此肋不显。各足跗节于爪基腹面呈齿状突出。

采集记录：1♂，凤县，1951.Ⅷ.12，采集人不详。

分布：陕西（凤县）、河南、甘肃、江苏、安徽、浙江、湖北、湖南、福建、广东、广西、四川、贵州；俄罗斯（西伯利亚），朝鲜，日本。

寄主：核桃（*Juglans regia*），枫杨（*Pterocarya stenoptera*）。

（96）黑胸扁叶甲 *Gastrolina thoracica* **Baly**，**1864**

Gastrolina thoracica Baly，1864：228.

Gastrolina thoracica var. *immaculicollis*，Chen，1936：83.

Gastrolina depressa thoracica：Chen，1974：196.

鉴别特征：体长6.50～8.30mm，体宽2.00～2.10mm。体长方形，背面扁平。头、鞘翅蓝黑色，前胸背板黑色，具金属光泽，仅两侧区棕黄或棕红色；触角、足、中后胸腹板黑色；鞘翅紫色、紫蓝色或蓝黑色，有时古铜色。头小，中央凹陷，刻点粗密。前胸背板宽约为中长的2.50倍，基部明显狭于鞘翅，侧缘基部直，中部之前略弧弯。鞘翅刻点粗密，每翅有3条纵肋，彼此等距，有时此肋不显。各足跗节于爪基腹面呈齿状突出。

采集记录：1♂1♀，平利，1960.Ⅵ.29，采集人不详。

分布：陕西（平利）、黑龙江、吉林、辽宁、河北、甘肃、湖北、四川；俄罗斯（西伯利亚），朝鲜，日本。

寄主：核桃（*Juglans regia*）。

（二）萤叶甲亚科 Galerucinae

聂瑞娥　杨星科

（中国科学院动物进化与系统学重点实验室，中国科学院动物研究所，北京 100101）

鉴别特征：头部亚前口式；前唇基明显且前缘较直；前足基节窝开放或关闭；跗节全为假 4 节（隐 5 节），第 3 节为双叶状，第 4 节很小隐藏于第 3 节二分叶内；后足腿节较细，没有跳器；身体长形；触角丝状，11 节；触角窝在两眼之间，距离较近；具有明显的角后瘤；阳基侧突不分节。

生物学：该亚科的成虫、幼虫均为植食性，且多数类群具有寄主专化性，它们是鞘翅目昆虫向植食性进化的重要代表性类群，也是研究昆虫与植物协同进化的代表性类群；同时，多数种类是农林业生产中的重要害虫，主要危害禾本科、十字花科、豆科等农作物及林木、果树、药用植物等经济作物；少数种类可用于杂草的生物防治和检疫。

分类：世界广布。全世界约 488 属 5800 种（Seeno & Wilcox，1982），我国已记录 124 属 1054 种（作者统计）。本志记述了陕西秦岭地区萤叶甲 44 属 121 种，其中 1 个新种，2 个陕西新纪录种，并给予属与种的检索表，对属及老种进行了鉴别特征描述，部分属种附有成虫整体图及特征图。

分属检索表

1. 雌、雄虫腹端缺刻状或完整；触角窝相近，位于复眼前 ························· 2
   雄虫腹端三叶状，雌虫完整或缺刻状；触角窝位于复眼后，明显分离 ·········· 11
2. 前足基节窝关闭 ··· 3
   前足基节窝开放 ··· 7
3. 爪简单，雌雄胫端均具刺 ······························· 胫萤叶甲属 *Pallasiola*
   爪双齿式或附齿式 ··· 4
4. 体背无毛 ··· 5
   体背具毛 ··· 6
5. 鞘翅基部窄，端部宽；雌雄胫端均具刺，茎节背面具脊 ········ 萤叶甲属 *Galeruca*
   鞘翅两侧平行；雄虫端部具刺，雌虫无，胫节背面无脊 ··· 粗角萤叶甲属 *Diorhabda*
6. 前胸背板侧缘不具边框；足胫端无刺 ····················· 樟萤叶甲属 *Atysa*
   前胸背板侧缘具边框 ································· 眉毛萤叶甲属 *Menippus*
7. 原始毛孔位于前胸背板侧缘前部；雄虫爪双齿式，雌虫附齿式 ····· 异跗萤叶甲属 *Apophylia*

原始毛孔位于前胸背板前角；雌、雄爪均双齿式 ……………………………………………… 8

8.　体背光滑无毛 ……………………………………………………………………………………… 9
　　体背具毛 ………………………………………………………………………………………… 10

9.　鞘翅缘折长超过基部 1/3 ………………………………………… 丽萤叶甲属 *Clitenella*
　　鞘翅缘折仅在基部 1/3 处出现 ……………………………… 曲波萤叶甲属 *Doryxenoides*

10.　前胸背板盘区具毛，有光滑区 ………………………………… 小萤叶甲属 *Galerucella*
　　前胸背板盘区具毛，无光滑区 ………………………………… 毛萤叶甲属 *Pyrrhalta*

11.　爪双齿式 ………………………………………………………………………………………… 12
　　爪简单或附齿式 ……………………………………………………………………………… 17

12.　前足基节窝关闭；鞘翅具毛；前胸背板前、后缘具边框 …… 突眼萤叶甲属 *Anadimonia*
　　前足基节窝开放 ……………………………………………………………………………… 13

13.　前胸背板无横凹 ……………………………………………………………………………… 14
　　前胸背板有横凹 ……………………………………………………………………………… 15

14.　体圆形，鞘翅缘折宽，下折 ………………………………………… 瓢萤叶甲属 *Oides*
　　体长形，鞘翅缘折窄 ………………………………………… 宽折萤叶甲属 *Clerotilia*

15.　鞘翅缘折在基部 1/3 之后明显变窄 ……………………………… 守瓜属 *Aulacophora*
　　鞘翅缘折到端部逐渐变窄 …………………………………………………………………… 16

16.　鞘翅在肩角后具明显的纵脊 …………………………… 后脊守瓜属 *Paragetocera*
　　鞘翅上无任何纵脊 ……………………………………………… 殊角萤叶甲属 *Agetocera*

17.　前足基节窝开放 ……………………………………………………………………………… 18
　　前足基节窝关闭 ……………………………………………………………………………… 31

18.　后足胫端无刺 ………………………………………………………………………………… 19
　　后足胫端有刺 ………………………………………………………………………………… 28

19.　前胸背板前缘无边框 ………………………………………………………………………… 20
　　前胸背板前、后缘具边框 …………………………………………………………………… 25

20.　前胸背板后缘无边框 ………………………………………………………………………… 21
　　前胸背板后缘具边框 ………………………………………………………………………… 24

21.　前胸背板后角呈方形凹刻 ……………………………………… 攸萤叶甲属 *Euliroetis*
　　前胸背板后角不呈方形凹刻 ………………………………………………………………… 22

22.　鞘翅具脊 ……………………………………………………………………………………… 23
　　鞘翅不具脊；前胸背板在中部具 1 个横凹 …………………………… 拟守瓜属 *Paridea*

23.　鞘翅缘折明显；触角端部 4 节不加粗 ………………………… 日萤叶甲属 *Japonitata*
　　鞘翅缘折不明显；触角端部 4 节加粗 ……………………………… 陕萤叶甲属 *Shensia*

24.　体细长，两侧平行，体背具毛；下颚须倒数第 2 节极度膨大 … 毛米萤叶甲属 *Trichomimastra*
　　体背不具毛；额区有凹 …………………………………………… 窝额萤叶甲属 *Fleutiauxia*

25.　中胸腹板宽，与后胸腹板衔接；鞘翅基部明显宽于前胸背板 …… 小胸萤叶甲属 *Arthrotidea*
　　中胸腹板窄，不与后胸腹板衔接 …………………………………………………………… 26

26.　鞘翅缘折窄，直达端部 ………………………………………… 隶萤叶甲属 *Liroetis*
　　鞘翅缘折在基部 1/3 较宽，以后逐渐变窄 ………………………………………………… 27

27.　前胸背板无凹洼；下颚须第 3 节变长加厚，第 4 节小，锥状 ……… 克萤叶甲属 *Cneorane*
　　前胸背板有凹洼；触角第 4 节大于 2、3 节之和 ………………… 米萤叶甲属 *Mimastra*

45. 瓢萤叶甲属 *Oides* Weber, 1801

Oides Weber, 1801: 26. **Type species**: *Chrysomela bipunctata* Fabricius, 1781.

Adorium Fabricius, 1801：409. **Type species**：*Chrysomela bipunctata* Fabricius, 1781.

Isosoma Billberg, 1820：56. **Type species**：*Chrysomela concolor* Fabricius, 1781.

Callipepla Dejean, 1837：399. **Type species**：*Adorium posticum* Boisduval, 1835.

Rhombopalpa Chevrolat, 1837：399（ed. 2, p. 375）. **Type species**：*Adorium decempunctatum* Billberg, 1808.

Galleruca subgen. *Boisduvalia* Montrouzier, 1855：72. **Type species**：*Galeruca*（*Boisduvalia*）*sexlineata* Montrouzier, 1855.

Rhombopala：Clark, 1865：143［error for *Rhombopalpa*］.

Botanoctona Fairmaire, 1877：185. **Type species**：*Botanoctona Pallidocincta* Fairmaire, 1877.

Arorium Fairmaire, 1887：362［error］.

属征：体圆形，隆突。头窄于前胸背板；触角细长，一般不超过鞘翅中部，第1节长，第2节一般较短。前胸背板宽是长的数倍；前角小，后角钝圆，每个角具1根毛；侧缘圆，盘区隆突。小盾片三角形，端部钝圆。鞘翅基部宽于前胸背板，肩角有时突出，圆形，侧缘膨阔；翅面具细的或粗刻点；缘折相当宽，它与鞘翅宽度比常被作为区别种的特征。足粗壮，胫节外侧具脊，内侧具竖毛，爪双齿式。雄虫在有的种类中表现为前足与中足第1跗节弯曲，或者腹部末节两侧斜切。

分布：古北区，东洋区，非洲区，澳洲区。中国已知15种，本志记述了4种。

分种检索表

1. 鞘翅蓝色；触角末4节黑色 ……………………………………………… 蓝翅瓢萤叶甲 *O. bowringii*
   鞘翅非蓝色 ………………………………………………………………………………… 2
2. 前胸背板没有斑纹 ………………………………………………………………………… 3
   前胸背板有斑纹，鞘翅具有黑色的条带 ……………………………… 宽缘瓢萤叶甲 *O. maculata*
3. 每个鞘翅具有5个黑斑 ………………………………………………… 十星瓢萤叶甲 *O. decempunctata*
   鞘翅无斑，黄至黄褐色 …………………………………………………… 黑跗瓢萤叶甲 *O. tarsatas*

(97) 蓝翅瓢萤叶甲 *Oides bowringii*（Baly, 1863）

Adorium bowringii Baly, 1863：623.

Oides bowringii：Gemminger & Harold, 1876：3555.

Oides elegans Laboissière, 1919：161.

Oides tonkinensis Laboissière, 1929：252.

鉴别特征：体长10.50～15.00mm。黄褐色，触角末端4节黑色，有时胫节端部和跗节黑褐色；鞘翅金属蓝或绿色，周缘（除基部外）黄褐色，有时翅缝完全金属色。上唇横形，前缘缺深，呈二齿状；额唇基隆突较高，角后瘤明显，横形；头顶微突，具细刻点，中央有1条纵沟。触角较短，不及体长之半，第2节短，第3节约为第2节长的 2 倍,第 4 与第 3 节等长,有的个体稍长于或稍短于第 3 节,以后各节长度递减,末节稍长。前胸背板宽为长的 2.50 倍,前缘凹进深,前角突出,不尖锐,表面刻点细而较密。小盾片三角形,顶端圆,无刻点。鞘翅中部膨阔,翅面刻点密,缘折宽度不及翅宽的1/4。足较粗壮。雄虫腹部末节顶端分三叶,中叶横宽,表面较凹洼;雌虫末节顶端中央为深的凹缺。

采集记录:1 头,留坝庙台子,1983. VIII. 13。

分布:陕西(留坝)、浙江、湖北、江西、湖南、福建、广东、广西、四川、贵州、云南;朝鲜,日本。

寄主:五味子 *Schisandra chinensis*(Turcz.) Baill。

(98) 十星瓢萤叶甲 *Oides decempunctata*(**Billberg,1808**)(图 18)

Adorium decempunctata Billberg, 1808:230.

Oides decempunctata:Gemminger & Harold, 1876:3555.

Oides decemmaculata Laboissière, 1927:39.

Solanophila gigantea Roubal, 1929:96.

图 18　十星瓢萤叶甲 *Oides decempunctata*(Billerg,1808)整体图

鉴别特征:体长 9~14mm。体卵形,似瓢虫。黄褐色,触角末端 3~4 节黑褐色,每个鞘翅具 5 个近圆形黑斑,排列顺序为 2-2-1;后胸腹板外侧,腹部每节两侧各具 1 个黑斑,有时消失。上唇前缘凹缺,表面中部具 1 横排毛;额唇基隆突,三角形,角后瘤明显,略近三角形;头顶具细而稀的刻点。触角较短,第 1 节很粗,第 2 节短,第 3 节等

于或小于第 2 节的 2 倍,第 4、5 节约与第 3 节等长,以后各节稍短。前胸背板宽略小于长的 2.50 倍,前角略向前伸突,较圆;表面刻点极细。小盾片三角形,光亮无刻点。鞘翅刻点细密。雄虫腹部末节顶端三叶状,中叶横宽;雌虫末节顶端微凹。

采集记录:6 头,太白,1981. Ⅷ. 15;4 头,武功,1954. Ⅶ. 11-23; 6 头,1955. Ⅷ. 15; 7 头,1955. Ⅸ. 27;11 头,周至,1954. Ⅷ. 04;6 头,长安南五台,1957. Ⅶ. 11;9 头,华阴华山,1983. Ⅸ. 30;1 头,柞水,1982. Ⅶ;1 头,紫阳,1978. Ⅶ。

分布:陕西(长安、周至、太白、武功、华阴、柞水、紫阳)、吉林、河北、山西、山东、河南、甘肃、江苏、安徽、浙江、湖北、江西、湖南、福建、台湾、广东、海南、广西、四川、贵州;朝鲜,越南。

寄主:葡萄(*Vitis* spp.)。

(99)宽缘瓢萤叶甲 *Oides maculata*(Olivier, 1807)

> *Adorium maculatum* Oliver, 1807: 611.
> *Adorium subhemisphaericum* Guerin, 1838: 146.
> *Oides maculata*: Gemminger & Harold, 1876: 3555.
> *Oides subhemisphaerica*: Gemminger & Harold, 1876: 3556.
> *Oides indica* Baly, 1877: 443.
> *Adorium laticlavum* Fairmaire, 1889: 74.
> *Oides epipleuralis* Laboissière, 1929: 254.

鉴别特征:体长 9 ~ 13mm。体卵形,黄褐色,触角末端 4 节黑褐色;前胸背板具不规则的褐色斑纹,有时消失;每个鞘翅具 1 条较宽的黑色纵带,其宽度略窄于翅面最宽处的 1/2,有时鞘翅完全淡色;后胸腹板和腹部黑褐色;角后瘤明显,长圆形;头顶微凸,具极细刻点。触角较细,第 3 节是第 2 节长的 2 倍,第 4 节长于或等于第 3 节,第 5 节明显短于第 4 节。前胸背板宽略大于长的 2.50 倍,前角伸突,不很尖锐;表面刻点细密,但近侧缘及后角的较粗。小盾片三角形,光亮无刻点。鞘翅两侧缘在基部之后、中部之前非常膨阔,此处缘折最宽,至少为翅宽的 1/3,翅面刻点细。

采集记录:5 头,长安南五台,1957. Ⅷ. 06;3 头,周至,2006. Ⅷ;2 头,2006. Ⅶ. 23-26;2 头,太白,1987. Ⅷ. 14;29 头,秦岭,1987. Ⅸ. 10-11;2 头,宁陕火地塘,1580m,1998. Ⅶ. 29;1 头,宁陕旬阳坝,1350m,1998. Ⅷ. 29;24 头,商州,1976. Ⅷ. 12。

分布:陕西(长安、周至、太白、宁陕、商州)、山东、河南、江苏、安徽、浙江、湖北、江西、湖南、福建、台湾、广东、海南、广西、四川、贵州、云南;印度,尼泊尔,缅甸,越南,老挝,泰国,柬埔寨,马来西亚,印度尼西亚。

寄主:葡萄(*Vitis* spp.)。

(100)黑跗瓢萤叶甲 *Oides tarsata*(Baly, 1865)

> *Adorium tarsatum* Baly, 1865: 435.

Adorium sordidum Baly, 1865：435.

Oides tarsata：Gemminger & Harold, 1876：3556.

Oides thibetana Jacoby, 1900：128.

Oides tibialis Laboissière, 1927：40.

Oides tibiella Wilcox, 1971：17.

鉴别特征：体长 9～15mm。体卵形。稻草黄至黄褐色,触角末端 4 节(有时 5～6 节)、后胸腹板、腹部两侧以及跗节黑褐色至黑色。上唇前缘凹缺较深,靠近基部有 1 横排较长的毛,额唇基呈较高的三角形隆突,角后瘤明显,近似三角形,光亮无刻点;头顶具明显的细刻点,中央有 1 条浅纵沟。触角较粗短,第 1 节膨粗,每节长度依次减短。前胸背板宽略大于长的 2 倍,四周边缘较细,两侧向前端收缩变窄,前角稍圆,表面具细密刻点。小盾片三角形,几乎无刻点。鞘翅缘折小于翅面的 1/4,翅面刻点清楚、明显、较密,较背板为粗。

采集记录：1 头,周至,1954. Ⅶ. 14;23 头,太白,1982. Ⅹ. 14-15;1 头,宝鸡天台山,1985. Ⅷ. 13;2 头,秦岭,1951. Ⅸ. 21;1 头,华阴华山,1951. Ⅸ. 08;1 头,石泉,1981. Ⅴ. 01;7 头,镇安,1975. Ⅴ. 21-31。

分布：陕西(周至、太白、宝鸡、华阴、石泉、镇安)、河北、甘肃、江苏、安徽、浙江、湖北、江西、湖南、福建、广东、海南、广西、四川、贵州、西藏;越南。

寄主：葡萄(*Vitis* spp.),乌蔹莓属(*Cayratia*)。

46. 曲波萤叶甲属 *Doryxenoides* Laboissière, 1927

Doryxenoides Laboissière, 1927：57. **Type species**：*Doryxenoides tibialis* Laboissière, 1927.

属征：体背光滑无毛;触角窝位于复眼后,明显分离,触角长,盖住腹部;前胸背板侧缘边框完整;原始毛孔位于前胸背板前角;鞘翅无横凹;鞘翅缘折仅在基部 1/3 出现;前足基节窝开放;雄虫腹端三叶状,雌虫完整或缺刻状。

分布：东洋区。中国已知 2 种,本志记述了 1 种。

(101) 黑跗曲波萤叶甲 *Doryxenoides tibialis* Laboissière, 1927 (图 19)

Doryxenoides tibialis Laboissière, 1927：58.

鉴别特征：腿节端部、胫节和跗节黑色。触角第 1 节约与第 3 节等长,第 2 节大约是第 3 节的 1/3,第 4 节稍长于第 3 节,第 5～7 节稍短于第 4 节,第 8～11 节约等长且短于第 7 节;前胸背板盘区不平,中间具有凹洼;小盾片具有刻点;鞘翅具有浓密的细小刻点。

分布:陕西(秦岭)、湖北、云南;尼泊尔。

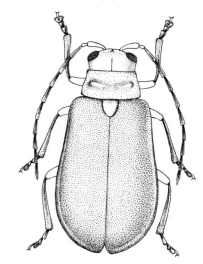

图 19　黑跗曲波萤叶甲 *Doryxenoides tibialis* Laboissière, 1927 整体图

47. 眉毛萤叶甲属 *Menippus* Clark, 1864

Menippus Clark, 1864:257. **Type species**: *Menippus cynicus* Clark, 1864.
Issikia Chûjô, 1961:87. **Type species**: *Galeruca*(*Issikia*)*issikii* Chûjô, 1961.

属征:体中小型,体色一般为棕色。雌、雄虫腹端缺刻状;触角窝相近,位于复眼前。体背具毛;触角长,前胸背板侧缘具边框;前足基节窝关闭,足胫端无刺,爪双齿式或附齿式。

分布:古北区,澳大利亚。中国已知 6 种,本志记述了 2 种。

分种检索表

腿节端部、胫节基、端部及跗节黑色 ………………………………………… 宾氏眉毛萤叶甲 *M. beeneni*
足整体棕褐色 ………………………………………………………………… 褐眉毛萤叶甲 *M. sericea*

(102)宾氏眉毛萤叶甲 *Menippus beeneni* Lee *et al.*, 2012

Menippus beeneni Lee *et al.*, 2012:5.

鉴别特征:体长 7.50~9.40mm。体色一般为棕色,触角深棕色(基部两节除外),腿节端部、胫节端部和基部、跗节均为黑色。前胸背板盘区前端具有 1 对圆形凹洼,中间具有浅的凹洼,两侧具有横的凹洼。鞘翅长是宽的 1.50 倍,背面观平。阳茎非常弯曲,中间端部突起。

采集记录:1 ♂,周至厚畛子,1500m, 1998. Ⅵ.26;1 ♂ 1 ♀, 太白,1300~1500m,1998. Ⅷ.10、Ⅸ.04。

分布:陕西(周至、太白)、山西。

(103)褐眉毛萤叶甲 *Menippus sericea*(Weise,1889)

Galerucella sericea Weise,1889:622.

Menippus canellinus:Chûjô,1935:161.

Pyrrhalta sericea:Gressitt & Kimoto,1963:464.

Issikia dimidiaticornis:Kimoto,1989a:248.

Menippus sericea:Lee et al.,2012:12.

鉴别特征:体长 8.00~8.70mm。体棕色至深棕色;触角深棕色(基部两节除外),足棕色。头、前胸背板、鞘翅具有小而密集的刻点。前胸背板盘区前端具有 1 对圆形凹洼,中间具有浅的凹洼,两侧具有横的凹洼。阳茎宽侧面观稍微弯曲,背面观从两侧往中间缢缩。

采集记录:1 头,佛坪,950m,1998. Ⅶ.23;8 头,宁陕火地塘,1580m,1998. Ⅷ.17;22 头,1998. Ⅷ.20。

分布:陕西(佛坪、宁陕)、湖南、福建、台湾、四川。

48. 突眼萤叶甲属 *Anadimonia* Ogloblin,1936

Anadimonia Ogloblin,1936:128,391. **Type species:** *Anadimonia potanini* Ogloblin,1936.

Trichocerophysa Gressitt et Kimoto,1963:471. **Type species:** *Trichocerophysa latifascia* Gressitt et Kimoto,1963.

属征:鞘翅具毛;触角窝位于复眼后,明显分离;前胸背板前缘与后缘具边框;后胸腹板正常;前足腹板突细窄,前足基节窝关闭;爪双齿式;雄虫腹端三叶状,雌虫完整或缺刻状。

分布:东洋区。中国已知 2 种,本志记述了 1 种。

(104)小突眼萤叶甲 *Anadimonia potanini* Ogloblin,1936(图 20)

Anadimonia potanini Ogloblin,1936:128,392.

属征:体长 4.30~5.30mm。体棕色,鞘翅棕色,触角、足端部棕色。触角第 2 节最短,第 3 节约是第 2 节的 2 倍,第 4 节稍长于第 3 节,以后各节比第 4 节稍长,第 11 节最长,长于第 1 节。前胸背板宽是长的 2 倍多,盘区无凹洼,前角比较尖,后角约是直角,基缘较直;鞘翅具有细而密集的刻点,盘区中部具有 1 条纵脊,长约是鞘翅长的 1/4。

分布:陕西(秦岭)、四川。

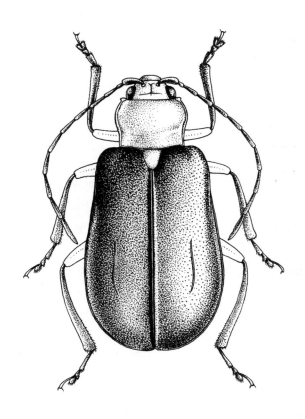

图 20 小突眼萤叶甲 *Anadimonia potanini* Ogloblin, 1936 整体图

49. 粗角萤叶甲属 *Diorhabda* Weise, 1883

Diorhabda Weise, 1883:316. **Type species**: *Galeruca elongata* Brulle, 1832.

属征:体长卵圆形,体背整个光滑或具纤毛。头部光滑,角后瘤发达,上唇具 1 排整齐的毛;触角粗短,第 3 或第 4 节最长。前胸背板宽大于长,侧缘具边框;盘区具 2 个圆形的侧凹。鞘翅两侧接近平行,近肩胛处的边缘上折,盘区具密集的刻点。前足基节窝关闭;雄虫的前足、中足胫节端具刺,雌虫无;整个足的胫节外侧具脊;跗节较窄,爪长,简单。

分布:古北区(欧洲、亚洲北部),东洋区(亚洲南部),非洲区(非洲北部),澳洲区(新几内亚)。中国已知4种,本志记述了1种。

(105) 白茨粗角萤叶甲 *Diorhabda rybakowi* Weise, 1890

Diorhabda rybakowi Weise, 1890: 484.
Diorhabda koltzei Weise, 1900: 288.

鉴别特征:体长4.50~5.50mm。体长形,背、腹面、小盾片及足皆黄色;触角第1~3节背面黑褐色,腹面黄色,第4~11节黑褐色;头部从后头向前为1个山形黑斑纹;前胸背板具5个黑斑;中部及两侧各有1个斑,中斑的上、下又各有1个斑;每个鞘翅上具1条黑褐色纵条纹;后胸腹板两侧及后缘、足的腿、胫节相接处、胫节端部及跗节黑褐色;头顶具中纵沟及较密的刻点,角后瘤发达,光滑无刻点。触角长达及鞘翅基部1/3,除第1节外,第3节最长,约为第2节长的4倍,为第4节长的1.50倍,第11节具亚节。前胸背板宽大于长,基缘波曲,侧缘在中部之后圆隆;盘区中部两侧各具1个较深的圆凹,基缘中部为浅凹,中部刻点稀少,两侧的较密。鞘翅肩胛稍隆,盘区隆起,刻点细于前胸背板,刻点间距是刻点直径的2~4倍;缘折基部宽,到端部逐渐变窄。

分布:陕西(秦岭)、内蒙古、宁夏、甘肃、新疆、四川;蒙古。

寄主:白茨(*Nitraria* spp.)。

50. 丽萤叶甲属 *Clitenella* Laboissière, 1927

Clitenella Laboissière, 1927: 53. **Type species**: *Galleruca fulminans* Faldermann, 1835.
Callopistria Chevrolat, 1837: 402(nec Huebner, 1831). **Type species**: *Galeruca fulminans* Faldermann, 1835.

属征:体色具金属光泽,体型较长。头部与前胸背板等宽,头顶具刻点及不明显的中沟;角后瘤较发达,触角基部远离;触角长不超过鞘翅中部,第1、3节较长,第2节最短,6~10节粗大,第11节较细,具亚节。前胸背板宽大于长,四周具边框,盘区具凹窝。小盾片舌形,一般具刻点。鞘翅肩角隆突,在肩角下具1个隆凸区,中部之后具1道横凹,翅面刻点密集;缘折基部宽,到端部逐渐变窄。前足基节窝开放;足发达,腿节粗壮,胫节外侧具凹,爪双齿式。雄虫腹端凹刻状,雌虫完整。

分布:东洋区(亚洲南部和东部)。中国已知4种,本志记述了1种。

(106) 丽萤叶甲 *Clitenella fulminans* (**Faldermann, 1835**)(图21)

Galleruca fulminans Faldermann, 1835: 438.

Clitenella fulminans：Laboissière，1927：54.

Clitenella fulminans var. *coerulea* Chûjô，1938：152.

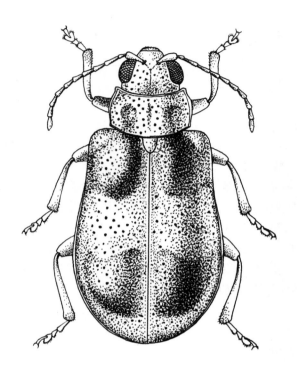

图 21　丽萤叶甲 *Clitenella fulminans*(Faldermann，1835)整体图

鉴别特征：体长 6.80～8.50mm。体中型,体背具金属蓝绿色,腹面及足蓝紫色,杂有绿色光泽,腹部腹面黄褐色。每个鞘翅上具 2 个紫铜色大斑,第 1 个从基部开始,延伸至肩胛之后向外弯转,第 2 个在中部之后;鞘翅外缘蓝紫色。头顶较宽大,中央具细的纵沟,表面具粗大刻点。触角较粗壮,第 3 节长于第 4 节;雌虫触角较雄虫短。前胸背板宽是长的 2 倍多,四周具细边框,侧缘在中部之前明显膨大;盘区刻点粗大,两侧各有 1 个深凹。小盾片舌形,具较密集的刻点,每个刻点内具 1 根毛。鞘翅基部之后隆突,翅面刻点粗大,但较稀疏。

采集记录：2 头,长安南五台,1957.Ⅷ;1 头,周至,1951.Ⅴ.27;3 头,太白山蒿坪寺,1981.Ⅷ.13。

分布：陕西(长安、周至、眉县)、河北、内蒙古、山东、浙江、湖北、江西、湖南、福建、台湾、四川、贵州、云南;蒙古,越南。

寄主：朴树,樟树,野葡萄。

51. 樟萤叶甲属 *Atysa* Baly, 1864

Atysa Baly, 1864: 238. **Type species**: *Atysa terminalis* Baly, 1864.

Triaplatarthris Fairmaire, 1878: 138. **Type species**: *Triaplatarthris pyrochroides* Fairmaire, 1878.

Formosogalerucella Pic, 1928: 32. **Type species**: *Formosogalerucella brevithorax* Pic, 1928.

Falsoplatyxantha Pic, 1927: 23. **Type species**: *Falsoplatyxantha aurantiaca* Pic, 1927.

属征:体细长,两侧平行,肩角后稍有收缩,体背具短绒毛,体表无金属光泽,腹面有时具金属光泽。头较前胸背板窄,复眼突出;触角细长,第1节弯曲、棒状,第2节最短,除第1节外,第3节最长。前胸背板宽大于长,前后缘较直,具边框,侧缘不具或者不完全具边框。鞘翅明显宽于前胸背板,肩胛不强烈隆突,翅面刻点密集;缘折基部宽,到端部逐渐变窄。足细长,前足基节窝开放,爪双齿式。

分布:东洋区。中国已知8种,本志记述了1种。

(107) 黄缘樟萤叶甲 *Atysa marginata marginata* (Hope, 1831) (图22)

Auchenia marginata Hope, 1831: 29.

Atysa marginata: Weise, 1924: 67.

Atysa sudiyana Maulik, 1936: 248.

鉴别特征:体长 5.60 ~ 7.50mm。体长形。头顶褐色,触角基部周围红褐色,后头大部分黑色;触角黑褐色;前胸背板黄褐色,两侧缘及前角处黑色,盘区中央具黑色宽纵带;小盾片黑褐色;鞘翅橘黄色,每个鞘翅中央具1条宽的红黑色纵带,在基部起始于小盾片周围,不达端部边缘;腹面红褐色,足的腿节中部、胫节及跗节偏黑色;本种体色变异较大,有的个体鞘翅整个为黑褐色,有的前胸背板无中纵带。触角约为体长的3/4,第2节最短,第3节约为第2节长的5倍,长于第4节。前胸背板长与宽约相等,基部宽,端部窄;盘区具凹洼及粗密刻点。鞘翅长为宽的4倍,两侧几乎平行,端部圆形;盘区具粗密的刻点。腹面稍具金属光泽,一般具稀疏刻点,后胸腹板刻点较密。后足腿节较粗大,胫节稍弯曲,第1跗节较长。

采集记录:7头,太白山骆驼寺,1982.Ⅶ.16;1头,太白山蒿坪寺,1982.Ⅶ.17;2头,佛坪龙草坪,1986.Ⅷ.23。

分布:陕西(太白、眉县、佛坪)、甘肃、浙江、湖北、福建、台湾、四川、贵州;缅甸,印度,尼泊尔,巴基斯坦。

寄主:樟树。

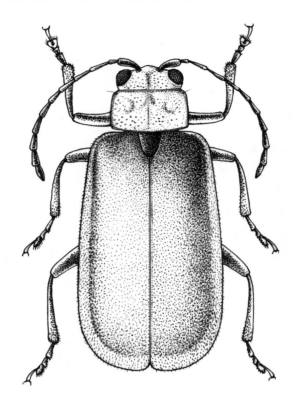

图 22　黄缘樟萤叶甲 *Atysa marginata marginata*（Hope, 1831）整体图

52. 小萤叶甲属 *Galerucella* Crotch, 1873

Galerucella Crotch, 1873：55. **Type species**：*Chrysomela nymphaeae* Linnaeus, 1758.

Hydrogaleruca Laboissière, 1922：32, 33. **Type species**：*Chrysomela nymphaeae* Linnaeus, 1758.

Pyrrhalta subgenus *Galerucella*：Wilcox, 1965：13, 34.

属征：小型种类，体椭圆形，体色一般为黄褐色。头顶具中沟；角后瘤发达，一般光滑无刻点；额唇基区隆起，具毛。触角长一般不超过鞘翅中部，第 1 节棒状，具稀疏长毛，2~11 节被短绒毛，第 2 节最短，第 3 节最长，到端部逐渐加粗，第 11 节具亚节。前胸背板宽大于长，四周具边框，前缘及基部边缘以及盘区中央有一光滑区，盘区的其他部位具刻点及毛。小盾片舌形，具刻点及毛。鞘翅较前胸背板为宽，两侧近于平行，肩角隆突，翅面具密集的毛及刻点；侧缘上翻，具明显的脊；缘折基部较宽，到端部逐渐变窄。前足基节窝开放，爪双齿式。雄虫腹部末端缺刻状，雌虫完整。

分布：全北区，东洋区。中国已知 8 种，本志记述了 2 种。

（108）褐背小萤叶甲 *Galerucella grisescens*（Joannis, 1866）（图 23）

Galleruca grisescens Joannis, 1866: 81, 98.

Galleruca vittaticollis Baly, 1874: 178.

Galeruca distincta Baly, 1874: 178.

Galerucella（*Galerucella*）*grisescens*: Reitter, 1912: 139.

Galerucella distincta var. *jureceki* Pic, 1921: 2.

Galerucella reducta Chen, 1942: 19.

Hydrogaleruca distincta yakushimana Nakane, 1958a: 308.

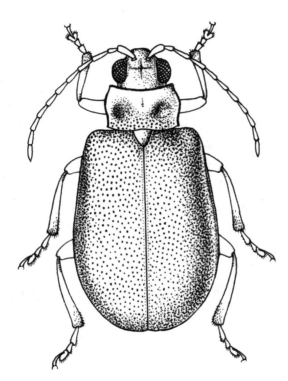

图 23　褐背小萤叶甲 *Galerucella grisescens*（Joannis, 1866）整体图

　　鉴别特征: 体长 3.80～5.50mm。头部、前胸及鞘翅红褐色,触角及小盾片黑褐色或黑色,腹部及足黑色,腹部末端 1～2 节红褐色;触角约为体长的 1/2,末端渐粗,第 3 节为第 2 节长的 1.50 倍,第 4 节明显短于第 3 节,约与第 2 节等长。前胸背板宽大于长,基缘中部向内深凹;盘区刻点粗密,中部有一大块倒三角形无毛区,在前缘伸达两侧;中部两侧各具 1 个明显的宽凹。鞘翅基部宽于前胸背板,肩角突出,翅面刻点稠密且粗大。

　　采集记录: 1 头,武功,1980.Ⅶ.25;1 头,武功,1985.Ⅵ.24;1 头,佛坪,1985.Ⅶ.02;4 头,佛坪,950m,1998.Ⅶ.23;2 头,宁陕,1984.Ⅷ.15。

分布:陕西(武功、佛坪、宁陕)、黑龙江、吉林、辽宁、河北、内蒙古、山东、河南、安徽、江苏、浙江、湖北、江西、湖南、福建、台湾、广东、海南、广西、四川、贵州、云南、西藏;俄罗斯,朝鲜,日本,越南。

寄主:草莓属(*Fragaria*),蓼属(*Polygonum*),酸模属(*Rumex*),珍珠梅属(*Sorbaria*)等植物。

(109)菱角小萤叶甲 *Galerucella nipponensis*(Laboissière,1922)

Galleruca sagittariae:Baly,1874:178[error].

Hydrogaleruca nipponensis Laboissière,1922:34.

Galerucella paludosa Weise,1922:68.

Galerucella(*Hydrogaleruca*)*nipponensis*:Ogloblin,1936:125,389,fig.

Galerucella nipponensis:Gressitt & Kimoto,1963:468,470.

鉴别特征:体长约5mm。体灰褐色,头部密布刚毛,复眼间具1个黑斑;触角黑色,柄节膨大且粗壮,第11节末端呈圆锥状,7~10节长为宽的1.50倍。前胸背板边缘灰色,中间盘区具明显的纵沟,表面平滑有光泽。鞘翅密布灰色细毛,翅缘黄色。足的腿节发达呈黄色,胫节及跗节黑色。

采集记录:1头,周至,1951. I。

分布:陕西(周至)、山东、浙江、湖北、江西、福建、台湾、广东;俄罗斯,韩国,日本。

寄主:*Brasenia schreberi* J. F. Gmel,*Ludwigia ovalis* Mig,*Lycopus lucidus* Turcz,*Traga japonica* Flerov。

53. 毛萤叶甲属 *Pyrrhalta* Joannis,1866

Galleruca subgenus *Pyrrhalta* Joannis,1866:82. **Type species**:*Galeruca viburni* Paykull,1778.

Pyrrhalta:Weise,1924:61.

Decoomanius Laboissière,1927:55. **Type species**:*Decoomanius limbatus* Laboissière,1927.

Chapalia Laboissière,1929:269. **Type species**:*Chapalia jeanvoinei* Laboissière,1929.

Tricholochmaea Laboissière,1932:963. **Type species**:*Lochamaea*(*Tricholochmaea*)*indica* Laboissière,1885.

Xanthogaleruca Laboissière,1934:67. **Type species**:*Chrysomela luteola* Müller,1766.

Neogalerucella Chûjô,1962:38. **Type species**:*Chrysomela tenella* Linneaus,1761.

属征:小到中型种类。体椭圆形,体色一般为黄褐色。头顶具中沟;角后瘤发达,一般光滑无刻点;额唇基区隆起,具毛。触角长一般不超过鞘翅中部,第1节棒状,具稀疏长毛,2~11节披短绒毛,第2节最短,第3节最长,到端部逐渐加粗,第11节具亚节。前胸背板宽大于长,四周具边框,前缘及基部边缘以及盘区中央有1个光滑区,盘区的其他部位具刻点及毛。小盾片舌形,具刻点及毛。鞘翅较前胸背板为宽,两侧近于平行,肩角隆突,翅面具密集的毛及刻点;侧缘上翻,具明显的脊;缘折基部较宽,到端部逐渐变窄。前足基节窝开放,爪双齿式。雄虫腹部末端缺刻状,雌虫完整。

　　分布:全北区,东洋区。中国已知 56 种,本志记述了 11 种。

分种检索表

(110) 榆绿毛萤叶甲 *Pyrrhalta aenescens* (Fairmaire, 1878)

　　Galleruca aenescens Fairmaire, 1878: 140.

　　Pyrrhalta aenescens: Gressitt & Kimoto, 1963: 443.

　　鉴别特征:体长 7.50～9.00mm。体长形,橘黄至黄褐色,头顶及前胸背板分别具 1 和 3 个黑斑;触角背面黑色,鞘翅绿色。额唇基隆突,角后瘤明显,光亮无刻点;头顶刻点颇密。触角短,伸达鞘翅肩胛之后,第 3 节长于第 2 节,3～5 节近于等长。前胸背板宽大于长,两侧缘中部膨阔,前缘、后缘中央微凹;盘区中央具宽浅纵沟,两侧各有 1 个近圆形深凹,刻点细密。小盾片较大,近方形。鞘翅两侧近于平行,翅面具不规则的纵隆线,刻点极密。雄虫末腹节后缘中央凹缺深,臀板顶端向后伸突;雌虫末节腹板顶端为 1 个小缺刻。

采集记录:18 头,长安南五台,1957. X. 03;1 头,周至楼观台,1954. Ⅶ. 02;1 头,太白山大殿,1982. Ⅶ. 16;1 头,武功, 1954. Ⅶ. 09;2 头,武功,1955. Ⅶ. 26;8 头,武功,1962. Ⅶ. 14;1 头,华阴华山,1957. Ⅵ. 14;1 头,留坝,1981. Ⅷ. 02。

分布:陕西(长安、周至、太白、武功、华阴、留坝)、吉林、内蒙古、河北、山西、山东、河南、甘肃、江苏、台湾。

寄主:榆树。

(111) 光瘤毛萤叶甲 *Pyrrhalta corpulenta* Gressitt *et* Kimoto, 1963

Pyrrhalta corpulenta Gressitt *et* Kimoto, 1963:447.

鉴别特征:体长 6.90mm。体棕红色至浅棕红色,触角 1~2 节及足红褐色,鞘翅的侧缘及端部 1/3 深红色较其他部位颜色深;触角第 2 节是第 1 节长的 3/4,第 3 节与第 1、4 节等长,4~10 节逐渐变短,第 11 节长于第 7 节;鞘翅长是宽的 3 倍,缘折基部宽,到端部逐渐变窄,消失于端部 1/5 处。

采集记录:3 头,佛坪上沙窝,1295m,2008. Ⅶ. 05;2 头,宁陕火地塘,1580m,1998. Ⅶ. 27;1 头,宁陕火地塘,1998. Ⅷ. 14。

分布:陕西(佛坪、宁陕)、甘肃、湖北、福建、广西。

(112) 背毛萤叶甲 *Pyrrhalta dorsalis* (Chen, 1942) (图 24)

Gallerucella viburni dorsalis Chen, 1942:16.
Pyrrhalta dorsalis: Gressitt & Kimoto, 1963:449.

鉴别特征:体长 5.50~6.00mm。头、前胸背板、小盾片、鞘翅及胸部腹面黄褐色,触角黑色,鞘翅中缝两侧各具 1 条宽的黑色纵带直达端部不远,鞘翅四周皆被黑色包围,腹部腹面黑色,每节后缘黄色,足的基节至腿节黄色,腿节外侧、胫节及跗节黑色。头部具细刻点及纤毛,额区为三角形隆起;触角是体长的 1/2,第 1 节棒状,第 2 节最短,约为第 1 节长的 1/2,第 3、4 节约与第 1 节等长,从第 5 节起长度递减。前胸背板两侧圆形;基缘波曲,前缘隆起,盘区中央为 1 条纵凹线,近基部为 1 个凹窝;中部两侧各具 1 个侧凹;整个盘区刻点密集,每个刻点内具 1 根纤毛。小盾片三角形,具细刻点及纤毛。鞘翅肩角稍隆,小盾片下面为 1 个浅凹,整个鞘翅刻点密集,并布满灰色纤毛。雄虫腹部末端具 1 个凹刻。

采集记录:1 头,宁陕火地塘,1580~2000m,1998. Ⅷ. 18。

分布:陕西(宁陕)、甘肃、山西、湖南、四川。

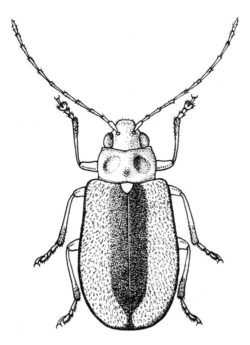

图 24　背毛萤叶甲 *Pyrrhalta dorsalis*(Chen, 1942)整体图

(113) 黑肩毛萤叶甲 *Pyrrhalta humeralis* (Chen, 1942)

Galerucella humeralis Chen, 1942: 17.

Pyrrhalta humeralis: Gressitt & Kimoto, 1963: 451.

　　鉴别特征:体长 5.50~6.50mm。体黄褐色,触角黑色;头顶具 1 个黑色圆斑,前胸背板具黑色的中纵带及侧带;小盾片、鞘翅的肩角以及沿侧缘向下直到鞘翅中部皆黑色;足的胫节外侧及跗节背面黑色。头顶具密集的刻点及毛;角后瘤具刻点及毛;触角长达鞘翅中部,第 2 节最小,为第 3 节长的 1/2,第 3 节长于第 4 节,以后各节长度递减。前胸背板宽大于长,基部窄,中部变宽;盘区中部为纵凹,两侧为凹窝。小盾片方形,具密集的刻点及毛。鞘翅两侧近于平行,肩胛隆突,侧缘具粗脊;缘折基部宽,到端部逐渐变窄。足的腿节粗大,胫节端部较宽。

　　采集记录:1 头,周至楼观台,1954.Ⅶ.04;2 头,佛坪,950m,1998.Ⅶ.23;1 头,宁陕火地塘,1580m,1984.Ⅷ.15;1 头,宁陕火地塘,1998.Ⅶ.27;22 头,宁陕火地塘,1998.Ⅷ.20。

　　分布:陕西(周至、佛坪、宁陕)、黑龙江、吉林、辽宁、甘肃、安徽、浙江、湖北、江西、湖南、福建、台湾、广东、广西、四川;日本。

　　寄主:荚属(*Viburnum*),柳属(*Salix*)。

(114) 长毛萤叶甲 *Pyrrhalta longipilosa* (Chen, 1942)

Lochmaea longipilosa Chen, 1942: 15.

Pyrrhalta longipilosa: Gressitt & Kimoto, 1963: 455.

鉴别特征: 体长 5~6mm。体背具浓密长毛。体背黄褐色, 触角胫节外侧及跗节黑褐色, 腹面褐色, 中后胸腹面暗黑色。头顶较凹洼, 近角后瘤各半月形突起, 外侧具凹, 角后瘤发达; 触角长达鞘翅中部, 第 2 节最短, 第 3 节是其 1.50 倍, 约与第 4~8 节等长, 第 9、10 节稍短。前胸背板宽是长的 2.30 倍, 两侧近前半端较宽, 盘区具 1 个大的横凹, 达边缘, 中部近小盾片有 1 个小凹; 小盾片舌形; 鞘翅基部稍宽于前胸背板, 肩角突出, 表面长毛, 明显密于前胸背板。

分布: 陕西(秦岭)、四川。

(115) 条纹毛萤叶甲 *Pyrrhalta luteola* (Müller, 1766)

Chrysomela luteola Müller, 1766: 187.

Chrysomela xanthomelaena Schrank, 1781: 78.

Galerica ulmi Geoffroy, 1785: 103.

Galerucella luteola ab. *obscuridorsis* Roubal, 1926: 247.

Galerucella (*Xanthogaleruca*) *luteola* var. *bicarinata* Ogloblin, 1936: 108, 391.

Galerucella luteola ab. *nigra* Csiki, 1953: 133.

Pyrrhalta luteola: Gressitt & Kimoto, 1963: 455.

Pyrrhalta (*Xanthogaleruca*) *luteola*: Wilcox, 1965: 37, fig.

鉴别特征: 体长 6~8mm; 体褐色或鲜黄色, 部分黄褐色; 体被不密集的灰黄色的毛, 闪光; 角后瘤、头顶的横斑及前胸背板的斑、小盾片基部、中缝的内缘、鞘翅的纵带、后胸及腹部的大部分均为黑色。角后瘤隆起, 光滑无刻点; 头顶具 1 个横斑, 表面具密集的深刻点。触角第 3 节是第 2 节的 2 倍, 第 3 节与第 4 节等长。前胸背板宽是长的 2 倍, 侧缘圆滑, 前角直, 顶端圆; 表面具 3 个黑斑, 盘区具两种刻点, 中部、端部的刻点稀疏、细小, 两侧的刻点密集、粗大。鞘翅两侧几乎平行, 端部宽圆; 肩角和小盾片之间具纵带, 起于肩部, 几乎达鞘翅端部; 刻点小而密, 有的刻点合并为不规则的横的皱褶。

分布: 陕西(秦岭)、内蒙古、甘肃、宁夏、内蒙古; 俄罗斯, 塔吉克斯坦, 美国, 阿尔及利亚, 欧洲。

寄主: 榆属。

(116) 榆黄毛萤叶甲 *Pyrrhalta maculicollis* (Motschulsky, 1853) (图 25)

Galleruca maculicollis Motschulsky, 1853: 49.

Galerucella vageplicata Fairmaire, 1888：154.

Galerucella（*Xanthogaleruca*）*maculicollis* ab. *vittula* Ogloblin, 1936：106, 391.

Pyrrhalta maculicollis：Gressitt & Kimoto, 1963：457.

鉴别特征：体长 6.00～7.50mm。体长形,黄褐至褐色,触角大部分及头顶斑黑色,前胸背板具 3 条黑色纵斑纹,鞘翅肩部、后胸腹板以及腹节两侧均呈黑褐或黑色。额唇基及触角间隆突颇高,角后瘤近方形,表面具刻点。头顶刻点粗密。触角短,不及翅长之半,第 3 节稍长于第 2 节,以后各节大体等长。前胸背板宽是长的 2 倍,两侧缘中部膨宽;盘区刻点与头顶相似,中部两侧各具 1 个大凹。小盾片近方形,刻点密。鞘翅两侧近于平行,翅面刻点密集,较背板大。雄虫腹部末端中央呈半圆形凹陷,雌虫呈三角形凹缺,之前是圆形凹洼。

采集记录：12 头,长安南五台,1957.Ⅷ;24 头,周至楼观台,1954.Ⅶ.04;1 头,武功,1962.Ⅵ.30;1 头,武功,1963.Ⅶ.18;1 头,1981.Ⅵ.13;19 头,秦岭车站,1951.Ⅶ.10。

分布：陕西(长安、周至、武功、凤县)、黑龙江、吉林、辽宁、内蒙古、河北、山西、山东、河南、甘肃、江苏、浙江、江西、福建、台湾、广东、广西;俄罗斯,朝鲜,日本。

寄主：榆树。

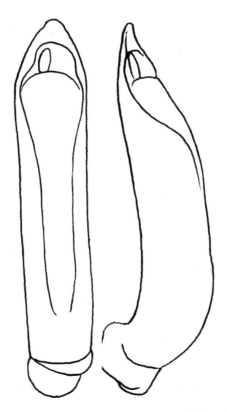

图 25　榆黄毛萤叶甲 *Pyrrhalta maculicollis*（Motschulsky, 1853）生殖器图

(117) 宁波毛萤叶甲 *Pyrrhalta ningpoensis* Gressitt *et* Kimoto, 1963

Pyrrhalta ningpoensis Gressitt *et* Kimoto, 1963: 459.

鉴别特征:体长 8.00～8.30mm。雄虫体非常宽且扁。体色红棕色,触角 1～2 节深棕色,下颚须、下唇须红色;腿节具有斑纹或斑点,胫节深黑色,跗节深黑色,端部红色。触角是体长的 3/5,第 1 节长,第 2 节为第 3 节的 3/5,第 3 节稍短于第 1 节,第 4节稍短于第 3 节,4～7 节几乎等长,8～10 节短,11 节与第 1 节等长。前胸背板宽是长的 1.70 倍,前缘直,侧缘非常尖,前端 2/3 处圆盾,最宽处在中间偏前部,中部至后角平直;小盾片具有明显的刻点;鞘翅侧缘明显膨阔,具有不规则的脊,缘折基部宽,基部 1/3 后明显变窄,一直延伸至鞘翅端部;鞘翅上具不规则的深刻点。

采集记录:3 头,宁陕火地塘,1580～2000m,1998.Ⅷ.01。

分布:陕西(宁陕)、浙江;日本。

(118) 盾毛萤叶甲 *Pyrrhalta scutellata* (Hope, 1831)

Galleruca scutellata Hope, 1831: 29.

Pyrrhalta tumida Gressitt *et* Kimoto, 1963: 467.

Pyrrhalta scutellata: Kimoto, 1979: 464.

鉴别特征:体长 7.20mm。雄虫体浅褐色,头红褐色,触角 1～2 节红褐色,2～11节黑色,前胸背板浅褐色,鞘翅浅褐色,腹部红褐色,腿节端部、胫、跗节黑色。触角是体长的 3/5,第 2 节是第 1 节的 3/5,第 3 节明显长于第 2 节,第 4 节稍微长于第 3 节,第 5 节与第 3 节等长,5～10 节逐渐变短,第 11 节大约与第 8 节等长。前胸背板宽是长的 2 倍。鞘翅长是宽的 3 倍,侧缘稍微膨阔,缘折基部宽逐渐变窄,离翅端 1/4 处消失;盘区膨阔,刻点细密。

采集记录:3 头,周至厚畛子,1350m,1999.Ⅵ.22-24。

分布:陕西(周至)、湖北、江西、湖南、福建、贵州;印度,尼泊尔,不丹。

(119) 半黄毛萤叶甲 *Pyrrhalta semifulva* (Jacoby, 1885)

Galerucella semifulva Jacoby, 1885: 745.

Galerucella modesta Jacoby, 1885: 745.

Lochnaea japonica Weise, 1922: 67.

Pyrrhalta semifulva: Kimoto, 1964: 299.

鉴别特征:体长 4～5mm。体背黄褐色,触角、小盾片、足及中后胸腹面黑色,腹部褐色。头顶具有 1 个黑斑,斑内刻点浓密;触角长不超过鞘翅中部,第 2 节最短,第 3 节次之,以后各节较长、扁宽;前胸背板宽是长的 2.50 倍,基部窄端部宽,盘区密布刻点,具有 2 个大的凹洼;小盾片舌形,具有密集的刻点;鞘翅稍宽于前胸背板,基部窄端部宽,中后部表面较隆。

采集记录:3 头,宁陕火地塘,1580~2000m,1998.Ⅶ.26-27。

分布:陕西(宁陕)、黑龙江、吉林、辽宁、福建、台湾;俄罗斯,日本。

(120) 韦氏毛萤叶甲 *Pyrrhalta wilcoxi* Gressitt *et* Kimoto, 1965

Clitena fulva Laboissière, 1929: 265(nec Laboissière, 1922).

Pyrrhalta wilcoxi Gressitt *et* Kimoto, 1965: 800(new name for *Clitena fulva* Laboissière, 1929).

Pyrrhalta kimotoi Aslam, 1968: 128.

属征:体长 8~9mm,体宽 3.50~4.00mm。体背具浓密的短毛;体背黄褐色,触角、足及腹面褐色;头顶具有凹;角后瘤发达,三角形;触角达鞘翅 1/3,第 2 节短于第 1 节,第 1 节约与第 3 节等长,第 3 节短于第 4 节,第 5、6、7 节约等长,第 8、9、10 节约等长,短于第 7 节,第 11 节最短;前胸背板宽约是长的 2 倍,前角、后角圆盾,盘区具有 3 个凹洼,两侧各 1 个,靠基缘具有 1 个横凹;小盾片舌形;鞘翅覆短毛,刻点浓密,无不规则,肩角明显且颜色较暗,翅缘 2/5 处宽,以后逐渐变窄至翅端。

采集记录:1 头,留坝庙台子,2013.Ⅷ.19;1 头,留坝,2013.Ⅷ.20。

分布:陕西(留坝)、台湾、贵州、云南。

54. 萤叶甲属 *Galeruca* Müller, 1764

Galeruca Geoffroy, 1762: 251. Invalid(Wilcox, 1971).

Galeruca Müller, 1764:14. **Type species**: *Chrysomela tanaceti* Linnaeus, 1758.

Adimonia Laicharting, 1781: 190. **Type species**: not designated.

Galleruca Fabricius, 1792: 12. **Type species**: not designated.

属征:体长形。头顶宽阔,上部有皱折,有明显的中沟;额瘤较发达;整个头部具粗大刻点。触角长达鞘翅肩部,从基部始到端部逐渐膨大。前胸背板宽大于长,侧缘不规则,前端多弯曲或凹洼;4 个角各具 1 个明显的毛孔或毛疣,从中伸出 1 根刚毛来;盘区一般具凹洼及侧凹,刻点一般较粗。小盾片近方形。鞘翅基部较窄,中部之后明显膨阔,肩角不突出,翅面粗糙,密布刻点,在一些种类中,鞘翅上有较发达的脊,有些种类脊退化;还有一些种类,鞘翅每个刻点内具有 1 根毛;缘折基部宽,端部窄。腹部一般颜色较浅,具细纤毛。前足基节窝关闭,胫节外侧具脊,端部较宽,爪双齿式。雄虫腹部末端凹刻状,雌虫完整。

分布:全北区。中国已知 25 种,本志记述了 1 种。

(121) 大和萤叶甲 *Galeruca dahlii* (**Joannis, 1866**)

Adimonia dahlii Joannis, 1866: 14, 36.

Galeruca dahlii: Gemminger & Harold, 1876: 3586.

Galeruca (*Galeruca*) *dahlii*: Weise, 1886: 646, 657.

Galeruca dahlii var. *japonica* Weise, 1894: 168.

鉴别特征:体黄褐色,头及前胸背板黄色。鞘翅、小盾片棕色,前胸、触角背面、腿节、胫节背面黑褐色;触角达身体 1/2,触角第 1 节长于第 2 节,约是第 2 节的 2 倍,第 4 节稍短于第 3 节,5~6 节约等长,7~10 节约等长且略短于第 6 节,第 11 节长于第 10 节;前胸背板宽是长的 1.50 倍,基缘波浪形,侧缘中部突出,前后角圆盾,盘区中间具有很深的凹洼,两侧近侧缘各具 1 个深凹洼;鞘翅平阔,中部具有 2 个明显的脊。

采集记录:1 头,长安南五台,1957. Ⅷ.02;1 头,秦岭车站,1965. Ⅷ.18。

分布:陕西(长安、凤县)、黑龙江、新疆;土耳其,欧洲。

55. 胫萤叶甲属 *Pallasiola* Jacobson, 1925

Pallasia Weise, 1886: 577 (nec Robineau-Desvoidy, 1840). **Type species**: *Chrysomela absinthii* Pallas, 1773.

Pallasiola Jacobson, 1925: 51 (new name for *Pallasia* Weise, 1886).

属征:体形与萤叶甲属相像,背腹面皆具银白色毛。头比前胸窄,额唇基区较平,角后瘤发达,具刻点;触角中等粗细。前胸背板两侧较圆,具边框;盘区具浅凹及密集的刻点。小盾片三角形。鞘翅基部稍宽于前胸背板,端部膨阔;每个鞘翅具 3 条脊。前足基节窝关闭,中足胫节具短刺,跗节第 3 节宽于第 2 节,后足第 1 跗节长于第 2、3 节之和,跗节腹面具短绒毛,爪简单。雄虫腹部末端凹缺状,雌虫完整。在产卵时,雌虫腹部强烈膨大,超出鞘翅许多。

分布:古北区。中国已知 1 种,本志记述了 1 种。

(122) 阔胫萤叶甲 *Pallasiola absinthii* (**Pallas, 1773**) (图 26)

Chrysomela absinthii Pallas, 1773: 725.

Pallasis absinthii: Weise, 1886: 577.

Pallasiola absinthii: Jacobson, 1925: 51.

　　鉴别特征：体长 6.50～7.50mm。体长形，全身覆毛，黄褐色；头的后半部、触角、中后胸腹板和腹部两侧、小盾片及翅缝黑色，前胸背板中央具 1 个黑色横斑，鞘翅上的脊黑色，足大部分黄褐色，腿节、胫节端部及跗节黑色。头顶中央具纵沟，密布粗刻点和毛；角后瘤三角形，具刻点及毛；触角较粗短，第 2 节最小，3～6 节近于等长，第 7 节以后逐渐变短。前胸背板宽约为长的 2 倍，两侧缘具细的边框，中部微膨阔；盘区中央具较宽的浅纵沟，两侧各有 1 个较大的凹；前缘隆突，刻点稀少，其余部分刻点稠密。小盾片短三角形，顶端钝圆。鞘翅肩角瘤状突起，每翅具 3 条纵脊，外侧和中部的脊在端部相连，翅面刻点粗密。足粗壮，胫节端半部明显粗大。

　　采集记录：4 头，凤县，1981.Ⅶ.15；4 头，武功，1951.Ⅹ.23；1 头，留坝，1981.Ⅶ.11；1 头，城固，1980.Ⅶ.02；1 头，富县，1986.Ⅶ.26。

　　分布：陕西（凤县、武功、留坝、城固、富县、陕北）、黑龙江、吉林、辽宁、内蒙古、河北、山西、宁夏、甘肃、青海、新疆、四川、云南、西藏；蒙古，俄罗斯，吉尔吉斯斯坦。

　　寄主：榆，蒿，山樱桃，假木贼。

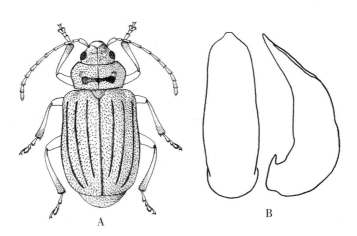

图 26　阔胫萤叶甲 *Pallasiola absinthii*（Pallas，1773）
A.整体图；B.生殖器图

56. 异跗萤叶甲属 *Apophylia* Thomson，1858

Apophylia Dejean，1837：406［nomen nudum］.

Apophylia Duport *et* Chevrolat，1842：31［nomen nudum］.

Apophylia Thomson，1858：221. **Type species**：*Apophylia chloroptera* Thomson，1858.

Malaxia Fairmaire，1878：139. **Type species**：*Malaxia flavovirens* Fairmaire，1878.

Glyptolus Jacoby，1884：62. **Type species**：*Glyptolus viridis* Jacoby，1884.

Glytolus：Baly，1887：268［error］.

Malaxioides Fairmaire，1888：155. **Type species**：*Malaxioides grandicornis* Fairmaire，1888.

Galerucesthis Weise，1896：296. **Type species**：*Auchenia thalassina* Faldermann，1835.

Glyptorus: Chûjô, 1962: 18 [error].

属征：体细长,两侧平行,鞘翅一般具金属绿或者蓝色光泽,翅面具细绒毛。头与前胸等宽;触角细长,一般超过鞘翅中部,有的种类可达鞘翅端部,第 2 节最小,第 3 节次之;雄虫一般较雌虫触角短。前胸背板宽大于长,四周具边框,前缘一般凹洼,后缘较直,前角、后角皆具隆起的毛孔和毛;盘区具凹窝及毛。小盾片三角形,端部较圆。鞘翅较前胸背板宽,具密集的刻点及毛。足胫节端无刺,前足基节窝开放,雄虫爪双齿式,雌虫为附齿式。

分布：古北区,东洋区,非洲区,澳洲区(新几内亚)。中国已知 33 种,本志记述了 5 种。

分种检索表

1. 头部黄色,前胸背板具 3 个黑斑 ·································· **粗角异蚖萤叶甲 *A. grandicornis***
   头顶黑色 ··· 2
2. 前胸背板黄色,无斑 ··· 3
   前胸背板具黑斑 ··· 4
3. 前胸背板有凹窝 ·· **黄额异蚖萤叶甲 *A. beeneni***
   前胸背板无凹窝 ·· **旋心异蚖萤叶甲 *A. flavovirens***
4. 前胸背板方形,具 3 个黑斑 ·· **麦胫异蚖萤叶甲 *A. thalassina***
   前胸背板具 1 个大黑斑,几乎占据整个盘区,仅周边黄色 ······ **黑背异蚖萤叶甲 *A. variicollis***

(123) 黄额异蚖萤叶甲 *Apophylia beeneni* **Bezděk，2003**(图 27)

Apophylia beeneni Bezděk, 2003: 207.

鉴别特征：体长 4.40 ~ 6.00mm。身体扁平;头部双色,后头及后颊黑色,头前部黄色,口器黄色;前胸背板黄色,小盾片、中胸、后胸及腹部黑色;鞘翅金属绿色或者蓝色;足黄色。前胸背板宽是长的 1.60 ~ 1.80 倍;盘区中间有 2 个凹洼,两侧有 2 个深的凹洼,覆盖密集的长毛。鞘翅两侧平行,基部较宽。肩角发达,翅表刻点小而密,被短毛;缘折明显,至端部逐渐变窄。

分布：陕西(秦岭)、黑龙江、吉林、辽宁、内蒙古、北京、河北、山西、山东、安徽、浙江、江苏、湖北、江西、湖南、福建、台湾、广东、海南、广西、四川、贵州、西藏;韩国,越南,老挝,泰国,厄立特里亚。

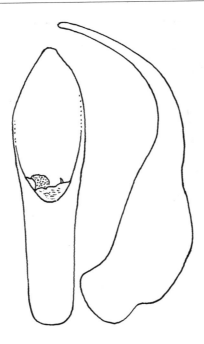

图 27　黄额异跗萤叶甲 *Apophylia beeneni* Bezděk，2003 生殖器图

(124) 旋心异跗萤叶甲 *Apophylia flavovirens*（Fairmaire，1878）（图 28）

Malaxia flavovirens Fairmaire，1878：139.

Apophylia flavovirens：Weise，1924：108.

Apophylia thoracica Gressitt *et* Kimoto，1963：427，433.

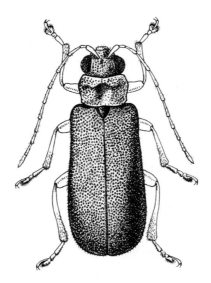

图 28　旋心异跗萤叶甲 *Apophylia flavovirens*（Fairmaire，1878）整体图

鉴别特征:体长形,全身被短毛。头的后半部及小盾片黑色;触角第 1~3 节黄褐色,第 4~11 节及上唇黑褐色;头前半部、前胸和足黄褐色,中胸、后胸腹板和腹部黑褐色至黑色;鞘翅金绿色,有时带蓝紫色。头顶平,额唇基明显隆突。雄虫触角长,几乎达翅端,第 3 节约为第 2 节长的 2 倍,第 4 节约等于第 2、3 节长之和;雌虫触角短,达鞘翅中部,第 3 节稍长于第 2 节。前胸背板倒梯形,前、后缘微凹,盘区具细密刻点;两侧各具 1 个较深的凹窝。小盾片舌形,密布细刻点和毛。鞘翅两侧平行,翅面刻点极密,较头顶刻点小。后胸腹板中部明显隆突,雄虫更甚。雄虫腹部末端具钟形凹缺。

采集记录:1 头,周至楼观台,1987.Ⅷ.18;1 头,佛坪,950m,1998.Ⅶ.23。

分布:陕西(周至、佛坪、兴平)、吉林、河北、山西、安徽、浙江、湖北、江西、湖南、福建、台湾、广东、海南、广西、四川、贵州;朝鲜,越南。

寄主:玉米(*Zea mays*),粟(*Setaria italica*),紫苏(*Perilla frutescens* var. *arguta*)。

(125)粗角异跗萤叶甲 *Apophylia grandicornis*(Fairmaire,1888)

Malaxioides grandicornis Fairmaire,1888:155.

Apophylia shirozui Takizawa,1985:15.

Apophylia grandicornis:Bezděk,2003:77.

鉴别特征:体长 9mm。长形,体褐色,具有金属光泽;头黄色,触角除第 4 节外褐色;前胸背板黄褐色,具有 3 个黑斑;鞘翅褐色具有金属光泽,被短纤毛;鞘翅近平行,具有肩角,端部圆盾型分开,具有稠密刻点。

分布:陕西(秦岭)、黑龙江、北京、河北、山西、山东、甘肃、四川、贵州;朝鲜。

(126)麦胫异跗萤叶甲 *Apophylia thalassina*(Faldermann,1835)

Auchenia thalassina Faldermann,1835:437.

Apophylia thalassina:Weise,1924:184.

鉴别特征:体长 5.50~7.50mm。头顶后半部及小盾片黑色,触角和上唇黑褐色,头的前半部、触角 1~3 节、前胸及足黄褐色,腿节背面具黑色纵纹,前胸背板具 3 个黑斑,中部的大,两侧的小,有时 3 个斑连在一起;鞘翅金绿色,带蓝色光泽,腹面黑褐色至黑色。头顶刻点粗密,角后瘤小。雄虫触角自第 3 节开始,一侧具较长的毛,每节稍扁宽。前胸背板近于长方形,前缘、后缘中央均微凹;在盘区中央的前后及两侧刻点均密集,且具 4 个深浅不等的凹。鞘翅两侧近于平行,在肩部之后稍有纵隆。雄虫前足、中足第 1 跗节膨宽,后足腿节粗壮。腹部中央具较长的毛,末节中央具极深的凹洼。

采集记录:1 头,周至楼观台,1953.Ⅸ.24;1 头,凤县,1988.Ⅶ.18;19 头,太白山

蒿坪寺,1980.Ⅵ;4 头,武功,1954.Ⅶ.04;1 头,佛坪,870~1000m,1998.Ⅶ.25。

　　分布:陕西(周至、凤县、眉县、武功、佛坪)、吉林、辽宁、内蒙古、河北、山西、宁夏、甘肃、河南、江苏、贵州;蒙古,俄罗斯,朝鲜。

　　寄主:玉米(*Zea mays*),大麦(*Hordeum vulgare*),小麦(*Triticum aestivum.*)。

(127) 黑背异蹠萤叶甲 *Apophylia variicollis* Laboissière,1927

　　Apophylia variicollis Laboissière,1927:61.

　　Apophylia robustior Pic,1946:14.

　　属征:体长 5.50~6.00mm。体黑色,头的前部除唇基外砖红色,触角黑色,或多或少棕红色,前胸背板整个黑色,鞘翅墨绿色,侧缘具脊,缘折黑色,足褐色,跗节棕色或深棕色,腹面黑色。前胸背板宽是长的 2 倍多,两侧中间前缘具有凹窝,基部具有 1 个凹窝;鞘翅宽于前胸背板,刻点直径是刻点间距的 2 倍。

　　分布:陕西(秦岭)、四川、云南。

57. 短角萤叶甲属 *Erganoides* Jacoby,1903

　　Erganoides Jacoby,1903:125. **Type species**: *Erganoides flavicollis* Jacoby,1903.

　　属征:触角窝位于复眼后,明显分离,触角细长,第 5~8 节长大于宽的 2 倍;前胸背板无明显侧凹,基缘具边框;前足基节窝关闭;前胸腹板在两基节间可见;雌雄胫端均具刺,后足胫端具 1 刺;缘折正常宽度;后足第 1 跗节等于或短于其余各节之和;爪简单或附齿式;雄虫腹端三叶状,雌虫完整或缺刻状。

　　分布:东洋区(亚洲南部及东部)。中国已知 10 种,本志记述了 1 种。

(128) 凸头短角萤叶甲 *Erganoides capito* (Weise,1889)

　　Luperus (*Calomicrus*) *capito* Weise,1889:567,610.

　　Luperus capito ab. *mundulus* Weise,1889:610.

　　Erganoides capito: Laboissière,1940:3.

　　属征:体长 3.50~4.00mm。体黑色,头部触角窝之前及触角基部深褐色,鞘翅蓝黑色,腹部黄褐色。体小型、隆突。触角长是体长的 1/2,第 2 节最短,第 3 节稍长于第 2 节,其余各节约等长。前胸背板宽是长的 2 倍。头顶光滑无刻点,前胸背板具密集的细小刻点。鞘翅中后部微膨阔,翅面具密集的细小刻点,基部较端部清晰。跗节细长,第 1 跗节膨大。

分布:陕西(秦岭)、甘肃、湖北、四川。

58. 德萤叶甲属 *Dercetina* Gressitt *et* Kimoto, 1963

Dercetis Clark, 1865: 146(nec Muenster *et* Agassiz, 1834). **Type species**: *Dercetis depressa* Clark, 1865.

Antipha Baly, 1865: 251(nec Walker, 1855). **Type species**: *Antipha picipes* Baly, 1865.

Dercetes Hincks, 1949: 611. **Type species**: *Dercetis depressa* Clark, 1865, by substitution of *Dercetes* for *Dercetis* Clark, 1865: 146(nec Muenster *et* Agassiz, 1834).

Dercetina Gressitt *et* Kimoto, 1963: 704. **Type species**: *Dercetis depressa* Clark, 1865, by substitution of *Dercetina* for *Dercetis* Clark, 1865.

属征:体椭圆。头顶光滑,一般无刻点,角后瘤明显;额唇基区呈三角形隆突;触角长超过体长的一半,第2节最短,第3节一般为第2节长的2倍或更多。前胸背板宽大于长,基缘外突,端缘弧状弯曲;盘区隆起,无任何凹洼,具稀疏刻点。小盾片三角形,表面隆突。鞘翅基部窄,中部之后变宽;肩角突出,盘区具明显刻点;缘折基部宽,中部变窄,直达端部。前足基节窝关闭,爪附齿式。

分布:亚洲。中国已知13种,本志记述了4种。

分种检索表

(129)紫兰德萤叶甲 *Dercetina carinipennis* Gressitt *et* Kimoto, 1963

Dercetina carinipennis Gressitt *et* Kimoto, 1963: 705.

鉴别特征:体长5.50~6.00mm。体蓝紫色;头深红色,触角红褐色;腹面褐色,足红色。身体表面具细毛。头稍宽于前胸背板,头顶隆突,具散乱刻点;触角约为体长的3/4,第2节长为宽的1/2,第3节稍短于第1节,第4节长于第2、3节之和,第5节明显短于第4节,第5~10节长度递减。前胸背板长大于宽,盘区光滑,具稀疏、细小刻点。小盾片舌形,无刻点。鞘翅长为宽的3.50倍,两侧平行,盘区强烈隆突,肩角下具脊,鞘翅基部不远具横凹,翅面具相当粗密的刻点。

采集记录：3 头，周至厚畛子，2008．Ⅶ．02-03，2008．Ⅶ．23；1 头，周至钓鱼台，2008．Ⅶ．29；1 头，周至老县城，2008．Ⅵ．27；1 头，宁陕十八丈，2008．Ⅷ．15。

分布：陕西（周至）、甘肃、浙江、福建。

（130）中华德萤叶甲 *Dercetina chinensis*（Weise，1889）

Arthrotus chinensis Weise，1889：626．Removal from synonymy *Dercetina flavocincta*（Hope，1831）by Lee *et* Bezděk，2013：9．

Antipha varipennis Jacoby，1890：214．

Dercetina chinensis：Gressitt & Kimoto，1965：802．

鉴别特征：体长 4～5mm。头部、前胸背板、腹板及足的腿节乳黄色；头顶褐色，触角黑褐色；小盾片、鞘翅、中胸、后胸及腹部腹面、足的胫、跗节褐色、红褐色、黑褐色或黑色；鞘翅中部具 1 条横的黄条斑，不达翅缘。触角长超过鞘翅中部，第 1、2 节光滑，第 3 节以后被灰白色毛，第 2 节最短，第 3 节长约为第 2 节的 6 倍，以后各节长约相等。前胸背板宽约为长的 2.50 倍，侧缘及基缘外突，前缘内凹；盘区隆凸，具零星刻点。小盾片三角形，光滑无刻点。鞘翅肩角隆突，两侧稍圆，翅面刻点在中部及之前基本成行，端部杂乱分布，缘折基部宽，到端部逐渐变窄。腹面在后胸侧板及腹部各节的刻点粗大。

采集记录：1 头，周至钓鱼台，1480～1570m，2008．Ⅶ．29。

分布：陕西（周至）、河北、甘肃、安徽、江苏、浙江、湖北、江西、湖南、福建、台湾、广东、四川、贵州、云南；越南，老挝，泰国，印度，尼泊尔。

寄主：千屈菜科，紫薇属。

（131）蓝翅德萤叶甲 *Dercetina cyanipennis*（Chen，1942）

Proegmena cyanipennis Chen，1942：42．

Dercetina cyanipennis：Gressitt & Kimoto，1963：706．

鉴别特征：体长 4.50～5.00mm。头和前胸灰白色，鞘翅蓝色，有紫色光泽；触角除第 2、3 节外均为黑色；头顶光滑，无刻点；触角第 4 节明显增厚，第 3 节稍长于第 2 节。前胸背板光滑，两侧各具有 1 个横凹，盘区两侧具有密集的刻点；基部窄，到端部逐渐变宽，翅面具明显的刻点行。

分布：陕西（秦岭）、湖北、四川。

（132）黑头德萤叶甲 *Dercetina viridipennis*（Duvivier，1887）陕西新纪录

Antipha viridipennis Duvivier，1887：49．

Dercetes viridipennis：Laboissière，1925：53.

Dercetis viridipennis：Maulik，1936：370.

Dercetina viridipennis：Wilcox，1971：179.

鉴别特征：体长6.50～7.00mm。头部、前胸背板深褐色；头顶黑色，触角第1节腹面观黑褐色，其余各节黑色；小盾片、鞘翅、腹面观深蓝色，具有金属光泽，足黄棕色；触角第2节最短，第4节长于第3节，以后各节逐渐变长；前胸背板宽约为长的2倍多，盘区靠近基缘具有1个横凹。小盾片三角形；鞘翅肩角隆突，翅面刻点浓密，刻点直径大于刻点间距，缘折基缘1/3宽，之后逐渐变窄。

采集记录：1头，周至厚畛子，2008.Ⅶ.02；2头，周至楼观台，2008.Ⅵ.24；2头，宁西局，1987.Ⅸ。

分布：陕西(周至、户县)、云南；缅甸，尼泊尔。

59. 阿萤叶甲属 *Arthrotus* Motschulsky，1857

Arthrotus Motschulsky，1857：38. **Type species**：*Arthrotus niger* Motschulsky，1857.

Anastena Maulik，1936：296. **Type species**：*Astena nigromaculata* Jacoby，1896.

Dercestra Chûjô，1962：163. **Type species**：*Dercestra abdominalis* Chûjô，1962.

属征：体长椭圆形。头顶具中沟，角后瘤发达，半月形，角后瘤间为1个纵沟；触角间呈脊状隆起；触角长超过体长的1/2，雌、雄皆第2节最短，第3节次之，第4节长于第2、3节之和。前胸背板宽大于长，四周具边框；盘区隆起，几乎无刻点。小盾片三角形，背面隆起。鞘翅基部较窄，中部之后变宽；肩角瘤状突出，翅面具粗、深刻点；缘折基部宽，到端部逐渐变窄。前足基节窝关闭，爪附齿式。雄虫腹部末端三叶状，雌虫完整。

分布：亚洲。中国已知28种，本志记述了3种。

分种检索表

1. 头部黑色，鞘翅铜绿色 …………………………………………… 中华阿萤叶甲 *A. chinensis*
   前胸背板无任何凹洼 ……………………………………………………………………… 2
2. 鞘翅中缝红色，背面无黑色斑纹 ……………………………………… 弗瑞阿萤叶甲 *A. freyi*
   鞘翅边缘黑色，中部之后具斜的黑带 ………………………… 水杉阿萤叶甲 *A. nigrofasciatus*

(133) 中华阿萤叶甲 *Arthrotus chinensis*(Baly，1879)(图29)

Dercetes chinensis Baly，1879：115.

Arthrotus chinensis：Gressitt & Kimoto，1963：694.

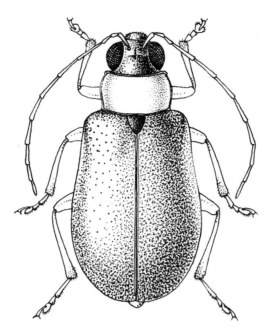

图 29　中华阿萤叶甲 *Arthrotus chinensis*（Baly，1879）整体图

鉴别特征:体长 6.00~6.50mm。头部黑色;触角第 1~3 节黄褐色,其余黑褐色;前胸背板黄色;小盾片黑色,鞘翅蓝黑色;腹面及足橘红色;腹部末端及臀板黑色。头顶具细刻点,中部具 1 条纵沟,近角后瘤处较深;角后瘤明显,后缘具 1 道横沟,中部具 1 道纵沟;触角稍短于体长,第 2、3 节最短,长度约相等,第 4 节长是前 2 节之和的 2 倍,以后各节长度约相等。前胸背板宽为长的 1.50 倍,基缘稍突,前缘稍凹,两侧较直;盘区具极疏的刻点。小盾片三角形,光滑无刻点。鞘翅基部窄,端部宽,肩角突出,刻点粗大,刻点间距是刻点直径的 1/3,刻点基本成行排列;缘折基部宽,到端部逐渐变窄。雄虫腹端浅三叶状,雌虫完整。

采集记录:1 头,凤县,1982.Ⅵ;3 头,周至厚畛子,2008.Ⅶ.02;1 头,留坝庙台子,1984.Ⅴ.08;1 头,宁陕火地塘,1984.Ⅶ.06。

分布:陕西(凤县、周至、留坝、宁陕)、浙江、湖北、湖南、福建、四川、贵州。

寄主:核桃(*Juglans regia* L.)。

(134) 弗瑞阿萤叶甲 *Arthrotus freyi* **Gressitt *et* Kimoto，1963**

Arthrotus freyi Gressitt *et* Kimoto，1963:694.

鉴别特征:体长 4.60~5.60mm。体褐色,头和前胸背板偏红色,触角褐色,第 1~3 节红褐色;足褐色,胫节端部黑色。头顶光滑,几乎无刻点;触角是体长的 3/4,第 2 节宽稍长于长,约与第 3 节等长,第 4 节长超过第 2、3 节之和;第 5 节稍短于第 4 节,第 5~10 节逐渐变短,第 11 节约与第 4 节等长。前胸背板宽是长的 2 倍,侧缘膨阔,盘区光滑、两侧具有小的凹洼,凹内具稀疏的大刻点;鞘翅缘折在基部 1/4 处突然变窄,之后一直延伸至端部;盘区具有 18 行刻点。足稍细,腿节相当扁,后足胫节稍微弯曲,后足跗节第 1 节大约是第 2、3 节之和,最后 1 节约与第 1 节等长。

采集记录:2 头,佛坪龙草坪,1986.Ⅷ.25。

分布:陕西(佛坪)、四川。

(135) 水杉阿萤叶甲 *Arthrotus nigrofasciatus* (**Jacoby, 1890**)

Antipha nigrofasciata Jacoby, 1890:196.

Arthrotus nigrofasciatus: Gressitt & Kimoto, 1963:700.

属征:体长 4.50~5.00mm。头部、前胸背板及小盾片枣红色;触角第 1~3 节红褐色,4~11 节褐色;鞘翅黄色,周缘及中缝黑色,离端部 1/3 翅面上具 1 道黑色横带;腹面及足黄褐色,胫、跗节褐色。触角长达鞘翅中部,第 2 节最短,第 3 节是第 2 节长的 1.50 倍,第 4 节长于第 2、3 节之和,第 5 节约与第 4 节等长,第 6 节短于第 5 节,以后各节约等长。前胸背板宽约为长的 2 倍,基缘外突,侧缘在中部之前为圆形,近端部变窄;前角突出,后角纯圆;盘区刻点稀疏。小盾片三角形,光滑无刻点。鞘翅肩角突出,盘区在基部 1/4 处有 1 个横凹;刻点粗大,刻点间距小于刻点直径,整个刻点基本成行排列,缘折基部 1/4 宽,突然变窄,直达端部。

采集记录:2 头,佛坪龙草坪,1986.Ⅷ.21-22;1 头,佛坪龙草坪,1986.Ⅷ.28。

分布:陕西(佛坪)、甘肃、安徽、浙江、湖北、江西、湖南、福建、广东、四川。

60. 宽胸萤叶甲属 *Emathea* Baly, 1865

Emathea Baly, 1865:147. **Type species**: *Emathea aeneipennis* Baly, 1865.

属征:体半圆形;触角较体短,触角窝位于复眼后,明显分离;前胸背板盘区无凹窝,基缘具边框,前缘不具边框;鞘翅上无横凹,不具毛。前胸背板长,鞘翅缘折基部较宽;前足基节窝关闭,后足胫端具刺,后足第 1 跗节等于或短于其余各节之和;爪简单或附齿式;雄虫腹端三叶状,雌虫完整或缺刻状。

分布:东洋区。中国已知 2 种,本志记述了 1 种。

(136) 四斑宽胸萤叶甲 *Emathea punctata* (**Allard, 1889**) (图 30)

Sphaeroderma punctata Allard, 1889:307.

Dercetes amoena Weise, 1922:95.

Emathea moseri Weise，1922：98.

Emathea punctata：Laboissière，1935：140.

鉴别特征：体长 5.70~6.00mm。体椭圆形，体色变异较大，蓝色或赭黄色，每个鞘翅端部具 2 个蓝色大斑；触角和足颜色相同；触角细长约达鞘翅中部，第 2 节最短，第 3 节和第 4 节等长，以后各节逐渐变短；前胸背板宽大于长，平滑具细密的刻点；鞘翅椭圆形，翅面刻点杂乱；后足第 1 跗节等于其余各节之和。

采集记录：1 头，佛坪凉风垭，2150~1750m，1999．Ⅵ．28。

分布：陕西（佛坪）、甘肃、广东、海南、广西；越南。

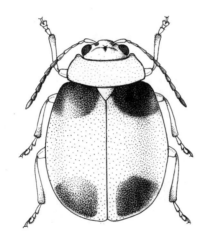

图 30　四斑宽胸萤叶甲 *Emathea punctata*（Allard，1889）整体图

61. 方胸萤叶甲属 *Proegmena* Weise，1889

Proegmena Weise，1889：628. **Type species**：*Proegmena pallidipennis* Weise，1889.

属征：体长型。头部具中沟，角后瘤较发达，方形；触角间极窄，隆脊状；触角长超过鞘翅中部，雄虫第 2、3 节最短，第 4 节长是第 2、3 节之和的数倍，其余各节较扁宽；雌虫第 2 节最短，第 3 节为第 2 节长的数倍，第 4 节长于第 2、3 节之和。前胸背板近于方形，四周具边框，前缘边框极细；盘区具横凹和明显刻点。小盾片三角形，表面稍隆。鞘翅基部较前胸背板宽，中部之后膨阔；肩角突出，盘区具明显刻点，有的种类在基部不远具横凹；缘折基部宽，中部之后变窄，直达端部。足细长，前足基节窝关闭，爪附齿式。

分布：中国。中国已知 4 种，本志记述了 1 种。

（137）褐方胸萤叶甲 *Proegmena pallidipennis* Weise，1889（图 31）

Proegmena pallidipennis Weise，1889：569，630.

Antipha ? elongata Jacoby，1890：197.

Proegmena crux Chen，1942：40.

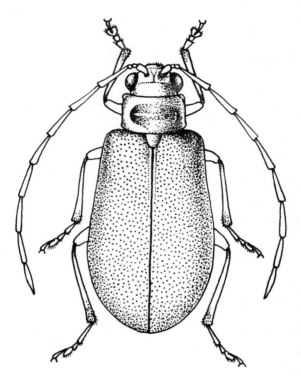

图 31　褐方胸萤叶甲 *Proegmena pallidipennis* Weise，1889 整体图

鉴别特征：体长 5.50～7.00mm。身体背腹面黄褐色，触角深褐色；足的胫节、跗节黑褐色。头顶具中沟及稀疏刻点；角后瘤方形，其间为深凹沟；触角第 1 节球杆状；雄虫触角第 2、3 节最短，第 3 节稍短于第 2 节，第 4 节长为第 2、3 节的 3.50 倍，第 5 节短于第 4 节，以后各节长度递减；雌虫第 3 节长于第 2 节，是第 2 节长的 2 倍，第 4 节长是第 2、3 节和的 1.50 倍。前胸背板方形，盘区具中凹及细刻点，凹前较隆突。小盾片三角形，表面隆起，具细刻点。鞘翅基部窄，中部之后变宽，具肩瘤，瘤表面具细刻点；盘区刻点粗深。

采集记录：1 头，太白，1981.Ⅴ.21。

分布：陕西（太白）、甘肃、江苏、浙江、湖北、福建、四川。

62. 阿波萤叶甲属 *Aplosonyx* Chevrolat, 1837

Aplosonyx Chevrolat, 1837: 399. **Type species**: *Galleruca albicornis* Wiedemann, 1821.

Haplosonyx Gistel, 1848: 14(emendation for *Aplosonyx* Chevrolat).

Berecyntha Baly, 1865: 98. **Type species**: *Berecyntha tibialis* Baly, 1865.

Caritheca Baly, 1877: 226. **Type species**: *Caritheca quadripustulata* Baly, 1877.

Haplonyx Jacobson, 1895: 555.

属征: 头部窄于前胸背板, 头顶具刻点; 角后瘤发达, 其间为凹洼; 上颚发达, 下颚须长, 不膨大; 触角长及鞘翅中部, 第 2 节最小, 第 3 节次之; 雄虫 1~3 节光亮, 4~11 节扁宽, 被绒毛; 雌虫 4~11 节细, 无绒毛。前胸背板宽约为长的 2 倍, 前后角皆突出, 并具毛孔; 侧缘边框发达, 略上翘, 其内常具 1 行刻点; 基缘不具边框, 端缘具边框; 盘区中部为 1 条横沟, 有的种类横沟中部中断; 整个盘区刻点稀疏。小盾片三角形, 一般光滑无刻点。鞘翅明显宽于前胸背板, 肩角瘤状突出; 盘区一般具两种刻点, 大刻点基本成行, 小刻点散于其间; 缘折宽, 直达端部; 有的种类缘折上具粗刻点。前足基节一般为球状, 基节窝关闭, 中足基节间较宽, 后足胫节明显长于前足、中足; 爪发达, 附齿式。

分布: 东洋区。中国已知 16 种, 本志记述了 2 种。

(138) 彩阿波萤叶甲 *Aplosonyx pictus* Chen, 1942

Aplosonyx pictus Chen, 1942: 39.

Sphenoraia picta: Lopatin, 2002: 880.

Aplosonyx pictus: Zhang *et al.*, 2008: 65.

鉴别特征: 体长 5~6mm。体黄色, 触角 1~3 节黄色, 以后各节颜色较深; 头顶及前胸背板中央各具 1 个黑斑, 小盾片及身体腹面黑色; 每个鞘翅有 5 个黑斑, 基部在肩角内侧具 1 个大的圆斑, 鞘翅侧缘具 1 个长条斑, 中部之后近翅缝具 1 个椭圆形斑, 翅端不远处外侧为 1 个小圆斑, 内侧的为半圆形斑, 两翅合并后正好为 1 个圆斑。触角长不及鞘翅中部, 雄虫第 2、3 节最短, 第 3 节稍短于第 2 节, 第 4 节长约为第 2、3 节和的 2.50 倍, 第 5 节短于第 4 节, 以后各节长度递减; 雌虫第 3 节长为第 2 节的 1.50 倍, 第 4 节长为第 2、3 节和的 1.70 倍。前胸背板宽约为长的 2 倍, 前角强烈突出; 盘区具网纹及稀疏刻点, 中部具 1 道横沟, 不及侧缘, 沟内有大刻点。小盾片舌形, 具网纹及稀疏刻点。鞘翅明显宽于前胸背板, 中部之后稍膨阔, 肩角瘤状, 光滑无刻点; 盘区具粗细两种刻点, 粗刻点约为 10 行, 细刻点位于粗刻点间。腹面及足皆具网纹及刻点。

采集记录: 2 头, 太白, 1981. V. 03-07。

分布: 陕西(太白)、甘肃。

(139)天平山阿波萤叶甲 *Aplosonyx tianpingshanensis* Yang,1995(图 32)

Aplosonyx tianpingshanensis Yang,1995:91.

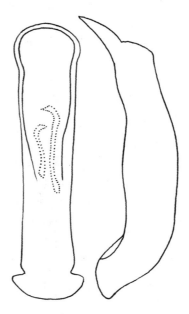

图 32　天平山阿波萤叶甲 *Aplosonyx tianpingshanensis* Yang,1995 生殖器图

鉴别特征:体长 5.00～5.50mm。体黄色。触角褐色;头顶、前胸背板中央各有 1 个黑斑;小盾片黑色;每个鞘翅上有 2 条黑色宽纵带,延至端部 1/4 处,一条靠近侧缘,一条靠近中缝,端部具 2 个黑斑,外侧的近圆形,近中缝的为半圆形,两鞘翅合并成 1 个圆斑;足黄色;腹面黑褐色,腹部末端黄色。雄虫头顶具稀疏刻点,角后瘤之间具 1 个深凹窝;触角长超过体长的 1/2,第 2 节最短,第 3 节次之,第 4 节最长,是第 3 节长的 3.50 倍。前胸背板宽大于长,盘区中部有 1 条深横沟,沿沟有 1 排粗刻点,沿侧缘各有 1 列大刻点,其他部位刻点细疏;小盾片光滑无刻点;每个鞘翅具大约 11 行粗刻点,粗刻点间无细刻点;缘折基部宽,到端部逐渐变窄。雌虫触角较雄虫短,其他特征同雄虫。

采集记录:2 头,太白山,850m,1981.V.30;1 头,太白山蒿坪寺,1981.VI.18。

分布:陕西(太白)、甘肃、湖南、湖北、贵州。

63. 柱萤叶甲属 *Gallerucida* Motschulsky,1860

Gallerucida Motschulsky,1860:24. **Type species**:*Gallerucida bifasciata* Motschulsky,1860.
Eustetha Baly,1861:296. **Type species**:*Eustetha flaviventris* Baly,1861.

Melospila Baly, 1861：297. **Type species**：*Melospila nigromaculata* Baly, 1861.

Hylaspes Baly, 1865：436. **Type species**：*Hylaspes longicornis* Baly, 1865.

Galerucida：Chapuis, 1875：224, 227［error or emendation for *Gallerucida* Motschulsky, 1860：24］.

Stethidea Baly, 1885：13. **Type species**：*Doryida balyi* Duvivier, 1885.

Coptomesa Weise, 1912：91. **Type species**：*Gallerucida*（*Coptomesa*）*maculata* Weise, 1912.

属征：体中到大型,椭圆,一般具金属光泽。头顶较平;角后瘤明显,不甚发达,呈三角形,额唇基区呈三角形隆突;触角长仅达鞘翅肩部;雄虫第 2、3 节约等长,第 4 节以后膨宽;雌虫第 3 节长于第 2 节,较雄虫为细。前胸背板宽是长的数倍,侧缘具边框,前后缘无边框;盘区具凹窝及粗、细两种刻点。小盾片三角形,端部钝圆。鞘翅基部稍宽于前胸背板,中部之后明显膨阔;肩角隆突,盘区较隆,具明显刻点;缘折基部宽,中部变窄,直达端部。后胸腹板前缘中部伸向中足基节间,成柱状突;足粗大,胫节外侧具脊,端部具刺,前足基节窝关闭,爪附齿式。

分布：古北区,东洋区。中国已知 63 种,本志记述了 7 种。

分种检索表

1. 鞘翅刻点黑色 ·· 黑窝柱萤叶甲 *G. nigrofoveolata*
   鞘翅刻点非黑色 ·· 2
2. 鞘翅两色,具斑、带、纹 ·· 3
   鞘翅仅一色 ·· 5
3. 鞘翅黄褐色,无斑,身体腹面黑褐色 ···························· 褐缘柱萤叶甲 *G. limbatella*
   鞘翅非黄褐色,或黄褐色具斑 ·· 6
4. 鞘翅黄褐色,中部之前具 1 条宽的黑色横带,每个鞘翅在中部之后有 4 个黑斑,排成 3:1 两行
   ·· 二纹柱萤叶甲 *G. bifasciata*
   鞘翅红褐色,具黑色横带 ······································ 细角柱萤叶甲 *G. serricornis*
5. 头部黑色;鞘翅绿色或紫色,具金属光泽;腹部有斑 ········· 棕褐柱萤叶甲 *G. aeneomicans*
   头部非黑色 ·· 6
6. 体黄褐色,小盾片褐色;触角和腿节端黑色 ···················· 黑角柱萤叶甲 *G. pallida*
   体蓝绿色,具金属光泽;足紫色 ······························· 丽纹柱萤叶甲 *G. gloriosa*

（140）棕褐柱萤叶甲 *Gallerucida aeneomicans* Ogloblin, 1936

Gallerucida aeneomicans Ogloblin, 1936：361, 443, 446.

Gallerucida aeneomicans：Gressitt & Kimoto, 1963：720.

鉴别特征：体长 7.00 ~ 8.20mm。头部、触角、胫节、跗节黑色,其他部分赭红色,腹部各节每侧各具 1 个圆的黑斑。头顶具明显刻点,角后瘤有皱纹;触角长超过鞘翅肩角,第 2 ~ 3 节最短,等长,从第 4 节起扁宽。前胸背板宽是长的 2.30 ~ 2.50 倍,盘

区在中部两侧各有 1 个横凹,刻点明显、稀疏。小盾片光滑无刻点。鞘翅膨阔,肩角突出,内侧具 1 列粗刻点;翅面具大小两种刻点,杂乱排列。后胸腹板突端部钝圆,中部有 1 道纵沟。

采集记录: 1 头,佛坪,900m,1999.Ⅵ.27。

分布: 陕西(佛坪)、甘肃、四川。

(141)二纹柱萤叶甲 *Gallerucida bifasciata* Motschulsky,1860(图 33)

Gallerucida bifasciata Motschulsky,1860:24.

Melospila nigromaculata Baly,1861:297.

Melospila consociata Baly,1874:184.

Galerucida nigrofasciata Baly,1879:453.

Galerucida nigrita Chûjô,1935:168.

Gallerucida bifasciata nigromaculata Takizawa,1980:??.

图 33　二纹柱萤叶甲 *Gallerucida bifasciata* Motschulsky,1860 整体图

鉴别特征: 体长 7.00～8.50mm。体黑褐至黑色,触角有时红褐色;鞘翅黄色、黄褐色或橘红色,具黑色斑纹;基部有 2 个斑点,中部之前具不规则的横带,未达翅缝和外缘,有时伸达翅缝,侧缘另具 1 个小斑;中部之后一横排有 3 个长形斑;末端具 1 个近圆形斑;额唇基呈三角形隆凸,角后瘤显著,较大近方形,其后缘中央凹陷;

头顶微凸,具较细密刻点和皱纹。雄虫触角较长,伸达鞘翅中部之后,第2、3节较短,第3节略长于第2节,第4节微短于第2、3节之和的2倍,第4~10节每节末端向一侧膨阔成锯齿状,第5~7节约等长,微短于第4节;雌虫触角较短,伸至鞘翅中部,第3节明显长于第2节,第4节稍长于第2、3节之和,末端数节略膨粗,非锯齿状。前胸背板宽为长的2倍,两侧缘稍圆,前缘明显凹洼,基缘略凸,前角向前伸突;表面微隆,中部两侧有浅凹,有时不明显,以粗大刻点为主,间有少量细小刻点。小盾片舌形,具细刻点。鞘翅表面具两种刻点,粗大刻点较稀,成纵行,之间有较密细小刻点。中足之间后胸腹板突较小。

采集记录:1头,周至楼观台,1983.Ⅶ.24;2头,凤县,1981.Ⅴ.18;11头,太白山蒿坪寺,1982.Ⅴ.17-Ⅵ.12;2头,太白山中山寺,1981.Ⅵ.18;1头,武功,1951.Ⅹ.15;1头,武功,1984.Ⅷ.10;5头,华阴华山,1957.Ⅵ.15-16;1头,华阴华山,1988.Ⅸ.30;2头,宁陕十八丈,1150m,1998.Ⅵ.28;1头,宁陕火地塘,1983.Ⅵ。

分布:陕西(周至、凤县、太白、眉县、武功、华阴、宁陕)、黑龙江、吉林、辽宁、河北、河南、甘肃、江苏、浙江、湖北、江西、湖南、福建、台湾、广西、四川、贵州、云南;俄罗斯(西伯利亚),朝鲜,日本。

寄主:荞麦,桃,酸模,蓼,大黄等。

(142)丽纹柱萤叶甲 *Gallerucida gloriosa*(**Baly,1861**)

Eustetha gloriosa Baly,1861:296.

Eustetha seriata Fairmaire,1878:136.

Galerucida gloriosa:Jacobson,1911:pl. 59,fig. 10.

Galerucida jacobsoni Ogloblin,1936:364,443,446.

Gallerucida gloriosa:Gressitt & Kimoto,1963:727.

鉴别特征:体长6.30~9.80mm。体背具强烈金属光泽。头、胸蓝绿色,杂有铜色;小盾片蓝或绿色,鞘翅缘折和翅外缘蓝色,往里绿色,翅面大部紫铜色;腹面和足蓝紫色,杂有绿色;腹部每节后缘褐色。额区呈"T"形隆突;角后瘤横形,其后中部凹洼;头顶具细刻点。触角较短,末端达鞘翅中部,从第4节起密被金色短毛;第3节略长于第2节,第4节微长于第2、3节之和,第5~10节长度大体相等,稍短于第4节。前胸背板宽约为长的2倍,两侧缘中部微膨宽,基缘中部拱凸;盘区中部具1条横沟,此沟在中部断开,两侧略向前斜伸,达及侧缘,刻点较细密,有时稍稀。小盾片舌形,具稀疏细刻点和短毛。鞘翅肩胛显突,翅面具大小两种刻点,大刻点稀,略成纵行,小刻点密;缘折表面散布细刻点。前胸腹板在前足、中足之间较宽,中足之间后胸腹板突较高。

采集记录:6头,长安南五台,1957.Ⅶ.05-Ⅷ.08;3头,周至楼观台,1954.Ⅶ.04;1头,秦岭车站,1951.Ⅸ.21;3头,凤县,1981.Ⅴ.13;1头,太白山蒿坪寺,1956.Ⅶ.21;2头,太白山蒿坪寺,1982.Ⅳ.08;2头,太白山蒿坪寺,1982.Ⅶ.15;1头,太白山,2002.Ⅶ.17;1头,留坝韦驮沟,1600m,1973.Ⅹ.15;3头,留坝韦驮沟,1998.Ⅶ.21。

分布:陕西(长安、周至、凤县、眉县、太白、留坝)、黑龙江、吉林、辽宁、河北、甘肃、江苏、安徽、浙江、江西、湖北、湖南、福建、广东、四川、贵州;朝鲜。

寄主:蛇葡萄(*Amepelopsis*)。

(143)褐缘柱萤叶甲 *Gallerucida limbatella* Chen, 1992

Gallerucida limbatella Chen, 1992:134.

鉴别特征:体长7.50mm。头、触角、前胸背板及胸部腹面以及足黑褐色至黑色,触角基部1~3节深红褐色,鞘翅黄色,小盾片、翅缝及周缘黑色,鞘翅末端褐色至黑色,腹部腹面黄褐色。头顶稀有刻点,角后瘤间具刻点,复眼间有1列灰白色毛;触角达鞘翅中部,第3节稍长于第2节,第4节是第3节长的4.50倍,从第4节起开始膨阔。前胸背板稀有刻点,中部两侧各具1个短横凹,两端呈凹窝状。小盾片光滑无刻点。鞘翅近中缝刻点细小,中缝两侧各有1行粗刻点,盘区为粗细不同的两种刻点;缘折基部宽,直达端部,内缘、外缘具稀少的刻点。

采集记录:1头,周至厚畛子,1500~2000m,1999.Ⅵ.27。

分布:陕西(周至)、内蒙古、河北;印度。

(144)黑窝柱萤叶甲 *Gallerucida nigrofoveolata* (Fairmaive, 1889)

Eustetha nigrofoveolata Fairmaire, 1889:80.

Galerucida nigrofoveolata: Weise, 1924:141.

Gallerucida nigrofoveolata: Gressitt & Kimoto, 1963:727.

属征:体长5.50~6.00mm。头部、身体腹面及足黑色,前胸背板、小盾片及鞘翅黄色或乳黄色,触角黑褐色,鞘翅上具黑色粗大刻点,腹部腹面两侧黄色。头部具稀疏的细刻点,唇基、上颚基及触角窝周围具灰色长毛;触角不及体长的1/2,第1~3节具稀疏毛,第4节始膨粗,密被灰色绒毛。前胸背板前角突出,后角钝圆;盘区具2个浅横凹,分布有大小两种刻点,大刻点多集中于基部和后角处,小盾片三角形,光滑无刻点。鞘翅上的黑色大刻点稀疏、不规则排列,在大刻点间有细的、密的小刻点;缘折沿内外侧各具1行刻点。雌虫触角达鞘翅中部,到端部逐渐变粗,不被灰色短绒毛。

采集记录:1头,周至老县城,2008.Ⅵ.27。

分布:陕西(周至)、甘肃、湖北、福建、四川、云南。

(145)黑角柱萤叶甲 *Gallerucida pallida* Laboissière, 1934

Galerucida pallida Laboissière, 1934:123.

Gallerucida pallida: Gressitt & Kimoto, 1963:729.

鉴别特征：体长7mm。体黄褐色，头和前胸背板红褐色，触角和腿节端部、胫节及跗节黑色，小盾片深红褐色，鞘翅黄褐色、边缘黑色；前胸背板宽约是长的1.50倍，盘区中央两侧各具1个横沟；小盾片三角形；鞘翅肩角明显，盘区隆突，具有稀疏的相对规则的成排刻点，缘折基部宽，基部1/3处突然变窄并延伸至翅端。

采集记录：1头，宁陕，1988.Ⅸ.04。

分布：陕西（宁陕）、四川。

（146）细角柱萤叶甲 *Gallerucida serricornis*（**Fairmaire，1888**）

Eustetha serricornis Fairmaire，1888：41.

Galerucida serricornis：Weise，1912：90.

Gallerucida serricornis：Gressitt & Kimoto，1963：732.

鉴别特征：体长7～8mm。体近椭圆形，背面隆凸。头顶亮黑色，鞘翅红褐色，端部外侧有黑斑；触角为体长的2/5，雄虫第2节约与第3节等长，第4～10节变短；雌虫触角更短，第3节长于第2节。前胸背板前角钝圆，盘区两侧具明显刻点。小盾片端部平切。鞘翅具明显刻点，在基半部明显成行，行间具细刻点。

采集记录：1头，周至厚畛子，1500～2000m，1999.Ⅵ.27。

分布：陕西（周至）、台湾、四川。

64．守瓜属 *Aulacophora* Chevrolat，1837

Aulacophora Chevrolat，1837：402. **Type species**：*Galeruca quadraria* Olivier，1808.

Rhaphidopalpa Chevrolat，1837：402. **Type species**：*Crioceris abdominalis* Fabricius，1781.

Acutipalpa Rosenhauer，1856：327.

Rhaphidopalpa Rosenhauer，1856：325. **Type species**：*Galleruca foveicollis* Lucas，1849.

Aulacophora（*Ceratia*）Chapuis，1876：100. **Type species**：*Aulacophora*（*Ceratia*）*marginalis* Chapuis，1873.

Triaplatys Fairmaire，1877：186. **Type species**：*Triaplatys quadripartite* Fairmaire，1877.

Orthaulaca Weise，1892：393. **Type species**：*Galeruca similes* Olivier，1808.

Cerania Weise，1892：396. **Type species**：*Aulacophora cornuta* Baly，1879.

Pachypalpa Weise，1892：392. **Type species**：*Galleruca luteicornis* Fabricius，1801.

Spaerarthra Weise，1892：396. **Type species**：*Aulacophora cyanoptera* Boisduval，1835.

Triaplatyps：Maulik，1936：167. emendation for *Triaplatys*.

属征：体长卵形，后部略膨大。头较前胸稍窄，头顶光滑，几乎无刻点。触角细长，

第 2 节最短；触角间为脊状隆起。前胸背板宽大于长，前后角各具 1 根长刚毛；盘区贯穿 1 条横沟，小盾片三角形。鞘翅基部较前胸为宽，肩角明显，端部膨大，表面密布刻点；缘折窄，仅出现于鞘翅基部 1/3。腹面被细毛，胫节端具刺。雄虫腹端三叶状，第二性征主要表现在触角某几节的粗大、额唇基区的异样构造等；雌虫触角较雄虫细，腹部末端多呈缺刻，第二性征不甚显著。

分布：古北区，东洋区，澳洲区。中国已知 17 种，本志记述了 2 种。

（147）印度黄守瓜 *Aulacophora indica*（Gmelin，1790）

Cryptocephalus（*Crioceris*）*indicus* Gmelin，1790：170.

Crioceris testacea Fabricius，1792：4.

Galeruca similis Olivier，1808：624.

Rhaphidopalpa femoralis Motschulsky，1858：37.

Rhaphidopalpa flavipes Jacoby，1883：202.

Rhaphidopalpa bengalansis Weise，1892：394.

Rhaphidopalpa chinensis Weise，1892：395.

Rhaphidopalpa ceramansis Weise，1892：394.

Rhaphidopalpa niasiensis Weise，1892：394.

Aulacophora indicus：Maulik，1936：197.

Aulacophora kotoensis Chûjô，1962：79.

鉴别特征：体长 6～8mm。体橙黄或橙红色，有时较深，带棕色；上唇或多或少栗黑色；后胸腹面及腹节黑色，腹部末节大部分橙黄色。头顶较平直；触角间隆起似脊，触角长度达鞘翅中部，基节粗，第 2 节短小，第 3 节比以下各节略长。前胸背板宽约为长的 2 倍，两侧缘前半部膨阔，盘区无明显刻点，中央具 1 条弯曲的深横沟，两端达边缘。鞘翅盘区刻点细密，雄虫肩部及肩角下一小区域内被有竖毛。雄虫腹部末端中叶上具 1 个大深凹；雄虫腹部末端呈"V"形或者"U"形凹刻。

采集记录：6 头，周至，1951. V. 27；1 头，宝鸡，1951. VII. 11；4 头，秦岭，1987. IX. 09-10；4 头，眉县，1951. VIII. 05；15 头，太白山蒿坪寺，1982. IX. 08；2 头，宁陕火地塘，1580m，1998. VIII. 15-22；4 头，城固，1980. V. 07；2 头，商南，1973. VII. 08；1 头，紫阳毛坝，2003. VII. 07。

分布：陕西（周至、宝鸡、眉县、宁陕、城固、商南、紫阳）、河北、山西、山东、河南、甘肃、上海、江苏、浙江、湖北、江西、湖南、福建、台湾、广东、广西、四川、贵州、云南、西藏；俄罗斯，朝鲜，日本，印度，不丹，尼泊尔，缅甸，越南，老挝，泰国，柬埔寨，斯里兰卡，菲律宾，巴布亚新几内亚，斐济。

寄主：瓜类，桃，梨，柑橘等。

(148) 黑足黑守瓜 *Aulacophora nigripennis* Motschulsky, 1857 (图 34)

Galleruca atripennis Hope, 1845：17 (nec Fabricius, 1801).

Aulacophora nigripennis Motschulsky, 1857：38.

Ceratia (Orthaulaca) nigripennis：Weise, 1922：62.

Aulacophora (Ceratia) nitidipennis Chûjô, 1935：82.

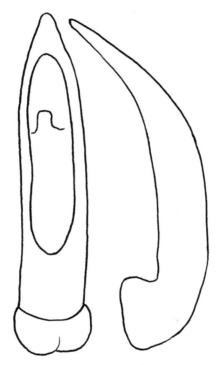

图 34　黑足黑守瓜 *Aulacophora nigripennis* Motschulsky, 1857 生殖器图

鉴别特征：体长 6～7mm。全身极光亮；头部、前胸和腹部橙黄或橙红色,上唇、鞘翅、中胸和后胸腹板、侧板以及各足均为黑色,触角熏烟色,基部两节或末端数节有时色泽较淡,小盾片栗色或栗黑色,鞘翅具较强光泽。头顶光滑,似有不明显的微弱刻点,触角之间脊纹隆起,但不尖细,触角约为体长的 2/3,第 3 节比第 4 节略短。前胸背板基部狭窄,两旁前部略膨阔,宽约倍于长,盘区几乎无刻点,前部两旁集中少量深大刻点,横沟直形。小盾片呈狭三角形,光滑无刻点。鞘翅具匀密刻点,基部微隆,其后方靠中缝略呈现 1 个浅凹痕。雄虫尾节腹片中叶长方形,表面平坦,微凹;触角第 2 节外沿前端稍突出。雌虫尾节腹片末端呈弧形凹缺,正中有时成 1 个小尖角,有时不显。

采集记录：3 头,周至楼观台,1991. IX;1 头,秦岭,1951. V.27;1 头,凤县,1978. IV.09;1 头,武功,1951. V.24;1 头,武功,1984. V;1 头,华阴华山,1936. VI.09;1 头,

宁陕火地塘,1580m,1998.Ⅳ.22。

　　分布:陕西(周至、凤县、武功、华阴、宁陕)、黑龙江、河北、甘肃、山西、山东、江苏、安徽、浙江、湖北、江西、湖南、福建、台湾、海南、广西、四川、贵州、云南;俄罗斯,韩国,日本,越南。

　　寄主:葫芦科(Cucurbitaceae)。

65. 殊角萤叶甲属 *Agetocera* Hope,1840

Agetocera Hope,1840:170. **Type Species**:*Agetocera mirabilis* Hope,1840.

Agetocerus Hope,1840:170 [error for *Agetocera*].

　　属征:体中型到大型。头较前胸背板窄,头顶隆起,具中沟;触角长,超过鞘翅中部,有的种类更长;雌虫触角细长,雄虫触角短粗,第8节常特化。前胸背板宽稍大于长,侧缘波曲,前缘、后缘较直;前角、后角具毛;盘区光滑,几乎无刻点,端半部常较基半部隆凸,有时具侧凹。小盾片三角形,表面光滑。鞘翅两侧接近平行,翅端钝圆,肩角隆突,与小盾片间具凹洼,翅面具密集的刻点;缘折较宽,直达端部。足细长,胫节端膨大具刺,前足基节窝开放,爪双齿式。

　　分布:东洋区。中国已知19种,本志记述了2种。

(149)丝殊角萤叶甲 *Agetocera filicornis* Laboissière,1927(图35)

Agetocera filicornis Laboissière,1927:49.

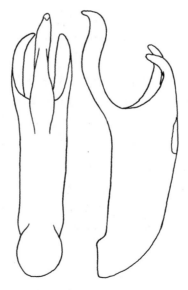

图35　丝殊角萤叶甲 *Agetocera filicornis* Laboissière,1927 生殖器图

鉴别特征:体长9～10mm。头部及前胸背板红色,触角黑褐色到黑色,第1节黄色,两侧暗黑色;小盾片、鞘翅蓝紫色;腹面及足的腿节黄色,胫节、跗节蓝黑色。雄虫触角是体长的4/5,第2节最短,第3节是第2节的2.50倍,第3～7节各节约等长,第8～11节更长。前胸背板长大于宽,基部1/3多较平直,端半部极度隆凸。小盾片舌形,有稀疏刻点。鞘翅肩角突出,刻点密集;缘折窄,直到端部,腹部末端三叶状,中叶中部具1条纵沟。雌虫触角第2节最短,第3节次之,是第2节长的2倍,以后各节约等长。腹端中部凸出,两侧凹洼,臀板具一"U"形凹刻。

采集记录:1头,留坝庙台子,1981.Ⅶ.21;2头,佛坪龙草坪,1986.Ⅷ.26-27;1头,宁陕十八丈,1150m,1999.Ⅵ.28。

分布:陕西(留坝、佛坪、宁陕)、甘肃、浙江、湖北、江西、湖南、福建、广西、四川、贵州、云南;越南。

寄主:乌蔹莓属(*Cayratia*)。

(150) 天目殊角萤叶甲 *Agetocera parva* Chen, 1964

Agetocera parva Chen, 1964:204, 210.

鉴别特征:体长7.00～7.50mm。体小,淡棕黄,鞘翅蓝色或蓝中稍微带绿;触角一般基部数节棕黄,端部数节棕色或黑褐色,但亦有大部分棕色或褐黑色的;各足腿节和胫节外沿常有1个褐黑色条纹,有时不明显。头顶和前胸背板均甚光亮,无明显刻点。触角细长,线形,雌雄相同,端部与中部等粗;雄虫约与体等长,雌虫稍短;第3节是第2节长的2倍,与第4～7节各节大致相等,第8～10节显较以上各节长,第11节又稍长。鞘翅刻点较粗,相当深密,盘区内与鞘翅侧缘刻点较一致;每翅隐约可见几条脊线,有时多至七八条,有时又不大明显。雄虫腹端凹洼很深。

分布:陕西(秦岭)、安徽、浙江、湖北、福建。

66. 后脊守瓜属 *Paragetocera* Laboissière, 1929

Paragetocera Laboissière, 1929:262. **Type species**: *Paragetocera involuta* Laboissière, 1929.

属征:触角窝位于复眼后,明显分离;前胸背板有横凹;后胸腹板正常;鞘翅在肩角后具明显的纵脊,缘折到端部逐渐变窄;前足基节间细窄,前足基节窝开放;胫节端部具刺,爪双齿式;雄虫腹端三叶状,雌虫完整或缺刻状。

分布:中国。中国已知12种,本志记述了6种。

分种检索表

1. 前胸背板黑色,边缘黄色;后头和小盾片黑色 ························ 黑背后脊守瓜 *P. nigricollis*
   前胸背板和后头黄褐色 ·· 2
2. 鞘翅侧缘在中部之后具较宽的折缘 ··· 3
   鞘翅侧缘在中部之后无折缘 ·· 4
3. 触角第 3 节短于第 4 节,体长 6.50 ~ 8.00mm ··················· 凹胸后脊守瓜 *P. dilatipennis*
   触角第 3 节与第 4 节等长,体长 4.50 ~ 5.50mm ··················· 曲后脊守瓜 *P. involuta*
4. 鞘翅肩角下的脊长不超过鞘翅长的 1/2 ··················· 黑胸后脊守瓜 *P. parvula parvula*
   鞘翅肩角下的脊长明显超过了鞘翅长的 1/2 ··· 5
5. 足的胫节、跗节黑色 ··· 黑跗后脊守瓜 *P. tibialis*
   足的胫节、跗节褐色 ··· 黄腹后脊守瓜 *P. flavipes*

(151) 凹胸后脊守瓜 *Paragetocera dilatipennis* Zhang et Yang, 2004

Paragetocera dilatipennis Zhang et Yang, 2004: 291.

鉴别特征:体长 6.00 ~ 6.80mm。头、前胸背板、小盾片、腹面、腿节和胫节黄棕色,触角 1 ~ 3 节深棕色,端部黑棕色;鞘翅深蓝紫色,具有金属光泽,胫节和跗节深棕色;触角长达鞘翅中部,触角各节的比例为 0.44:0.16:0.32:0.48:0.46:0.40:0.44:0.44:0.40:0.36:0.52;前胸背板宽是长的 1.50 倍,侧缘在中部之前膨阔,中部具 1 个大的凹洼,中间不具刻点;小盾片宽舌形;鞘翅基部窄,肩角平具有 1 条脊,翅缘折窄,基部 1/5 明显。

采集记录:7 头,宁陕旬阳坝,1580m,2013.Ⅷ.12。

分布:陕西(宁陕)、湖南。

(152) 黄腹后脊守瓜 *Paragetocera flavipes* Chen, 1942

Paragetocera flavipes Chen, 1942: 27.

鉴别特征:体长 4.50 ~ 7.50mm。体黄褐色,头、前胸背板红褐色至黄褐色,鞘翅蓝色,具金属光泽,触角 3 ~ 11 节、胫节及跗节暗褐色。触角长超过鞘翅中部,触角第 2 节最短,第 3 节与第 1 节等长,是第 2 节长的 1.80 倍;第 4 ~ 10 节近等长,第 11 节最长。前胸背板近梯形,宽大于长,侧缘中部之前膨阔,近前角处具稀疏刻点。鞘翅在中部之后膨阔,肩角后具 1 个明显的脊,长达鞘翅中部,盘区具粗糙的深刻点。腹面光滑无刻点,密布绒毛。

采集记录:1 头,长安南五台,1957.Ⅷ;1 头,太白山,1951.Ⅷ.18;1 头,太白山,1981.Ⅴ.29;1 头,太白山,1985.Ⅷ.21;1 头,太白山,1992.Ⅷ.26;1 头,宁陕火地塘,

1580m,1998.Ⅶ.27;1 头,1998.Ⅷ.21。

分布: 陕西(长安、太白、宁陕)、山西、甘肃、浙江、湖北、湖南、四川、云南。

(153) 曲后脊守瓜 *Paragetocera involuta* Laboissière, 1929

Paragetocera involuta Laboissière, 1929: 263.

Aulacophora costata Chûjô, 1962: 90.

鉴别特征: 体长 5.50~7.00mm。头、前胸背板、小盾片、腹面及足的腿节、胫节基部黄褐色;触角、鞘翅、足的胫节及跗节黑褐色,具金属光泽。头顶具稀疏刻点,角后瘤三角形,无刻点;触角长超过鞘翅中部,第1节棒状,第2节最短,第3节次之,第4~10节约等长,第11节较长。前胸背板宽稍大于长,盘区一般无刻点,仅在前角、后角附近可见。小盾片舌形,光亮无刻点。鞘翅基部窄,中部之后加宽,肩角下具1条发达的脊,直达翅端不远;侧缘自基部始向上平折,平折部分表面具隆脊;翅面具大小两种刻点,粗刻点基本成行,细刻点散于其间,缘折窄,直达端部,其上具1行刻点。腹面具灰白色毛。雄虫腹部末端三叶状,雌虫完整。

采集记录: 1 头,太白,1981.Ⅷ.14;1 头,太白,1982.Ⅶ.18;2 头,太白,1989.Ⅷ.09;1 头,太白,1992.Ⅷ.24;1 头,太白山蒿坪寺,1985.Ⅷ.23;1 头,宁陕火地塘,1989.Ⅸ.01。

分布: 陕西(太白、眉县、宁陕)、湖北、台湾、四川、贵州、云南、西藏。

(154) 黑背后脊守瓜 *Paragetocera nigricollis* Zhang *et* Yang, 2004

Paragetocera nigricollis Zhang *et* Yang, 2004: 294.

鉴别特征: 体长 4.50~5.50mm。头、体腹面和足黄褐色,前胸背板黑色,侧缘黄色,头顶和小盾片黑色;触角基部3节黄褐色,其余黑褐色;鞘翅蓝绿色,具金属光泽。头顶无刻点;触角达鞘翅中部之后,第2节最短,第3节稍长于第2节,第4节长于第3节,是第2节长的1.50倍,第5节长于第4节,第6节短于第5节,与第4节等长,6~8节等长,第9节短于第8节。前胸背板倒梯形,长、宽近相等;在凹前强烈隆突;盘区光滑无刻点,近前角、后角处具明显刻点;鞘翅肩角突出,肩角后具1条清晰的脊,长达鞘翅中部之后;脊的内侧具2~3列粗刻点,其余的刻点稀疏、不规则。雄虫腹部末端中叶具1个深凹。

采集记录: 1 头,长安南五台,1957.Ⅶ;1 头,周至,2006.Ⅶ.15;1 头,周至厚畛子,2008.Ⅶ.02。

分布: 陕西(长安、周至)、甘肃。

（155）黑胸后脊守瓜 *Paragetocera parvula parvula*（**Laboissière，1929**）（图 36）

Agetocera parvula Laboissière，1929：261.

Paragetocera parvula：Chen，1942：27.

Paragetocera parvula parvula：Gressitt & Kimoto，1963：492，494.

鉴别特征：体长 6 ~ 7mm。触角、鞘翅及足的胫、跗节黑色，触角 1 ~ 3 节颜色较浅；头、前胸背板及胸部腹面黄色，腹部腹面暗黑色。触角超过体长的 1/2，第 2 节最短，第 3 节次之，是第 2 节长的 2 倍，以后各节约等长，第 11 节具一亚节。前胸背板长大于宽，两侧缘在基半部较直，端半部膨阔，盘区在中部，前胸背板长大于宽，具 1 个横凹，横凹之前极度隆凸。小盾片舌形，光滑无刻点。鞘翅肩角突出，中缝两侧各具 1 条纵脊；侧缘平折，盘区隆凸，在肩角下具 1 道纵脊，直伸至鞘翅中部；鞘翅刻点明显，端半部接近成行，基半部基本成行。雄虫腹部末端三叶状，中叶中央具 1 道纵沟。

采集记录：2 头，周至厚畛子，1350m，1999. Ⅵ. 24；1 头，周至楼观台，1954. Ⅶ. 02；1 头，太白，1981. Ⅴ. 29；3 头，留坝庙台子，1470m，1999. Ⅶ. 01；1 头，佛坪凉风垭，1750 ~ 2150m，1999. Ⅵ. 28；1 头，宁陕火地塘，1984. Ⅶ. 06。

分布：陕西（周至、太白、留坝、佛坪、宁陕）、河南、甘肃、浙江、湖北、湖南、四川、云南。

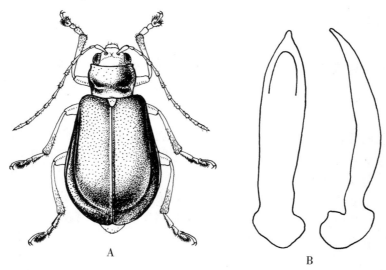

图 36　黑胸后脊守瓜 *paragetocera parvula parvula*（Laboissière，1929）

A. 整体图；B. 生殖器图

（156）黑跗后脊守瓜 *Paragetocera tibialis* **Chen，1942**

Paragetocera tibialis Chen，1942：28.

　　鉴别特征：体长 6~7mm。头、前胸背板、小盾片、腹面、腿节黄色至黄棕色，触角深棕色，鞘翅、胫节、跗节深蓝紫色，具有金属光泽；触角长达鞘翅的中部，触角各节的比例为 0.48∶0.23∶0.44∶0.48∶0.52∶0.48∶0.52∶0.44∶0.46∶0.52∶0.58；前胸背板宽，端部宽，基部窄，中部之前盘区非常隆突，光滑无刻点，前部具有明显的刻点；鞘翅肩角平，具有 1 条脊，侧缘基部扁平，盘区具有浓密的刻点，排列不规则，小盾片附近刻点小于盘区刻点。

　　采集记录：1 头，武功，1957.Ⅷ；1 头，秦岭，1951.Ⅶ；1 头，佛坪龙草坪，2008.Ⅶ.03；11 头，宁陕旬阳坝，2013.Ⅷ.12-13；1 头，宁陕旬阳坝，2008.Ⅵ.23。

　　分布：陕西(武功、佛坪、宁陕)、湖北、四川。

67. 拟守瓜属 *Paridea* Baly，1886

Paridea Baly，1886：26. **Type species**：*Paridea thoracica* Baly，1886.

Paraulaca Baly，1888：168. **Type species**：*Rhaphidopalpa angulacollis* Motschulsky，1853.

Aeropa Weise，1889：621. **Type species**：*Aeropa maculata* Weise，1889.

Semacianella Laboissière，1930：337. **Type species**：*Semacianella coomani* Laboissière，1930.

　　鉴别特征：头及复眼窄于前胸背板；触角长超过鞘翅中部或与体长相等，触角间为 1 条纵隆脊，角后瘤较发达。前胸背板前端宽于后端，中部之后有 1 条横沟，前后缘无边框，侧缘具边框。小盾片三角形，表面稍隆，一般光滑无刻点。鞘翅基部宽于前胸背板，肩角之后稍有收缩，末端宽于基端；翅面具密集的刻点，规则或不规则排列；有的种类在鞘翅基部、两侧近肩角处有不同的瘤突或隆脊；缘折基部宽，中部之后变窄，直达端部。足细长，前足基节窝开放，爪附齿式。本属分两亚属，即双叶拟守瓜亚属 *Semacia* 及拟守瓜指名亚属 *Paridea*。

　　分布：古北区，东洋区，澳洲区。中国已知 57 种，本志记述了 6 种。

分种检索表

1. 头黄色或黄褐色，鞘翅黄色，无任何斑纹；雄虫小盾片下鞘翅中缝上有 1 个突起，中间凹陷 ……
　　……………………………………………………………… 鸟尾拟守瓜 *P. avicauda*
　　头黑色或部分黑色 ……………………………………………………………………… 2
2. 鞘翅黑色，头顶及前胸背板中部各具 1 个黑斑 ……………………… 隆脊拟守瓜 *P. costata*
　　鞘翅黄色，具各种斑纹 ………………………………………………………………… 3
3. 鞘翅基部为瘤状突起，末端两侧各具 1 个褐斑 ……………… 凹翅拟守瓜 *P. foveipennis*
　　鞘翅基部光滑 …………………………………………………………………………… 4
4. 鞘翅中部之后有 1 条宽的黑色横带，缘折上有 1 个大凹洼 ……… 凹缘拟守瓜 *P. epipleuralis*
　　鞘翅缘折上无大凹洼 …………………………………………………………………… 5

5.　每个鞘翅具 3 个斑,端部斑最大,基部斑近侧缘,另 1 个斑在中缝上 ⋯⋯⋯⋯⋯⋯⋯⋯⋯
　　⋯⋯⋯⋯⋯⋯⋯⋯⋯⋯⋯⋯⋯⋯⋯⋯⋯⋯⋯⋯⋯⋯⋯⋯ 斑角拟守瓜 *P. angulicollis*
　　每个鞘翅具 2 个独立斑;后足转节矩形 ⋯⋯⋯⋯⋯⋯⋯⋯ 中华拟守瓜 *P. sinensis*

(157) 斑角拟守瓜 *Paridea*（*Semacia*）*angulicollis*（Motschulsky,1853）

Rhaphidopalpa angulicollis Motschulsky, 1853: 50.

Paraulaca（*Aulacophora*）*angulicollis*: Baly, 1888: 168.

Semacia nipponensis Laboissière, 1930: 335.

Semacia（*Semacia*）*angulicollis*: Chûjô & Kimoto, 1961: 168.

Paraulaca（*Paraulaca*）*angulicollis*: Chûjô, 1962: 195.

Paridea（*Paraulaca*）*angulicollis*: Gressitt & Kimoto, 1963: 508.

Paridea（*Paridea*）*angulicollis*: Yang, 1991: 269.

Paridea（*Semacia*）*nigrimarginata* Yang, 1991: 279.

Paridea（*Semacia*）*angulicollis*: Lee & Bezděk, 2014: 117.

鉴别特征:体长 4.50 ~ 5.00mm。雄虫的头、前胸背板、鞘翅、前胸腹板、腹部腹面及足的腿、胫节黄色,前胸背板有时呈橘黄色;触角褐色,基部 3 节腹面颜色较浅;整个鞘翅具 3 个黑斑;小盾片下及每个鞘翅端部 1/3 处各有 1 个黑斑,有的个体小盾片下的斑消失;缘折基部 1/3 的内缘、外缘、中胸腹、后胸腹、侧板及足的跗节黑色。头部角后瘤明显,其后为 1 条横沟;触角长几乎达鞘翅的中部,除第 1 节外,第 2 节最短,第 3 节最长,是第 2 节长的 1.50 倍,以后各节稍短于第 3 节,约等长。前胸背板基部窄,端部宽,端半部强烈隆突,基半部较平直。小盾片三角形,无刻点。鞘翅具大小两种刻点,基部的刻点基本成行,端部的较杂乱;小盾片下具 1 个凹窝,凹底在翅缝两侧具隆脊;缘折基半部宽,端半部窄。腹部末端三叶状,中叶长于侧叶。雌虫鞘翅小盾片下无凹窝或具极浅的纵洼,腹部末端呈倒"山"字形缺刻。

采集记录:1 头,佛坪,950m,1998.Ⅶ.23。

分布:陕西(佛坪)、黑龙江、吉林、河北、甘肃、江苏、浙江、湖南、福建、台湾、海南;日本。

寄主:葫芦科。

(158) 鸟尾拟守瓜 *Paridea*（*Semacia*）*avicauda*（Laboissière,1930）

Semacia avicauda Laboissière, 1930: 331.

Paraulaca（*Semacia*）*avicauda*: Ogloblin, 1936: 167, 378.

Paridea（*Semacia*）*avicauda*: Gressitt & Kimoto, 1963: 509.

鉴别特征:体长 5 ~ 6mm。头、前胸背板、腹板红色,鞘翅、腹部末节黄色,触角褐色;鞘翅上的斑、胸部腹面及腹部、足的胫节外侧及跗节皆黑色,雄虫臀板上具 1 个黑斑,雌虫臀板端部黑色。雄虫头顶圆隆,光滑无刻点;角后瘤突出,其后为 1 条明显的横沟;触角长达鞘翅中部,第 2 节最短,第 3 节约为第 2 节长的 2 倍,以后各节约等长。前胸背板前角突出,后角钝圆,侧缘较平直,盘区中部为一横沟,沟前强烈隆凸。小盾片三角形,光滑无刻点。鞘翅肩角较突出,每个鞘翅具 3 个斑;基缘近肩角处具 1 个小斑,中部之后具 1 个大斑,翅端具 1 个小斑;侧缘在基部 1/3 处具 1 个凹窝,凹窝基部具 1 个圆斑,其上为长纤毛,端部隆起,表面呈脊状;鞘翅刻点密集,不规则。腹部末端三叶状,中叶明显长于侧叶。雌虫触角第 3 节是第 2 节长的 2.50 倍,腹端呈窄的"U"形凹,臀板端部呈"Y"形凹刻。

采集记录:1 头,长安南五台,1980.Ⅴ.15;1 头,凤县,1981.Ⅳ.29;1 头,太白,1981.Ⅴ.22。

分布:陕西(长安、凤县、太白)、湖北、湖南、福建、四川、西藏。

寄主:葫芦科。

(159) 隆脊拟守瓜 *Paridea*(*Paridea*)*costata*(Chûjô, 1935)

Paraulaca costata Chûjô, 1935:164.

Paraulaca(*Paraulaca*)*costata*:Ogloblin, 1936:166.

Paridea(*Paridea*)*costata*:Gressitt & Kimoto, 1963:512.

鉴别特征:体长 4.80~5.20mm。头、前胸背板、身体腹面及足黄褐色,上唇、上颚端部、头顶及前胸背板的斑黑褐色;触角黑色,基节黑褐色;鞘翅、后胸腹板黑色,胫节端半部及跗节黑褐色。角后瘤明显。触角长于或等于体长,第 1 节棒状,最长,第 2 节最短,其余各节近等长。前胸背板梯形,侧缘端半部圆滑;盘区隆起,无刻点,中部之后具 1 个浅横凹。小盾片三角形,光滑无刻点。鞘翅基部宽于前胸背板,后部明显膨阔;翅面隆突,具密集粗大的刻点,肩角后具一长一短两条纵脊。

采集记录:1 头,佛坪窑沟,870~1000m,1998.Ⅷ.25。

分布:陕西(佛坪)、河北、甘肃、浙江、江西、台湾、贵州。

(160) 凹缘拟守瓜 *Paridea*(*Paridea*)*epipleuralis* Chen, 1942

Paridea epipleuralis Chen, 1942:34.

Paridea(*Paridea*)*epipleuralis*:Gressitt & Kimoto, 1963:512.

鉴别特征:体长 5.50~6.00mm。体浅黄色,头、前胸背板、小盾片、爪颜色较体色稍深。鞘翅具 1 条较宽的黑色纵带,纵带始于基部之后,止于端部之前。体卵圆形,中后部膨阔。头顶光滑,触角长超过鞘翅基部;第 2 节最短,第 3 节长是第 2 节长的 2 倍,第 4 节短于第 3 节。前胸背板宽大于长,端部 1/4 隆突,基部具刻点,盘区中部具 1 个横凹,两端深,中部较浅。鞘翅两侧较宽,具清晰的细小刻点,刻点排列不规则;

缘折基部宽,在与后胸腹板水平处有 1 个大凹,缘折在凹后垂直。

分布:陕西(秦岭)、甘肃、山西。

(161) 凹翅拟守瓜 *Paridea* (*Paridea*) *foveipennis* Jacoby, 1892

Paridea foveipennis Jacoby, 1892: 956.

Paridea (*Paridea*) *foveipennis*: Wilcox, 1972: 279.

Paridea allardi Kimoto, 1989: 70.

Paridea multituberculata Medvedev et Samoderzhenkov, 1989: 458.

Paridea (*Paridea*) *phymatodea* Yang, 1991: 285.

鉴别特征:体长 5.50~6.00mm。头部及前胸背板黄色,下颚须黄褐色;触角 1~3 节黄褐色,第 10 节扁平,背面黑色,其余各节黄色;鞘翅黄褐色,基部侧缘及端部各具 1 个黑褐斑;后胸腹、侧板黑色;足橘黄色,后足基节黑色,爪颜色浅;臀板上有 2 个黑斑。前胸背板的前角外倾,横沟"V"形,在横沟侧下方各有 1 个瘤突。鞘翅在基部1/3处、肩角内侧与小盾片间各具 1 个瘤突,小盾片下缝、中缝侧各具 1 个瘤突,在接近鞘翅中部中缝上有条状膨大,在其与肩角的连线上近肩角的地方有 1 个圆形突起,顶端平盘状。雄虫第 8 背板两端向外弯转,底边中成三角形内陷,两侧膨大,上缘弧状突。

采集记录:1 头,佛坪,950m,1998.Ⅶ.23。

分布:陕西(佛坪)、海南、云南、西藏;越南,老挝。

(162) 中华拟守瓜 *Paridea* (*Paridea*) *sinensis* Laboissière, 1930

Paridea sinensis Laboissière, 1930: 342.

Paridea (*Paridea*) *sinensis*: Gressitt & Kimoto, 1963: 514.

鉴别特征:体长 5.50~6.50mm。头顶、前胸背板橘黄色,额区、鞘翅、前胸腹面、中胸腹面、腹部腹面及足的腿、胫节黄色,触角褐色,鞘翅的四斑、后胸腹、侧板、腿节及胫节外侧以及跗节黑色。雄虫头顶光滑无刻点,触角长达及鞘翅中部。前胸背板基部窄,端部宽;基半部平直,端部隆凸;前角、后角皆钝圆。小盾片三角形,无刻点。鞘翅肩角较隆,每个鞘翅具 2 个斑:肩角处具 1 个小斑,中部具 1 个大斑;盘区刻点基本成行。腹部末端三叶状,中叶端部微凹。雌虫腹部末端及臀板皆完整。

采集记录:1 头,太白,1983.Ⅴ.10。

分布:陕西(太白)、甘肃、江西、湖北、湖南、福建、四川、贵州、云南。

68. 麦萤叶甲属 *Medythia* Jacoby, 1886

Medythia Jacoby, 1886: 242. **Type species**: *Medythia quadrimaculata* Jacoby, 1886.

Paraluperodes Ogloblin, 1936: 310, 431. **Type species**: *Cnecodes suturalis* Motschulsky, 1858.

　　属征:小型种类。体卵圆形,头顶具中沟及横纹,角后瘤明显,三角形;触角长达鞘翅中部,第 1 节最长,棒状,第 3 节稍短于第 2 节。前胸背板宽大于长,约与头等宽;四周具边框,前缘边框很细;盘区隆起,具明显刻点。小盾片三角形,端部钝圆。鞘翅较前胸背板为宽,中部圆隆;盘区强烈隆起,具不规则刻点;缘折基部很宽,中部突然变窄,直达端部。前足基节窝开放,爪附齿式。

　　分布:古北区,东洋区,非洲区。中国已知 3 种,本志记述了 1 种。

　　寄主:大豆。

(163) 黑条麦萤叶甲 *Medythia nigrobilineata*(**Motschulsky**, **1860**)(图 37)

　　Cnecodes nigrobilineatus Motschulsky, 1860:26.

　　Luperodes nigrobilineatus:Jacobson, 1931:318.

　　Medythia suturalis nigrobilineata:Wilcox, 1973:434.

　　Medythia nigrobilineata:Kimoto, 1981:9.

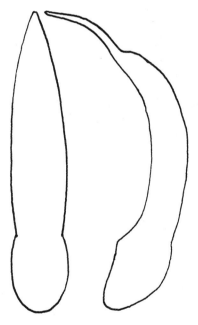

图 37　黑条麦萤叶甲 *Medythia nigrobilineata*(Motschulsky, 1860)生殖器图

　　属征:体长 3.20～3.50mm。头部、前胸背板、小盾片、鞘翅、腹面及整个足黄色;唇基及第 5 跗节黑色,触角第 1 节黄色,第 2～11 节由浅褐色至褐色;鞘翅上具 2 条黑纹。头部角后瘤发达,呈三角形;触角长达鞘翅中部,第 1 节棒状,第 2、3 节长约相等,是第 1 节长的 1/3,第 4、5 节长约相等,是第 3 节长的 2 倍,从第 6 节起,长度递减。前胸背板基部窄,端部宽;基缘及前缘皆外突;盘区隆起,中部两侧各具 1 个长凹,近基缘具 1 个短凹,两后角不远处各具 1 个凹;盘区具稀疏刻点。小盾片半圆形,无刻点。鞘翅基部窄,中部

之后开始膨阔;翅面刻点间距离与刻点直径约相等。腹部末端圆形。

采集记录:1 头,周至楼观台,1991. Ⅸ. 06;1 头,太白,1981. Ⅷ. 15;2 头,武功,1986. Ⅶ;2 头,杨凌,1991. Ⅸ;1 头,洛南,1979. Ⅵ。

分布:陕西(周至、太白、武功、杨凌、洛南)、黑龙江、吉林、河北、山东、甘肃、江苏、安徽、湖北、江西、湖南、福建、台湾、广西、四川、云南;俄罗斯(西伯利亚),朝鲜,日本,越南,印度,尼泊尔。

寄主:大豆。

69. 小胸萤叶甲属 *Arthrotidea* Chen, 1942

Arthrotidea Chen, 1942: 44. **Type species**: *Arthrotidea ruficollis* Chen, 1942.

属征:体中型至大型。头部无明显中沟;角后瘤方形,复眼大,约为头宽的 1/3;触角稍短于体长,第 2、3 节约等长,第 4 节长为第 2、3 节之和的 2 倍或更多。前胸背板宽大于长,前角、后角皆较突出,周缘具边框,前缘边框极细;盘区平滑,一般无刻点。小盾片三角形,表面稍隆。鞘翅较长,基部窄,中部之后逐渐膨阔,肩角突出;翅面具明显刻点;缘折宽,到端部逐渐变窄。前足基节窝开放,爪附齿式。

分布:中国西南部;印度及东南亚地区。中国已知 6 种,本志记述了 1 种。

(164) 黄小胸萤叶甲 *Arthrotidea ruficollis* Chen, 1942 (图 38)

Arthrotidea ruficollis Chen, 1942: 44.

属征:体长 10.20～12.00mm。头部、前胸背板及小盾片红色;鞘翅及腹部腹面黄色,胸部腹面橘红色;上唇褐色,触角黑色;足的腿节橘红色,胫节及跗节黑褐色。头顶光滑无刻点,角后瘤显著,前端伸至触角间;触角是体长的 4/5,第 2 节最短,第 3 节次之,是第 2 节长的 1.50 倍,第 4～6 节约等长,是第 3 节长的 3 倍,以后各节长度递减。前胸背板宽为长的 1.50 倍,前角突出,后角钝圆;侧缘较直;盘区隆起,两侧各具 1 个小凹窝。小盾片舌形,几乎无刻点。鞘翅肩角突出,在肩角与小盾片间刻点明显,其他部位的刻点匀称;每个鞘翅有 2 条纵纹线,白色,直达翅端不远;缘折基部宽,到端部逐渐变窄。雄虫腹部末端与雌虫同,皆完整。

采集记录:2 头,佛坪龙草坪,1986. Ⅷ. 28;3 头,宁陕旬阳坝,2007. Ⅷ. 20。

分布:陕西(佛坪、宁陕)、浙江、湖北、湖南、福建、四川、贵州、云南、西藏。

寄主:珍珠梅(*Sobaria sorbifolia*(L.)A. Br.)。

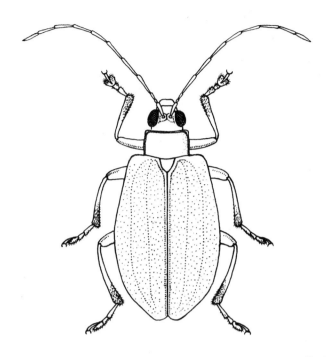

图 38 黄小胸萤叶甲 *Arthrotidea ruficollis* Chen，1942 整体图

70. 毛丝萤叶甲属 *Hesperomorpha* Ogloblin，1936

Hesperomorpha Ogloblin，1936：298，429. **Type species**：*Luperus hirsutus* Jacoby，1885.

属征：体背具毛。触角窝位于复眼后，明显分离。前胸背板侧缘有边框；鞘翅缘折窄，直达端部；前足基节窝开放；后足胫端有刺，后足第 1 跗节等于或长于其余各节之和；爪单齿或附齿式；雄虫腹端三叶状，雌虫完整或缺刻状。

分布：中国(陕西)；日本。中国已知 6 种，本志记述了 1 种。

(165) 黑毛丝萤叶甲 *Hesperomorpha potanini* Ogloblin，1936(图 39)

Hesperomorpha potanini Ogloblin，1936：300，430.

属征：体长 4~5mm。体黑褐色，触角黑色，足黑褐色，腿节黄褐色，两端黑褐色。头部发达，复眼突出，触角长过鞘翅中部，第 2 节最短，第 3 节次之，第 4 节约与第 2、3

节之和等长,以后各节长度近相等,第 11 节稍长。前胸背板近方形,两侧缘较直,基缘外突,前角突出,盘区较平,密布毛及刻点。小盾片三角形,具毛及刻点。鞘翅基部明显宽于前胸背板,到端部逐渐变宽,端部圆;盘区近中后部表面较隆突,密布刻点及毛;缘折窄,直达端部不远处。

采集记录:1 头,宁陕火地塘,1983. Ⅶ. 02。

分布:陕西(宁陕)、四川。

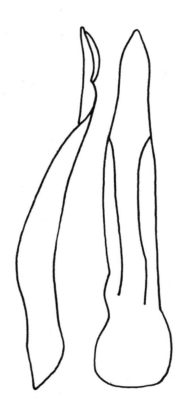

图 39　黑毛丝萤叶甲 *Hespermorpha potanini* Ogloblin, 1936 生殖器图

71. 陕萤叶甲属 *Shensia* Chen, 1964

Shensia Chen, 1964: 202. **Type species**: *Shensia parvula* Chen, 1964.

属征:头部额区宽阔,无凸起的脊条。上唇具毛 8 根,每两根成对排列;鞘翅无明显的缘折,翅面侧区与背区呈垂直面,以肩瘤外的脊条为界;侧区具相当深的纵沟 1 条,从基部起直到端部附近;背区肩瘤下有 1 条脊,很显突。雄虫触角端部 4 节极粗,第 8、9、10 节每节长宽相等或宽大于长,第 10 节外端角突出,第 11 节又粗又长;腹部前 4 节不显著收缩,第 5 节无凹洼。

分布:中国。中国已知 1 种,本志记述了 1 种。

(166) 亮黑陕萤叶甲 *Shensia parvula* **Chen, 1964**

Shensia parvula Chen, 1964: 202.

鉴别特征:体长 3.20mm。体小,深栗色,头部更深,近乎黑色;触角及足较淡,呈淡棕色,前者末端 4 节或多或少栗色,相当光亮;触角较体稍短,第 3 节长为第 2 节的 2 倍,第 4、5 节与第 3 节等长或稍短,第 6、7 节稍短,但仍远比第 2 节长,从第 8 节起各节突然加粗,长与阔大致相等,第 9 节十分短阔,第 10 节外端伸出很长,第 11 节很粗,其长度约为第 3、4 两节的总和。前胸背板宽约为中长的 2.50 倍,前缘与基缘无边框,表面光滑,但在高倍镜下可见极微细的刻点;盘区具 1 个极阔的横凹,凹窝两侧较深,中央较浅,有 1 条微微隆起的中线,把它分为两半。小盾片很大,舌形,表面微凹。鞘翅刻点细而密;中缝隆起很高;肩瘤下具显突纵脊,略呈弧形,向后至翅端前 2/5;肩瘤外脊条则伸展至翅端不远,由此所划出的侧区具有细刻点,极密。

采集记录:1 头,太白,1916.Ⅷ.16。

分布:陕西(太白)。

72. 宽折萤叶甲属 *Clerotilia* **Jacoby, 1885**

Clerotilia Jacoby, 1885: 751. **Type species**: *Clerotilia flavomarginana* Jacoby, 1885.

属征:体长形;触角窝位于复眼后,明显分离;前胸背板无横凹;后胸腹板正常;前足基节窝开放;爪双齿式;前足基节间细而窄;鞘翅缘折窄;雄虫腹端三叶状,雌虫完整或缺刻状。

分布:中国;日本。中国已知 8 种,本志记述了 1 种。

(167) 端暗宽折萤叶甲 *Clerotilia terminata* **Chen, 1942**

Clerotilia terminata Chen, 1942: 24.

鉴别特征:体长 4.50mm。体背黄褐色,鞘翅蓝色,端部稍暗;腹部腹面具有不规则的黑色;触角比身体略短,第 3 节是第 2 节的 1.30 ~ 1.50 倍。前胸背板具有浅的凹洼,无刻点,宽是长的 2 倍。鞘翅具规则的刻点行。

采集记录:1 头,太白山观音庙,1916.Ⅷ.24。

分布:陕西(太白)、广西。

73. 攸萤叶甲属 *Euliroetis* Ogloblin, 1936

Euliroetis Ogloblin, 1936:197. **Type species**:*Aenidea ornate* Baly, 1874.

属征:体长型。头顶光亮,几乎无刻点,无中沟;角后瘤发达,三角形;额唇基区呈三角形隆突;触角长超过鞘翅中部,第2节最短。前胸背板约与头等宽,近方形,两侧缘具较显著的边框,基缘边框较细,前缘无边框,两后角呈方形缺刻;盘区光亮,具稀疏刻点,在中部两侧常具凹洼。小盾片倒楔形。鞘翅两侧接近平行,肩角稍隆,翅面具明显的较密的刻点;缘折基部窄,直达端部不远。足细长,前足基节窝开放,爪附齿式。雄虫腹部常具各种凹坑,雌虫正常。

分布:古北区,东洋区。中国已知6种,本志记述了2种。

(168) 菊攸萤叶甲 *Euliroetis ornata* (Baly, 1874) (图 40)

Aenidea ornata Baly, 1874:180.

Phyllobrotica ornata Jacoby, 1888:349(nec Baly, 1874).

Hoplasoma 4-pustulatum:Bowditch, 1925:246[nomen nudum attributed to Jacoby].

Liroetis abdominalis Laboissière, 1929:278.

Euliroetis ornata:Ogloblin, 1936:201, 404.

鉴别特征:体长4.50~7.00mm。头、前胸橘红色,小盾片、身体腹面及足橘黄色,有时略带红色;足的腿节、胫节背部具褐色纵纹;触角深褐色,基节和端节稍淡;鞘翅黑褐色至黑色,每个鞘翅有2个黄褐色近圆形斑,有时第1个消失,仅留端部1个,有时鞘翅全部黄褐色,仅翅缝、外缘及翅端黑褐色。头部光亮,无刻点;额唇基隆起较高。触角超过体长的1/2,第2节短,第3节约为第2节长的1.80倍,第4节长于第3节,第5~7节约等长,微短于第4节。前胸背板宽大于长,两侧缘较直,前缘、后缘无边框,后角之内具角形缺刻;盘区光亮,基部有稀疏细刻点,中部两侧各具1个较宽的凹洼。小盾片舌形,无刻点。鞘翅两侧近于平行,表面刻点混乱,较密细。雄虫腹节结构特殊,第1和第2节中央有分开的向后伸的片状物,第2节的较长,将第3节盖住;第4、5节中部分开,成为1个大深凹,两侧向上翘起,臀板向腹面弯转,末端与第5腹节相连。雌虫腹节正常,末端中央稍向后突。

采集记录:1头,临潼,500~600m,1963.Ⅵ.01;1头,宁陕,1981.Ⅵ.09。

分布:陕西(临潼、宁陕)、黑龙江、吉林、辽宁、江苏、湖南、福建、广东、广西、四川、贵州;俄罗斯,朝鲜,日本。

寄主:菊科。

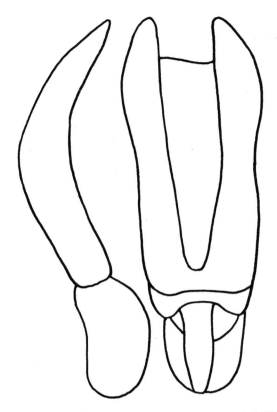

图 40　菊攸萤叶甲 *Euliroetis ornata*（Baly，1874）生殖器图

（169）缝攸萤叶甲 *Euliroetis suturalis*（**Laboissière，1929**）

Liroetis suturalis Laboissière，1929：279.

Euliroetis suturalis：Ogloblin，1936：202，404.

鉴别特征：体长 5.50 ~ 6.00mm。雄虫头部、前胸背板、鞘翅及胸部腹面黄色；触角灰褐色到褐色，腹面颜色更浅；鞘翅基缘、侧缘及中缝两侧黑色，或者整个鞘翅基部及端缘黑色；足的颜色灰黄，跗节褐色。头顶光滑无刻点，触角长度超过鞘翅中部；第 2 节最短，第 4 节最长，第 3 节与其余各节约相等，是第 2 节长的 1.50 倍。前胸背板方形，中部具 1 个浅横凹，两侧各具 1 个凹窝；两后角成直角形缺刻。小盾片近于半圆形，光滑无刻点。鞘翅刻点密集，不规则。腹部腹板从第 1 节始中部开裂，其下凹陷，第 2 节开口更大，凹刻更深，下缘两端向后端呈三角形伸突，第 3 节中部两侧呈半圆形突起，伸向中部，第 4 节呈乳状突伸向前部，端部 1 节呈横凹，臀板回包。雌虫腹部腹板正常，末端呈圆形。

采集记录：1 头，石泉，1983. VIII. 26。

分布：陕西（石泉）、甘肃、江苏、湖北、湖南、福建、四川、贵州、云南。

寄主：菊科植物。

74. 日萤叶甲属 *Japonitata* Strand, 1935

Japonia Weise, 1922: 69(nec Gould, 1859). **Type species**: *Phyllobrotica nigrita* Jacoby, 1885.

Japonitata Strand, 1935: 294. **Type species**: *Phyllobrotica nigrita* Jacoby, 1885.

属征:体长形,头部约与前胸等宽;头顶较隆,光亮,具中沟;角后瘤发达,半月形;额唇基区呈"人"字形隆起;触角长超过鞘翅中部,第 2 节最短,从第 2 节开始,被较密的毛。前胸背板宽大于长,前缘无边框,基缘及侧缘具边框;盘区凹洼,光亮,几乎无刻点。小盾片三角形。鞘翅明显宽于前胸背板,两侧缘在中部稍缢缩,端半部膨阔;中缝、肩角下及侧缘的脊明显;盘区一般有各种凹洼,成为区别种的特征;缘折基部宽,到端部逐渐变窄。前足基节窝开放,爪附齿式。雄虫腹部末端三叶状。

分布:东洋区。中国已知 22 种,本志记述了 1 种。

(170) 半黑日萤叶甲 *Japonitata bipartita* Chen *et* Jiang, 1986

Japonitata bipartita Chen *et* Jiang, 1986: 73.

鉴别特征:体长 4.40~4.80mm。头及前胸背板黑色,触角褐色或褐黄色。头顶稍隆凸,具细刻点。触角第 2 节最短,是第 3 节长的 1/2,第 4 节长于第 3 节。前胸背板宽约为长的 1.50 倍,盘区几乎无刻点。鞘翅基部明显隆凸,每个鞘翅有两条明显的脊,翅面刻点细密。雄虫腹部末端中央具 1 个短宽横片,雌虫腹端平直。

采集记录:1 头,华阴华山,1936. Ⅵ. 10。

分布:陕西(华阴)、福建、四川。

75. 米萤叶甲属 *Mimastra* Baly, 1865

Mimastra Baly, 1865: 253. **Type species**: *Mimastra arcuata* Baly, 1865.

Anthraxantha Fairmaire, 1878: 137. **Type species**: *Anthraxantha davidis* Fairmaire, 1878.

Brachita Allard, 1889: 103. **Type species**: *Brachita terminata* Allard, 1889.

属征:体长形。头顶具中沟,角后瘤发达,三角形;下颚须第 3 节膨大,第 4 节细长,末端尖锐;触角超过体长的 1/2,有的种类与体等长或更长。前胸背板方形,四周具边框,盘区中部具 1 个横凹,一般无刻点。小盾片三角形,有的种类表面有网纹。鞘翅细长,两侧平行,长为宽的 2.50 倍左右;肩角一般较隆突,盘区布密集刻点;缘折基部较宽,突然变窄后直达端部不远消失。足细长,前足基节窝开放,爪附齿式。

分布:亚洲东部,东南亚及周围岛屿。中国已知 22 种,本志记述了 7 种。

分种检索表

(171) 粗刻米萤叶甲 *Mimastra chennelli* Baly, 1879

Mimastra chennelli Baly, 1879: 450.

Mimastra uncitarsis Laboissière, 1940: 4.

鉴别特征:体长 3.50 ~ 4.25mm。体黄褐色,具有金属光泽,前足胫节、爪、腹面黑色,触角第 4 节黄棕色,第 5 节沥青色,其余各节黑色;触角与身体等长,第 3 节是第 2 节的 2 倍,第 4 节等于第 2、3 节之和;前胸背板宽是长的 2 倍,侧缘平行,具有凹洼,不具刻点;小盾片三角形;鞘翅基部明显宽于前胸背板,具有浓密刻点,刻点间距近规则;雌虫相当大,前胸背板凹洼较浅,触角第 4、5 节融合。

采集记录:5 头,镇巴,1983. Ⅴ. 22。

分布:陕西(镇巴)、浙江、湖南、广东、云南;老挝,泰国,缅甸,印度,尼泊尔,马来西亚,巴基斯坦。

(172) 桑黄米萤叶甲 *Mimastra cyanura* (Hope, 1831) (图 41)

Auchenia cyanura Hope, 1831: 29.

Anthraxantha davidis Fairmaire, 1878: 137.

Mimastra cyanura: Allard, 1890: 83.

鉴别特征:体长 8.00 ~ 10.50mm。体长形。头、前胸、鞘翅及足黄褐色,头顶具 3 个黑褐色斑;触角褐色;鞘翅端部 1/3、后胸腹板及腹部蓝黑色;翅端黑斑有时扩大至鞘翅端部的 2/3,有时缩小或消失。头顶具细刻点。触角细长,几乎达翅端,第 3 节为

第 2 节长的 2 倍,第 4 节为第 3 节长的 2 倍,第 5 节短于第 4 节,以后各节约与第 5 节等长。前胸背板矩形,宽为长的 1.80 倍,两侧缘中部微凹,表面横沟在中部较浅,光滑几乎无刻点。小盾片三角形。鞘翅两侧在中部之后微膨阔,翅面刻点稠密。雄虫前足第 1 跗节极度膨阔,近圆形,背面微凹;腹面有 2 个深凹,外侧的为长形、内侧的近圆形,更深。

采集记录:2 头,镇巴,1983.Ⅶ.22。

分布:陕西(镇巴)、甘肃、江苏、浙江、湖北、江西、湖南、福建、广东、广西、四川、贵州、云南;印度,尼泊尔,缅甸,克什米尔。

寄主:桑,苹果,桃,梨,苎麻,梧桐,茶,榆等。

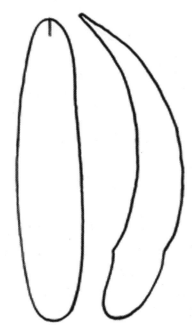

图 41 桑黄米萤叶甲 *Mimastra cyanura*(Hope,1831)生殖器图

(173) 黄跗米萤叶甲 *Mimastra grahami* Gressitt *et* Kimoto, 1963(图 42)

Mimastra grahami Gressitt *et* Kimoto, 1963:536,537.

鉴别特征:体长 6~7mm。头部、前胸背板、小盾片、前胸腹面、中胸腹面及 3 对足黄色;鞘翅、后胸腹面及腹部黑色,触角 1~4 节黄色,5~11 节黑褐色;鞘翅中缝、基缘、端缘及侧缘黄色;头部后头较长,头顶圆隆,角后瘤明显;触角与体等长,第 2 节最短,第 3 节是第 2 节长的 2 倍,与第 5 节约等长,第 4 节长于第 3、5 节,从第 6 节始,长度递减。前胸背板基部窄,端部宽;侧缘在基半部直,端半部膨阔,盘区具 1 道中横凹,两端呈圆形凹窝;小盾片三角形,无刻点。鞘翅两侧平行,端部稍宽,翅面刻点极细、密,仅盘区有一些较粗的刻点;缘折基部 1/4 宽,然后突然变窄,到中部消失。雄虫腹端浅三叶状;雌虫触角完全褐色,腹端完整。

采集记录:1 头,宁陕火地塘,1983. Ⅵ.27;10 头,紫阳,1983. Ⅴ.17。

分布:陕西(宁陕、紫阳)、湖南、四川、贵州。

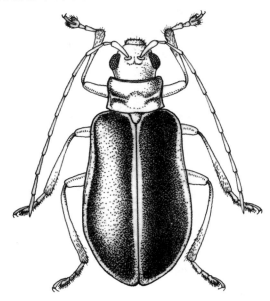

图 42　黄跗米萤叶甲 *Mimastra grahami* Gressitt *et* Kimoto, 1963 整体图

(174)叉斑米萤叶甲 *Mimastra guerryi* Laboissière, 1929

Mimastra guerryi Laboissière, 1929: 283.

Mimastra quadrivittata Mader, 1938: 59.

鉴别特征:体长 8.00 ~ 10.20mm。身体背面及前胸、中胸腹板黄色;触角黄褐色,到端部颜色加深,头顶中央有 1 个楔形黑斑或整个后头黑色;前胸背板有不规则的黑斑;鞘翅翅面绝大多数为黑褐色或者蓝黑色,在翅基 1/3 部分总是分叉;雄虫前足腿节、胫节及中后足腿节背、腹面黑色,前足第 1 跗节黄色,其余的与中后足胫、跗节均为黑褐色。雄虫第 1 跗节膨大,椭圆形,腹面有 1 个圆形凹窝;雌虫后足胫节及 3 对足的跗节均为黑褐色,第 1 跗节正常,翅面刻点粗密。

采集记录:1 头,镇安,1981. Ⅴ.13;1 头,宁强,1981. Ⅴ.15;1 头,商南,1984. Ⅳ.06。

分布:陕西(镇安、宁强、商南)、四川、云南;印度。

(175) 克氏米萤叶甲 *Mimastra kremitovskyi* **Bezdek**, **2009** 陕西新纪录

Mimastra kremitovskyi Bezdek, 2009: 833.

鉴别特征: 雄虫体长 8.25 ~ 8.80mm, 雌虫体长 8.60 ~ 10.55mm。体扁平, 光滑。头部橘黄色, 额瘤和后头具有长菱形黑斑, 头的前部具有深棕色三角形黑斑, 下颚须端部黑色, 触角 1 ~ 3 节黄色, 4 ~ 5 节颜色逐渐变深, 最后几节黑色; 前胸背板橘黄色, 具有 5 个小的黑斑(2 个在盘区, 1 个位于基部中间, 2 个在后角侧缘), 小盾片棕色, 鞘翅具 1 个大的金属光泽的黑色条带, 具有棕色边缘, 覆盖大部分盘区, 翅缘棕色; 前足、中足基节基部黑色, 转节棕色, 腿节棕色, 外侧具有 1 条黑色条带, 胫节棕色, 外侧具有 1 条窄的黑色条带; 后腿基节黑色, 转节棕色, 腿节黑色端部和基部颜色浅, 胫节黑色; 前胸背板宽是长的 1.70 倍, 具有稀疏的小刻点和两个凹洼; 小盾片三角形; 鞘翅具有浓密刻点, 缘折在基部 1/4 宽, 之后逐渐变窄至端部; 末腹节中间具有凹刻。

采集记录: 3 头, 岚皋, 2003. Ⅶ.04。

分布: 陕西(岚皋)、云南。

(176) 黄缘米萤叶甲 *Mimastra limbata* **Baly**, **1879**

Mimastra limbata Baly, 1879: 449.

鉴别特征: 体长 7.00 ~ 10.50mm。体长形, 黄褐色; 触角(基部 3 ~ 4 节除外)、足胫节(前足淡)、跗节黑褐色; 头顶及前胸背板具不规则的黑斑, 其斑纹有时减小, 有时模糊不清, 有时完全消失; 鞘翅具蓝黑色宽纵带, 仅侧缘和翅缝淡色, 但黑带变化较大, 有时增宽, 有时缩狭, 有时仅翅端黑色, 有时完全消失; 中胸、后胸及腹部蓝黑色。头顶具细微纵纹, 角后瘤略近三角形。触角较长, 第 1 节很粗, 第 2 节短小, 第 3 节为第 2 节长的 2 倍, 第 4 节长于第 2、3 节之和, 以后各节约短于第 4 节。前胸背板宽为长的 1.50 倍, 表面刻点细, 小盾片三角形, 光洁无刻点。鞘翅狭长, 外侧在中部之后有平展部分, 表面刻点稠密、微皱。雄虫前足第 1 跗节膨宽、增厚, 内侧凹洼, 腹面具 1 个长形凹和 1 个圆形凹。

采集记录: 1 头, 周至楼观台, 680m, 2008. Ⅵ.23; 1 头, 留坝, 1984. Ⅴ.08; 1 头, 佛坪, 1981. Ⅴ.18; 2 头, 宁陕火地塘, 1983. Ⅵ; 2 头, 旬阳关口, 1983. Ⅵ.18; 1 头, 镇巴, 1983. Ⅴ.22。

分布: 陕西(周至、留坝、佛坪、宁陕、旬阳、镇巴)、甘肃、浙江、湖北、湖南、福建、广西、四川、贵州、云南; 印度, 尼泊尔。

寄主: 榆科植物, 苹果, 梨, 羊齿植物等。

(177) 褐跗米萤叶甲 *Mimastra malvi* Chen, 1942

Mimastra malvi Chen, 1942: 30.

鉴别特征: 体长 7.50~8.50mm。头部、前胸背板红褐色;触角第 1~4 节黄褐色,第 5~11 节黑褐色;角后瘤、小盾片、鞘翅、前足、中足的腿节基部、胫节端部及跗节、后足腿节、胫节端部 2/3、跗节及整个腹面黑褐色至黑色;鞘翅中缝、基缘及侧缘以及足的其他部位黄色至黄褐色。头顶光亮无刻点,中部具 1 个凹,触角长是体长的 3/4,第 2 节最短,第 3 节次之,是第 2 节长的 2 倍,第 4 节长是第 3 节的 1.50 倍,第 5 节短于第 4 节,以后各节长度递减。前胸背板宽为长的 2 倍,前后角突出;侧缘近端部稍圆,基缘及前缘皆不同程度有凹曲现象,盘区光亮,几乎无刻点,中部具 1 个横凹,在中部中断。小盾片呈三角形,无刻点;鞘翅刻点粗大,刻点间距离小于刻点直径;缘折基部 1/4 宽,然后突然变窄,至中部消失。雄虫腹端浅三叶状,雌虫腹端完整。

分布: 陕西(秦岭)、湖南、四川。

76. 毛米萤叶甲属 *Trichomimastra* Weise, 1922

Mimastra subgenus *Trichomimastra* Weise, 1922: 75. **Type species**: *Mimastra seminigra* Weise, 1922.
Trichomimastra: Gressitt & Kimoto, 1963: 394, 543.

属征: 体细长,后头较长,复眼小。头部具明显的中沟,角后瘤不甚明显;额唇基区呈"人"字形脊隆突;触角细长,一般超过体长的一半。前胸背板宽大于长,四周具边框,前缘边框极细;盘区无明显的凹洼。小盾片呈三角形,端部较圆,背面微隆,具细纤毛。鞘翅窄长,长为宽的 4~5 倍;翅面布满刻点及长毛;缘折窄,直达端部。足细长,前足基节窝开放,后足节第 1 跗节长于其余各节之和,爪附齿式。雄虫腹部末端三叶状,雌虫完整。

分布: 东洋区。中国已知 5 种,本志记述了 1 种。

(178) 软鞘毛米萤叶甲 *Trichomimastra gracilipes* Gressitt *et* Kimoto, 1963(图 43)

Trichomimastra gracilipes Gressitt *et* Kimoto, 1963: 545.

鉴别特征: 体长 5.00~5.60mm。体淡灰褐色;头及前胸浅褐色,触角暗褐色。头部较前胸背板为宽;头顶隆突、光滑;触角是体长的 4/5,第 3 节是第 2 节长的 1.50 倍,第 4 节长于第 3 节。前胸背板宽是长的 2 倍,两侧较圆,盘区较光亮,无明显刻点。小盾片端部较圆。鞘翅长为宽的 5 倍,两侧近于平行;翅面具密集的不规则的刻点,有的地方显得粗糙。腹面光亮,具细刻点。腹部末节两侧较隆,臀板窄,端部较圆。足细长,后足第 1 跗节稍长于其余各节之和。

采集记录:1 头,留坝红岩沟,1500 ~ 1650m,1998. Ⅶ. 22;3 头,佛坪凉风垭,2100 ~ 1900m, 1998. Ⅶ. 24。

分布:陕西(留坝、佛坪)、湖北、四川。

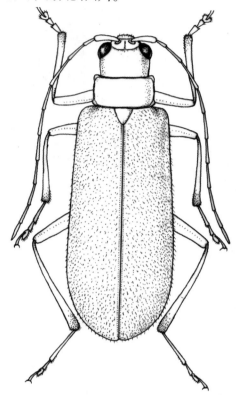

图 43　软鞘毛米萤叶甲 *Trichomimastra gracilipes* Gressitt *et* Kimoto, 1963 整体图

77. 凯瑞萤叶甲属 *Charaea* Baly, 1878

Charaea Baly, 1878: 376. **Type species:** *Charaea flaviventris* Baly, 1878[currently *Ch. balyi*(Medvedev *et* Sprecher-Uebersax, 1998), a new name for *Charaea flaviventre* Baly, 1878, nec *Calomicrus flaviventris* Motschulsky, 1860, both in *Charaea* now].

Exosoma Jacoby, 1903: 25. **Type species:** *Chrysomela lusitanica* Linnaeus, 1767.

Taphinellina Maulik, 1936: 299. **Type species:** *Taphinella bengalensis* Jacoby, 1900.

属征:触角窝位于复眼后,明显分离;前胸背板周缘具边框,盘区无凹;鞘翅缘折基部宽,到端部逐渐变窄,翅面无横凹;臀板整体具刻点;前足基节窝开放,3 对足胫端均具刺;后足第 1 跗节短于其余各节之和,爪附齿式;雄虫腹端三叶状,雌虫完整。

分布:古北区,东洋区,非洲区。中国已知 33 种,本志记述了 2 种。

(179) 黄腹凯瑞萤叶甲 *Charaea flaviventris* (Motschulsky, 1860)

Calomicrus flaviventris Motschulsky, 1860: 26.

Monolepta flaviventris: Baly, 1874: 189.

Malacosoma flaviventris: Harold, 1877: 366.

Exosoma flaviventris: Laboissière, 1935: 3.

Luperus (*Calmicrus*) *flaviventris*: Ogloblin, 1936: 262, 412.

Charaea flaviventris: Beenen & Warchalowski, 2010: 62.

鉴别特征: 体长 3.50~4.00mm。头部、前胸背板、小盾片、鞘翅、胸部腹面及足深蓝色,足的各连接处褐色,触角褐色,腹部黄色。头顶具极细刻点,角后瘤之间及后缘皆为凹沟;触角长达及鞘翅中部,第 4 节最长,第 1 节次之,第 2 节最短,第 3 节次之。前胸背板宽为长的 1.20 倍,基缘及侧缘圆滑,前缘弧凹,盘区隆突,具细小刻点。小盾片呈三角形,端部稍圆,无刻点。鞘翅肩角突出,翅面刻点较密,刻点间距离是刻点直径的 2 倍;缘折基部宽,至端部逐渐变窄。

采集记录: 4 头,周至,1320m,2006. Ⅶ. 15-23;2 头,周至厚畛子,1320m,1999. Ⅵ. 23;2 头,留坝桑园财神庙保护站,2013. Ⅷ. 17;1 头,佛坪凉风垭,1750~2150m,1999. Ⅵ. 28;1 头,石泉,1990. Ⅸ. 09。

分布: 陕西(周至、留坝、佛坪、石泉)、黑龙江、吉林、甘肃、安徽、浙江、湖北、江西、湖南、福建、台湾、广东、广西;俄罗斯,朝鲜,日本。

(180) 黑腹凯瑞萤叶甲 *Charaea nigriventris* (Ogloblin, 1936)

Luperus nigriventris Ogloblin, 1936: 268, 424, fig.

Exosoma nigriventris: Gresssitt & Kimoto, 1963: 566, fig.

Charaea nigriventris: Beenen & Warchalowski, 2010: 62.

鉴别特征: 体长 3.30~4.00mm。体长椭圆形,足黑褐色,腹部黑色。头顶光滑,具稀疏的细刻点。触角第 3 节稍长于第 2 节,第 4 节稍长于第 3 节。前胸背板长约为宽的 1.33 倍,侧缘圆滑;盘区不甚隆突,两侧各具 1 个浅凹,具粗、细两种刻点。鞘翅两侧近平行,中后部之后微膨阔;盘区 1/3 处后隆起,具密集的细小刻点。

分布: 陕西(秦岭)、黑龙江、吉林、山西、山东、河南、四川。

78. 波萤叶甲属 *Brachyphora* Jacoby, 1890

Brachyphora Jacoby, 1890: 195. **Type species**: *Brachyphora nigrovittata* Jacoby, 1890.

属征: 体窄长。触角丝状,长超过鞘翅中部,第 2 节最短,第 3 节长于第 2 节,第 4 节长于第 3 节。前胸背板宽大于长，两侧缘较直，具边框。小盾片三角形。鞘翅明显宽于前胸背板，基部宽，到端部逐渐变窄；盘区具明显刻点；缘折明显，超过鞘翅中部即消失。足细长，前足、中足胫节端具刺，后足胫端刺不明显，前足基节窝开放，爪附齿式。

　　分布：中国。中国已知 1 种，本文记述了 1 种。

（181）黑条波萤叶甲 *Brachyphora nigrovittata* Jacoby，1890（图 44）

Brachyphora nigrovittata Jacoby，1890：195.

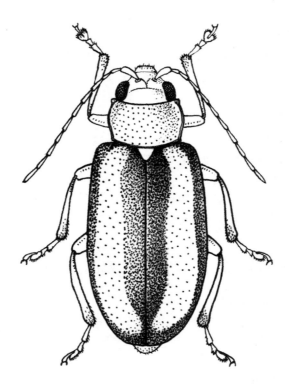

图 44　黑条波萤叶甲 *Brachyphora nigrovittata* Jacoby，1890 整体图

　　鉴别特征：体长 3.30～4.80mm。体较狭。头、胸、足橙黄或橙红色；触角烟色，腹部和鞘翅黑色或黑褐色，每翅中央具 1 条淡色纵带，此带在端部之前向翅缝弯转，宽度约占翅面 1/3，有时扩大，占据大部翅面，仅翅缝和外缘黑色。上唇横宽，前缘中央凹缺颇深；额唇基隆突高，呈脊状；角后瘤横形，头顶具极细刻点。触角约为体长的 2/3，第 3 节微长于第 2 节，第 4 节明显长于第 3 节，以后各节长度约相等，但皆短于第 4 节。前胸背板宽大于长，侧缘中部略膨阔，基缘较直；盘区较平坦，刻点细小。小盾片呈三角形，顶部圆，具细刻点。鞘翅刻点细密，翅面具较稀短毛，肩部之后有 1 条明显的纵脊不达翅端，但往往会完全消失。足腿节较粗壮，后足胫端具 1 个小刺。

采集记录:6 头,太白山蒿坪寺,1981.V.31,1984.Ⅷ.09,1 头,1984.Ⅷ.29;1 头,宁陕火地塘,1538m,2007.Ⅵ.02;1 头,紫阳毛坝,2003.Ⅶ.08。

分布:陕西(眉县、宁陕、紫阳)、山西、江苏、浙江、湖北、江西、湖南、福建、广东、广西、四川、贵州。

寄主:四季豆,野豆(*Phaseolus vulgaris*),葛(*Pueraria* sp.)等。

79. 隶萤叶甲属 *Liroetis* Weise, 1889

Liroetis Weise, 1889: 607. **Type species**: *Liroetis aeneipennis* Weise, 1889.
Liroetes: Jacoby, 1890: 215[error].

属征:体细长,中到大型。头较前胸背板窄,头顶具中沟,角后瘤不发达;额唇基区呈三角形隆起。触角长超过鞘翅中部,第 2 节最短。前胸背板宽大于长,四周具边框,基缘较直,侧缘稍圆;盘区具刻点,中部两侧具凹窝。小盾片三角形。鞘翅明显宽于前胸背板,基部较窄,中部之后稍膨阔,翅面具较密集刻点;缘折基部窄,直达端部。足胫节外侧具脊,前足基节窝开放,爪附齿式。雄虫腹部末端三叶状,雌虫完整。

分布:东洋区。中国已知 27 种,本志记述了 4 种。

分种检索表

1. 鞘翅绿色或蓝黑色 ······ 2
   鞘翅黄褐色或具黑色斑纹 ······ 3
2. 头顶及小盾片黑色 ······ 莱克隶萤叶甲 *L. leechi*
   头顶及小盾片黄褐色 ······ 天目山隶萤叶甲 *L. tiemushannis*
3. 鞘翅黄褐色,无任何斑纹 ······ 四川隶萤叶甲 *L. sichuanensis*
   鞘翅侧缘具黑色斑纹 ······ 黄腹隶萤叶甲 *L. flavipennis*

(182) 黄腹隶萤叶甲 *Liroetis flavipennis* Bryant, 1954

Liroetis flavipennis Bryant, 1954: 547.

鉴别特征:体长 11~12mm。头、前胸背板、鞘翅基部、身体腹面及腿节黄褐色;触角 1~2 节黄褐色,其余各节褐色;鞘翅浅黄褐色,每一鞘翅近侧缘具 1 条弱的、较宽的暗色纵带;足的胫节和跗节黑色。头顶光滑无刻点,具中纵沟;触角细长,超过鞘翅中部,第 1 节粗壮,长于第 2 节,第 3 节长为第 2 节长的 3 倍,其余各节约与第 3 节等长。前胸背板宽稍大于长;前角突出,侧缘圆滑;盘区光滑无刻点;鞘翅基部宽于前胸背板,具细弱的刻点。

采集记录:1 头,太白山,1992.Ⅷ.20;2 头,辛林,1989.Ⅸ.03;1 头,宁陕火地塘,

1580m,1998.Ⅷ.26。

　　分布:陕西(太白、宝鸡、宁陕)、甘肃、四川;缅甸,印度。

(183)莱克隶萤叶甲 *Liroetis leechi* **Jacoby,1890**

Liroetes leechi Jacoby,1890:215.

Liroetis leechi:Gressitt & Kimoto,1963:532.

　　鉴别特征:体长7~9mm。头顶及后头黑色,小盾片褐色;鞘翅蓝绿色,带金属光泽;头部额唇基区、触角基部数节、前胸背板、腹面及足橙黄色;触角端部数节及跗节褐色。头顶具中沟及刻点,角后瘤明显,圆形;触角长超过鞘翅中部,第2节最短,第3节约与第1节等长,是第2节长的4倍,第4节长于第3节,以后各节约等长;第11节较长,具亚节。前胸背板宽为长的2倍多,前后角较钝圆;盘区无明显凹洼,具稀疏的细刻点,近侧缘较密。小盾片三角形,背面隆起,具密集的刻点;缘折窄,直达端部。腹面毛稀少,足较长。

　　采集记录:1头,周至厚畛子,1350m,1999.Ⅵ.24;3头,留坝庙台子,1470m,1999.Ⅶ.01。

　　分布:陕西(周至、留坝)、甘肃、浙江、湖北。

(184)四川隶萤叶甲 *Liroetis sichuanensis* **Jiang,1988**

Liroetis sichuanensis Jiang,1988:188.

　　鉴别特征:体长8.50~10.20mm。头、前胸、小盾片、腿节和腹面棕褐色(有时棕黄色),鞘翅烟褐色,向端部渐淡;胫节和跗节(第3节稍淡)褐色。额唇基隆凸明显,呈宽三角形;角后瘤显突,近梨核形,光亮无刻点,有时边缘有细皱纹;头顶较平坦,具稀疏细刻点。触角丝状达鞘翅中部之后,第3节约为第2节长的2.50倍,有时稍短或略长,第4节略长于第3节,第4~7节大体等长,第8~11节与前几节等长或稍短。前胸背板宽约为长的1.60倍,有时略宽或稍狭,侧缘在中部之前微膨宽或较平直,基缘拱凸,中部微凹,盘区微凸,无十分清楚的凹沟,仅基部之前的中央有极浅的凹洼,表面散布较密而极细小的刻点。小盾片三角形,末端圆。鞘翅狭长,基部远宽于前胸背板,缘折较狭,未达翅端;肩胛显突,翅面刻点较细密,每翅中部外缘有1条较宽的纵凹。雄虫腹部末节中央表面从基部开始有1条较深的纵沟,端部三叶状;雌虫末节顶端中部略向后伸,表面(端半部)有1条浅凹。

　　采集记录:1头,太白山大殿,1956.Ⅶ.27;1头,辛林,1989.Ⅸ。

　　分布:陕西(太白、宝鸡)、甘肃、四川、贵州。

（185）天目山隶萤叶甲 *Liroetis tiemushannis* **Jiang，1988**（图45）

Liroetis tiemushannis Jiang，1988：186．

鉴别特征：体长8~9mm。体长形，棕黄色，鞘翅蓝绿色，触角端半部棕红色。额区呈三角形隆凸；角后瘤明显，光亮，近圆形。前内角略向前伸突；头顶具少量细刻点，中央有1条细纵线。触角伸至鞘翅中部之后，第3节约为第2节长的2倍，第4节长于第3节，第5节约等于第4节，第6节微短于第5节，以后各节大体相等，末节稍长。前胸背板宽略大于长的1.50倍，两侧缘在中部微膨阔，基缘略弧拱，中央较平直；表面刻点极细小，中央有1条细纵线，基部中央有1个浅凹。小盾片宽舌形，具细刻点。鞘翅基部明显宽于前胸背板，肩胛显突，翅面在基部微隆，之后稍凹，刻点细密，外侧中部有1条较宽的纵凹，其长度约为体长之半。雌虫腹部末节端部凹缺极深，凹底较平。

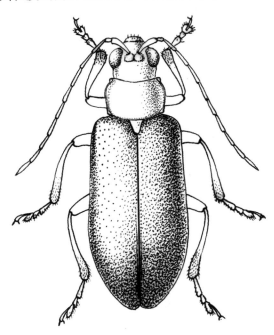

图45　天目山隶萤叶甲 *Liroetis tiemushannis* Jiang，1988 整体图

采集记录：3头，周至厚畛子，1350m，1999．Ⅵ.25；4头，周至钓鱼台，1480~1570m，2008．Ⅵ.29；1头，周至老县城，1670~1760m，2008．Ⅵ.28；2头，留坝庙台子，1470m，1999．Ⅶ.01；2头，宁陕火地塘，1984．Ⅵ.23-24。

分布：陕西（周至、留坝、宁陕）、甘肃、浙江、湖南、福建、贵州。

80. 克萤叶甲属 *Cneorane* Baly, 1865

Cneorane Baly, 1865: 97. **Type species**: *Cneorane fulvicollis* Baly, 1865.

属征：体椭圆形，一般具金属光泽。头部一般部分隐藏于前胸背板下，无中沟；角后瘤发达，半圆形；触角长超过体长的1/2；下颚须第3节很长，第4节极小。前胸背板宽阔、隆起，四周具边框，前后角较钝；盘区无任何凹洼，具细刻点。小盾片舌形。鞘翅基部稍宽于前胸背板，中部之后膨阔；肩角隆起，盘区在基部1/3之后隆凸，具明显刻点；缘折宽，到端部逐渐变窄。足发达、粗壮，前足基节窝开放，爪附齿式。

分布：古北区，东洋区，非洲区，澳洲区（新几内亚）。中国已知19种，本志记述了6种。

分种检索表

1. 足黄色，后胸腹板及腹部黑色 …………………… 胡枝子克萤叶甲 *C. violaceipennis*
   足双色或全黑色 ……………………………………………………………………… 2
2. 三对足腿节黄色，胫、跗节黑色 ………………………………………………………… 3
   足黑色或至少后足全黑色 ……………………………………………………………… 4
3. 鞘翅蓝绿色，刻点间距大于刻点直径 …………………… 华丽克萤叶甲 *C. elegans*
   鞘翅蓝紫色，刻点间距小于刻点直径 …………………… 间克萤叶甲 *C. intermedia*
4. 雄虫触角端部8~10节加粗，鞘翅基部之后有横凹 ………… 黑足克萤叶甲 *C. crassicornis*
   雄虫触角端部不加粗 …………………………………………………………………… 5
5. 鞘翅刻点间隆突，光滑 …………………………… 麻克萤叶甲 *C. cariosipennis*
   鞘翅刻点间具皱纹 ………………………………… 脊刻克萤叶甲 *C. rugulipennis*

（186）麻克萤叶甲 *Cneorane cariosipennis* Fairmaire, 1888（图46）

Cneorane cariosipennis Fairmaire, 1888: 45.
Cneorane nigripennis Laboissière, 1922: 101.

鉴别特征：体长8.00~11.50mm。体长形，头部、前胸背板、腹板、前足腿节、中足腿节黄色，其他部分皆黑褐色或黑色；触角第1~3节腹面黄色；前、中足腿节端部黑色。头顶光滑，几乎无刻点；角后瘤方形，其间为沟，直伸入触角间；额唇基区呈"人"字形隆脊，脊的两侧具细纤毛；触角长达鞘翅中部，第2节最短，第3节约为第2节长的2.00~2.50倍，第4节长于第2、3之和，第5节约与第4节相等，以后各节长度递减。前胸背板宽约为长的1.60倍，前后角皆钝圆，侧缘的边框较宽；盘区隆起，几乎无刻点。小盾片舌形，具极细小刻点。鞘翅基部窄，中部之后稍阔；肩角瘤状；盘区强烈隆起，具粗密刻点，刻点间较隆,且具网纹。腹面具粗密的刻点和金黄色的毛;足的第 3 跗节明显宽阔。

　　采集记录:5 头,宁陕火地塘,1580m, 1981. Ⅷ. 02;3 头,宁陕火地塘,1984. Ⅷ. 16;1 头,宁陕火地塘,1985. Ⅵ. 22;66 头,宁陕火地塘,1998. Ⅶ. 27;1 头,宁陕火地塘,2007. Ⅵ. 03;2 头,宁陕火地塘,1600 ~ 1700m, 1998. Ⅶ. 28; 13 头,宁陕旬阳坝,1350m,1998. Ⅶ. 29;1 头,宁陕十八丈,1150m,1999. Ⅵ. 28;7 头,宁陕旬阳坝,2013. Ⅷ. 11-13。

　　分布:陕西(宁陕)、湖北、广东、海南、广西、四川、贵州、云南、西藏;印度,泰国。

　　寄主:胡枝子(*Lespedeza*),板栗(*Castane*)。

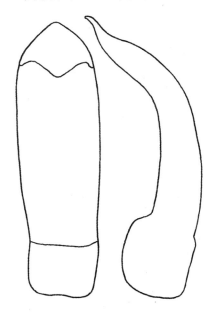

图 46　麻克萤叶甲 *Cneorane cariosipennis* Fairmaire, 1888 生殖器图

(187) 黑足克萤叶甲 *Cneorane crassicornis* **Fairmaire, 1889**

Cneorane crassicornis Fairmaire, 1889: 81.

　　鉴别特征:体长 7. 50 ~ 8. 00mm。头、触角、前胸背板、胸部腹板、小盾片及足棕黄色,鞘翅墨绿色,具有金属光泽,腹部腹面深黑色。头顶光洁,几乎无刻点,角后瘤明显。触角略长于体长,第 2 节最短,球状,约是第 3 节的 1/3,第 4 节明显长于第 3 节,第 5 ~ 10 稍短于第 4 节,约等长,第 11 节约与第 4 节等长;前胸背板宽为长的 1. 20倍,两侧弧圆,表面隆突,无横沟,光滑无刻点。鞘翅肩角明显,缘折基部宽,基部 1/3处突然变窄延伸至翅端,翅面具有浓密的不规则的刻点。

　　采集记录:4 头,秦岭涝峪,1951. Ⅶ. 08。

　　分布:陕西(西安)、福建、四川;越南,泰国。

（188）华丽克萤叶甲 *Cneorane elegans* **Baly，1874**

Cneorane elegans Baly，1874：182.

Cneorane violaceipennis Gressitt *et* Kimoto，1963：553［misidentification］.

Cneorane rufipes Weise，1889：620.

Cneorane cyanipennis Chûjô，1938：135.

鉴别特征：体长 5.70～8.40mm。头、前胸、中胸腹板、后胸腹侧板及足棕黄色或棕红色，触角黑褐色（基部数节黄褐色）；小盾片颜色有变异，有时淡色，有时暗色；鞘翅绿色、蓝色或紫蓝色。上唇宽稍大于长，角后瘤大，隆突较高，近方形，前内角略向前伸；头顶光洁，几乎无刻点。触角略短于体长，第 3 节是第 2 节长的 2 倍，第 4 节明显长于第 3 节，第 5 节短于第 4 节，略长于第 3 节，以后各节大体与第 5 节等长；雄虫触角在中部之后渐膨粗，末端 2～3 节腹面扁平或凹洼。前胸背板宽为长的 1.50 倍，两侧弧圆，基缘较平直，表面稍突，无横沟，具极细的刻点。小盾片舌形，光洁无刻点。鞘翅缘折基部宽，端部窄，翅面刻点很密。雄虫腹部末节顶端中央淡色，具 1 个横片向上翻转。

采集记录：5 头，宁陕广货街保护站，2013.Ⅷ.11、13、17、18、19；4 头，岚皋民主镇，2003.Ⅶ.04。

分布：陕西（宁陕、岚皋）、黑龙江、吉林、辽宁、北京、河北、山西、甘肃、江苏、安徽、浙江、湖北、湖南、江西、广东、广西、四川；俄罗斯，朝鲜，日本。

寄主：胡枝子（*Lespedeza* spp.）。

（189）间克萤叶甲 *Cneorane intermedia* **Fairmaire，1889**

Cneorane intermedia Fairmaire，1889：81.

鉴别特征：体长 7～8mm。头、前胸背板、前胸腹板、足（除爪黑色）黄褐色，触角第 1～3 节黄色，第 4～11 节背面黑色，小盾片、鞘翅金属蓝色或绿色，腹部黑色。额瘤发达，头顶具有圆形突起；触角达鞘翅 2/3，第 2 节最短，球形，约是第 3 节的 1/3，第 1 节长于第 3 节，第 4 节明显长于第 3 节，第 5～10 节接近等长，稍短于第 4 节，第 11 节最长；前胸背板宽约是长的 1.20 倍，前角、后角尖，鞘翅光滑，刻点细密，刻点直径小于刻点间距，缘折基部 1/3 宽，之后逐渐变窄至翅端。

采集记录：2 头，岚皋民主镇，2003.Ⅶ.04。

分布：陕西（岚皋）、湖北、福建、广东、广西、四川、贵州、云南、西藏。

（190）脊刻克萤叶甲 *Cneorane rugulipennis*（**Baly，1886**）

Cneoraus［sic！］*rugulipennis* Baly，1886：27.

Cneorane rugulipennis：Weise，1924：127.

Cneorane delatouchii Fairmaire，1888：45.

Cneorane femoralis Jacoby，1888：350.

Cneorane formosana Weise，1922：72.

鉴别特征：体长 5.50～6.50mm。头部、前胸背板、腹板、前足腿节及中足腿节黄色；触角、前中足胫节、跗节及后足黑色；小盾片黄褐色；鞘翅、后胸腹面及腹部黑褐色，具有蓝色光泽。头顶隆突，光滑无刻点；角后瘤三角形，光滑无刻点；触角长超过鞘翅的中部，第 2 节最小，第 3 节是其长的 3 倍，约与第 4～6 节等长，以后各节稍短。前胸背板两侧较直，基缘突出，端缘弧凹，盘区较平，光滑无刻点。小盾片半圆形，光滑无刻点。鞘翅稍宽于前胸背板，肩角隆突，表面光滑，翅面刻点密集，刻点间距小于刻点直径。

采集记录：1 头，周至楼观台，1987.Ⅷ.20。

分布：陕西（周至）、湖北、湖南、福建、台湾、广东、海南、贵州、四川、云南、西藏；越南，老挝，缅甸，印度，不丹，尼泊尔，巴基斯坦。

（191）胡枝子克萤叶甲 *Cneorane violaceipennis* **Allard**，1887

Cneorane elegans Fairmaire，1887：332（nec Baly，1874）.

Cneorane violaceipennis Allard，1889：69，70.

Cneorane fokiensis Weise，1922：71.

鉴别特征：体长 5.70～8.40mm。头、前胸、中胸腹板、后胸腹侧片及足棕黄色或棕红色，触角黑褐色（基部数节黄褐色）；小盾片颜色有变异，有时淡色，有时暗色；鞘翅绿色、蓝色或紫蓝色。上唇宽稍大于长，角后瘤大，隆突较高，近方形，前内角略向前伸；头顶光洁，几乎无刻点。触角略短于体长，第 3 节是第 2 节长的 2 倍，第 4 节明显长于第 3 节，第 5 节短于第 4 节，略长于第 3 节，以后各节大体与第 5 节等长；雄虫触角在中部之后渐膨粗，末端 2～3 节腹面扁平或凹洼。前胸背板宽为长的 1.50 倍，两侧弧圆，基缘较平直，表面稍突，无横沟，具极细的刻点。小盾片舌形，光洁无刻点。鞘翅缘折基部宽，端部窄，翅面刻点很密。雄虫腹部末节顶端中央淡色，具 1 个向上翻转的横片。

采集记录：5 头，周至楼观台，1952.Ⅴ.25；3 头，周至楼观台，1987.Ⅷ.24；1 头，周至楼观台，1991.Ⅸ.04；2 头，周至厚畛子，1350m，1999.Ⅶ.07；1 头，凤县，1982.Ⅵ；2 头，太白山，1981.Ⅷ；3 头，太白山，1991.Ⅷ.14；2 头，武功，1980.Ⅴ.11；1 头，华阴华山，1957.Ⅵ.16；1 头，留坝庙台子，1350m，1980.Ⅷ；1 头，留坝庙台子，1998.Ⅷ.21；11 头，城固，1980.Ⅴ.02，1 头，1981.Ⅴ.05；2 头，佛坪，950m，1981.Ⅴ.18；2 头，佛坪 1982.Ⅶ.17；1 头，佛坪，1998.Ⅶ.23；1 头，宁陕火地塘，1580m，1974.Ⅷ.05；5 头，宁陕火地塘，1998.Ⅶ.26；1 头，宁陕火地塘，2007.Ⅵ.02；2 头，石泉，1983.Ⅵ.27；1 头，宁

西,1988.Ⅸ.14;1 头,黄陵黄帝陵,1993.Ⅶ.25。

分布:陕西(周至、凤县、太白、武功、华阴、留坝、城固、佛坪、宁陕、石泉、户县、黄陵)、山西、江苏、浙江、湖北、湖南、福建、台湾、四川、贵州、西藏。

寄主:胡枝子 (*Lespedeza* spp.)。

81. 长刺萤叶甲属 *Atrachya* Dejean, 1837

Atrachya Dejean, 1837:401(ed. 2, p. 377). **Type species**: *Galleruca menetriesii* Faldermann, 1835.

Cnecodes Motschulsky, 1858:100. **Type species**: *Cnecodes bisignatus* Motschulsky, 1858.

Iphidea Baly, 1865:127. **Type species**: *Iphidea discrepans* Baly, 1865.

属征:体长椭圆形。头顶较平,角后瘤明显,三角形;额唇基区较宽,稍有隆突;触角长达鞘翅中部;第 2 节最短,第 3 节次之。前胸较头为宽,四周具边框,盘区较隆,具明显刻点。小盾片三角形。鞘翅明显宽于前胸背板,肩角隆起,两侧在基部较窄,中部之后变宽,端部圆形;盘区隆突,具明显刻点;缘折基部宽,中部突然变窄,直达端部。足的腿节、胫节较细长,后足胫节端部具长刺,第 1 跗节长于其余各节之和;前足基节窝开放,爪附齿式。雄虫腹部末端三叶状,雌虫完整。

分布:古北区,东洋区,非洲区。中国已知 15 种,本志记述了 3 种。

分种检索表

1. 前胸背板黄褐色;鞘翅黄褐色,侧缘、端部或端部 1/3 黑色 ········ 豆长刺萤叶甲 *A. menetriesi*
   前胸背板黄褐色 ··· 2
2. 鞘翅整体红褐色 ··································· 红翅长刺萤叶甲 *A. rubripennis*
   鞘翅基部红褐色,中部至端部黄褐色 ···················· 双色长刺萤叶甲 *A. bipartita*

(192) 双色长刺萤叶甲 *Atrachya bipartita* (Jacoby, 1890)

Luperodes bipartitus Jacoby, 1890:163, fig.

Atrachya bipartita: Gressitt & Kimoto, 1963:588.

鉴别特征:体长 6.50~7.00mm。头部、前胸背板、小盾片、鞘翅基部 1/3、胸部腹面及 3 对足皆黑色;触角黑褐色;鞘翅端部 2/3 及腹部腹面黄褐色。头顶光滑,有稀疏刻点;角后瘤突出,三角形,其后缘为 1 道横沟;触角稍短于身体,第 2 节最短,是第 1 节长的 1/3,第 3 节次之,是第 2 节长的 1.20 倍,第 4 节长是第 3 节的 2.50 倍,第 1、5、6 节约等长,以后各节长度递减。前胸背板宽为长的 2.50 倍,基缘波曲,前缘弧凹,侧缘基部窄,端部宽;盘区中部具 1 道横凹,两端为凹窝,整个盘区布极细的刻点。小盾片三角形,光滑无刻点。鞘翅肩角突出,刻点基本成行;刻点间距离大于刻点直径;

缘折基部宽,到端部逐渐变窄。

采集记录:1 头,太白山蒿坪寺,1982.Ⅴ.15;1 头,宁陕火地塘,1990.Ⅸ。

分布:陕西(眉县、宁陕)、浙江、湖北、福建、广西、四川。

(193) 豆长刺萤叶甲 *Atrachya menetriesi* (**Faldermann, 1835**) (图 47)

Galeruca menetriesi Faldermann, 1835: 439, fig.

Atrachya menetriesi: Dejean, 1837: 401 (ed. 2, p. 377).

Luperodes nigripennis Motschulsky, 1860: 232.

Luperodes praeustus Motschulsky, 1860: 232, 233.

Iphidea discrepans Baly, 1865: 127.

Luperodes praeustus var. *insulais* Weise, 1922: 81.

Luperodes praeustus ab. *insulais* Weise, 1924: 307.

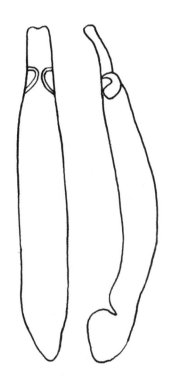

图 47　豆长刺萤叶甲 *Atrachya menetriesi* (Faldermann, 1835) 生殖器图

鉴别特征:体长 5.00 ~ 5.60mm。头(口器及头顶常为黑色)、前胸和腹部橙黄色,有时头的大部分为黑褐色;中胸、后胸、触角(基部 2 ~ 3 节黄褐色)和足(腿节端部和胫节基部常淡色)黑褐色至黑色。鞘翅和小盾片颜色变异较大,鞘翅有时黄褐色,仅翅端和侧缘为黑色,有时后端有 2/3 黑色或全部黑色,在后两种情况

下小盾片亦为黑色。前胸背板有时具 5 个褐色斑:基部一横排 3 个,中部两侧各 1 个。头顶具极细刻点,角后瘤前内角向前伸突。触角第 1 节长,第 3 节为第 2 节的 1.50 倍,第 4~6 节近于等长,微长于第 3 节。前胸背板宽约是长的 2 倍,两侧缘较平直,向前略膨阔,表面明显隆凸,刻点变异颇大,按地区由北向南渐密,雄虫更明显。小盾片呈三角形,光洁无刻点。鞘翅刻点细密,雄虫在小盾片之后中缝处有凹,此凹也呈现由北向南增大的趋势,如黑龙江、青海、山西等地的标本的凹很浅,广西和云南的标本的凹大而深。

采集记录:3 头,长安南五台,1957. Ⅷ;1 头,周至,1951;5 头,太白,1985. Ⅷ. 02;14 头,太白,1990. Ⅶ. 17-20;1 头,凤县,1988. Ⅶ. 17;3 头,秦岭车站,1987. Ⅸ. 10;1 头,武功,1951;3 头,留坝韦驮沟,1600m,1998. Ⅶ. 12;2 头,佛坪平河梁,1989. Ⅸ. 02;5 头,宁陕火地塘,1984. Ⅷ. 17;1 头,宁陕火地塘,1989. Ⅷ. 29;1 头,宁陕火地塘,1990. Ⅸ。

分布:陕西(长安、周至、太白、凤县、武功、留坝、佛坪、宁陕)、黑龙江、吉林、内蒙古、河北、山西、甘肃、青海、江苏、浙江、湖北、江西、湖南、福建、广东、广西、四川、贵州、云南;俄罗斯(西伯利亚)、日本。

寄主:豆科,瓜类,柳,水杉等。

(194)红翅长刺萤叶甲 *Atrachya rubripennis* Gressitt *et* Kimoto, 1963

Atrachya rubripennis Gressitt et Kimoto, 1963:589.

鉴别特征:体长 5.50~6.00mm。头部黑色,触角黑褐色,足的胫、跗节褐色;其余部分皆红色。头顶隆起,几乎无刻点;角后瘤较发达,其中部由 1 道"人"字形沟分开,近头顶处为 1 个凹窝;触角稍短于体长,第 2 节最短,是第 1 节长的 1/4,第 3 节次之,是第 2 节长的 2 倍,第 4 节长于第 3 节,但短于第 5 节,从第 5 节起,以后各节约等长。前胸背板宽为长的 2 倍多,基缘及侧缘皆较直,前后角钝,盘区仅中部两侧各具 1 个浅窝。小盾片三角形,无刻点。鞘翅背面隆起,端部圆形,近中缝呈齿状突;肩角稍隆,翅面刻点较密,刻点间距离大于刻点直径;缘折很宽,直达端部。腹部末节较长,三叶状,中叶长是整个腹部长的 1/3,基半部中央有 1 道纵沟。

分布:陕西(秦岭)、四川。

82. 额凹萤叶甲属 *Sermyloides* Jacoby, 1884

Sermyloides Jacoby, 1884:64. **Type species:** *Sermyloides basalis* Jacoby, 1884.
Praeochralea Duvivier, 1885:245. **Type species:** *Praeochralea antennalis* Duvivier, 1885.

鉴别特征:体椭圆,隆突。头部在复眼间有 1 道纵沟,上唇突起,下颚须第 3 节膨大,末节短小且呈锥状;触角丝状,第 1、3 节较长,第 2 节最小,以后各节几乎等长。前胸背板两侧较直,有时有 1 道横沟穿过盘区,盘区有或无刻点。小盾片呈三角形,有的种类在其表面长有细毛或具刻点。鞘翅隆起,密布刻点,呈半规则排列;缘折基部宽,到端部逐渐变窄;鞘翅基部在小盾片与肩角间有的种类具浅凹洼。足细长,胫节端具小刺,后足第1跗节长是其余3节之和;前足基节窝关闭,爪附齿式。雄虫触角第3节弯曲,扁平,额区成凹窝,凹内有突起构造,构造不同,可作为区分种的特征。雌虫触角第3节正常,额区平或稍凹,不具凹窝或突起构造。

分布:东洋区,非洲区。中国已知21种,本志记述了2种,其中有1个新种。

(195) 横带额凹缘萤叶甲 *Sermyloides semiornata* Chen, 1942

Sermyloides semiornata Chen, 1942: 51.

鉴别特征:体长5.00~5.30mm。头、前胸、小盾片、鞘翅基半部、腹面及足橙黄色;触角黑褐色;鞘翅端半部黑色,每个鞘翅在端半部各具1个斜的黄色条斑。雄虫额区为深凹窝,凹内中部为1个三角形突起,近唇基中部为1个倒"八"字形突起;两侧在复眼内侧下部各具1个片突。触角长超过鞘翅中部,第2节最短,第3节最长,扁形,端部具突起,呈钩状构造。前胸背板宽约为长的2倍,盘区隆起,具明显刻点。小盾片三角形,具毛。鞘翅宽于前胸背板,肩角较隆,刻点较前胸背板粗;两侧在中部稍缢缩;缘折基部宽,到中部变窄,直达端部。腹面具明显的刻点及较稀疏的毛。足细长,后足胫节端具长刺,第1跗节长于其余各节之和。雌虫额区不凹洼,触角第3节正常。

采集记录:1头,太白,1981. Ⅷ. 13。

分布:陕西(太白)、湖北、福建、广西、四川、云南。

(196) 陕西额凹缘萤叶甲,新种 *Sermyloides shaanxiensis* sp. nov. (图48)

鉴别特征:雄虫体长5.00~5.50mm,雌虫体长7mm。体黄褐色,触角第1节黄褐色,背面具黑色条纹,第2~11节黑色;鞘翅端部1/2黑色,每个翅在黑色内部具有1个乳黄色"丁"字形斑。头顶光滑,具稀疏的大刻点,唇基以上、两复眼间、触角下为1个大凹窝,凹窝中央上部,位于触角下,具1个片状突起,突起顶端具毛,位于唇基之上,凹的基缘内侧为1个深凹窝,沿基缘中部直到凹底,具1对褐色毛斑;基缘两侧及复眼内侧各具数根长毛;触角约与体等长,第1节棒状,第2节最小,第3节约为第2节长的6倍,扁平,端部具有钩状突,第4节稍短于第3节,以后各节约等长。前胸背板宽约为长的2.70倍,盘区无凹洼,具明显的刻点;小盾片三角形,表面具有细刻点及毛;鞘翅基部较窄,端部膨阔,在肩角内侧下方,小盾片两侧各具1个斜凹;翅面中度隆突,具粗刻点,刻点间距明显大于刻点直径,缘折表面光滑;足较长,雄虫腹部末端浅三叶状。雌虫额区扁平,两触角窝下各具1个小凹窝;触角约为体长的4/5,第3节正常,腹部末端完整。

采集记录:♂(正模),周至,2006. Ⅶ. 15-23,采集人不详;1♂(副模),同正模;

1♀,宁陕火地塘,1300~1500m,2013.Ⅷ.14,黄正中采。

　　新种与 *Sermyloides wangi* Yang, 1993 很相似,但通过雄虫额凹内的构造及鞘翅上的斑纹可明显区别开。

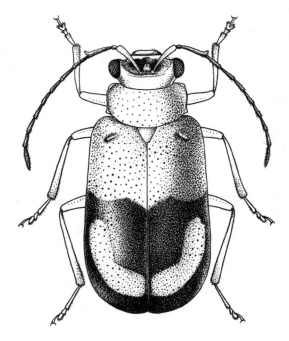

图48　陕西额凹缘萤叶甲 *Sermyloides shaanxiensis* sp. nov. 整体图

83. 长跗萤叶甲属 *Monolepta* Chevrolat, 1837

Monolepta Chevrolat, 1837：407. **Type species**：*Crioceris bioculata* Fabricius, 1781.
Damais Jacoby, 1903：118. **Type species**：*Damais humeralis* Jacoby, 1903.
Chimporia Laboissière, 1931：413. **Type species**：*Chimporia monardi* Laboissière, 1931.

　　属征:体椭圆形。头部光亮,具稀疏的刻点及中纵沟;角后瘤发达,触角间为 1 个脊状隆突;触角长超过鞘翅中部,第2、3节最短,在雄虫中, 第3节长于第2节,第4节一般较第3节长得多。前胸背板宽大,宽为长的 1 倍或更多;侧缘及基缘具边框;盘区隆起,无任何凹洼。小盾片呈三角形,端部较圆。鞘翅明显宽于前胸背板,肩角隆突;基部窄,中部之后变宽,端部钝圆,有的种类盘区极度隆突;缘折基部宽,离中部不远突然变窄,直达端部。前足基节窝关闭,后足胫节端部具长刺,第1跗节明显长于其余各节之和,爪附齿式。

　　分布:世界性分布。中国已知 73 种,本志记述了 12 种。

分种检索表

(197) 凹翅长跗萤叶甲 *Monolepta bicavipennis* **Chen, 1942**

Monolepta bicavipennis Chen, 1942：55.

鉴别特征:体长 4.20～5.00mm。体长形。头、触角、前胸、足的胫节及跗节红褐色至黑褐色,小盾片红色至红褐色,鞘翅红色,腹面及足腿节黄褐色。头部具细刻点,额区有 1 个接近三角形的微突;角后瘤较小;头顶刻点极细。触角约为体长的 2/3,第 3 节是第 2 节长的 1.30 倍,第 4 节长约等于第 2、3 节之和,以后各节长等于或稍短于第 4 节。前胸背板宽约为长的 2 倍,两侧缘和前缘较平直,基缘向后拱凸;表面刻点细密,每一刻点着生 1 根短毛,中部具 1 条横凹。小盾片三角形,无刻点。鞘翅刻点混乱,细密。雄虫每翅基部 1/3 近中缝处有短横凹,颇深,凹内端缝处具 1 个瘤突,突上具短毛;凹外端向后弯转成纵沟,与横凹相连,但明显较横凹浅。腹面和足被金色毛。雄虫腹部末节三叶状,中叶宽略大于长,表面微凹洼。

采集记录:67 头,长安南五台,1957. Ⅷ;29 头,长安南五台,1981. Ⅷ. 14-15;16 头,太白,1983. Ⅷ. 12;3 头,武功,1951. Ⅴ. 02;3 头,武功,1957. Ⅶ. 01;3 头,留坝,2013. Ⅷ. 17;1 头,留坝大洪渠,2500m,1998. Ⅶ. 20;3 头,佛坪,870~1000m,1998. Ⅶ. 25;1 头,佛坪窑沟,870~1000m,1998. Ⅷ. 25;3 头,佛坪龙草坪,1986. Ⅷ. 18-24;4 头,宁陕火地塘,1580m,1998. Ⅷ. 27;5 头,宁陕火地塘,2013. Ⅷ. 14;2 头,宁陕旬阳坝,2013. Ⅷ. 12;7 头,宁陕广货街保护站,2013. Ⅷ. 11;7 头,岚皋民主镇,2003. Ⅶ. 04。

分布:陕西(长安、太白、武功、留坝、佛坪、宁陕、岚皋)、山西、河南、甘肃、安徽、浙江、湖北、江西、湖南、广西、贵州、云南。

寄主:核桃,水杉,栗属,银杏等。

(198)黑头长跗萤叶甲 *Monolepta capitata* Chen,1942

Monolepta capitata Chen,1942:58.

鉴别特征:体长 4mm。雌虫头部黑色,触角 1~3 节黄褐色,4~11 节褐色;前胸背板、小盾片及鞘翅红色;腹面及足黄色。头部复眼很大,每个复眼宽约等于复眼间宽度,复眼的长是头长的1/2,头顶具稀疏刻点;触角长超过鞘翅中部,第 2 节最短,是第 1 节长的1/4,第 3 节次之,是第 2 节长的 1.50 倍,第 4 节长于第 3 节,以后各节约等长。前胸背板基缘外突,侧缘稍圆,前缘内凹;盘区隆起,两侧各具 1 个浅窝,前半端细刻密集,粗刻稀疏,基半端以粗刻为主,细刻稀少。小盾片呈三角形,无刻点。鞘翅两侧稍圆,中部向里凹;盘区刻点明显,刻点间距是刻点直径的 3 倍;缘折基部 1/3 宽,然后骤然变窄,直达端部不远处。腹面具灰色毛,腹部末端完整。前足基节窝关闭,后足第 1 跗节长于其余各节之和,爪附齿式。

采集记录:1 头,周至老县城,2008. Ⅶ. 27;1 头,周至桑园财神庙保护站,2013. Ⅷ. 17;1 头,留坝,2013. Ⅷ. 17;1 头,佛坪县城,2008. Ⅶ. 05;1 头,宁陕火地塘,1998. Ⅷ. 14。

分布:陕西(周至、留坝、佛坪、宁陕)、湖北、湖南、福建、四川。

(199)黑体长跗萤叶甲 *Monolepta epistomalis* Laboissière,1934

Monolepta epistomalis Laboissière,1934:9.

鉴别特征:体长 2mm。雌虫头部、前胸背板、小盾片、鞘翅及腹面亮黑色;触角第 1~3 节黄色,其余各节黑褐色;足的腿节黑色,端部黄褐色;胫节基部黄色,其余部分及跗节黑褐色。头顶具细刻点,中部具 1 道纵沟,角后瘤明显,与触角间及额区的隆突相连;触角是体长的1/2,第 2 节最短,第 3 节次之,第 4 节长于第 3 节,从第 4 节起各节膨大,长度约相等。前胸背板宽为长的 2.50 倍;基缘外突,前缘凹洼,侧缘近端半部外突;盘区在近两后角各具1个小凹窝,刻点粗大,密集。小盾片三角形,光滑无刻点。鞘翅两侧在中部之后膨阔,盘区强烈隆突,刻点密集,刻点间距大于刻点直径;缘折基部1/3宽,突然变窄,直达翅端。腹部末端完整;前足基节窝关闭;后足第1跗节长于其余各节之和,爪附齿式。

采集记录:29头,周至厚畛子,1300m,2007.Ⅷ.10;2头,江口村龙王沟,2013.Ⅷ.13、2013.Ⅷ.18。

分布:陕西(周至、留坝)、甘肃、浙江、湖南。

(200)二带长跗萤叶甲 *Monolepta excavata* **Chûjô,1938**(图49)

Monolepta excavata Chûjô,1938:144.

Paleosepharia excavata:Gressitt & Kimoto,1963:646.

Paleosepharia polychroma Laboissière,1938:4,9.

Monolepta excavata:Kimoto & Chu,1996:79.

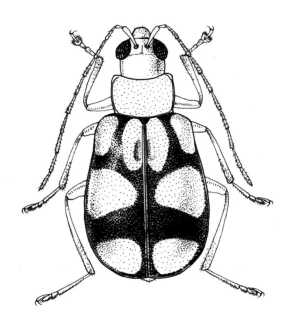

图49 二带长附萤叶甲 *Monolepta excavata* Chûjô,1938 整体图

鉴别特征:体长5.50~6.00mm。头部、前胸背板红色;触角及小盾片黑色,触角第1节黑褐色;鞘翅黄色,周缘及中缝黑色;每个鞘翅的基部1/3及端部1/3各具1条黑色横带,把鞘翅分为3个黄块;胸部腹面及足的腿节橘红色,腹部腹面黄褐色,足的胫节、跗节黑褐色。头顶具稀疏刻点,角后瘤呈横带状;触角稍短于身体,第2节最短,第3节是第2节长的2倍,第4节是第3节长的1.50倍,以后各节约等长。前胸背板

宽为长的 1.50 倍;侧缘较直,基缘外凸,前缘稍凹;盘区在中部两侧各具 1 个短横凹;前端刻点较密,后端刻点较稀。小盾片三角形,无刻点。鞘翅在小盾片下中缝两侧各具 1 个半月形凹;盘区隆凸,中部之前刻点较粗,中部之后刻点较细;翅端斜切状;缘折基部宽,直达端部。腹部在后胸腹板中部具 1 道纵沟,腹部末端三叶状。

采集记录:1 头,佛坪窑沟,870~1000m,1998.Ⅶ.25。

分布:陕西(佛坪)、甘肃、江苏、湖北、浙江、江西、湖南、福建、台湾、广东、广西、贵州、云南。

(201) 黄带长跗萤叶甲 *Monolepta flavovittata* Chen, 1942

Monolepta flavovittata Chen, 1942: 61.

鉴别特征:体长 3.00~3.50mm。头部黄褐色,前胸背板、腹部及足黄色;触角第 1~3 节黄褐色,其余各节黑褐色;小盾片、鞘翅及胸部腹面黑色,鞘翅中部具宽的黄色横带;胫端、跗节各节基部和末跗节深褐色。头顶无刻点;角后瘤明显,与额区三角形隆突相连;触角长超过鞘翅中部,第 2、3 节等长,最短,第 4 节稍长于 2、3 节之和,5~7 节与第 4 节等长,以后各节稍短。前胸背板宽约为长的 1.50~1.70 倍,两侧较圆,盘区隆凸,具稀疏刻点。小盾片三角形,无刻点。鞘翅长约为宽的 1.20 倍,翅面隆突,刻点较前胸背板明显粗大。腹部第 1 节宽,2~4 节窄小。

采集记录:1 头,留坝庙台子,1350m,1998.Ⅷ.21;2 头,佛坪龙草坪,1986.Ⅷ.21。

分布:陕西(留坝、佛坪)、河北、甘肃、湖北、福建;越南。

(202) 黑纹长跗萤叶甲 *Monolepta sexlineata* Chûjô, 1938

Monolepta duvivieri Jacoby, 1904: 404(nec *Candezea duvivieri* Jacoby, 1897).

Monolepta lineata Weise, 1915: 117(nec Karsch, 1882).

Monolepta sexlineata Chûjô, 1938: 150.

Monolepta madrasensis Wilcox, 1973: 562(new name for *M. duvivieri* Jacoby, 1904 and for *Monolepta lineata* Weise, 1915).

鉴别特征:体长 3.00~3.50mm。体黄褐色,头部偏褐色;上唇黑色,触角 1~3 节黄褐色,余黑褐色;小盾片、鞘翅周缘及后足胫节端部黑色,每个鞘翅中部有 1 条黑色纵纹。头顶具刻点;角后瘤较发达,光洁无刻点;触角间为 1 条较强的隆脊。前胸背板宽大于长,前端较宽,基部窄,四角较钝圆;盘区具明显刻点。小盾片短三角形。鞘翅两侧近于平行,端部钝圆;盘区较平,刻点明显;缘折在基部 1/3 处之前较宽,然后突然变窄,直达端部。腹面刻点较粗深。

采集记录:2 头,宝鸡秦岭车站,1980.Ⅸ.30;1 头,武功,1963.Ⅸ;1 头,武功,1985.Ⅶ.02;3 头,留坝庙台子,1350m,1984.Ⅷ;1 头,留坝庙台子,1998.Ⅶ.21。

分布:陕西(宝鸡、武功、留坝、合阳、紫阳)、吉林、河北、山西、甘肃、福建、台湾、广东、海南、广西、云南;越南,老挝,泰国,柬埔寨,印度,尼泊尔,斯里兰卡。

寄主:甘蔗(*Saccharum officinarum*)。

(203)黄斑长跗萤叶甲 *Monolepta signata*(Oliver,1808)

Galeruca signata Olivier,1808:665.

Crioceris neglecta Sahlberg,1829:29.

Luperodes quadripustulatus Motschulsky,1858:105.

Luperodes hieroglyphicus Motschulsky,1858:104.

Monolepta elegantula Boheman,1859:183.

Luperodes dorsalis Motschulsky,1866:415.

Luperodes quadriguttata Fairmaire,1887:333.

Monolepta signata:Jacoby,1889:229.

Monolepta biarcuata Weise,1889:632.

Monolepta picturata Jacoby,1896:292.

Monolepta simplex Weise,1913:229.

Monolepta signata ab. *lutea* Piton,1943:138.

Monolepta signata ab. *coalita* Piton,1943:138.

Monolepta signata ab. *bipunctata* Piton,1943:138.

Monolepta signata ab. *pici* Piton,1943:138.

Monolepta signata ab. *yunnanensis* Piton,1943:138.

Monolepta signata ab. *sexmaculata* Piton,1943:138.

Monolepta signata ab. *belmonti* Piton,1943:138.

鉴别特征:体长3.00～4.50mm。头部、前胸背板、腹部及足的腿节橘红色;上唇、触角、小盾片、中胸腹板、后胸腹板、足胫节、足跗节红褐色或者黑褐色;鞘翅红褐色至黑褐色,每翅具2个淡色斑,分别距离基部和端部不远;触角基部3节颜色较淡。头部光亮,刻点极细或不明显。角后瘤横形,其前端伸入触角间。触角超过体长的1/2,第3节略长于第2节,第4节约为2、3节长之和或更长,以后各节大体与第4节等长。前胸背板宽为长的2倍,表面隆突,具细刻点。小盾片三角形。鞘翅刻点较细。

采集记录:1头,凤县,1982.Ⅶ;3头,太白,1987.Ⅶ.17;1头,秦岭车站,1965.Ⅷ.18;1头,秦岭车站,1994.Ⅶ.21;1头,武功,1987.Ⅹ.04;2头,留坝,1981.Ⅶ.11;9头,宁陕广货街保护站,2013.Ⅷ.10-13;1头,宁陕广货街保护站,2013.Ⅷ.26;2头,洛南蒿坪,1985.Ⅷ.21;4头,商州,1986.Ⅷ.31。

分布:陕西(凤县、太白、武功、留坝、宁陕、洛南、商州、陕北)、黑龙江、吉林、辽宁、内蒙古、河北、山西、河南、甘肃、浙江、湖北、江西、湖南、福建、台湾、广东、香港、海南、广西、四川、贵州、云南、西藏;越南,泰国,缅甸,印度,不丹,尼泊尔,斯里兰卡。

寄主:棉花,豆类,玉米,花生。

(204)端褐长跗萤叶甲 *Monolepta subapicalis* Gressitt *et* Kimoto,1963

Monolepta subapicalis Gressitt *et* Kimoto,1963:634.

鉴别特征:体长2.50~3.00mm。头部、前胸背板、小盾片、鞘翅基半部、腹面及足橘红色;触角褐色;鞘翅端半部及后足胫节端部黑色。头部中度隆起,具细刻点。角后瘤不甚明显。触角是体长的3/4,第2节最短,长是宽的2倍,第3节长于且细于第2节,第4节长于第3节,约与第5节等长,以后各节长度递减。前胸背板宽为长的2倍,前缘较直,基缘强烈隆突,侧缘中度膨阔;前角突出,后角钝圆;盘区具稠密的刻点,基部的较粗,端部的较细。小盾片三角形,光滑无刻点。鞘翅中部之后宽于基部;盘区隆起,具粗、细两种刻点,呈不规则排列;缘折在基部1/4处较宽,之后突然变窄至翅端。雄虫腹端三叶状,中叶长宽相等;雌虫腹部末端圆形,具极细刻点。后足第1跗节是胫节长的3/5,是其余各节长的1.50倍。

采集记录:1头,宁陕火地塘,1580m,1998.Ⅶ.27;1头,宁陕火地塘,1580~2000m,1998.Ⅷ.18。

分布:陕西(宁陕)、甘肃、湖北、湖南、福建、贵州;越南,不丹。

(205)拟黄翅长跗萤叶甲 *Monolepta subflavipennis* Kimoto,1989

Monolepta subflavipennis Kimoto,1989:154,fig.

鉴别特征:体长3.80~3.90mm。体红褐色,前胸背板黑色;头、触角及足沥青色。头顶光滑,具细小的刻点;角后瘤明显,近三角形;触角达体长的2/3,第2节最短,是第1节长度的1/3,第3节是第2节长度的2/3,第4节是第3节长度的1.50倍,第5节与第4节等长,第6~9节近等长,第10节稍短于第9节,第11节稍长于第10节,与第9节近等长。前胸背板宽是长的1.25倍,前缘平直,侧缘圆滑,中部最宽,基缘向后弯曲,盘区隆突,两侧各具1个凹,表面具稀疏的细小刻点;小盾片近三角形,无刻点;鞘翅基部宽于前胸背板,近基部具1个前横凹,翅面具较密集的粗大刻点。

采集记录:2头,佛坪,870~1000m,1998.Ⅶ.23;2头,宁陕十八丈,1150m,1999.Ⅷ.17。

分布:陕西(佛坪、宁陕)、甘肃、湖北、贵州;越南。

(206)截翅长跗萤叶甲 *Monolepta subrubra* Chen,1942

Monolepta subrubra Chen,1942:57.

鉴别特征:体长 5.50～6.00mm。头部、前胸背板、前胸腹面、中胸腹面黄褐色,触角褐色,小盾片及鞘翅黄色,后胸腹面及腹部黑褐色,足黄色,后足胫节端黑色。头部无刻点,角后瘤不甚明显;触角超过鞘翅中部,第 2 节短,是第 1 节长的 1/3,第 3 节稍长于第 2 节,第 4 节长超过第 2、3 节之和,以后各节约等长。前胸背板前缘及侧缘较直,基缘外突,盘区在中部两侧各具 1 个三角形凹,刻点在中部之前细密,中部之后粗疏;小盾片三角形,光滑无刻点;鞘翅两侧较圆,翅端平切,盘区隆突,刻点近中缝较密,刻点间距小于刻点直径,近侧缘刻点较疏,刻点间距离大于刻点直径,缘折基部 1/3宽,之后突然变窄至翅端。雄虫腹部末节小,三叶状。后足第 1 跗节是胫节长的 1/2,胫节末端刺较长。

采集记录:1 头,周至楼观台,1987.Ⅷ;1 头,凤县苇子坪,1916.Ⅷ.15。

分布:陕西(周至、凤县)、福建。

(207) 黄胸长跗萤叶甲 *Monolepta xanthodera* Chen, 1942

Monolepta xanthodera Chen, 1942: 58.

鉴别特征:体长 3.50～4.00mm。头部黑色,触角褐色,其他部位皆红色,腹面仅中胸腹板黄色。头部光亮,具稀疏刻点;角后瘤突出,长三角形,其后为 1 个弧形凹沟;触角长几乎达鞘翅中部,第 1 节最长,第 2 节最短,是第 1 节长的 1/3,第 3 节稍长于第2 节,较第 1 节为细,从第 4 节起端部膨大。前胸背板基缘外突,侧缘稍圆,前缘弧凹;盘区在中部两侧各具 1 个凹窝;刻点在前缘较密,基缘较稀。小盾片三角形,光亮无刻点。鞘翅肩角稍隆,两侧微圆,盘区隆起,在小盾片下因隆起而形成凹,刻点基部粗,端部细,刻点间距大于刻点直径,缘折基部 1/3 宽,然后突然变窄,直达端部。腹部雌雄臀板皆露出翅外。雄虫腹端三叶状,中叶基部宽,端部窄;雌虫腹部末端圆锥状,端部及臀板皆具刻点。

分布:陕西(秦岭)、甘肃、湖北、湖南、福建、台湾、四川、贵州、云南、西藏。

(208) 黑端长跗萤叶甲 *Monolepta yama* Gressitt *et* Kimoto, 1965

Monolepta monticola Gressitt *et* Kimoto, 1963: 623(nec Weise, 1915).

Monolepta yama Gressitt *et* Kimoto, 1965: 802(new name for *M. monticola* Gressitt *et* Kimoto, 1963).

鉴别特征:体长 3.40～3.50mm。头部深红色,头顶几乎为黑色,触角深红褐色,第 1～3 节颜色较浅,前胸背板及小盾片橘红色,鞘翅红褐色,端部 1/3 黑色,腹面及足褐色,后足跗节外侧黑色。头顶光滑几乎无刻点;触角是体长的 4/5;前胸背板在中部之后两侧具凹洼,盘区刻点在前半端细弱,后半端粗大。小盾片光滑。鞘翅长是宽的

1.30倍,翅面上具明显刻点。

　　采集记录:1头,宁陕火地塘,1580m,1980.Ⅷ;1头,宁陕火地塘,1998.Ⅷ.14。

　　分布:陕西(宁陕)、甘肃、河南、湖北、浙江、江西、海南、四川、贵州、云南。

84. 凹翅萤叶甲属 *Paleosepharia* Laboissière, 1936

Paleosepharia Laboissière, 1936: 251. **Type species**: *Paleosepharia truncata* Laboissière, 1936.

　　属征:体较细长。头部部分藏于前胸背板下,头顶具中沟,角后瘤不发达;触角间明显隆凸;触角长超过鞘翅中部,第2节最短,第3节次之。前胸背板约与头部等宽,四周具边框;宽明显大于长,盘区无凹洼,具明显刻点。小盾片三角形。鞘翅较前胸背板宽;肩角不甚突出;两侧接近平行,翅端平切;盘区具明显刻点,雄虫在小盾片下具凹洼,因此把本属叫凹翅萤叶甲属;雌虫正常;缘折在基部较宽,然后逐渐变窄,直达端部。足较细,前足基节窝关闭,爪附齿式;胫端具1个长刺,后足第1跗节长超过其余各节之和。雄虫腹部末端三叶状。

　　分布:东洋区。中国已知22种,本志记述了2种。

(209)考氏凹翅萤叶甲 *Paleosepharia kolthoffi* Laboissière, 1938

Paleosepharia kolthoffi Laboissière, 1938: 8.

　　鉴别特征:体长5.90~6.20mm。头部、前胸背板、胸部腹面及腿节红褐色,触角黑褐色,第1节红褐色,鞘翅黄色,小盾片下翅凹处橘黄色,小盾片及鞘翅四周黑色,每个鞘翅有2条黑色横纹,不及中缝,把鞘翅分为三等分,胫节及跗节黑褐,腹部黄褐色。头顶具明显刻点,触角约为体长的4/5;前胸背板盘区具1个浅横凹,刻点明显。小盾片光亮,几乎无刻点。鞘翅刻点较前胸密;小盾片下中缝两侧各具1个棒状凹窝,基部窄、端部宽。

　　采集记录:1头,秦岭车站,1980.Ⅴ.31;1头,洋县,1981.Ⅴ.31;1头,佛坪,1984.Ⅳ.24。

　　分布:陕西(凤县、洋县、佛坪、宁强、镇巴)、湖北、江苏、安徽、浙江、贵州。

　　寄主:玉米,猕猴桃。

(210)核桃凹翅萤叶甲 *Paleosepharia posticata* Chen, 1942

Paleosepharia posticata Chen, 1942: 50.

　　鉴别特征:体长4.50~4.70mm。体灰褐色,触角第4~11节、后胸腹板、胫节端部及跗节、鞘翅侧缘、中缝、缘折及端部黑褐色至黑色；小盾片、臀板、腹部中部有时带黑色。头顶具较细的刻点，额唇基区呈三角形隆起；触角稍短于体长，第3节是第2节长的1.50倍，第4节长于第2、3节之和。前胸背板宽为长的2倍，侧缘波曲，盘区具较细密的刻点。小盾片三角形，光滑无刻点。鞘翅刻点同前胸背板，到端部稍粗大；雄虫在小盾片下强烈隆起，具2个较深的凹，其后为斜切状。

采集记录：1头，凤县苇子坪，1916.Ⅷ。

分布：陕西(凤县)、河北、湖北、四川。

寄主：核桃(*Juglans*)。

85．宽缘萤叶甲属 *Pseudosepharia* Laboissière，1936

Pseudosepharia Laboissière，1936，105：253. **Type species**：*Sepharia dilatipennis* Fairmaire，1889.

属征：体圆形。头部具中沟，角后瘤发达，三角形；触角长超过鞘翅中部，第2节最短，第3节次之。前胸背板宽于头部，四周具边框，两侧较直，基缘外突；盘区平，无凹洼，具不明显刻点。小盾片三角形，表面稍隆。鞘翅基部稍宽于前胸背板，中部膨阔，端部变窄；盘区强烈隆起，具明显刻点；肩角突出；缘折极宽，约为单个鞘翅宽的1/3，直达端部。足细长，后足胫节端具长刺，第1跗节远长于其余各节之和；前足基节窝关闭，爪附齿式。雄虫腹部末端三叶状。

分布：中国。中国已知4种，本志记述了2种。

(211)膨宽缘萤叶甲 *Pseudosepharia dilatipennis*(**Fairmaire，1889**)(图50)

Sepharia dilatipennis Fairmaire，1889：78.

Pseudosepharia dilatipennis Laboissière，1936：254.

鉴别特征：体长5.50~6.00mm。体红色，上唇、触角、足的胫节及跗节黑褐色至黑色。头顶具明显刻点，角后瘤三角形，光滑无刻点；触角长超过鞘翅中部，第2节最短，第3节次之，约为第2节长的2.50倍，第4节长为2、3节之和。前胸背板宽约为长的2倍多，两侧较直；盘区具较明显的刻点，且中部稀，两侧较密。小盾片三角形，无刻点。鞘翅基部窄，中部变宽，端部又变窄变尖；肩角隆起，盘区具明显刻点；缘折宽为单个鞘翅宽的1/3，中部之后变窄，直达端部。腹面具稀疏刻点及毛；足细长，后足第1跗节长为其余各节长的3倍多。

采集记录：6头，留坝庙台子，1470m，1999.Ⅶ.01；1头，留坝红崖沟，1500~1650m，1998.Ⅶ.22；1头，宁陕火地塘，1580~1650m，1985.Ⅶ.03；1头，宁陕火地塘，1990.Ⅸ.14；2头，宁陕火地塘，1999.Ⅵ.26；2头，宁陕旬阳坝，1350m，1998.Ⅷ.29；1头，宁陕大水沟，1500~1760m，1999.Ⅵ.30。

分布:陕西(留坝、宁陕)、甘肃、四川。

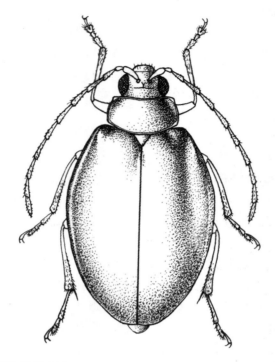

图 50　膨宽缘萤叶甲 *Pseudosepharia dilatipennis*(Fairmaire, 1889)整体图

(212)黑头宽缘萤叶甲 *Pseudosepharia nigriceps* Jiang, 1990

Pseudosepharia nigriceps Jiang, 1990: 455.

鉴别特征:体长 4.50 ~ 6.30mm。体红色;触角红褐色,头黑色。额唇基呈三角形隆凸,具极细刻点,角后瘤微突,光亮无刻点,略近三角形;头顶微突,表面散布稀疏、细小的刻点,中央有 1 个小凹洼。触角向后伸至鞘翅中部之后,第 2 节短,第 3 节明显长于第 2 节,第 4 节明显长于第 3 节,以后各节大体等长。前胸背板宽略小于长的 2 倍,侧缘和前缘较平直,基缘拱弧;盘区微突,较平坦,没有明显的凹洼,散布较密的细小刻点。小盾片三角形,光亮无刻点。鞘翅基部明显宽于前胸背板,两侧在中部膨阔,翅面具细密刻点;缘折较宽,向端部较狭,直至鞘翅外角。雄虫腹部末节长,三叶状,中叶长形,表面微凹洼。

采集记录:1 头,长安南五台,1957. Ⅷ. 07;1 头,留坝闸口,1800 ~ 1900m,1998. Ⅶ. 20;3 头,宁陕火地塘,1580m,1999. Ⅵ. 26。

分布:陕西(长安、留坝、宁陕)、甘肃、湖北。

86. 平翅萤叶甲属 *Hoplosaenidea* Laboissière, 1933

Cynorta Baly, 1865: 249 (nec Koch, 1839). **Type species**: *Cynorta porrecta* Baly, 1865.

Hoplosaenidea Laboissière, 1933: 59. **Type species**: *Haplosaenidea touzalini* Laboissière, 1933.

Diaphaenidea Laboissière, 1933: 61. **Type species**: *Diaphaenidea aerosa* Laboissière, 1933.

Micraenidea Laboissière, 1933: 64. **Type species**: *Micraenidea coomani* Laboissière, 1933.

Cynorita Laboissière, 1940: 28. **Type species**: *Cynorta citrina* Jacoby, 1894.

Cynortana Strand, 1942: 391. **Type species**: *Cynorta porrecta* Baly, 1865.

Haplosaenidea: Gressitt & Kimoto, 1963: 397, 666 [error].

属征: 触角窝位于复眼后, 明显分离; 前胸背板具明显侧凹, 基缘具边框; 鞘翅无毛, 刻点不规则, 缘折正常宽度; 前足基节窝关闭, 爪简单或附齿式; 雌雄胫端均具刺; 后足胫端具 1 刺; 后足第 1 跗节等于或短于其余各节之和; 雄虫腹端三叶状, 雌虫完整或缺刻状。

分布: 东洋区。中国已知 11 种, 本志记述了 1 种。

(213) 双色平翅萤叶甲 *Hoplosaenidea bicolor* (**Gressitt** *et* **Kimoto, 1963**)

Taumacera (*Cerophysa*) *bicolor* Gressitt *et* Kimoto, 1963: 521, 522.

Hoplosaenidea bicolor: Wilcox, 1973: 615.

鉴别特征: 体长 4.70~5.00mm。体浅黄色, 橙色至深褐色, 头橙色, 端部较浅, 触角褐色, 基部和端部黑褐色, 前胸背板黄色, 小盾片和鞘翅深褐色, 胸部腹面及腹部深褐色至浅灰色; 前足基部红色, 中足、后足褐色, 腿节颜色较暗, 跗节颜色较浅。背面具有少量短毛。触角约为体长的 3/4, 中间部分稍微加粗, 第 1 节非常弯曲, 第 2 节宽和长相等, 第 3 节长是宽的 3 倍, 第 4 节稍长于第 3 节, 第 4~8 节约等长, 第 9 节短于第 8 节, 第 11 节最长。前胸背板宽是长的 1.60 倍, 前缘在中间凹洼, 基缘中部稍微隆突, 前角圆钝, 盘区平, 表面光滑无刻点。鞘翅两侧平行, 稍有膨阔; 缘折基部宽, 在基部 1/4 处逐渐变窄; 足非常细, 后足跗节第 1 节长于第 2、3 节之和。

分布: 陕西(秦岭)。

87. 异角萤叶甲属 *Paraplotes* Laboissière, 1933

Paraplotes Laboissière, 1933: 51. **Type species**: *Paraplotes rugosa* Laboissière, 1933.

属征: 触角窝位于复眼后, 明显分离; 前胸背板短, 盘区具 1 个大凹, 无纵凹, 基缘具边框；后胸腹板正常；鞘翅缘折窄；前足基节间细窄，前足基节窝关闭；后足胫端多刺；后足第 1 跗节等于或短于其余各节之和；雄虫腹端三叶状，雌虫完整或缺刻状。

　　分布：东洋区。中国已知 14 种，本志记述了 1 种。

（214）褐异角萤叶甲 *Paraplotes antennalis* Chen, 1942

Paraplotes antennalis Chen, 1942：33.

　　鉴别特征：体长 3.20~3.50mm。体短椭圆形。体色深棕色，具有金属光泽，触角除了端部 4 节外红棕色。触角长短于鞘翅，第 2 节最短，是第 3 节的 1/2 倍，第 4 节比第 3 节或第 5 节短，第 6~7 节长大于宽，第 8 节膨阔，第 9 节长大于宽，第 10 节略长于第 8 节，第 11 节最长，长于 8~10 节之和；前胸背板宽是长的 3 倍，表面无刻点；鞘翅宽于前胸背板，具有细密刻点。

　　采集记录：1 头，凤县苇子坪，1916. Ⅷ. 18。

　　分布：陕西（凤县）、山西。

88. 窝额萤叶甲属 *Fleutiauxia* Laboissière, 1933

Fleutiauxia Laboissière, 1933：53. **Type species**：*Fleutiauxia cyanipennis* Laboissière, 1933.

　　属征：体长型，雌雄额唇基区构造各异。雄虫头部角后瘤突出；额唇基区为凹窝，其内有柱、脊等不同构造，它常成为分种的重要特征之一；上唇强烈隆突，上颚发达，下颚须第 3 节膨大，圆球形，第 4 节小，锥状。触角短于体长，第 1 节棒状，第 2 节最小，第 3 节约与第 1 节等长，长于第 4 节。前胸背板宽大于长，侧缘及基缘具边框，前缘无边框；前角、后角钝圆，两侧较直；盘区在中部两侧常具凹洼。小盾片三角形，无刻点。鞘翅长，近端部较阔，翅面密布刻点；缘折基部宽，中部之后逐渐变窄，直达端部。足细长，前足基节窝开放，爪附齿式。腹部末端三叶状。雌虫触角间为一强烈隆起的脊，在触角下分开，直达唇基两端；触角第 3 节短于第 1 节，约与第 4 节等长；腹部末端完整。

　　分布：古北区，东洋区。中国已知 9 种，本志记述了 3 种。

分种检索表

1. 鞘翅黄色，足黄色；鞘翅无脊 ··· 灰黄窝额萤叶甲 *F. flavida*
　　鞘翅蓝绿或蓝黑色 ··· 2
2. 雄虫额窝内仅触角间下部具 1 个柱状突 ································· 桑窝额萤叶甲 *F. armata*
　　雄虫额窝内在触角下及唇基上皆有突起，额窝内两侧底部各具 1 个毛斑 ··························
　　··· 舌突窝额萤叶甲 *F. glossophylla*

(215) 桑窝额萤叶甲 *Fleutiauxia armata*(Baly,1874)

Aenidea armata Baly,1874:179.

Aenidea armata var. *koltzei* Heyden,1893:204.

Fleutiauxia armata:Laboissière,1933:55.

鉴别特征:体长 5.50~6.00mm。体黑色;头的后半部及鞘翅蓝色,头前半部常为黄褐或者黑褐色,足有时杂有棕色;触角背面褐色,腹面棕色或淡褐色。雄虫额区为 1 个较大凹窝,窝的上部中央具 1 个显著突起,其顶端盘状,表面中部具毛;雌虫额区正常,触角之间隆突。头顶微隆,光亮无刻点。触角约与体等长,第 2 节极小;雄虫第 3 节为第 2 节长的 3.50~4.00 倍,雌虫第 3 节约为第 2 节的 3 倍。前胸背板宽大于长,两侧在中部之前稍膨阔;盘区稍突,两侧各具 1 个明显的圆凹,刻点细小,凹区内刻点不明显。小盾片三角形,无刻点。鞘翅两侧近于平行,基部表面稍隆,刻点密集。雄虫腹部末节三叶状,中叶近方形。

采集记录:1 头,南郑,1983.Ⅴ.26。

分布:陕西(南郑)、黑龙江、吉林、河南、甘肃、浙江、湖北、湖南、四川;俄罗斯,朝鲜,日本。

寄主:桑,枣树,胡桃,杨树等。

(216) 灰黄窝额萤叶甲 *Fleutiauxia flavida* Yang,1993(图 51)

Fleutiauxia flavida Yang,1993:221.

鉴别特征:体长 6.00~6.50mm。头部、前胸背板、腹板、鞘翅及足浅黄色;触角第 1~6 节黄褐色,其余为褐色;小盾片、中后胸腹面及腹部黑色。雄虫头部额凹内近上缘不远处有 1 个"山"字形突起,中间突起较长,两端的短,在其外侧各连 1 个片状突,弯曲状,其上有毛;唇基上缘圆形,在与额凹之间为 1 个横凹,其外侧各连 1 个三角形骨片,骨片端部为 1 列灰色长毛。触角第 1 节端部膨大,弯曲,第 2 节是其长度的 1/8,第 3 节长于第 1 节,第 4 节短于第 3 节,第 5 节短于第 4 节,以后各节约等长。前胸背板宽大于长,两侧缘较直,基部窄,端部宽。小盾片舌形。鞘翅肩角突出,刻点明显,但十分稀疏。腹部具细网纹,刻点稀少,密生银白色毛;腹部末端三叶状。雌虫额区为三角形隆起;触角第 3 节短于第 1、4 节,与第 5 节约等长,以后各节长度递减;鞘翅刻点较雄虫明显;腹部末端完整。

采集记录:19 头,秦岭,1400m,1973.Ⅹ.09-12;1 头,留坝,1984.Ⅴ.18。

分布:陕西(宝鸡、留坝)。

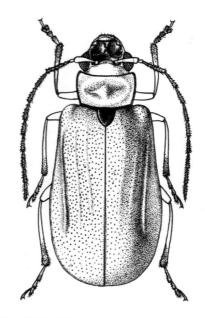

图 51　灰黄窝额萤叶甲 *Fleutiauxia flavida* Yang, 1993 整体图

(217) 舌突窝额萤叶甲 *Fleutiauxia glossophylla* **Yang, 1997**

Fleutiauxia glossophylla Yang, 1997 : 875.

鉴别特征: 体长 6.00 ~ 6.20mm。头部、前胸、小盾片、腹面及足的腿节、胫节基部黄褐色;下颚须、触角、胫节端部 2/3 及跗节黑褐色;触角第 1 节红褐色,鞘翅蓝黑色。雄虫头部额区有 1 个深的横凹,凹的上缘(触角下)之下不远近中部,有 1 个舌形片状突;舌形突腹面在底部两侧各有 1 个绒毛斑;在唇基之上,额凹下缘中部亦为 1 个舌形突,但其颜色与周围不同;在上下两舌形突之间是 1 个深凹;中部两侧各有 1 个半圆形深凹,外缘直达复眼内侧;在复眼内侧的凹壁上有明显的黄色纤毛。触角稍短于体长,第 1 节棒状,端部稍弯,第 2 节最短,是第 1 节长的 1/6,第 3 ~ 11 节具毛被,第 3 节稍长于第 1 节,第 4 节短于第 3 节,5 ~ 11 节长度约相等。前胸背板近方形,基半部凹平,端半部强烈隆突,整个盘区具细刻纹及不明显的刻点。小盾片舌形,光滑无刻点。鞘翅两侧近于平行,翅面刻纹明显,刻点细小,点距大于点径数倍。胸部腹面较为光滑,无明显的刻纹及刻点。腹部的毛明显较胸部多。足的腿节刻纹极为明显。

采集记录: 3 头,太白山,1981. Ⅵ.07-12;1 头,太白山,1982. Ⅶ.15。

分布: 陕西(太白)、湖北、四川。

（三）跳甲亚科 Alticinae

阮用颖　杨星科

（中国科学院动物进化与系统学重点实验室，中国科学院动物研究所，北京 100101）

鉴别特征：其成虫主要形态特征为后足腿节十分粗大，内具跳器，有很强的跳跃能力。体型一般为卵形、圆形或椭圆形，背面隆凸，体表光滑或被毛，色泽不一，常有金属光泽或有花斑，触角一般 11 节，但九跳甲属 *Nonarthra* 由 9 节组成，蚤跳甲属 *Psylliodes* 由 10 节组成。

生物学：本亚科昆虫有重要的经济意义，许多种类是林木、果树、蔬菜重要害虫。

分类：全世界已知 8000 种，分隶于 500 多属，我国已知 800 多种，分隶于 100 余属。本志记述了陕西秦岭地区 29 属 62 种。

分属检索表

1. 触角由 9 节组成 ……………………………………………… 九节跳甲属 *Nonarthra*
   触角由 10～11 节组成 …………………………………………………………… 2
2. 触角由 10 节组成，后足跗节着生在胫节端部之前；距端部较远 …… 蚤跳甲属 *Psylliodes*
   触角由 11 节组成，后足跗节着生在胫节顶端 …………………………………… 3
3. 前足基节窝关闭 …………………………………………………………………… 4
   前足基节窝开放 …………………………………………………………………… 12
4. 中足、后足胫节端部外侧具明显凹缺，凹缘具毛 …………… 凹胫跳甲属 *Chaetocnema*
   中足、后足胫节端部正常，无凹缺 ……………………………………………… 5
5. 前胸背板基缘之前具明显横凹，其两端止于 1 条短纵沟 ………………………… 6
   前胸背板基缘之前无横凹 ………………………………………………………… 9
6. 头部额瘤圆形，彼此联结，其后缘无沟，与头顶无明显界限 …… 连瘤跳甲属 *Neocrepidodera*
   头部额瘤横形，其后缘具沟，与头顶清楚分开 ………………………………… 7
7. 前胸背板横沟两旁无小纵沟 ………………………………… 沟胸跳甲属 *Crepidodera*
   前胸背板横沟两旁有小纵沟 ……………………………………………………… 8
8. 体表被致密的细毛 ………………………………………………… 毛跳甲属 *Epitrix*
   体表不被细毛 ……………………………………………………… 沟基跳甲属 *Sinocrepis*
9. 鞘翅刻点排列不规则，头顶中央明显隆凸，两侧有深沟 ………… 凸顶跳甲属 *Euphitrea*
   鞘翅刻点排列成规则纵行，除小盾片行外，每翅有 10 行刻点 ………………… 10
10. 体小，体长在 5mm 以下；各足胫端具 1 个刺 ………… 潜跳甲属 *Podagricomela*
    体大，体长 8～17mm …………………………………………………………… 11
11. 前胸腹板后缘呈三角形凹缺，与中胸腹板前缘密接；后足腿节下缘中部呈角状突出 ………
    …………………………………………………………………… 凹缘跳甲属 *Podontia*
    前胸腹板后缘截形；后足腿节下缘中部不呈角状突出 ………… 直缘跳甲属 *Ophrida*

12. 后足胫节极短,端部着生 1 个刀状长刺,刺长超过或等长于后足胫节、跗节长度之和,后足跗节
第 1 节细长,其长超过后 3 节长度之和 ·· **刀刺跳甲属 *Aphthonoides***
后足胫端无上述长刺 ··· 13

13. 前胸背板和鞘翅密被细毛 ··· **丝跳甲属 *Hespera***
背面光裸无毛或仅在鞘翅端部具极稀疏短毛 ··· 14

14. 前胸背板基缘之前无横沟 ··· 15
前胸背板基缘之前具 1 条与基缘平行的横沟 ··· 24

15. 跗节第 3 节腹面完整,不沿中线分为两叶;体形圆,背面十分拱凸 ·············· 16
跗节第 3 节腹面沿中线分为两叶 ·· 17

16. 唇基前缘中央凹缺,凹口呈圆形或三角形;雄虫前足胫节正常 ········· **凹唇跳甲属 *Argopus***
唇基前缘完整,中央不凹缺;雄虫前足胫节呈肘状弯曲 ··············· **曲胫跳甲属 *Pentamesa***

17. 各足胫节外侧内凹,从基至端呈沟槽状;前胸背板侧缘平展,并略向上反卷 ············
··· **沟胫跳甲属 *Hemipyxis***
胫节外侧不呈沟槽状,前胸背板侧缘不平展 ··· 18

18. 后足跗节第 1 节很长,其长至少为后足胫节长度之半 ············· **长跗跳甲属 *Longitarsus***
后足跗节第 1 节短于后足胫节长度之半 ··· 19

19. 鞘翅后半部着生稀疏短毛 ··· 20
鞘翅后半部无稀疏短毛 ··· 21

20. 前胸背板近于方形,后角呈直角形;鞘翅缘折极狭,基端接近等阔;触角细长;后足腿节不十分
粗壮,外形颇似萤叶甲 ··· **瘦跳甲属 *Stenoluperus***
前胸背板后角浑圆,盘区隆凸;鞘翅缘折基部宽,明显向端部收狭;触角较短粗;后足腿节明显
粗壮 ·· **寡毛跳甲属 *Luperomorpha***

21. 头部额瘤不明显隆突;体背较扁平;胫端刺着生在顶端中央 ········· **菜跳甲属 *Phyllotreta***
头部额瘤显凸;体背显著隆凸;胫端刺着生在胫端外侧 ··· 22

22. 后足爪膨大呈球形 ·· **肿爪跳甲属 *Hyphasis***
无上述特征 ··· 23

23. 额瘤显凸,圆形,不向前伸入到触角基窝之间 ····························· **侧刺跳甲属 *Aphthona***
额瘤长三角形,尖角向前伸入到触角窝之间 ························· **长瘤跳甲属 *Trachytetra***

24. 鞘翅刻点排成规则纵行;额瘤长三角形,尖角向前伸入触角窝之间,体型细长 ··············
·· **长跳甲属 *Liprus***
不具上述特征 ··· 25

25. 鞘翅刻点整齐 ··· **方胸跳甲属 *Lipromima***
鞘翅刻点混乱或不规则或极细弱 ·· 26

26. 前胸背板基缘前之横沟不伸达侧缘,两侧各以 1 条短纵沟为界 ······························· 27
前胸背板基缘前横沟伸达侧缘,两侧无短纵沟为界 ························· **跳甲属 *Altica***

27. 体球形,背部向上方明显隆凸 ··· **球跳甲属 *Sphaeroderma***
无上述综合特征 ··· 28

28. 头部额瘤向前伸入到触角之间;触角中部数节明显变粗,向端变细 ····· **粗角跳甲属 *Phygasia***
额瘤不向前伸入到触角之间;触角中部数节不膨粗 ····················· **哈跳甲属 *Hermaeophaga***

89．九节跳甲属 *Nonarthra* **Baly，1862**

Nonarthra Baly，1862：455．**Type species**：*Nonarthra variabilis* Baly，1862．

Enneamera Harold，1875：185（new name for *Nonarthra* Baly，1862）．

属征：体中等大小，卵圆形。头顶宽阔，表面具微细刻点。额瘤较明显。触角9节，较短，向后伸仅达到或略微超过鞘翅肩胛，在跳甲亚科昆虫中只有本属仅具9节触角，是区别于其他各属的重要特征。鞘翅基部宽于前胸，卵圆形，背面较隆凸；密布刻点，刻点排列混乱。前足基节窝关闭。腹部散布毛及刻点。雄虫末腹节端缘呈三叶状。

分布：古北区，东洋区。中国已知13种，本志记述了3种。

分种检索表

1. 前胸背板黑色，不具金属光泽 ································· 黑胸九节跳甲 *N. nigricolle*
   前胸背板非黑色，具金属光泽 ·· 2
2. 体色均一，黄褐色，腹部沥青色 ···················· 后带九节跳甲 *N. postfasciata*
   腹部黑色，仅腹部末端4节腹板黄褐色 ·············· 蓝色九节跳甲 *N. cyaneum*

（218）蓝色九节跳甲 *Nonarthra cyaneum* **Baly，1874**

Nonarthra cyaneum Baly，1874：210．

Nonarthra fulva Baly，1874：211．

Nonarthra nigricollis Weise，1889：641．

Nonarthra cyanea：Chen，1934：239．

Nonarthra nigricolle alticola Wang，1992：676．

Nonarthra cyaneum alticola：Gruev & Döberl，1997：257．

鉴别特征：体长3~4mm。体卵形，鞘翅深蓝色，具金属光泽。前胸背板、小盾片及额瘤蓝黑色。腹部黑色，仅腹部末端4节腹板黄褐色。触角由9节组成，1~3节稍淡，其余黑褐色，触角向后伸达翅肩胛。头顶具细微刻点，额瘤平坦不明显，近额瘤处的刻点稍粗。鞘翅密布刻点，刻点排列混乱。前胸在基节间极狭，前足基节窝关闭。

采集记录：1头，留坝庙台子，1350m，1998.Ⅳ.22；1头，宁陕平河梁，2020m，1998.Ⅳ.29；1头，宁陕火地塘，1580m，1998.Ⅷ.18，灯诱；1头，宁陕旬阳坝，1350m，1998.Ⅳ.29。

分布：陕西（留坝、宁陕）、河北、山西、甘肃、江苏、安徽、浙江、湖北、江西、湖南、福建、台湾、广东、广西、四川、贵州、云南；日本，越南，老挝，柬埔寨。

寄主:甜菜,南瓜,花,紫藤,艾属,梧桐。

(219) 后带九节跳甲 *Nonarthra postfasciata* (**Fairmaire, 1889**)

Amphimela postfasciata Fairmaire, 1889: 73.

Nonarthra nigricepes Weise, 1889: 642.

Nonarthra postfasciata: Chen, 1934: 238.

鉴别特征:体长约3.50mm。触角由9节组成,触角基部3节棕红色,其余节暗褐色,触角向后伸达翅肩胛。额瘤三角形,不明显,头顶具细微刻点。体色均一,黄褐色,腹面沥青色。前胸背板具刻点。足大部分为淡黄色,后足腿节有时呈黑色。鞘翅为均一的淡黄褐色,有时具褐色的斑或带。鞘翅密布刻点,刻点排列混乱。前胸在基节间极狭,前足基节窝关闭。

采集记录:2头,宁陕火地塘,1580m,1998. Ⅳ. 18;1头,宁陕鸦雀沟,1580~1800m,1998. Ⅳ. 23。

分布:陕西(宁陕)、甘肃、四川。

(220) 黑胸九节跳甲 *Nonarthra nigricolle* **Weise, 1889**

Nonarthra nigricolle Weise, 1889: 641.

鉴别特征:鞘翅蓝色,具金绿光泽,胸部腹面黑色。触角由9节组成,触角向后伸达翅肩胛。额瘤三角形,较平,头顶宽阔,表面光洁,具细微刻点。前胸黑色,前胸背板和鞘翅肩处有1个狭条棕黄色;背面刻点较稀疏,排列混乱。前胸在基节间极狭,前足基节窝关闭。

分布:陕西(秦岭)、山西、甘肃、台湾、四川、贵州。

90. 蚤跳甲属 *Psylliodes* Latreille, 1829

Psylliodes Latreille, 1825: 405 [nomen nudum].

Psylliodes Latreille, 1829: 154, nota. **Type species**: *Chrysomela chrysocephala* L., 1758.

Eupus Wollaston, 1854: 452, figs. **Type species**: *Psylliodes tarsata* Wollaston, 1854, proposed as subgenus.

Macrocnema Weise, 1888: 785, 793. **Type species**: *Haltica cucullata* Illiger, 1807.

Psyllomima Bedel, 1898: 200 (new name for *Macrocnema* Weise, 1888).

Phyllomima Waterhouse, 1902: 287 [error].

Semicnema Weise, 1888: 784. **Type species**: *Psylliodes reitteri* Weise, 1890, proposed as subgenus.

属征：体小型，长卵圆形。体色多为黑色、深蓝色及棕褐色，一般具金属光泽。体表具清晰网纹。头顶略隆，零星分布少量小刻点或不具刻点。额瘤多不明显。触角10节，长度多不超过鞘翅中部（这是本属的重要特征之一，在跳甲亚科中仅有本属具10节触角）。鞘翅长卵形，基部略宽于前胸背板，肩胛不隆凸；刻点排列成行，行间平坦，具1~3行细的、不规则的刻点列。爪单齿式。前足基节窝关闭。腹部被刻点及毛。

分布：世界广布。中国已知26种，本志记述了3种。

分种检索表

1. 头部额瘤隆起明显，后方具深沟 ·················· **大麻蚤跳甲** *P. attenuata*
   头部额瘤正常 ·· 2
2. 头顶和前胸背板具致密网纹·················· **油菜蚤跳甲** *P. punctifrons*
   头顶和前胸背板无上述特征，且前胸背板刻点粗大 ·········· **狭胸蚤跳甲** *P. angusticollis*

(221) 狭胸蚤跳甲 *Psylliodes angusticollis* Baly, 1874

Psylliodes angusticollis Baly, 1874: 209.

Psylliodes sinensis Chen, 1934: 240.

Psylliodes rishiriensis Chûjô, 1959: 15.

Psylliodes loochooana Chûjô, 1961: 90.

Psylliodes formosana Chûjô, 1963: 401.

鉴别特征：体长2.30~2.50mm。黑色，具金属光泽，体小型，头顶光洁，无刻点，额瘤不显，其后沿沟纹极浅。触角由10节组成，伸达鞘翅中部，基部1~3节较细；头顶隆起，网纹密集，两侧有极少数刻点。鞘翅长卵形，基部略宽于前胸背板，鞘翅刻点排列成行，行间有1~2行排列不规则的细刻点；前胸背板刻点明显，大而浅；后足跗节着生在胫节端部之前；距端较远。前足基节窝关闭。

采集记录：5头，留坝韦驮沟，1600m，1998.Ⅳ.21；4头，宁陕旬阳坝，1350m，1998.Ⅳ.29。

分布：陕西（留坝、宁陕）、甘肃、湖北、福建、台湾、广东、四川、贵州、云南；朝鲜，日本，越南（北部），印度尼西亚。

寄主：甜菜，番茄，茄，马铃薯。

(222) 大麻蚤跳甲 *Psylliodes attenuata* (Koch, 1803)

Haltica attenuata Koch, 1803: 34.

Macrocnema apicalis Stephens, 1831: 321.

Macrocnema picicornis Stephens, 1831: 321.

Psylliodes taiwanica Chûjô, 1935a: 364.

Psylliodes vicina L. Redtenbacher, 1849: 537.

Psylliodes japonica Jacoby, 1885b: 740.

Psylliodes attenuata: Heikertinger, 1939-1940: 534.

鉴别特征: 体长 1.70 ~ 2.50mm。体褐色,具铜绿色金属光泽。触角及足棕黄色,后足腿节及体腹面褐色。触角由 10 节组成,触角伸达鞘翅中部;后足跗节着生在胫节端部之前,距端较远;头部额瘤隆起明显,后方具深沟,头顶网纹粗且深。鞘翅刻点排列成行,行距平坦,有 1 ~ 2 行细微刻点。

采集记录: 3 头,华阳县,2300m,2013. Ⅵ.10,阮用颖采。

分布: 陕西(华阳)、黑龙江、吉林、辽宁、河北、内蒙古、山西、甘肃、新疆、江苏、贵州;俄罗斯(西伯利亚)、朝鲜、日本、越南、欧洲。

寄主: 大麻,蓿草,忽布及十字花科植物。

(223) 油菜蚤跳甲 *Psylliodes punctifrons* Baly, 1874

Psylliodes punctifrons Baly, 1874: 209.

鉴别特征: 体长 2.50 ~ 2.80mm。体背铜绿色,稍带棕色,有金属光泽。触角由 10 节组成,基部 3 节黄色,其余节淡褐色,触角伸达鞘翅中部。头顶隆起,被较密集的刻点;足棕黄色,后足跗节着生在胫节端部之前,基跗节长度约为胫节长度的 1/2;前胸背板具致密网纹。

采集记录: 1 头,周至厚畛子,2500 ~ 3000m,1999. Ⅵ.22;1 头,留坝,1020m,1998. Ⅶ.18;1 头,宁陕火地塘,1380m,1998. Ⅶ.27;1 头,佛坪凉风垭,1750 ~ 2150m,1999. Ⅵ.28;30 头,太白山蒿坪寺,1200m,2013. Ⅵ.14。

分布: 陕西(周至、留坝、佛坪、宁陕、眉县)、内蒙古、河北、山西、河南、甘肃、江苏、湖北、安徽、浙江、江西、湖南、福建、台湾、广西、四川、贵州、云南、西藏;日本、越南(北部)。

寄主: 茄,十字花科蔬菜,油桐。

91. 连瘤跳甲属 *Neocrepidodera* Heikertinger, 1911

Neocrepidodera Heikertinger, 1911: 34. **Type species:** *Ochrosis sibirica* Pic, 1909.

Asiorestia Jacobson, 1925: 274. **Type species:** *Asiorestia kozhantshikovi* Jacobson, 1925.

Orestioides Hatch, 1935: 276. **Type species:** *Crepidodera robusta* LeConte, 1874.

属征: 体中等大小,卵圆形,多为棕黄色。头顶宽阔,隆起不明显,无深沟纹;额唇基隆起,触角间具脊;额瘤发达,宽圆,二瘤并列或靠拢,中间有沟,后面与头顶相接,无深沟为界。触角较长,向后延伸超过鞘翅中部。前胸背板横方,宽大于长,前缘平直,侧缘稍膨且具较宽的边框;前角斜截,加厚,后角钝圆,四角各有1个毛穴。鞘翅卵圆形,中度隆起,肩胛宽圆,刻点排列成行,有时呈不规则的双行排列,缘折较宽且平。前足基节窝关闭。爪附齿式。雄虫前足、中足基跗节明显膨大。雄虫末腹节端缘呈三叶状。

　　分布:全北区,东洋区,非洲区。中国已知11种,本志记述了2种。

分种检索表

前胸后侧角方形,前胸侧缘膨出;体长2.90～3.20mm ···················· **里维连瘤跳甲 N. laevicollis**

无上述综合特征·· **模跗连瘤跳甲 N. obscuritarsis**

(224) 模跗连瘤跳甲 Neocrepidodera obscuritarsis (Motschulsky,1859) (图52)

Crepidodera obscuritarsis Motschulsky,1859: 498.

Crepidodera lewisi Jacoby,1885: 721.

Asiorestia obscuritarsis: Gressitt & Kimoto,1963: 767.

Neocrepidodera obscuritarsis: Konstantinov & Vandenberg,1996: 286.

图52　模跗连瘤跳甲 Neocrepidodera obscuritarsis (Motschulsky,1859)整体图

　　鉴别特征:体长3.50~4.00mm。背面淡棕黄或棕红色,触角1~4节棕红色,其余节黑色。触角较长,向后伸超过鞘翅中部。虫体腹面网纹十分发达。头部额瘤圆形,彼此连接,其后缘无沟,与头顶无明显界限。鞘翅卵圆形,中度隆起,肩胛宽圆;刻点排列成行或排列成不规则的双行。前足基节窝关闭。雄虫前足、中足基跗节明显膨大。雄虫末腹节端缘呈三叶状。

　　采集记录:1头,周至厚畛子,1350m,1999.Ⅵ.22。

　　分布:陕西(周至)、黑龙江、浙江、湖北、贵州、四川;俄罗斯,日本。

　　寄主:苹果,梨。

(225) 里维连瘤跳甲 *Neocrepidodera laevicollis* (Jacoby, 1885)

Crepidodera laevicollis Jacoby, 1885:722.

Asiorestia laevicollis:Gressitt & Kimoto, 1963:765.

Neocrepidodera laevicollis:Konstantinov & Vandenberg, 1996:286.

　　鉴别特征:体长2.90~3.20mm。头部额瘤圆形,彼此联结,其后缘无沟,与头顶无明显界限;触角较长,向后延伸超过鞘翅中部。前胸背板基前横凹较宽深,前胸背板盘区均匀分布微细刻点,前胸后侧角方形,前胸侧缘膨出。前足基节窝关闭。爪附齿式。雄虫前足、中足基跗节明显膨大。雄虫末腹节端缘呈三叶状。

　　采集记录:1头,宁陕火地塘,2100m,2013.Ⅵ.08。

　　分布:陕西(宁陕),江苏,湖北;日本。

92. 沟胸跳甲属 *Crepidodera* Chevrolat, 1836

Crepidodera Chevrolat, 1836:391. **Type species**:*Chrysomela nitidula* Linnaeus, 1758.

Chalcoides Foudras, 1859-1860:56. **Type species**:*Chrysomela nitidula* Linnaeus, 1758.

Foudrasia Gozis, 1881:134(new name for *Chalcoides* Foudras, 1859).

　　鉴别特征:体中等大小,卵圆形或长形,多为黄褐色或铜绿色。额唇基隆起,触角间具脊;额瘤发达,横形,上方与头顶以1条深沟为界。触角较长,向后延伸超过鞘翅中部。前胸背板横方,宽大于长,前缘平直,四角各有1个毛穴。鞘翅卵圆形,刻点排列成行,缘折较宽且平。前足基节窝关闭。

　　分布:全北区,南美洲。中国已知8种,本志记述了3种。

分种检索表

(226) 柳沟胸跳甲 *Crepidodera pluta*(**Latreille, 1804**)(图 53)

Altica pluta Latreille, 1804：7.

Chalcoides chloris Foudras, 1860：58, 52.

Chalcoides plutus var. *punctithorax* Pic, 1918：18.

Chalcoides plutus：Heikertinger & Csiki, 1939：323.

Crepidodera pluta：Gressitt & Kimoto, 1963：774.

图 53　柳沟胸跳甲 *Crepidodera pluta*(Latreille, 1804)整体图

鉴别特征:体长 2.80~3.00mm。体较扁,体背蓝绿色,具金属光泽,足棕黄至棕红色,后足腿节全部或大部分深蓝色。头顶光洁无刻点,头顶前部网纹较密集,额瘤之间被沟分开较近,中间被 1 条沟分开。触角端部数节较粗,向后伸过肩胛;触角 1~4 节红褐色,5~11 节黑色。鞘翅较前胸宽,中度隆起,两侧近平行;刻点排列整齐。前

足基节窝关闭。

　　采集记录:1 头,周至厚畛子,1350m,1999. Ⅵ. 21;13 头,留坝庙台子,1350m,1998. Ⅳ. 21;2 头,留坝闸口石,1800～1900m,1998. Ⅶ. 20;1 头,留坝韦驮沟,1600m,1998. Ⅳ. 21。

　　分布:陕西(周至、留坝)、黑龙江、吉林、河北、山西、甘肃、湖北、云南、西藏;俄罗斯,朝鲜,日本,中亚,欧洲。

　　寄主:柳,杨。

(227) 黑足沟胸跳甲 *Crepidodera picipes* (Weise, 1887)

Chalcoides picipes Weise, 1887 : 192.

Crepidodera picipes: Gressitt & Kimoto, 1963 : 773.

　　鉴别特征:体长 3mm。体较扁,前胸背板铜绿色,鞘翅绿色或蓝色。头顶具稀疏刻点,额在触角之间隆起,中央呈脊状,两侧具有粗大刻点;额瘤长形,之间被沟分开较近,触角端部数节较粗,向后伸过肩胛。鞘翅较前胸宽,中度隆起,两侧近平行;刻点排列整齐。前足基节窝关闭。

　　采集记录:1 头,周至厚畛子,1500 ～2000m,1999. Ⅵ. 27;1 头,留坝韦驮沟,1600m,1998. Ⅳ. 21;7 头,佛坪凉风垭,1750～2150m,1999. Ⅵ. 28。

　　分布:陕西(周至、留坝、佛坪)、吉林、甘肃、湖北、四川;俄罗斯(西伯利亚)。

(228) 金色沟胸跳甲 *Crepidodera aurata* Masham, 1802

Chalcoides aurata Masham, 1802: 195.

Crepidodera aurata: Gressitt & Kimoto, 1963: 773.

　　鉴别特征:体长 2.5～3.5mm。体背蓝绿色,具有金属光泽;本种与柳沟胸跳甲十分相近,但本种头部、前胸背板具有明显的金红色光泽,它们的阳茎形态亦不同。额瘤之间被沟分开较近,触角端部数节较粗;触角 1～6 节红褐色,7～11 节黑色。触角向后伸过肩胛。鞘翅较前胸宽,两侧近平行;刻点排列整齐。前足基节窝关闭。

　　采集记录:3 头,周至厚畛子,1500～3000m, 1999. Ⅵ. 23;1 头,佛坪,900m,1999. Ⅵ. 27。

　　分布:陕西(周至、佛坪)、江苏、江西;俄罗斯(西伯利亚),欧洲。

93. 凹胫跳甲属 *Chaetocnema* Stephens, 1831

Odontocnema Stephens, 1831: 285. Incorrect original spelling [nomen nudum].

Chaetocnema Stephens, 1831: 325. **Type species**: *Chrysomela concinna* Marsham, 1802.

Plectroscelis Dejean, 1836: 393. **Type species**: *Haltica dentipes* sensu Oliver, 1808 [= *Altica chlorophana* Duftschmid, 1825; not *Altica dentipes* Koch, 1803], misidentified in the first subsequent designation by Chevrolat, 1845: 6.

Tlanoma Motschulsky, 1845: 108. **Type species**: *Altica dentipes* Koch, 1803 [= *Chrysomela concinna* Marsham, 1802].

Udorpes Motschulsky, 1845: 107. **Type species**: *Udorpes splendens* Motschulsky, 1845.

Ydorpes Motschulsky, 1845: 549 (unjustified emendation of *Udorpes* Motschulsky, 1845).

Udorpus Agassiz, 1846: 167. *lapsus calami* for *Udorpes*.

Hydropus Motschulsky, 1860: 235 (unjustified emendation of *Udorpes* Motschulsky, 1845).

Hydorpes Motschulsky, 1860: 257. *lapsus calami* for *Hydropus*.

Exorhina Weise, 1886: 750. **Type species**: *Altica chlorophana* Duftschmid, 1825.

Brinckaltica Bechyné, 1959: 237. **Type species**: *Chaetocnema subaterrima* Jacoby, 1900.

Biodontocnema Biondi, 2000: 348. **Type species**: *Biodontocnema brunnea* Biondi, 2000: 348.

鉴别特征：体小型，卵圆形，背面十分隆凸。多为蓝黑色或青铜色，具金属光泽。额瘤不发达。前胸背板横方，宽大于长，侧区常下倾，前缘较直，后缘中部向后拱出，侧缘较直；前角斜截，四角各有 1 个毛穴；盘区刻点或粗或细，较密，无明显沟纹，在基缘两侧有时有 1 个短的纵沟或凹槽。鞘翅刻点较粗大，排列成行或不规则，行距平坦或隆起，行距间常有微细的刻点；盾片行单一短行，整齐，如果有 2 或 3 行，多排列不规则；缘折宽平，光洁或被刻点。中足、后足胫端外缘有较深的凹缘，凹缘前有齿突，凹缘有毛，后足胫端刺较粗，略弯，后足跗节第 1 节长度不超过胫节的 1/3。腹面散布刻点及毛，前足基节窝关闭。

分布：世界广布。中国已知 51 种，本志记述了 7 种。

分种检索表

1. 头部触角间隆脊隆起明显，两侧具有深沟 ·· 2
   头部触角间平坦，两侧不具有深沟 ·· 6
2. 体黑色，前胸侧前角向侧前方凸出明显 ·················· **柳凹胫跳甲 *C. salixis***
   体具金属光泽，前胸侧前角向侧前方稍微凸出 ·· 3
3. 体长大于 2.30mm，体具蓝色和金绿色金属光泽 ·················· **栗凹胫跳甲 *C. ingenua***
   体长小于 2.20mm ·· 4
4. 体呈梭形 ·· **蚤凹胫跳甲 *C. tibialis***
   体卵圆形 ·· 5

5.　体黑色,具古铜色光泽 ··· 蓼凹胫跳甲 *C. picipes*
　　体黑色,具青铜色光泽 ·· 云南凹胫跳甲 *C. fortecostata*
6.　体呈梭形,向体末端渐尖 ··· 尖尾凹胫跳甲 *C. bella*
　　无上述特征 ··· 古铜凹胫跳甲 *C. concinnicollis*

(229) 古铜凹胫跳甲 *Chaetocnema concinnicollis* (Baly, 1874) (图 54)

Plectroscelis concinnicollis Baly, 1874: 208.

Plectroscelis philoxena Baly, 1876: 595.

Chaetocnema concinnicollis: Chen, 1934: 248.

Chaetocnema concinnicollis kaibarensis Madar, 1960: 48.

Chaetocnema (*Urdopes*) *concinnicollis*: Konstantinov *et al.*, 2011: 19.

鉴别特征: 体长 1.80～2.20mm。体背具有古铜色或铜绿色金属光泽,中足、后足胫节端部外侧具明显凹缺,凹缘具毛;前胸侧前角向侧前方凸出明显,鞘翅刻点成行排列且整齐,盾片行刻点排列混乱,行间有 1～2 列细微刻点。中足、后足胫端外缘有较深的凹缘,凹缘前有齿突,凹缘有毛,前足基节窝关闭。

采集记录: 10 头,宁陕火地塘,2100m,2013.Ⅵ.08,阮用颖采。

分布: 陕西(宁陕)、黑龙江、吉林、河北、内蒙古、山东、江苏、浙江、湖北、江西、福建、台湾、海南、广西、四川;日本,越南,印度,尼泊尔,斯里兰卡。

寄主: 萝卜,水稻。

图 54　古铜凹胫跳甲 *Chaetocnema concinnicollis* (Baly, 1874) 整体图

(230) 栗凹胫跳甲 *Chaetocnema ingenua* (**Baly, 1876**)（图 55）

Plectroscelis ingenua Baly, 1876: 594.

Chaetocnema japonica Jacoby, 1885: 732.

Chaetocnema aurifrons Jacoby, 1885: 733.

Chaetocnema fulvipes Jacoby, 1885: 732.

Chaetocnema ingenua: Weise, 1922: 130.

Chaetocnema micans Palij, 1961: 11 [nomen nudum].

Chaetocnema ogloblini Palij, 1970: 197.

Chaetocnema (*Urdopes*) *ingenua*: Konstantinov *et al.*, 2011: 19.

鉴别特征:体长 2.20~2.80mm。体蓝绿色,具有金属光泽,中足、后足胫节端部外侧具明显凹缺,凹缘具毛,前胸背板刻点粗大,鞘翅刻点成行排列且整齐,盾片行呈双行排列;刻点行间有 1~2 列细微刻点。中足、后足胫端外缘有较深的凹缘,凹缘前有齿突,凹缘有毛,前足基节窝关闭。

采集记录:1 头,佛坪凉风垭,1900~2100m,1998.Ⅳ.24。

分布:陕西(佛坪)、黑龙江、吉林、河北、内蒙古、山西、河南、宁夏、甘肃、江苏、湖北、浙江、湖南、福建、云南;日本。

寄主:谷子,山麦,水稻,陆稻,康粟。

图 55　栗凹胫跳甲 *Chaetocnema ingenua* (Baly, 1876) 整体图

(231) 寮凹胫跳甲 *Chaetocnema picipes* (**Stephens, 1831**)（图 56）

Chaetocnema picipes Stephens, 1831: 327.

Chaetocnema chalceola Jacoby, 1885: 731.

Plectroscelis laevicollis Thomson, 1866：229.

Chaetocnema concinna var. *nitidicollis* Jacobson, 1902：91.

Chaetocnema heikertingeri Lubischev, 1963：863.

Chaetocnema（*Chaetocnema*）*picipes*：Konstantinov *et al.*, 2011：19.

图 56　寥凹胫跳甲 *Chaetocnema picipes*（Marsham, 1802）整体图

鉴别特征：体长 1.80～2.30mm。体褐色,具古铜色光泽；中足、后足胫节端部外侧具明显凹缺,凹缘具毛,前胸背板刻点细密,鞘翅刻点成行排列且整齐,盾片行呈单行排列,行间有 1～2 列细微刻点。中足、后足胫端外缘有较深的凹缘,凹前有齿突,凹缘有毛,前足基节窝关闭。

采集记录：10 头,宁陕火地塘,2100m,2013.Ⅵ.08,阮用颖采。

分布：陕西（宁陕）、黑龙江、吉林、甘肃、山东、浙江、湖北、江西、福建、台湾、广西、四川、云南；俄罗斯（西伯利亚）,朝鲜,日本；中亚,欧洲,北美洲。

寄主：大马蓼,萹蓄。

（232）蚤凹胫跳甲 *Chaetocnema tibialis*（**Illiger, 1807**）（图 57）

Haltica tibialis Illiger, 1807：64.

Chaetocnema tibialis：Weise, 1886：752, 760.

Chaetocnema pumila Allard, 1859.

Chaetocnema caesaraugustana Fuente, 1909：138.

Chaetocnema obscuripes Pic, 1909：138.

Chaetocneam（*Chaetocnema*）*tibialis*：Konstantinov *et al.*, 2011：19.

图57　蚤凹胫跳甲 *Chaetocnema tibialis*（Illiger，1807）整体图

鉴别特征：体长 1.80 ~ 2.20mm。体表褐色，具金色金属光泽，体呈梭形；中足、后足胫节端部外侧具明显凹缺，凹缘具毛，前胸背板刻点细密，鞘翅刻点成行排列，且整齐，盾片行呈单行排列，行间有 1 ~ 2 列细微刻点。中足、后足胫端外缘有较深的凹缘，凹前有齿突，凹缘有毛，前足基节窝关闭。

采集记录：1 头，留坝庙台子，1350m，1998. Ⅳ. 21；3 头，留坝闸口石，1800 ~ 1900m，1998. Ⅳ. 20。

分布：陕西（留坝）、河北、山西、甘肃、新疆；中亚，欧洲（南部），非洲（北部）。

（233）云南凹胫跳甲 *Chaetocnema fortecostata* Chen，1939（图58）

Chaetocnema fortecostata Chen，1939：33.

Chaetocnema（*Chaetocnema*）*fortecostata*：Konstantinov *et al.*，2011：19.

鉴别特征：体长 1.90 ~ 2.30mm。体背褐色，具青铜色光泽；中足、后足胫节端部外侧具明显凹缺，凹缘具毛，前胸背板刻点细密，鞘翅刻点成行排列且整齐，盾片行呈单行排列；鞘翅刻点行间有 1 ~ 2 列细微刻点。中足、后足胫端外缘有较深的凹缘，凹前有齿突，凹缘有毛，前足基节窝关闭。

采集记录：8 头，宁陕火地塘，2100m，2013. Ⅵ. 08，阮用颖采。

分布：陕西（宁陕）、湖北、重庆、四川、浙江、湖南、江西、福建、云南、广西。

寄主：*Polygonum* sp.（Polygonaceae）。

图 58 云南凹胫跳甲 *Chaetocnema fortecostata* Chen，1939 整体图

(234) 尖尾凹胫跳甲 *Chaetocnema bella*(Baly，1876)（图 59）

Plectroscelis bella Baly，1876：595.

Chaetocnema bella：Chen，1934：247.

Chaetocnema(*Urdopes*)*bella*：Konstantinov *et al.*，2011：19.

图 59 尖尾凹胫跳甲 *Chaetocnema bella*(Baly，1876)整体图

　　鉴别特征:体长 2.20～2.50mm。体背蓝绿色,具金属光泽,体呈梭形,向体末端渐尖;中足、后足胫节端部外侧具明显凹缺,凹缘具毛,前胸背板刻点粗大,鞘翅刻点成行排列且整齐,盾片行排列呈 3 行,刻点行间有 1～2 列细微刻点。中足、后足胫端外缘有较深的凹缘,凹前有齿突,凹缘有毛,前足基节窝关闭。

　　采集记录:90 头,凤县嘉陵江源头,2013.Ⅷ.20,阮用颖采;5 头,凤县,1500m,2013.Ⅷ.21,阮用颖采。

　　分布:陕西(凤县)、浙江、湖北、江西、福建、海南、广西、四川、云南;越南,缅甸。

(235)柳凹胫跳甲 *Chaetocnema salixis* **Ruan，Konstantinov** *et* **Yang，2014**(图 60)

Chaetocnema salixis Ruan，Konstantinov *et* Yang，2014：64.

　　鉴别特征:体长 2.00～2.50mm。体黑色,前胸背板具金属光泽,前胸侧前角向侧前方凸出明显;中足、后足胫节端部外侧具明显凹缺,凹缘具毛,前胸背板刻点细密,鞘翅刻点成行排列且整齐,盾片行排列呈单行;刻点行间有 1～2 列细微刻点。中足、后足胫端外缘有较深的凹缘,凹前有齿突,凹缘有毛,前足基节窝关闭。

　　采集记录:50 头,华阳,2300m,2013.Ⅵ.10,阮用颖采。

　　分布:陕西(洋县、华阳)、甘肃、四川。

　　寄主:柳树。

图 60　柳凹胫跳甲 *Chaetocnema salixis* Ruan，Konstantinov *et* Yang，2014 整体图

94. 凹缘跳甲属 *Podontia* Dalman, 1824

Podontia Dalman, 1824:23. **Type species**: *Galleruca grandis* Grondal, 1808 (= *Chrysomela lutea* Oliver, 1790, by subsequent designation of Maulik, 1926).

属征:体大型,是跳甲亚科中个体最大的一个属,宽卵圆形。头部陷入前胸背板前缘的凹缘中,额瘤缺失,触角基部每侧有1条纵沟,斜向延伸至复眼后缘。触角较短,向后伸达鞘翅肩部。前胸背板前缘向内凹进很深,侧缘前端膨出,后部平直,后缘中部向后拱出;前角突伸、加厚,后角直角,四角各有1个毛穴;盘区无刻点,但明显具沟和凹窝,前缘和后缘各有1条短纵沟,即前纵沟、后纵沟,中央有1条中纵沟,有时部分消失,在前纵沟后端常有1条短横沟向外伸出,每侧有2个凹窝。小盾片三角形。鞘翅刻点行排列规则,除盾片行外共10行刻点,行间无刻点,鞘翅缘折表面平坦。前胸腹板后缘呈三角形凹切;中足、后足胫节端部外侧凹缺,凹前呈角状突出,爪双齿式。雄虫末腹节端部三叶状。

分布:东洋区,澳大利亚。中国已知6种,本志记述了1种。

(236) 黄色凹缘跳甲 *Podontia lutea* (Olivier, 1790) (图61)

Chrysomela lutea Olivier, 1790:692.
Galleruca grandis Grondal, 1808:288.

图61 黄色凹缘跳甲 *Podontia lutea* (Olivier, 1790) 整体图

鉴别特征:体长 12～14mm。体表棕黄至棕红色,触角 1～2 节黄色,其余黑色,足除胫跗节外与体色相同。前胸背板表面具数条纵沟,前纵沟、后纵沟较深,中纵沟不完整,沿沟略凹,在中央及基部各有 1 个小凹;前胸腹板后缘呈三角形凹缺,与中胸腹板前缘密接;后足腿节下缘中部呈角状突出。雄虫末腹板端部三叶状。

采集记录:2 头,太白山蒿坪寺,1200m,2013.Ⅵ.14,阮用颖采。

分布:陕西(眉县)、甘肃、浙江、湖北、江西、湖南、福建、台湾、广东、广西、四川、贵州、云南;越南,缅甸,东南亚。

寄主:黑漆树。

95. 直缘跳甲属 *Ophrida* Chapuis, 1875

Ophrida Chapuis, 1875: 31. **Type species**: *Ophrida guttata* Chapuis, 1875.

属征:体大型,长卵圆形。头顶宽阔,被刻点,额唇基近三角形,微隆,触角间宽平,额瘤缺失,但有 2 条深的纵沟,每侧 1 条,从触角基部直接向后,先直后斜,直达复眼后缘。触角丝状、细长,向后伸超过鞘翅中部。前胸背板横宽,宽约为长的 2 倍,前缘向内凹进,侧缘前部膨出,后部平直,后缘中部微拱出,四周具边框;盘区具凹窝,凹中具刻点,沿侧缘具 1 列粗刻点。鞘翅基部宽于前胸背板,刻点行排列规则,每翅 11 行,包括 1 缘折行和 1 小盾片行,行距平坦。前胸腹板后缘平直,前足基节窝关闭,中足、后足胫端外侧凹缺,凹缺前呈角状,爪双齿式。雄虫末腹节成三叶状。

分布:东洋区。中国已知 2 种,本志记述了 2 种。

分种检索表

体色均一,黄褐色,腹部沥青色 ·· 漆树直缘跳甲 *O. scaphoides*

腹部黑色,仅腹部末端 4 节腹板黄褐色 ···················· 黄斑直缘跳甲 *O. xanthospilota*

(237) 漆树直缘跳甲 *Ophrida scaphoides* (Baly, 1865)

Podontia scaphoides Baly, 1865c: 430.

Podontia binduta Maulik, 1926: 233.

Ophrida scaphoides: Chen, 1934: 2716.

鉴别特征:体长 6.70～7.00mm。体近长方形,体色均一,棕黄至棕红色,腹部沥青色,触角棕黄色,端部两节黑色。鞘翅行距间常有黄色小斑,鞘翅刻点整齐排列成行,两侧近平行。前胸背板横方,宽度约为长度的 1 倍;前侧角具 1 个短纵列刻点,其后方具 1 横列刻点;两侧各具 3 个凹窝;基缘两侧具短纵沟。前胸腹板后缘截形,后足腿节下缘中部不呈角状突出。

　　采集记录：1 头，宁陕火地塘，1580m，1998. Ⅳ. 20。

　　分布：陕西（宁陕）、甘肃、河南、江苏、安徽、浙江、湖北、江西、湖南、福建、台湾、广东、四川、贵州、云南；越南。

　　寄主：漆树。

（238）黄斑直缘跳甲 *Ophrida spectabilis*（Baly，1862）（图62）

Podontia spectabilis Baly，1862：452.

Podontia rufoflava Fairmaire，1889：73.

Ophrida spectabilis：Chen，1934：270.

图62　黄斑直缘跳甲 *Ophrida spectabilis*（Baly，1881）整体图

　　鉴别特征：体长 8.50～12.00mm。体表棕红色，腹部黑色，仅腹部末端 4 节腹板黄褐色；前胸腹板后缘截形。前胸背板宽为长的 1 倍，前缘及基缘两侧各有 1 条短纵沟，两侧各具 2 个凹窝，基缘具 1 条后横沟。鞘翅刻点整齐排列成行，两侧近平行。后足腿节下缘中部不呈角状突出。

　　采集记录：6 头，宁陕火地塘，1580m，1998。

　　分布：陕西（宁陕）、河北、山东、甘肃、湖北、四川。

　　寄主：黄栌。

96. 潜跳甲属 *Podagricomela* Heikertinger，1924

Podagricomela Heikertinger，1924：36. **Type species**：*Podagricomela weisei* Heikertinger，1924.

属征：体中到小型，卵圆形，体背隆凸。头顶宽阔，隆起，表面光洁或散布少量刻点，在眼上方具 1 个毛穴；额唇基略隆，与头顶间一般有额横沟为界，沟的两端常与眼上沟相连；触角间宽平，有 1 对纵沟；额瘤不发达，近方形，表面光洁。触角较短，一般向后伸略过肩胛，第 1 节棒状，2～4 节较细，第 3 节以后各节毛被较密。前胸背板横宽，宽约为中长的 2 倍；前缘弧凹，后缘中部向后拱出，侧缘弧形膨出；前角突伸、加厚，后角钝角，四角各有 1 个毛穴；表面无沟洼，散布刻点，两侧区常微隆，有时基部具浅凹洼。小盾片三角形。鞘翅基部宽于前胸或近等宽，具肩瘤，两侧膨出，刻点排列规则，除盾片行外，共有 10 行，行距平坦，布微细刻点，末行行距较宽且隆；缘折较平，基部以后渐收狭，无刻点，常有横棱或凹。腹面前胸、中胸侧板及后胸腹板的大部分光洁，无刻点，前足基节窝关闭，后足腿节膨大，爪附齿式。雄虫前足、中足基跗节膨大。腹部各节被刻点及毛。雄虫末腹节成三叶状。

分布：中国；越南，印度，马来西亚。中国已知 11 种，本志记述了 3 种。

分种检索表

1. 体背具蓝紫色金属光泽 ··· 蓝桔潜跳甲 *P. cyanea*
  体背非蓝色 ··· 2
2. 体背面绿色 ··· 红胫潜跳甲 *P. flavitibialis*
  体背面黄褐色 ··· 花椒潜跳甲 *P. shirahatai*

(239) 蓝桔潜跳甲 *Podagricomela cyanea* Chen, 1939

Podagricomela cyanea Chen, 1939：58，59.

鉴别特征：体长约 3.90mm。体背蓝色，略具紫色金属光泽，足黑色。额瘤近方形，较平。鞘翅十分隆起，二翅末端合成圆形；肩胛近圆形隆起；刻点排列整齐成行，行距平坦。各足胫端具 1 个刺。雄虫前足、中足基跗节膨大，雄虫末腹节成三叶状。

分布：陕西（礼泉）、甘肃、江苏。

寄主：花椒。

(240) 花椒潜跳甲 *Podagricomela shirahatai* (Chûjô, 1957)

Clitea shirahatai Chûjô, 1957：4.

Podagricomela shriahatai：Chen & Zia, 1966：68.

鉴别特征：体长 3.50～4.00mm。体卵圆形。体表褐红色，头、触角及足黑色或黑褐色，前胸背板、小盾片及鞘翅棕红色。额瘤近方形，光洁平坦。触角向后伸可达鞘翅中部。头部和前胸背板具有网纹。鞘翅两侧稍微膨出,刻点排列成行,行距平坦,行间具细微刻点。各足胫端具 1 个刺。雄虫前足、中足基跗节膨大,雄虫末腹节成三叶状。

分布:陕西(宝鸡、韩城)、山西、甘肃。

寄主:花椒。

(241) 红胫潜跳甲 *Podagricomela flavitibialis* Wang, 1990

Podagricomela flavitibialis Wang, 1990: 123, 125.

鉴别特征:体长 3.20~3.40mm。体卵圆形。头部、前胸背板及鞘翅翠绿色,有金属光泽;体腹褐色,触角基部 1~4 节棕红,其余近黑色。额瘤不十分显著,光平,近方形。鞘翅肩胛后稍膨,刻点较细,排列成行,行距间有细刻点,末行刻点较粗,末行行距较宽且隆。足褐黑色,胫、跗节棕红;各足胫端具 1 个刺。雄虫前足、中足基跗节膨大,雄虫末腹节成三叶状。

采集记录:4 头,凤县,1986.Ⅴ.10。

分布:陕西(凤县)、甘肃、四川。

寄主:花椒。

97. 凸顶跳甲属 *Euphitrea* Baly, 1875

Euphitrea Baly, 1875: 27. **Type species:** *Euphitrea wallacei* Baly, 1875.
Orthaea Jacoby, 1889: 201(nec Dallas, 1852).
Euphymasia Jacoby, 1899: 310. **Type species:** *Euphymasia dohrni* Jacoby, 1899.
Neorthaea Maulik, 1926: 176, 259. **Type species:** *Orthaea viridipennis* Jacoby, 1889.

属征:体中型,近圆形,体背十分隆凸。头顶中央十分隆起,两侧有深沟,在复眼间形成 1 个低凹的三角形区。眼卵圆形,额唇基隆起,触角间宽平,不具脊。触角细长,向后伸超过鞘翅肩胛,第 1 节棒状,第 2 节最短,第 3 节长于第 2 节。前胸背板横宽,宽约为中长的 2 倍,中部隆起,两侧下倾,基缘每侧各具 1 条短纵沟,前缘两侧亦常有 1 条短的细纵沟。鞘翅基部宽于前胸,背面十分隆凸,肩胛突出呈圆瘤形;刻点密布,粗细不一,散布或排列成不规则的成对刻点行;缘折较宽,表面一般有排列整齐的凹洼。后足腿节较膨粗,雄虫 3 对足基跗节均膨大。爪附齿式。雄虫末腹节端缘成三叶状,雌虫端缘中央圆形拱出。

分布:东洋区。中国已知 28 种,本志记述了 1 种。

(242) 苎麻凸顶跳甲 *Euphitrea nisotroides* (Chen, 1933)

Neorthaea nisotroides Chen, 1933: 92.

Euphitrea nisotroides：Wang, 1996：251.

鉴别特征：体长 3.50～4.00mm。体卵圆形。头部、前胸、小盾片及足棕红色,触角 1～4 节棕红色,其余节为黑色,鞘翅深蓝色。额瘤细小狭长,头顶中央明显隆凸,两侧有深沟。触角伸达翅基的 1/4。前胸背板横宽,宽约为中长的 2 倍,中部隆起。鞘翅基部宽于前胸,背面十分隆凸,肩胛突出呈圆瘤形;鞘翅刻点排列不规则。雌虫末腹节中央光洁,端缘中部稍微拱出,雄虫端缘略凹入,中央突出一小片。

采集记录：1 头,柞水牛背梁,1500m,2013.Ⅵ.12,阮用颖采。

分布：陕西(柞水)、甘肃、福建、台湾;日本。

寄主：蓖麻。

98. 刀刺跳甲属 *Aphthonoides* Jacoby, 1885

Aphthonoides Jacoby, 1885：59. **Type species**：*Aphthonoides beccarii* Jacoby, 1885.

属征：体长 1.30～3.00mm。背面十分凸起,触角丝状,细长,伸达鞘翅中部。前胸背板侧缘直,前角具 1 个刻点毛。小盾片半圆形。前足基节窝开放。后足腿节粗壮,胫节短,顶端着生 1 个匕首状长刺,刺长于后足跗节,其外侧具细齿,呈锯齿状。后足跗节第 1 节长,显长于各节之和。

分布：东洋区。中国已知 12 种,本志记述了 1 种。

(243) 贝刀刺跳甲 *Aphthonoides beccarii* Jacoby, 1885

Aphthonoides beccarii Jacoby, 1885：59.

鉴别特征：体长 1.20～1.50mm。体长卵形。黑色。触角向后伸达鞘翅中部,前胸背板接近长方形,宽约为长的 1.50 倍;表面刻点稀疏,刻点间呈纵皱状。鞘翅狭长,刻点整齐成行,行距间隆起。后足胫节极短,端部着生 1 个匕首状长刺,刺长超过或等长于后足胫节、跗节长度之和,后足跗节第 1 节细长,其长超过后 3 节长度之和。

采集记录：1 头,柞水牛背梁,1500m,2013.Ⅵ.12,阮用颖采。

分布：陕西(柞水)、甘肃、湖北、福建、台湾、海南、四川;日本,印度尼西亚。

99. 丝跳甲属 *Hespera* Weise, 1889

Hespera Weise, 1889：638. **Type species**：*Hespera sericea* Weise, 1889.
Allomorpha Jacoby, 1892：934. **Type species**：*Allomorpha sericea* Jacoby, 1892.
Taiwanohespera Kimoto, 1970：300. **Type species**：*Taiwanohespera sasajii* Kimoto, 1970.

属征:体常棕色至褐色,前胸背板和鞘翅上均被有细密的短毛,或平卧或半直立。头顶额瘤明显,接近三角形或长方形,两瘤直接由 1 条深纵沟分割。触角细长,一般超过体长的 1/2 或接近体长。前胸背板不具沟纹。前足 2 个基节窝接近,前胸腹板极狭,前足基节窝开放。后足腿节粗壮,爪附齿式。

分布:古北区,非洲区。中国已知 48 种,本志记述了 3 种。

分种检索表

1. 体背白毛呈波浪状排列 ·· 波毛丝跳甲 *H. lomasa*
   体背毛排列均匀 ·· 2
2. 体表黄褐色 ··· 卡尔代丝跳甲 *H. cavaleriei*
   体表浅沥青色 ··· 裸顶丝跳甲 *H. sericea*

(244)卡尔代丝跳甲 *Hespera cavaleriei* Chen, 1932

Hespera cavaleriei Chen, 1932: 194.

鉴别特征:体长 3～4mm。体长卵形。体黄褐色,前胸背板和鞘翅密被细毛。前胸背板长方形,宽略大于长;表面呈颗粒状细刻纹,但无明显的刻点。鞘翅向端部略膨阔,表面粗糙。臀板常露于鞘翅外。

采集记录:2 头,宁陕火地塘,1580m,1998. Ⅳ. 22。

分布:陕西(宁陕)、湖北、湖南、福建、四川、贵州、云南。

(245)裸顶丝跳甲 *Hespera sericea* Weise, 1889

Hespera sericea Weise, 1889: 639.

鉴别特征:体长 3～4mm。体长卵形。体黑色,只有触角基部数节光亮,色泽较淡,呈棕红色。触角向后伸达翅中部或稍后,雄虫第 2、3 节短小。前胸背板和鞘翅密被细毛,头顶光洁无刻点。前胸背板长方形,宽约为长的 1.50 倍;表面呈颗粒状细刻纹,但无明显的刻点。鞘翅向端部略膨阔,表面粗糙,具微粒状刻纹,臀板常露于鞘翅外。

采集记录:8 头,周至厚畛子,1350m,1999. Ⅵ. 21;4 头,留坝庙台子,1470m,1999. Ⅳ. 01;2 头,留坝韦驮沟,1600m,1998. Ⅳ. 21;5 头,佛坪,890m,1999. Ⅵ. 26;1 头,宁陕旬阳坝,1350m,1998. Ⅳ. 29。

分布:陕西(周至、留坝、佛坪、宁陕)、甘肃、湖北、湖南、四川、福建、广西、云南、西藏;越南,印度(北部),不丹,尼泊尔。

寄主：木蓝属，豆科，蔷薇科。

(246) 波毛丝跳甲 *Hespera lomasa* Maulik，1926

Allomorpha sericea Jacoby，1892：934(nec Weise，1889)．

Hespera lomasa Maulik，1926：142，fig. 55(new name for *Allomorpha sericea* Jacoby，1892)．

Hespera auripilosa Chûjô，1936：90．

Hespera formosana Chûjô，1936：90．

Hespera rufotibialis Chûjô，1936：88．

Hespera insulana Chûjô，1936：89．

鉴别特征：体长 2.50～3.00mm。深棕色至深黑色，前足、中足与触角基部呈棕红或棕黄色。前胸背板和鞘翅密被细毛，鞘翅刚毛排列呈波浪状，刚毛呈金黄至银色。前胸背板近似方形，宽略大于长，两侧缘直，后角斜；表面微粒状。鞘翅两侧平行，向后略膨大，盘区中部每翅各有 1 个相当清楚的凹陷；鞘翅靠近基部及中部之后明显隆凸，表面粗糙，呈微粒状。臀板常露于鞘翅外。

采集记录：30 头，太白山蒿坪寺，1200m，2013.Ⅵ.14，阮用颖采。

分布：陕西(眉县)，全国广布；日本，越南，缅甸，印度，斯里兰卡。

寄主：*Indigofera gerarsiana*，*Arachis hypogaea*。

100. 凹唇跳甲属 *Argopus* Fischer，1824

Argopus Fischer，1824：184，fig. 3，4. **Type species**：*Argopus bicolor* Fischer，1824.

Dicherosis Foudras，1859-1860：147. **Type species**：*Altica haemisphaericus* Duftschmidt，1825 =
　　Argous ahrensi (Germar，1817).

属征：本属与球跳甲属 *Sphaerodema* Stephens 很相似，其主要区别在于本属头部唇基前缘中央凹缺很深，呈半圆形或三角形。体型近似圆形，背面十分凸起。触角粗壮，向后超过鞘翅中部。额瘤圆形，前缘具角，伸入触角之间，两瘤间以短纵沟分割。前足基节窝开放。

分布：古北区，东洋区。中国已知 14 种，本志记述了 3 种。

分种检索表

1. 阳茎末端圆形 ··· 双齿凹唇跳甲 *A. bidentatus*
   无上述特征 ··· 2
2. 足大部分黑色 ··· 黑足凹唇跳甲 *A. nigripes*
   足仅跗节黑色 ··· 黑跗凹唇跳甲 *A. nigritarsis*

(247) 黑足凹唇跳甲 *Argopus nigripes* Weise, 1889

Argopus nigripes Weise, 1889: 642.

鉴别特征: 体长 4.50~5.00mm。体卵圆形, 背面相当凸起。体棕红色, 光亮; 触角除基部 3 节外均为黑色。各足胫跗节黑色。头顶无刻点, 额瘤显凸, 近似圆形, 彼此以短纵沟分开。唇基前缘中央凹缺, 额唇基中央纵脊隆起呈屋脊状。鞘翅刻点粗, 略呈纵行排列趋势。足粗壮, 胫节向端部加粗, 外侧面中央具 1 条纵脊。

采集记录: 1 头, 周至厚畛子, 1350m, 1999. Ⅵ. 24; 3 头, 留坝庙台子, 1470m, 1999. Ⅶ. 01。

分布: 陕西(周至、留坝)、甘肃、四川。

(248) 黑跗凹唇跳甲 *Argopus nigritarsis* Gebler, 1823

Chrysomela nigritarsis Gebler, 1823: 125.

Argopus nigritarsis: Fishervon-Waldheim, 1824: 185.

Argopus clypeatus Chûjô, 1936: 12(nec Baly, 1874).

鉴别特征: 体长约 4.50mm。体棕黄色, 体卵圆形, 背面相当凸起。足仅跗节黑色。额瘤显凸, 近似圆形, 彼此以短纵沟分开。唇基前缘中央凹缺, 额唇基中央纵脊隆起呈屋脊状。鞘翅刻点略呈纵行排列趋势。足粗壮, 胫节向端部加粗。

采集记录: 3 头, 留坝韦驮沟, 1600m, 1998. Ⅳ. 21。

分布: 陕西(留坝)、河北、山西、山东、甘肃、湖北、江苏、浙江、江西、福建、四川、广西; 俄罗斯(西伯利亚), 欧洲(北部)。

寄主: 沙参, 黄药子, 鸡血藤, 商陆属。

(249) 双齿凹唇跳甲 *Argopus bidentatus* Wang, 1992

Argopus bidentatus Wang, 1992: 693.

鉴别特征: 体长约 5mm。体卵圆形, 背面相当凸起。唇基前缘中央凹缺非常明显, 凹口呈三角形。额瘤显凸, 近似圆形, 彼此以短纵沟分开。唇基前缘中央凹缺, 额唇基中央纵脊隆起呈屋脊状。足粗壮, 胫节向端部加粗。

采集记录: 1 头, 宁陕火地塘, 1350m, 1998. Ⅳ. 14。

分布: 陕西(宁陕)、四川、云南。

101. 曲胫跳甲属 *Pentamesa* Harold, 1876

Pentamesa Harold, 1876. **Type species**：*Pentamesa duodecimmaculata* Harold, 1826.

属征：体近圆形,背部凸起明显。触角间距较远,两触角间显著隆起;额瘤显突,近似圆形,彼此分开,其后缘借 1 条横沟与头顶为界。前胸背板无任何沟和隆凸。足粗壮,各足腿节腹面中部常呈角状膨突,胫节端部外侧呈角状,雄虫前足胫节的基半部呈肘状弯曲,端半部外侧明显凹缺。

分布：古北区,东洋区。中国已知 12 种,本志记述了 1 种。

(250) 三带曲胫跳甲 *Pentamesa trifasciata* Chen, 1935

Pentamesa trifasciata Chen, 1935：773.

鉴别特征：体长 3.50~5.30mm。体黄褐色,体近圆形,背部十分凸起。背部的黑色斑块呈 3 行带状。雄虫前足胫节呈肘状弯曲。额瘤显突,近似圆形,彼此分开,其后缘借 1 条横沟与头顶为界。前胸背板光洁,稍隆凸。足粗壮,各足腿节腹面中部常呈角状膨突,胫节端部外侧呈角状。

采集记录：1 头,凤县,1500m, 2013.Ⅷ.21。

分布：陕西(凤县)、甘肃、四川、云南。

102. 沟胫跳甲属 *Hemipyxis* Chevrolat, 1836

Hemipyxis Chevrolat, 1836：387. **Type species**：*Altica troglodytes* Olivier, 1808.

Sebaethe Baly, 1864：438. **Type species**：*Haltica badia* Erichson, 1834.

Epiotis Solsky, 1872：259. **Type species**：*Oedionychis plagioderoides* Motschulsky, 1860.

属征：体长卵形。额瘤大而显突,近方形。触角间空距狭,呈脊状隆起,唇基常凹下,中央呈纵脊状。前胸背板宽为长的 2~3 倍。鞘翅基部较前胸背板为宽,表面刻点混乱。前胸腹板较宽,中央常凹下。各足胫节外侧面呈沟槽状内凹,是本属的重要区别特征之一。前足基节窝开放。

分布：东洋区。中国已知 34 种,本志记述了 2 种。

分种检索表

阳茎端部明显呈三角形·· 多变沟胫跳甲 *H. variabilis*

无上述特征 ···金绿沟胫跳甲 *H. plagioderoides*

(251) 多变沟胫跳甲 *Hemipyxis variabilis* (Jacoby, 1885)

Sebaethe variabilis Jacoby, 1885：48.

Sebaethe lusca var. *variabilis*：Maulik, 1926：394.

Sebaethe lusca variabilis：Chen, 1939：41.

Hemipyxis variabilis：Gressitt & Kimoto, 1963：850.

属征：体椭圆形,体色多变,常为蓝绿色。额瘤长形,彼此分开。触角向后伸达鞘翅中部。各足胫节外侧内凹,从基部至端部呈沟槽状;前胸背板侧缘平展,并略向上反卷。阳茎端部明显呈三角形。

采集记录：1 头,太白山蒿坪寺,1200m,2013.Ⅵ.14,阮用颖采。

分布：陕西(眉县)、甘肃、湖北、江西、湖南、福建、广西、四川、贵州、云南;缅甸,印度尼西亚。

(252) 金绿沟胫跳甲 *Hemipyxis plagioderoides* (Motschulsky, 1860) (图 63)

Oedionychis plagioderoides Motschulsky, 1860：27.

Sebaethe plagioderoides：Ogloblin, 1930：103.

Sebaethe nila Chen, 1933：276.

Sebaethe yunnanica Chen, 1933：455.

Hemipyxis plagioderoides：Chûjô & Kimoto, 1961：180.

图 63　金绿沟胫跳甲 *Hemipyxis plagioderoides*(Motschulsky, 1860)整体图

鉴别特征：体长 4~6mm。阔卵形。触角基部 3 节及足棕黄色,触角端部 8 节和后

足腿节端部、体腹面黑色,体背金绿色。各足胫节外侧内凹,从基部至端部呈沟槽状。头顶刻点相当粗大浓密,呈皱状;额瘤长形,斜放,彼此分开。触角间空距隆起浑圆,触角细长,约为体长的2/3。前胸背板侧缘平展,并略向上反卷。

采集记录:3头,太白山蒿坪寺,1200m,2013.Ⅵ.14,阮用颖采;2头,柞水牛背梁,1500m,2013.Ⅵ.12,阮用颖采。

分布:陕西(眉县、柞水),全国广布;日本,东南亚。

寄主:*Scrophularia* sp., *Paulownia* sp., *Adenophra* sp., *Phlomis* sp., *Ajuga* sp., *Buddleja* sp.。

103. 长跗跳甲属 *Longitarsus* Latreille, 1829

Longitarsus Latreille, 1829：155. **Type species**：*Longitarsus atricillus* Linnaeus, 1761.

Thyamis Stephens, 1831：307. **Type species**：*Altica quadripustulata* Fabrisius, 1775.

Teinodactyla Chevrolat, 1836：392. **Type species**：*Haltica echi* Koch, 1803.

Inopelonia Broun, 1893：1392. **Type species**：*Phyllotreta testacea* Broun, 1880.

Testergus Weise, 1893：1013. **Type species**：*Longitarsus lederi* Weise, 1893.

Truncatus Palii, 1970：10. **Type species**：*Longitarsus zeravshanicus* Palii, 1970 (= *Longitarsus tmetopterus* Jacobson, 1893).

属征:体长一般2~3mm。长形至长卵形。触角细长,可伸达鞘翅中部或超过体长。头顶无刻点,额瘤通常不明显,其后缘与头顶无明显分界,触角间的空距隆起较高。鞘翅刻点混乱,有时呈纵行排列。后足跗节第1节很长,其长约为后足胫节长度的1/2,是本属与近缘属的主要区别。

分布:世界广布。中国已知74种,本志记述了4种。

分种检索表

1. 后翅退化⋯⋯⋯⋯⋯⋯⋯⋯⋯⋯⋯⋯⋯⋯⋯⋯⋯⋯⋯⋯⋯⋯ 细角长跗跳甲 *L. succineus*
   后翅正常 ⋯⋯⋯⋯⋯⋯⋯⋯⋯⋯⋯⋯⋯⋯⋯⋯⋯⋯⋯⋯⋯⋯⋯⋯⋯⋯⋯⋯⋯ 2
2. 体背深蓝色⋯⋯⋯⋯⋯⋯⋯⋯⋯⋯⋯⋯⋯⋯⋯⋯⋯⋯⋯⋯ 蓝长跗跳甲 *L. cyanipennis*
   体背黄色或褐色 ⋯⋯⋯⋯⋯⋯⋯⋯⋯⋯⋯⋯⋯⋯⋯⋯⋯⋯⋯⋯⋯⋯⋯⋯⋯⋯⋯ 3
3. 体长超过3mm⋯⋯⋯⋯⋯⋯⋯⋯⋯⋯⋯⋯⋯⋯⋯⋯⋯⋯⋯ 东方长跗跳甲 *L. orientalis*
   体长小于2.50mm ⋯⋯⋯⋯⋯⋯⋯⋯⋯⋯⋯⋯⋯⋯⋯⋯⋯⋯ 滑背长跗跳甲 *L. nitidus*

(253) 蓝长跗跳甲 *Longitarsus cyanipennis* Bryant, 1924(图64)

Longitarsus cyanipennis Bryant, 1924：249.

鉴别特征: 体长2~3mm。体椭圆形,鞘翅深蓝,头的前半部、触角(除基部3节棕红色外)、体腹面和足黑色。头顶具横皱纹,无刻点。雄虫触角约与体等长,雌虫触角略比体短。前胸背板相当拱凸,宽略大于长,侧缘直,表面刻点细弱。鞘翅基部明显比前胸为阔,鞘翅刻点混乱,基部刻点粗密,向端部渐变浅细。后足跗节第1节很长,其长约为后足胫节长度的1/2。

采集记录: 2头,柞水牛背梁,1500m,2013.Ⅵ.12,阮用颖采。

分布: 陕西(柞水)、甘肃、青海、四川、广西、云南、西藏;印度。

寄主: 紫草。

图64 蓝长跗跳甲 *Longitarsus cyanipennis* Bryant, 1924 整体图

(254) 细角长跗跳甲 *Longitarsus succineus* (Foudras, 1859)

Teinodactyla succineus Foudras, 1859-1860: 240, 330.

Longitarsus succineus: Weise, 1883: 1008.

Longitarsus arakii Chûjô, 1942: 39.

鉴别特征: 体长2.50mm。长卵形,无后翅。触角细长,黑色,伸达鞘翅末端。头小,头顶光滑,额瘤不显,触角间空距隆起呈脊状。前胸背板宽略大于长,盘区拱凸,无刻点。鞘翅基部约与前胸背板等宽,逐渐向后加宽,肩部圆,表面刻点混乱,较密,但很浅弱。后足跗节第1节很长,其长约为后足胫节长度的1/2。

采集记录: 2头,留坝庙台子,1470m,1999.Ⅴ.01。

分布: 陕西(留坝)、黑龙江、吉林、河北、山西、山东、甘肃、湖北、湖南、四川;俄罗斯(西伯利亚),日本。

寄主:蓍属。

(255) 滑背长跗跳甲 *Longitarsus nitidus* Jacoby, 1885

Longitarsus nitidus Jacoby, 1885: 707.

鉴别特征:体长 2.00~2.50mm。体黄褐色至红褐色。额瘤不显,触角间空距隆起呈脊状。前胸背板宽略大于长。鞘翅表面刻点混乱。后足跗节第 1 节很长,其长约为后足胫节长度的 1/2。

采集记录:2 头,柞水牛背梁,1500m,2013.Ⅵ.12,阮用颖采。

分布:陕西(柞水)、内蒙古、河北、山东、甘肃、四川;日本。

(256) 东方长跗跳甲 *Longitarsus orientalis* Jacoby, 1885

Longitarsus orientalis Jacoby, 1885: 728, 754.

鉴别特征:体长 3~4mm。体黄色。触角细长,向后伸达鞘翅末端。额瘤不显,触角间空距隆起呈脊状。前胸背板宽略大于长,鞘翅基部稍宽于前胸背板。鞘翅表面刻点混乱,肩胛退化。后足跗节第 1 节很长,其长约为后足胫节长度的 1/2。腹末臀板露于鞘翅之外。

采集记录:3 头,华阳,2300m,2013.Ⅵ.10,阮用颖采。

分布:陕西(华阳)、内蒙古、山西;日本。

104. 瘦跳甲属 *Stenoluperus* Ogloblin, 1936

Stenoluperus Ogloblin, 1936: 247, 408, 419. **Type species**: *Luperus potanini* Weise, 1889.

属征:中型种类,体长一般 2.50~3.50mm。触角细长,常超过体长。额瘤通常弱,触角间的空距隆起较高。鞘翅刻点混乱。前胸背板方形,明显窄,宽度小于鞘翅基部宽度。后足腿节不十分粗壮,外形颇似萤叶甲。前足基节窝开放。

分布:东亚。中国已知 19 种,本志记述了 1 种。

(257) 日本瘦跳甲 *Stenoluperus nipponensis* (**Laboissière, 1913**) (图 65)

Luprus longicornis Jacoby, 1885: 742(nec Fabricius, 1781).

Luperus niponensis Laboissière, 1913: 67.

Luprus jacobyi Weise, 1924: 119(new name for *L. longicornis* Jacoby, 1885).

Luperus (*Stenoluperus*) *niponensis*：Ogloblin，1936：248，409.

Stenoluperus niponensis：Chûjô & Kimoto，1961：169.

图 65　日本瘦跳甲 *Stenoluperus nipponensis* (Laboissière，1913)整体图

鉴别特征：体长 2.50～3.50mm。体黑褐色，体表光洁无毛，体表刻点混乱。前胸背板方形，明显窄，宽度小于鞘翅基部宽度。额瘤弱，触角间的空距隆起呈脊。后足腿节不十分粗壮，外形颇似萤叶甲。

采集记录：12 头，周至厚畛子，2500～3000m，1999. Ⅵ. 23；4 头，留坝韦驮沟，1600m，1998. Ⅳ. 21；12 头，留坝大洪渠，2500m，1998. Ⅳ. 20；1 头，宁陕火地塘，1580m，1998. Ⅷ. 20；1 头，宁陕十八丈，1150m，1998. Ⅳ. 17。

分布：陕西(周至、留坝、宁陕)、东北、甘肃、湖南、福建、四川、云南；俄罗斯(东西伯利亚)，朝鲜，日本。

寄主：高山蓼，山柳，醉鱼草。

105. 寡毛跳甲属 *Luperomorpha* Weise，1887

Luperomorpha Weise，1887：202. **Type species**：*Luperomorpha trivialis* Weise，1887.

Luperocnemus Fairmaire，1888：43. **Type species**：*Luperocnemus xanthoderus* Fairmaire，1888.

Docemasia Jacoby，1899：283. **type species**：*Docemasia coerulea* Jacoby，1899.

Pushtunaltica Lopatin，1962：1814. **Type species**：*Pushtunaltica klapperochi* Lopatin，1962.

属征：体长卵形，背面微微凸起。额瘤横形或三角形。触角之间隆起。前胸背板长方形,宽大于长。鞘翅基部较前胸背板为阔,散布不规则刻点,后半部着生稀疏短毛,这是本属和近缘属的重要特征。前足基节窝开放,两者几乎接触。后足胫节外侧具有极狭浅沟。爪附齿式。

分布:古北区,东洋区,澳大利亚。中国已知26种,本志记述了2种。

分种检索表

体棕红色至黑色 ·· 葱黄寡毛跳甲 *L. suturalis*
前胸黄色,鞘翅黑色 ·· 黄胸寡毛跳甲 *L. xanthodera*

(258) 黄胸寡毛跳甲 *Luperomorpha xanthodera*(**Fairmaire,1888**)(图66)

Luperocnemus xanthoderus Fairmaire, 1888:43.

Luperomorpha similis Chûjô, 1938:166.

Luperomorpha xanthodera: Gressitt & Kimoto, 1963:864.

鉴别特征:体长3mm。体长卵形,前胸黄色,鞘翅黑色,有些个体全体黑色。头顶及前胸背板表面具皮革状网纹,额瘤横形,不显突;触角之间隆起呈脊状。触角粗壮,向后伸达鞘翅中部之前。前胸背板后角明显呈圆形,盘区隆凸且具细刻点。鞘翅狭长,两侧近平行,表面具颗粒状细纹,刻点混乱较前胸的略粗。

采集记录:1头,周至厚畛子,1350m,1999.Ⅵ.24。

分布:陕西(周至)、东北、山东、浙江、湖北、江西、湖南、福建、广东、四川。

图66 黄胸寡毛跳甲 *Luperomorpha xanthodera*(Fairmaire,1888)整体图

(259)葱黄寡毛跳甲 *Luperomorpha suturalis* Chen，1938

Luperomorpha suturalis Chen，1938：4.

Luperomorpha suturalis similis：Chen & Kung，1954：94，96(nec Chûjô，1938).

鉴别特征：体长3.30~4.20mm。体长卵形，头部及体背均有皮革状网纹，体表刻点混乱。体棕红色至黑色。头顶有细刻点，很深刻。额瘤略斜，似三角形，不甚显著。雄虫触角较粗壮，向后伸达翅末端，第2、3节细小，第4节约为前2、3节长度之和的2倍，其余节略短。前胸背板有小刻点，中部两侧有浅凹。鞘翅两侧平行，表面刻点粗大，靠近中缝刻点更紧密。足跗节较属内其他种类为长。

采集记录：2头，宁陕火地塘，2100m，2013. Ⅵ.06，阮用颖采。

分布：陕西(宁陕)、吉林、北京、内蒙古、河北、山西、山东、安徽、江苏、湖北。

寄主：*Allium* sp.。

106．侧刺跳甲属 *Aphthona* Chevrolat，1836

Aphthona Chevrolat，1836：391. **Type species**：*Altica cyparissiae* Koch，1803.

Pseudeugonotes Jacoby，1899：531. **Type species**：*Pseudeugonotes vannutellii* Jacoby，1899.

Ectonia Weise，1922：119. **Type species**：*Ectonia laeta* Weise，1922.

Asialtica Scherer，1969：123. **Type species**：*Aphthona indica* Jacoby，1900.

Bhutajana Scherer，1979：132. **Type species**：*Bhutajana metallica* Scherer，1979.

Aphthonotarsa Medvedev，1984：55. **Type species**：*Aphthonotarsa brunnea* Medvedev，1984.

鉴别特征：体小型至中型。体长形或长卵形。额瘤显凸，彼此分离，周缘界线清晰。触角之间隆起。前胸背板横方。鞘翅基部较前胸背板为阔，散布不规则刻点(少数排列成行)。后足胫节向端变宽扁，顶端具刺，着生在端缘的外侧。前足基节窝开放。爪简单或附齿式。

分布：全北区，东洋区。中国已知49种，本志记述了3种。

分种检索表

1. 体具深蓝色金属光泽 ……………………………………………… 深蓝侧刺跳甲 *A. varipes*
   体非深蓝色 ……………………………………………………………………………… 2
2. 体具金绿色金属光泽 …………………………………………… 金绿侧刺跳甲 *A. splendida*
   体具蓝绿色金属光泽 …………………………………………… 隆基侧刺跳甲 *A. howenchuni*

(260)深蓝侧刺跳甲 *Aphthona varipes* Jacoby，1890

Aphthona varipes Jacoby，1890：161.

Aphthona cyrenaica Heikertinger, 1944：80.

鉴别特征：体具深蓝色金属光泽。额瘤显凸,圆形,不向前伸入到触角基窝之间。触角之间隆起。前胸背板横方,鞘翅基部较前胸背板为阔。后足胫节向端部变宽扁,顶端具刺,着生在端缘的外侧。前足基节窝开放。

采集记录：2 头,留坝韦驮沟,1600m,1998. Ⅶ. 21；2 头,留坝大洪渠,2500m,1998. Ⅳ. 20；11 头,佛坪凉风垭,1750～2150m,1999. Ⅵ. 28。

分布：陕西(留坝、佛坪)、甘肃、湖北、湖南、福建、四川、云南；越南(北部)。

(261) 金绿侧刺跳甲 *Aphthona splendida* Weise, 1889

Aphthona splendida Weise, 1889：639.

鉴别特征：体长 1.50～2.00mm。体具金绿色金属光泽；额瘤显凸,圆形,不向前伸入到触角基窝之间。头顶具横皱纹。触角之间隆起,触角长度约为体长的 2/3。前胸背板横方,盘区有一"V"形凹痕,表面具细刻点,基部较密,向端部较稀弱。鞘翅基部较前胸背板为阔,散布混乱的刻点,鞘翅刻点较前胸粗密。后足胫节向端部变宽扁,外缘具刺。前足基节窝开放。

采集记录：2 头,留坝大洪渠,2500m,1998. Ⅳ. 20。

分布：陕西(留坝)、河北、甘肃、浙江、湖北、湖南、福建、四川。

(262) 隆基侧刺跳甲 *Aphthona howenchuni* (Chen, 1934)

Aphthonaltica howenchuni Chen, 1934：63.

Aphthona howenchuni：Heikeitinger, 1950：129.

Aphthona howenchuni howenchuni：Wang, 1992：711.

鉴别特征：体长 4mm。体长卵形,背面蓝绿色,具强烈金属光泽；腹面中后胸腹板蓝黑,腹部及后足腿节黑色,前中足多少呈黑棕色；触角基部 3、4 节棕红色,端部黑色。头顶隆凸、光亮；额瘤显凸,圆形,彼此分开甚远。触角之间隆起,呈长卵形。触角超过体长的 1/2。前胸背板基部 1/4 处明显低凹,基部刻点较密集,前端细弱。鞘翅刻点粗密,略呈纵行排列,刻点间隆起,端部刻点细弱。

采集记录：2 头,留坝韦驮沟,1600m,1998. Ⅳ. 21；1 头,佛坪凉风垭,1900～2100m,1998. Ⅳ. 24。

分布：陕西(留坝、佛坪)、甘肃、湖北、湖南、福建、四川、贵州。

寄主：悬钩子属。

107. 长瘤跳甲属 *Trachytetra* Sharp，1886

Trachytetra Sharp，1886：449. **Type species**：*Phyllotreta rugulosa* Broun，1880.

Trachyaphthona Heikertinger，1924：34. **Type species**：*Aphthona sordida* Baly，1874.

Zipangia Heikertinger，1924：39. **Type species**：*Haltica obscura* Jacoby，1885.

Nesohaltica Maulik，1929：201. **Type species**：*Nesohaltica nigra* Maulik，1929.

Amydus Chen，1935：76. **Type species**：*Amydus castaneus* Chen，1935.

Monodaltica Bechyne，1955：509. **Type species**：*Monodaltica guineensis* Bechyne，1955.

Typhodes Samuelson，1984：32. **Type species**：*Typhodes aetherius* Samuelson，1984.

属征：本属种类长方形或长卵形，背面较扁平。其主要区别特征为本属种类头部额瘤显著隆起，一般呈三角形，其尖角伸入触角之间，两瘤之间被 1 条短纵沟分割。前胸背板宽大于长，在基缘之前横向凹下，有时凹陷较深形成沟，但两端不伸达侧缘。前足基节窝开放。爪附齿式。

分布：东洋区。中国已知 22 种，本志记述了 1 种。

(263) 双齿长瘤跳甲 *Trachytetra bidentata*（Chen et Wang，1980）

Trachyaphthona bidentata Chen et Wang，1980：12，24.

Trachytetra bidentata：Konstantinov & Prathapan，2008：415.

鉴别特征：体长 2~4mm。体棕色或棕黄色，无金属光泽。触角基部 3、4 节棕色，其余各节黑色。额瘤长三角形，非常显凸，尖角向前伸入到触角窝之间，瘤间有 1 条纵沟为界。触角向后伸达鞘翅中部，端部数节很少加粗。前胸近方形，阔胜于长，表面刻点极细，不密，靠近基缘有 1 条横沟，浅且较短。鞘翅刻点细密，混乱，粗于前胸。

采集记录：13 头，留坝韦驮沟，1600m，1968. Ⅳ. 21；3 头，留坝闸口石，1800~1900m，1998. Ⅳ. 20；2 头，留坝庙台子，1350m，1998. Ⅳ. 22；2 头，佛坪凉风垭，1900~2100m，1998. Ⅳ. 24；3 头，宁陕火地塘，1580m，1998. Ⅳ. 18。

分布：陕西（留坝、佛坪、宁陕）、甘肃、湖北、四川、贵州。

寄主：醉鱼草。

108. 菜跳甲属 *Phyllotreta* Stephens，1836

Phyllotreta Chevrolat，1836：391，415. **Type species**：*Chrysomela brassicae* Fabricius，1787（ = *Chrysomela exclamationis* Thunberg，1784）.

Ochestris Crotch，1873：57，65. **Type species**：*Chrysomela nemorum* Linnaeus，1758.

Tanygaster Blatchley，1921：26. **Type species**：*Tanygaster ovalis* Blatschley，1921.

Letzuana Chen, 1934: 340. **Type species**: *Letzuana depressa* Chen, 1934.

属征:体小,背面较扁平,体侧近于平行。头部额瘤地平或几乎消失。触角之间空距狭,但高凸,形成脊。触角短,常短于体长的 1/2。鞘翅基部几乎与前胸等宽,表面刻点混乱。雄虫前足第 1 跗节较膨阔。前足基节窝开放。

分布:世界广布。中国已知 21 种,本志记述了 2 种。

分种检索表

鞘翅具 2 个黄斑,每个黄斑两侧中部凹陷 ·················· 黄曲条菜跳甲 *P. striolata*
鞘翅黄斑较为平直,且较狭长,不呈凹陷状 ·················· 黄狭条菜跳甲 *P. vittula*

(264) 黄曲条菜跳甲 *Phyllotreta striolata* (**Fabricius, 1801**) (图 67)

Crioceris vittata Fabricius, 1801: 469 (nec Fabricius, 1775).

Crioceris striolata Fabricius, 1803: 38 (new name for *C. vittata* Fabricius, 1801).

Haltica sinuata Redtenbacher, 1849: 532.

Aphthona strigula Montrouzier, 1864: 202.

Phyllotreta monticola Weise, 1888: 871.

Phyllotreta discedens Weise, 1888: 871.

Phyllotreta atrivitta Chittenden, 1927: 26.

Phyllotreta lineolata Chittenden, 1927: 25.

Phyllotreta vernicosa Chittenden, 1927: 25.

Phyllotreta striolata: Chen, 1934: 184.

图 67　黄曲条菜跳甲 *Phyllotreta striolata* (Fabricuius, 1801) 整体图

鉴别特征:体长 1.80 ~ 2.40mm。体背黑色光亮,每个鞘翅具 1 个中部缩小的黄斑,头部额瘤不明显隆突,体背较扁平。头顶仅于复眼后缘之前有深刻点,触角之间隆起显著。前胸背板散布浓密刻点,有时较稀疏。鞘翅刻点较胸部浅细,排列多成行列趋势。足胫节端刺着生在顶端中央。

采集记录:30 头,太白山蒿坪寺,1200m,2013. Ⅵ. 14,阮用颖采。

分布:陕西(眉县),全国广布;朝鲜,日本,越南。

寄主:十字花科蔬菜。

(265)黄狭条菜跳甲 *Phyllotreta vittula*(**Redtenbacher**, **1849**)

Haltica vittula Redtenbacher, 1849: 531.

Phyllotreta vittula: Foudras, 1859-1860: 344, 349.

鉴别特征:体长 1.50 ~ 1.80mm。体背黑色,具光泽。每个鞘翅具 1 个较平直的纵条黄斑,甚狭小;头部额瘤隆突不明显;体背较扁平;胫端刺着生在顶端中央。头顶分布细小刻点,触角间不甚高隆。触角伸达鞘翅肩部稍后。前胸背板表面具皮革状细网纹,满布深刻点。鞘翅基部与前胸背板等阔,两侧平行,末端较宽圆。

分布:陕西(秦岭)、黑龙江、吉林、内蒙古、河北、山西、甘肃、新疆、山东、河南;俄罗斯(西伯利亚),亚洲(中部),欧洲(中部)。

寄主:十字花科蔬菜,甜菜,葫芦科。

109. 粗角跳甲属 *Phygasia* Chevrolat, 1836

Phygasia Chevrolat, 1836: 387. **Type species**: *Altica unicolor* Olivier, 1808.

Scallodera Harold, 1877: 365. **Type species**: *Graptodera fulvipennis* Baly, 1874.

Aldrisma Fairmaire, 1888: 156. **Type species**: *Aldrisma externecostata* Fairmaire, 1888(= *Phygasia fulvipennis* Baly, 1874).

属征:体卵形或长卵形,背面较平。头顶光洁无刻点;额瘤显凸,长三角形,前端伸入触角之间,触角间距常隆起呈脊状。触角短,第 2 节球形,自第 3 节起,中部数节相当粗壮,有时宽扁,每节的背腹两面中部凹陷,端部第 3、4 节明显尖细,这是本属的重要区别特征之一。前胸腹板在两足之间的部分狭窄,其端缘较膨阔,前足基节窝开放。爪附齿式。

分布:东洋区,非洲区。中国已知 22 种,本志记述了 1 种。

(266) 红胸粗角跳甲 *Phygasia ruficollis* Wang, 1993

Phygasia ruficollis Wang, 1993：325.

鉴别特征：体长约 5mm。头部额瘤显凸, 长三角形, 额瘤向前伸入到触角之间；触角短, 第 2 节球形, 自第 3 节起, 中部数节相当粗壮, 有时宽扁, 每节的背腹两面中部凹陷, 端部第 3、4 节明显尖细。前胸腹板在两足之间的部分狭窄, 其端缘较膨阔, 前足基节窝开放。爪附齿式。

分布：陕西(秦岭)、甘肃、湖北、湖南。

110. 长跳甲属 *Liprus* Motschulsky, 1860

Liprus Motschulsky, 1860：26. **Type species**：*Liprus punctatostriatus* Motschulsky, 1860.

Crepidomorpha Fleischer, 1916：222. **Type species**：*Crepidodera*(*Crepidomorpha*) *carinulata* Fleischer, 1916. As a subgenus of *Crepidodera*.

Asiorella Medvedev, 1990：31. **Type species**：*Asiorella caraboides* Medvedev, 1990.

属征：体小型, 瘦长, 背面十分隆凸。体背被毛。头与前胸背板约等宽；额瘤明显, 近似三角形, 其后有沟与头顶为界。上唇端部圆拱。触角很长, 向后伸, 多超过鞘翅中部, 部分种类与身体等长。前胸背板圆筒形, 长大于宽；两侧常在基部收束, 侧缘无边框, 基部有 1 条深显横沟。鞘翅明显宽于前胸, 具肩瘤, 鞘翅两侧接近平行, 基部 1/3 处有 1 个明显横凹, 每翅在横凹前隆起成包；刻点粗显, 成纵行排列, 除盾片行外, 每翅共有 11 行刻点；行距常隆起, 每行距有 1 列带毛的刻点。前足基节窝关闭。后腿节膨粗, 胫节无端刺。爪附齿式。雄虫末腹节三叶状, 雌虫末腹节完整。

分布：中国；日本。中国已知 3 种, 本志记述了 1 种。

(267) 律点长跳甲 *Liprus punctatostriatus* Motschulsky, 1860

Liprus punctatostriatus Motschulsky, 1860：26.

Diabrotica rufotestaceus Motschulsky, 1866：175.

Crepidodera japonica Jacoby, 1885：723, 754(nec Baly, 1877).

Crepidodera japanensis Schönfeldt, 1887：152(new name for *C. japonica* Jacoby).

Crepidodera(*Crepidomorpha*) *carinulata* Fleischer, 1916：222.

鉴别特征：体长形, 黄褐色, 触角向后伸达鞘翅末端。鞘翅刻点排成规则纵行；额瘤长三角形, 尖角向前伸入触角窝之间。鞘翅明显宽于前胸, 具肩瘤, 鞘翅两侧近于平行, 基部 1/3 处有 1 个明显横凹, 每翅在横凹前隆起成包；刻点粗显, 成纵行排列, 除盾片行外, 每翅共有 11 行刻点；行距常隆起, 每行距有 1 列带毛的刻点。前足基节窝关闭。

　　采集记录:1头,柞水牛背梁,1500m,2013.Ⅵ.12。

　　分布:陕西(柞水)、吉林、甘肃;朝鲜,日本。

111. 跳甲属 *Altica* Geoffroy, 1762

Altica Geoffroy, 1762:244. **Type species**: *Chrysomela oleracea* Linnaeus, 1754.

Graptodera Chevrolat, 1836:388. **Type species**: *Chrysomela oleracea* Linnaeus, 1754.

Hatica Chapuis, 1875:59(unjustified emendation of *Altica*: ICZN, 1994).

　　属征:本属多为蓝黑色、紫罗兰色、绿蓝色等,有强烈的金属光泽。头部额瘤显凸,多为圆形、三角形或长方形;触角粗壮,端部较粗。前胸背板基部之前具1条深横沟,其两端伸达侧缘。鞘翅刻点混乱或略呈纵行排列趋势,前足基节窝开放。爪附齿式。雄虫腹末节端缘呈波曲状,雌虫呈圆形拱出。

　　分布:世界广布。中国已知28种,本志记述了3种。

分种检索表

1. 体小,体长约为3mm ································· 老鹳草跳甲 *A. viridicyanea*
　　体中型至大型,体长4～5mm ··· 2
2. 体中型,体长约为4mm ······················· 朴草跳甲 *A. caerulescens*
　　体大型,体长大于5mm ···························· 蓝跳甲 *A. cyanea*

(268)朴草跳甲 *Altica caerulescens*(Baly, 1874)

Graptodera caerulescens Baly, 1874:190.

Haltica caerulescens: Gemminger & Harold, 1876:3492.

Altica caerulescens: Chûjô, 1955:37.

　　鉴别特征:体长4mm。体蓝色至蓝黑色,具金属光泽,触角、足褐色,腹面蓝黑色。前胸背板具基前横沟,且伸达侧缘,两侧无短纵沟为界,前胸背板阔为长的1.50倍。鞘翅基部刻点较稀,略成行排列,中部刻点较粗密,向端部变细浅。

　　采集记录:2头,佛坪,950m,1998.Ⅳ.25。

　　分布:陕西(佛坪)、河北、江苏、浙江、湖北、江西、湖南、福建、台湾、广东;朝鲜,日本,印度。

　　寄主:大戟科朴草。

(269) 蓝跳甲 *Altica cyanea*(Weber, 1801)(图 68)

Haltica cyanea Weber, 1801: 57.

Galleruca cyanea Fabricius, 1801: 497(nec Weber, 1801).

Haltica janthina Illiger, 1807: 115(new name for *Galleruca cyanea* Fabricius, 1801).

Haltica foveicollis Jacoby, 1889: 190.

Altica cyanea: Chûjô, 1956: 19.

Altica nepalensis Chûjô, 1966: 29.

鉴别特征:体长5mm。体长椭圆形,蓝黑色或蓝色带绿光。触角黑色,基部两节的顶端带棕色。前胸背板具基前横沟,且伸达侧缘,两侧无短纵沟为界。头顶光洁,无皱纹,额瘤圆形、显凸,两瘤分开。触角约为体长的2/3,较粗壮。前胸背板横沟前光洁无刻点,沟后有细刻点。鞘翅基部较前胸为宽,刻点粗密混乱。

分布:陕西(秦岭)、甘肃、安徽、浙江、湖北、湖南、福建、四川、广东、广西、云南、西藏;日本,中南半岛,缅甸,印度,马来西亚,印度尼西亚。

寄主:柳叶菜科,丁香蓼。

图 68　蓝跳甲 *Altica cyanea*(Weber, 1801)整体图

(270) 老鹤草跳甲 *Altica viridicyanea*(Baly, 1874)

Graptodera viridicyanea Baly, 1874: 191.

Haltica viridicyanea: Gemminger & Harold, 1876: 3494.

Altica viridicyanea: Chûjô, 1956: 19.

鉴别特征:体长 3mm。体卵圆形,背面蓝色至蓝黑色,略带绿。触角黑色,基部 2、3 节光亮,具金属光泽。前胸背板具基前横沟,且伸达侧缘,两侧无短纵沟为界。头顶无刻点,具极细横皱纹;额瘤圆形,显凸,两瘤清楚分开。前胸背板基部横沟之前相当拱凸,沟后平,表面呈皱状。鞘翅刻点较粗深,基部略呈双行排列,端部混乱。

采集记录:1 头,宁陕火地塘,1580m, 1998.Ⅳ.27。

分布:陕西(宁陕)、吉林、河北、山西、甘肃、湖北、福建、广东、贵州、四川、云南;日本,印度。

寄主:老鹳草。

112. 毛跳甲属 *Epitrix* Foudras, 1859

Epitrix Foudras, 1859: 147. **Type species**: *Epitrix atropae* Foudras, 1859.

Epithrix: Heikertinger, 1912: 145, 156(unjustified emendation of *Epitrix* Foudras, 1859)。

属征:体小型,多为长卵圆形。体背适度隆起,鞘翅被卧毛。体色多为棕红色或黑色。头顶微隆,额唇基三角形隆起。表面散布刻点及毛,触角间具隆脊;眼圆形,眼上沟直而深,在头顶前端相交成直角;额瘤不发达。触角较细,端部几节略粗,向后伸不超过鞘翅中部。前胸背板横宽,宽大于长,侧缘拱出;前角突伸,加厚,后角钝圆,四角各有 1 个毛穴;盘区被刻点,近基缘具 1 条浅横沟,沟前较隆起,沟的两端各有 1 条短纵沟。小盾片舌形。鞘翅基部宽于前胸,两侧膨出,具肩瘤,刻点行排列,行间具 1 列卧毛,盾片行十分长,至少达到鞘翅中部,缘折较宽,向端渐狭。后足腿节十分膨粗,胫节下半部具密的长毛,后足跗节第 1 节长与其余各节相等。

分布:世界广布。中国已知 2 种,本志记述了 1 种。

(271) 茄毛跳甲 *Epitrix setosella*(Fairmaire, 1888)

Crepidodera setosella Fairmaire, 1888: 45.

Epitrix setosella: Chen, 1933, 231.

鉴别特征:体长小于 2.50mm。体卵圆形,背腹较扁,体黑色,体背具致密的细毛。头顶微隆,额唇基三角形隆起。表面散布刻点及毛,触角间具隆脊;眼圆形,眼上沟直而深,在头顶前端相交成直角;额瘤不发达。触角较细,端部几节略粗,向后伸不超过鞘翅中部。前胸背板横宽,宽大于长,侧缘拱出;前角突伸、加厚,后角钝圆,四角各有 1 个毛穴;盘区被刻点,近基缘具 1 条浅横沟,沟前较隆起,沟的两端各有 1 条短纵沟。鞘翅刻点成行排列,行间具 1 列卧毛。

采集记录:1 ♀,西安植物园,1980.Ⅹ.14,郑来生采。

分布:陕西(西安)、河北、河南、安徽、江西、湖南、福建、广西。

寄主：茄,烟草,马铃薯。

113. 方胸跳甲属 *Lipromima* Heikertinger, 1924

Lipromima Heikertinger, 1924：41. **Type species**：*Liprus minutus* Jacoby, 1885.

属征：体小型,长卵形。体背及腹面均为黄色,鞘翅上常具黑色斑。头顶微隆,多不具刻点。眼圆形,隆凸;额唇基中央略隆起,额瘤非三角形。触角细长,向后伸超过鞘翅中部。前胸背板近方形,侧缘平直,近基缘具 1 条横沟,中部向后拱出,沟前隆起,被粗大刻点。鞘翅基部宽于前胸,两侧缘在中部之后略拱出,肩后 1/3 处有 1 个浅横凹。鞘翅刻点明显粗大,排列规则,每翅 10 行,行距隆起,每刻点具一卧毛。前足基节窝关闭,后足腿节膨大。爪附齿式。

分布：中国;日本。中国已知 3 种,本志记述了 2 种。

分种检索表

每个鞘翅中部具 1 个褐色的斑块 ······················· 小方胸跳甲 *L. minuta*

无上述特征 ·· 黄方胸跳甲 *L. fulvipes*

(272) 小方胸跳甲 *Lipromima minuta* (Jacoby, 1885)

Liprus minutus Jacoby, 1885：725.

Lipromima minuta：Heikertinger, 1924：41.

鉴别特征：体长 1.80 ~ 1.90mm。体黄色至黄褐色,体小,每个鞘翅中部具 1 个褐色的斑块;各足胫端具 1 个刺。头顶稍隆,网纹粗,无明显刻点。额瘤四边形,两瘤之间由 1 条纵沟直伸触角之间,瘤后的横沟十分深。触角细长,超过鞘翅中部。前胸背板近方形,侧缘平直,近基缘具 1 条横沟,中部向后拱出,沟前隆起,被粗大刻点。鞘翅基部 1/3 处有 1 个浅凹横跨两翅,除盾片行外共有 10 行刻点,每刻点具一卧毛。

采集记录：1 头,柞水牛背梁,1500m,2013. Ⅵ. 12,阮用颖采。

分布：陕西(柞水)、浙江、湖北、江西、福建、四川;日本。

(273) 黄方胸跳甲 *Lipromima fulvipes* Chûjô, 1935

Lipromima fulvipes Chûjô, 1935：399.

Lipromima fulvipes var. *bicolor* Chûjô, 1935：399.

鉴别特征:体长在 2.50mm 以下。体黄褐色,鞘翅中部无褐色的斑点;各足胫端具 1 个刺。前胸背板近方形,侧缘平直,近基缘具 1 条横沟,中部向后拱出,沟前隆起,被粗大刻点。鞘翅基部宽于前胸,两侧缘在中部之后略拱出,肩后 1/3 处有 1 个浅横凹。鞘翅刻点明显粗大,排列规则,每翅 10 行,行距隆起,每刻点具一卧毛。

分布:陕西(秦岭)、浙江、江西、台湾;日本。

114. 沟基跳甲属 *Sinocrepis* Chen, 1933

Sinocrepis Chen, 1933: 218, 232, figs. **Type species**: *Sinocrepis micans* Chen, 1933.

属征:体小型,长卵圆形,体背较隆凸。头顶宽阔,微隆;触角间较宽阔,微隆;额瘤不发达,斜向,长三角形,其后有横沟与头顶为界,横沟向两侧伸至复眼后缘。触角较短,向后伸不超过鞘翅中部,第 2 节与第 3 节长度大致相等,端部 6 节加厚。前胸背板具 1 条基前横沟,沟前隆起,刻点浅细,沟后刻点较密,两端近侧缘各具 1 条短纵沟。鞘翅刻点行排列规则,每行距有 1 列微细刻点。前胸腹板较宽,后缘平截,侧缘斜伸,前足基节窝关闭。后足腿节十分膨大,雄虫前足、中足基跗节膨大。爪附齿式。雄虫末腹节端缘中部两侧有凹缺,呈三叶状。

分布:中国。中国已知 3 种,本志记述了 1 种。

(274) 木槿沟基跳甲 *Sinocrepis obscurofasciata* (Jacoby, 1892)

Crepidodera obscurofasciata Jacoby, 1892: 933.
Sinocrepis micans Chen, 1933: 233.
Sinocrepis obscurofasciata: Scherer, 1969: 119.

鉴别特征:前胸背板棕褐色,鞘翅红棕色。额瘤不发达,斜放,长三角形。前胸背板具 1 条基前横沟,沟前隆起,刻点浅细,沟后刻点较密,两端近侧缘各具 1 条短纵沟。鞘翅刻点行排列规则,每行距有 1 列微细刻点。前胸腹板较宽,后缘平截,侧缘斜伸,前足基节窝关闭。后足腿节十分膨大,雄虫前足、中足基跗节膨大。

采集记录:2 头,柞水牛背梁,1500m,2013. Ⅵ.12,阮用颖采。

分布:陕西(柞水)、河北、浙江、台湾、广西、贵州。

寄主:*Hibiscus syriacus*, *Hibiscus mutabilis*。

115. 球跳甲属 *Sphaeroderma* Stephens, 1831

Sphaeroderma Stephens, 1831: 328. **Type species**: *Altica testacea* Fabricius, 1775.
Argosomus Wollaston, 1867: 152. **Type species**: *Argosomus eppilachnoides* Wollaston, 1867.

Musaka Bechyné, 1958：91. **Type species**：*Aethiopisfreyi* Bechyné, 1955.

Kimotoa Gruev, 1985：125. **Type species**：*Argopus splendens* Gressitt *et* Kimoto, 1963.

属征：体卵圆形,背面十分拱凸,几乎呈半球形。头顶隆凸,额瘤近圆形,斜放或横放,彼此分开。触角间空距较宽,隆起较高。鞘翅刻点混乱或排列成不规则纵行。足短粗,后足腿节腹面具沟以收纳胫节,胫节端部外侧膨粗。爪附齿式。前足基节窝开放。

分布：东洋区。中国已知 42 种,本志记述了 3 种。

分种检索表

1. 体黑色 ·· 黑球跳甲 *S. nigrocephalum*
   体黄褐色 ··· 2
2. 前胸腹板在前足基节之间内凹 ······················· 凹球跳甲 *S. alternatum*
   前胸腹板在前足基节之间呈脊状 ······················· 脊球跳甲 *S. carinatum*

(275) 凹球跳甲 *Sphaeroderma alternatum* Chen, 1939

Sphaeroderma alternatum Chen, 1939：66.

鉴别特征：体长 3mm。体黄褐色。前胸腹板在前足基节之间内凹,体圆形,背部向上明显隆凸。额瘤近圆形,彼此分开。触角间空距较宽,隆起较高。鞘翅刻点混乱。足短粗,后足腿节腹面具沟以收纳胫节,胫节端部外侧膨粗。

采集记录：2 头,柞水牛背梁,1500m,2013. Ⅵ. 12,阮用颖采。

分布：陕西(柞水)、甘肃。

(276) 脊球跳甲 *Sphaeroderma carinatum* Wang, 1992

Sphaeroderma carinatum Wang, 1992：691.

鉴别特征：体长约 3mm。体黄褐色。前胸腹板在前足基节之间呈脊状,体圆形,背部向上明显隆凸。额瘤近圆形,斜放或横放,彼此分开。触角间空距较宽,隆起较高。鞘翅刻点混乱。足短粗,后足腿节腹面具沟以收纳胫节,胫节端部外侧膨粗。

采集记录：8 头,宁陕火地塘,2100m,2013. Ⅵ. 8,阮用颖采。

分布：陕西(宁陕)、四川。

(277) 黑球跳甲 *Sphaeroderma nigrocephalum* Wang, 1992

Sphaeroderma nigrocephalum Wang, 1992：692.

　　鉴别特征:体长约3mm。体黑色,圆形,背部向上明显隆凸。前胸腹板在前足基节之间呈脊状。额瘤近圆形。触角间空距较宽,隆起较高。鞘翅刻点混乱。足短粗,后足腿节腹面具沟以收纳胫节,胫节端部外侧膨粗。

　　采集记录:1头,太白山蒿坪寺,1200m,2013.Ⅵ.14,阮用颖采。

　　分布:陕西(眉县)、云南。

116. 肿爪跳甲属 *Hyphasis* Harold, 1877

Hyphasis Harold, 1877:434. **Type species**: *Oedionychis magica* Harold, 1877.

Hyphasoma Jacoby, 1903:110. **Type species**: *Hyphasoma inconspicua* Jacoby, 1877.

　　属征:体长形或长卵形。头部额瘤明显,方形或接近方形,触角之间很狭,隆起呈脊状。前胸背板很宽,其宽约为长的2~3倍,基前无横沟。鞘翅基部较前胸宽,鞘翅盘区刻点混乱。各足胫节外侧呈沟槽状。后足腿节十分粗大,爪节膨大,呈瘤状。

　　分布:古北区,东洋区。中国已知11种,本志记述了1种。

(278)莫肿爪跳甲 *Hyphasis moseri*(Weise, 1922)

Hyphasoma moseri Weise, 1922:124.

Hyphasis moseri: Chen, 1934:291, 295.

　　鉴别特征:体长3.50~4.00mm。体卵圆形,棕红色,有时头、胸部颜色较暗。后足爪节明显肿大,呈球形。头部额瘤明显,方形或近方形,触角之间很狭,隆起呈脊状。前胸背板很宽,其宽约为长的2~3倍,基前无横沟。鞘翅基部较前胸宽,鞘翅盘区刻点混乱。各足胫节外侧呈沟槽状。后足腿节十分粗大,爪节膨大,呈瘤状。

　　采集记录:3头,宁陕火地塘,2100m,2013.Ⅵ.08,阮用颖采。

　　分布:陕西(宁陕)、江西、湖南、福建、广东、海南、广西、贵州;越南。

117. 哈跳甲属 *Hermaeophaga* Foudras, 1859

Hermaeophaga Foudras, 1859:147. **Type species**: *Galeruca mercurialis* Fabricius, 1792.

Orthocrepis Weise, 1888:850. **Type species**: *Haltica ruticollis* Lucas, 1849. Proposed as a subgenus.

　　属征:体中等大小。卵圆形。多为黄褐色或黑色。头顶宽阔,隆起不明显,无深沟纹;额唇基隆起,触角间具脊;额瘤发达,宽圆,二瘤并列,中间有沟,后面与头顶相接,无深沟为界。触角较长,向后伸超过鞘翅中部。前胸背板横方,宽大于长,前缘平直,前胸背板具明显基缘,前胸背板基缘前之横沟不伸达侧缘,两侧各以 1 条短纵沟为界。鞘翅卵圆形,中度隆起,肩胛宽圆,刻点排列成行。前足基节窝开放。

　　分布:古北区。中国已知 8 种,本志记述了 1 种。

(279)黑蓝哈跳甲 *Hermaeophaga hanoiensis*(Chen,1934)

　　Lactica hanoiensis Chen, 1934:379, fig. 81.

　　Orthocrepis kuluensis Scherer, 1969:110.

　　Orthocrepis hanoiensis:Kimoto, 2000:264.

　　鉴别特征:体长 2.20～2.50mm。体蓝黑色。头部两额瘤相连。头顶宽阔,隆起不明显,无深沟纹;额唇基隆起,触角间具脊;额瘤发达,宽圆,二瘤并列,中间有沟,后面与头顶相接,无深沟为界。触角较长,向后伸超过鞘翅中部。前胸背板具明显基缘,基缘前横沟不伸达侧缘,两侧各以 1 条短纵沟为界。鞘翅卵圆形,中度隆起,肩胛宽圆,刻点排列成行。

　　采集记录:3 头,太白山蒿坪寺,1200m,2013. Ⅵ. 14,阮用颖采。

　　分布:陕西(眉县)、甘肃、广西、四川、云南;印度。

五、铁甲科 Hispidae

黄正中　杨星科

(中国科学院动物进化与系统学重点实验室,中国科学院动物研究所,北京 100101)

　　鉴别特征:口器后口式,隐藏在前胸背板之下,两触角着生处很接近,足跗节仅 4 节。

　　生物学:全部为植食性。

　　分类:世界广布。中国已知 2 亚科 49 属 457 种,本文共记录陕西秦岭地区铁甲科昆虫 2 亚科 5 属 23 种。

分亚科检索表

体多椭圆或半圆形,头插入前胸很深,口器隐藏;幼虫露生 ························· **龟甲亚科 Cassidinae**

体长形,头插入前胸较浅,口器外露;幼虫潜叶 ····················· **铁甲亚科 Hispinae**

（一）龟甲亚科 Cassidinae

鉴别特征：头部插入腹腔很深，休止时口器全部或局部隐藏在内，至少下唇舌颏部不外露，大多数种类前胸及鞘翅边缘向外敞开，头部隐匿在前胸敞边之下，背面不可见；鞘翅基缘一般有 1 排锯齿。幼虫露生，腹端具尾叉，胫端无爪垫。

生物学：寄主主要是双子叶植物。

分类：世界广布。我国已记录 4 族 19 属 163 种。陕西秦岭地区有 3 属 17 种。

分属检索表

1. 头部在背面外露；鞘翅基缘具锯齿 ································ 锯龟甲属 *Basiprionota*
   头部隐藏于前胸背板下 ·· 2
2. 爪梳齿状 ·· 梳龟甲属 *Aspidimorpha*
   爪单齿或附齿 ·· 龟甲属 *Cassida*

118. 梳龟甲属 *Aspidimorpha* Hope，1840

Aspidimorpha Hope，1840：158. **Type species**：*Cassida miliaris* Fabricius，1775.

Aspidomorpha［sic!］：Agassiz，1846：16. Chen *et al.*，1986：578（unvalid emend）.

Iphinoë Spaeth，1898：540（nec Bate，1856）. **Type species**：*Iphinoë ganglbaueri* Spaeth，1898.

Spaethia Berg，1899：79（new name for *Iphinoë* Spaeth，1898）.

Weiseocassis Spaeth，1932：3. **Type species**：*Aspidomorpha prasina* Weise，1899.

Megaspidomorpha Spaeth，1943：48［nomen nudum］.

Megaspidomorpha Hincks，1952：336. **Type species**：*Cassida chlorotica* Olivier，1808.

Dianaspis Chen et Zia，1984：80，82. **Type pecies**：*Aspidomorpha denticollis* Spaeth，1932 ＝*Dianaspis bifoveolata* Chen et Zia，1984. As subgenus by Borowiec，1992：124.

Neoaspidimorpha Borowiec，1992：126. **Type species**：*Aspidomorpha septemcostata* Wagener，1881. subgenus.

Afroaspidimorpha Borowiec，1997：7. **Type species**：*Cassida nigromaculata* Herbst，1799. subgenus.

Aspidocassis Borowiec，1997：59. **Type species**：*Cassida confinis* Klug，1835. subgenus.

Semiaspidimorpha Borowiec，1997：96. **Type species**：*Aspidomorpha chlorina* Boheman，1854. subgenus.

Spaethiomorpha Borowiec，1997：162. **Type species**：*Aspidomorpha haefligeri* Spaeth，1906. subgenus.

属征：体圆形或卵圆形，较少椭圆形，一般背面较光洁；头部口器外露较多，下颚须与下唇须部分可见；敞边极宽阔，透明，最阔处有时与盘面等阔或过之，透明，具网纹无刻点，外缘或多或少反翘。额唇基梯形，基阔胜于中长，侧沟不显著，中区不明确，顶端微隆,但隆起程度不及单梳、双梳和腊龟甲等属。触角较短,雌雄相差不大,大致略超过前胸侧角,第 2 节最短,第 3 节长,但亦有 3、4 两节等长的,末端 5 节变粗;多毛,较暗。前胸背板椭圆形或半圆形,侧角较阔圆,表面光洁无刻点。鞘翅基缘中段具细锯齿,基部一般远较胸基宽阔,肩角前伸不多;驼顶大都突起,有呈峰状、锥状、瘤状的,亦有平拱的;盘面的拱度和光洁程度在不同种类间亦颇有变异;盘尾一般呈三角形。前胸腹板突后部较阔,与前足基节间相比约为 3:1。爪粗壮,内外沿均具梳齿。雄虫一般腹面尾节后缘较狭,拱起;雌虫后缘宽阔、平直,不拱起。

分布:东洋区,古北区,澳洲区。中国已知 13 种,本志记述了 2 种。

(280) 尾斑梳龟甲 *Aspidimorpha* (s. str.) *chandrika* **Maulik, 1918**

Aspidomorpha chandrika Maulik, 1918 : 322.
Aspidomorpha renidens Spaeth, 1926 : 118.
Aspidimorpha chandrika : Borowiec, 2001 : 496.

鉴别特征:体长 7 ~ 10mm。体极光亮,圆卵形,较扁薄;背面拱凸甚弱,驼顶呈锥形高耸;敞边极宽阔,平坦,透明,最阔处略超过盘区阔度之半,外缘向上反翘。活体金黄色,鞘翅盘区略带棕红;干标本由乳黄、淡棕黄至深棕红,敞边具栗色深斑;前胸背板基侧角各有 1 个小斑,有时较不明显;鞘翅敞边基部及末端沿中缝各有 1 个深色斑,后者通常前狭后阔;鞘翅盘区大部淡色,盘侧区、驼顶后和中后部两条披形的半环带呈棕红色,但一般较模糊不清,或仅部分可见。腹面及足全部淡色。触角淡色,末两节黑色。额唇基饱满,光洁无刻点,端部居中具短弱纵凹纹,有时不显,中区不明确,无侧沟可以划分界限。触角第 3 至 5 节细长,第 2、6 两节等长,末 5 节变粗,多毛。前胸背板长是宽的 2 倍,侧角较狭圆,表面光洁无刻点。鞘翅最阔处在肩角后,驼顶呈尖峰形高耸,肩瘤显突,盘尾带三角形;盘面光洁,刻点大小不匀,一般沿中缝及盘侧区的较大,清晰,中部的细小,但亦夹杂少数粗刻点,有时局部消失;尾端具毛,少而稀,仅缝角 1 根较明显。

分布:陕西(秦岭)、海南、云南;缅甸,印度,东南亚。
寄主:番薯属。

(281) 圆顶梳龟甲 *Aspidimorpha* (s. str.) *difformis* (**Motschulsky, 1860**)

Deloyala difformis Motschulsky, 1860 : 27.
Aspidomorpha difformis : Boheman, 1862 : 277.
Aspidimorpha difformis : Borowiec, 1996 : 7.
Aspidomorpha difformis ab. *japonica* Spaeth, 1926 : 10.

鉴别特征:体长 6.50 ~ 8.60mm。椭圆形,前后几乎为等圆,背面较不拱凸,敞边宽阔透明。外缘反翘,体色由乳白色至棕黄色,鞘翅盘区颜色很深,呈酱色,如果淡色,则常于盘侧、肩瘤处、驼顶和中后部的横条纹以及刻点内带深色,但均甚模糊不清;深色个体则靠近中带略染淡色,而盘侧中桥常保持淡色;敞边极透明,乳白或淡黄色,基部和中后部均有 1 个深色斑;腹面全部淡色,多少有些透明;触角及足淡棕黄色,前者末节一般为烟熏色。额唇基饱满,无刻点,中纵沟很浅或模糊。触角第 2、6 两节约等长,第 3 节长度至少是第 2 节的 1 倍多,均比第 4 或第 5 节长,自第 7 节起突然变粗。前胸背板椭圆形,狭于鞘翅基部,前缘弧度似较后缘稍深,表面光洁,无刻点。鞘翅最阔处在中部,肩角甚圆,前伸不多;盘区拱起较弱,驼顶呈矮瘤状,顶端较平圆;基、中洼不明显,侧洼近乎缺;刻点弱,整齐,中区断续不连接。爪外沿梳齿极小,第 1 内齿达到主齿长度的 1/2。

分布:陕西(秦岭),河北、甘肃、浙江、湖南、福建、台湾、四川、贵州;俄罗斯,韩国,日本。

寄主:藜属,打碗花属。

119. 锯龟甲属 *Basiprionota* Chevrolat, 1836

Basiprionota Chevrolat *in* Dejean, 1836: 367. **Type species**: *Cassida octopunctata* Fabricius, 1787.
Prioptera Hope, 1840: 152. **Type species**: *Cassida octopunctata* Fabricius, 1787.
Stenoprioptera Spaeth, 1914: 132. **Type species**: *Stenoprioptera tibetana* Spaeth, 1914. as subgenus.

属征:体型较大,椭圆或次圆形,一般鞘翅中后方特别膨阔,雌虫稍狭,雄虫较阔,因此体形亦显得更圆。从背面观,头部外露,但整个头部几乎插入胸腔之内直到额唇基基沿,全部口器隐藏不露;头顶具中央纵沟,一般很深;额唇基三角形,阔胜于长。雄虫触角较长,达到或超过体长之半;雌虫触角短,约为体长的 1/3 或稍过;亦有少数种类,其雄虫触角不显著地长于雌虫;触角基部各节圆筒形,端部数节较扁阔,一般第 2、3 两节很短,从第 4 节起变长。前胸横阔,后缘弯曲呈波浪形,两侧具锯齿,中部向后突出呈舌形,前缘凹口弧圆;背面基部居中常有 1 个小凹窝,两侧敞边相当阔,与盘区有 1 道沟纹为界,此沟前端弯向内方,成为另一道与前缘平行的沟纹。鞘翅一般膨阔,并具有膨阔光洁的敞边,尾端雄虫较钝圆,雌虫稍尖狭;基缘全部具锯齿,非常显著;背面驼顶有时相当平圆,有时隆起呈瘤突,但不高;每一鞘翅上常有 3 处凹洼:基洼,在驼顶前小盾片侧;中洼,处于基洼后侧鞘翅中部前;侧洼,处于盘侧中部,侧洼前后有时具有 1 个小洼;鞘翅刻点或粗或细,一般混乱,很少排成整齐行列。足粗壮,跗节极阔,爪系单齿全开式。

分布:东洋区。中国已知 17 种,本志记述了 2 种。

(282)北锯龟甲 *Basiprionota bisignata*(Boheman, 1862)

Prioptera bisignata Boheman, 1862: 22.

Prioptera pallida Wagener, 1881：25，30.

Prioptera chinensis：Gressitt, 1939：138（misidentification）.

Basiprionota bisignata：Gressitt, 1952：457.

鉴别特征：体长 11～13mm。椭圆形，雄虫短圆，雌虫较狭长。活体草绿色，干标本淡棕黄色；头部黑色，额唇基和两眼之间的区域淡色，鞘翅敞边中后部具小黑斑，有时较大，有时消失；后头顶或黄或黑；触角至少末端 3、4 节带黑色，最后两节全黑。体腹面黑斑变异较大，后胸腹板除前沿外一般黑色，有时前后侧片亦黑；前胸及中胸偶尔亦有小黑斑；腹节两侧各有或大或小的黑色横斑或点斑，有时缺失；足的颜色变异也较多，基节时黄时黑，腿节黑斑大小不一，胫节除基部外或多或少黑色，跗节亦黑。头顶中纵沟极深。触角在本属内比较细长，雄虫显然超过体长之半，雄虫约为体长的 1/3 或稍长。前胸背板盘区有明显的细疏刻点和较深的中央纵沟，基部中央凹窝一般不深；敞边不算阔，前缘凹口弧度不算深。鞘翅驼顶微拱凸，但不呈瘤状，基洼、侧洼都浅，中洼稍深，后者左右各有 1 条微隆行距，尤以外侧 1 条隆起明显；刻点细而深，极密，不整齐；敞边阔度中等，但个体间有差异，雄虫约为盘区阔度之半，雌虫则明显较狭。

采集记录：1 头，周至厚畛子，1350m，1999.Ⅵ.24。

分布：陕西（周至）、北京、河北、山西、山东、河南、甘肃、江苏、浙江、湖北、湖南、广西、贵州、云南；越南，泰国，马来西亚。

（283）大锯龟甲 *Basiprionota chinensis*（**Fabricius，1798**）（图 69）

Cassida chinensis Fabricius, 1798：84.

Prioptera satrapa Boheman, 1862：17.

Basiprionota chinensis：Gressitt, 1952：457.

鉴别特征：体长 13.00～16.50mm。雄虫较阔，近乎圆形，雌虫较狭，卵圆形，尾端更尖；敞边宽阔，半透明或不透明。全体淡黄、棕黄或污棕黄，有时带赤色，活体略现青色。后头顶有 2 个次圆形小黑斑，有时合并为一；前胸背板盘区具 2 个酱色长形斑点，排成"八"字形，不甚清晰，有时缺如。鞘翅基缘黑色，敞边中后部具 1 个次方形黑斑，直达边缘。后胸腹板后部有 3 个黑斑，或大或小，或隐或现，有时侧斑消失，仅留中央 1 个。触角及足淡棕黄，前者末端 2、3 节黑色；后者腿节腹面具黑斑，胫节与跗节端部常带黑色。头顶与复眼周围多皱纹，中纵沟细深。触角较细长；雄虫超过体长之半，雌虫仅及体长的 1/3，第 2 节与第 3 节的比约为 1.00：1.50，末端数节扁阔，具刻线。前胸背板长阔相比约为 1：3，前缘凹口较深盘区刻点微细，中纵纹清晰，中央基窝不显。小盾片长胜于阔，表面光洁，基凹端凸。鞘翅基部与前胸等阔，向后显著膨扩，驼顶尚拱起，不明显成瘤；中缝微隆，以驼顶后较显著，肩瘤显突，基洼不显，仅基部凹陷，中、侧洼深，隆线有二，位于中洼左右，内条较长而阔，基部最高凸，外条较短，有时到侧洼处即止,以基部后靠中洼处最为高凸,此外,有时外侧还有 1 条,但不固定;刻点粗密,散乱,以洼内、近中缝及盘侧区较粗,后半部较小,更紧密混乱,尾端无毛。

分布:陕西(秦岭)、江苏、浙江、江西、福建、广东、广西、四川。

寄主:泡桐,梓树。

图 69　大锯龟甲 *Basiprionota chinensis*(Fabricius, 1798)整体图

120. 龟甲属 *Cassida* Linnaeus, 1758

Cassida Linnaeus, 1758: 362. **Type species:** *Cassida nebulosa* Linnaeus, 1758.

Deloyala Redtenbacher, 1858: 952(nec Duponchel *et* Chevrolat, 1843). **Type species:** *Cassida seraphina* Ménétriès, 1836.

Cassidula Weise, 1889: 260(nec Humphrey, 1797). **Type species:** *Cassida nobilis* Linnaeus, 1758.

Pseudocassida Desbrochers, 1891: 15. **Type species:** *Cassida murraea* Linnaeus, 1768. as subgenus.

Mionycha Weise, 1891: 204. **Type species:** *Cassida azurea* Fabricius, 1801. as subgenus.

Odontionycha Weise, 1891: 204. **Type species:** *Cassida viridis* Linnaeus, 1758. as subgenus.

Crepidaspis Spaeth, 1912: 119. **Type species:** *Crepidaspis varicornis* Spaeth, 1912. as subgenus.

Taiwania Spaeth, 1913: 47. **Type species:** *Taiwania sauteri* Spaeth, 1913.

Eremocassis Spaeth *in* Spaeth and Reitter, 1926: 15. **Type species:** *Eremocassis transcaspica* Spaeth, 1926.

Lordicassis Reitter *in* Spaeth and Reitter, 1926: 23. **Type species:** *Cassida undecimnotata* Gebler, 1841. as subgenus.

Tylocentra Reitter *in* Spaeth and Reitter, 1926: 24. **Type species:** *Cassida turcmenica* Weise, 1892.

as subgenus.

Lordiconia Reitter *in* Spaeth and Reitter, 1926：23. **Type species**：*Cassida canaliculata* Laicharting, 1781. as subgenus.

Onychocassis Spaeth *in* Spaeth and Reitter, 1926：23. **Type species**：*Cassida brevis* Weise, 1884. as subgenus.

Cassidulella Strand, 1928：2(new name for *Cassidula* Weise, 1889). as subgenus.

Alledoya Hincks, 1950：508(new name for *Deloyala* Redtenbacher, 1858).

Mionychella Spaeth *in* Hincks, 1952：346. **Type species**：*Cassida hemisphaerica* Herbst, 1799. as subgenus.

Lasiocassis Gressitt, 1952：485(new name for *Deloyala* Redtenbacher, 1858), as subgenus.

Cyclocassida Chen *et* Zia, 1961：442. **Type species**：*Taiwania*(*Cyclocassida*) *variabilis* Chen *et* Zia, 1961.

Yunocassis Chen *et* Zia, 1961：442. **Type species**：*Cassida appluda* Spaeth, 1926.

Cyrtonocassis Chen *et* Zia, 1961：446. **Type species**：*Cyrtonocassis tumidicollis* Chen *et* Zia, 1961, as subgenus.

Dolichocassida Günther, 1958：568. **Type species**：*Cassida pusilla* Waltl, 1839 = *Dolichocassida veselyi* Günther, 1958. as subgenus.

Pseudocassis Steinhausen, 2002：24. **Type species**：*Cassida flaveola* Thunberg, 1794. as subgenus.

Betacassida Steinhausen, 2002：26. **Type species**：*Cassida nebulosa* Linnaeus, 1758.

属征：体形各异,以椭圆形及卵形较常见,有时圆形。活体一般草绿色,死后变成棕黄色或棕红色,但亦有呈现其他颜色的,并于生时具金色或金光斑点的。头部缩入胸腔较深,上颚一般半露或不露。额唇基长阔大致相等,表面一般粗糙多刻点,如较光洁,则其侧沟常较深,把额唇基划出一块三角形区域,少数种类具此特征。触角一般粗短,伸展到前胸后角或稍过,第 3 节常比第 2、4 各节长,7 ~ 10 各节长阔近乎相等。前胸背板半圆形、椭圆形或折扇形,两侧有时明显具角。一般雄虫的角较显而前,雌虫较钝,近基部;前缘弧度远较后缘为深,很少较平;表面粗糙,常具粗密刻点,但亦有比较光洁,刻点稀少的。此种情况与台龟甲属接近,但本属胸面侧区大都不透明,因此盘区与敞边无明显分界。鞘翅驼顶一般较平,亦有明显拱起或成瘤状,但从不形成显著的瘤突或瘤峰;敞边不阔,不透明,很少半透明;肩角很少显著前伸;表面一股粗皱具刻点;盘区刻点行列全部或局部整齐,仅在蚌龟甲亚属的某些种类,呈现全部混乱现象。腹面头侧无触角沟,足粗壮,爪单齿式或附齿式;中足间中胸腹板不阔,常常形成一个很凹的瓢,以接受前胸凸片,但亦有不呈瓢形的。

分布：古北区,东洋区,澳洲区。中国已知 101 种,本志记述了 15 种。

分种检索表

1.　体近五角形,前胸背板非半圆形;鞘翅褐色,仅折边中部和缝端两侧具黄条斑或黄斑 ············
　　·· 山楂肋龟甲 *C. vespertina*

(284) 兴安台龟甲 *Cassida amurensis* (**Kraatz, 1879**)

Coptocycla amurensis Kraatz, 1879: 141.

Metriona amurensis Spaeth, 1914: 142.

Cassida (*Taiwania*) *amurensis* Gressitt, 1952: 489.

Taiwania (s. str.) *amurensis* Chen *et al.*, 1986: 510.

Cassida amurensis: Dubeshko & Medvedev, 1989: 202.

鉴别特征:体长 6.80~8.00mm。椭圆形,敞边中后部黑斑处较膨出。背面底色棕赭,布有黑或褐色斑纹,每鞘翅敞边 3 个黑斑,基部、中后部及尾端缝角各 1 个。前胸背板盘基中央有 1 不明显褐斑,一般呈纵条,有时扩展呈倒"W"形,亦有仅留痕迹或完全消失的;鞘翅盘区斑纹极不明确,大致深淡相间,形成若干小斑纹,较清晰的深斑有:盘侧 1 条纵带,其外缘中凹呈弧形,内缘模糊,于中段凸出,向内伸展成一横带分支,带的两端与敞边黑斑连接;驼顶横脊前后各一,有时合并;第 2~4 行距间还隐约有深色斑;刻点较底色稍深;腹面除前胸腹侧片及腹部极狭外周沿外黑色;头部及触角棕赭色,后者末端 4、5 节稍深;足赭黄,基节黑色,转节与腿节基部有时带褐。额唇基较短阔,中区三角形,基平端拱,端部中央具纵凹纹,组成顶端 2 个乳头状小瘤突,但不向触角基间突出;侧沟浅,沟外低陷,较粗糙。触角长度超过肩角 1、2 节,末 5 节稍粗壮,第 2 节短,只及第 3 节长度之半或稍过,第 3、4、5 各节约等长,第 6 节基细端粗。前胸背板椭圆形,阔倍于长或稍过;前缘平直,不及后缘弓处,两侧大圆形;表面光洁,刻点极细稀。鞘翅基部显较胸基宽阔,肩角前伸超过胸中线;驼顶平拱,中缝基部微隆,基、中洼均不明显,盘侧中桥显凸;盘区刻点尚粗,一般第 5~8 行刻点粗,行列整齐,行距或多或少微隆;敞边坦斜,至少不狭于中部最阔处之半,平坦,端缘反翘,缝角一般短缩。前胸腹板凸片较光洁,两侧边沿无沟纹。

采集记录:4 头,宁陕火地塘,1580m,1998.Ⅶ.29。

分布:陕西(宁陕)、黑龙江、甘肃;俄罗斯,朝鲜。

寄主:旋花科。

(285)南台龟甲 *Cassida australica*(**Boheman,1855**)

Coptocycla australica Boheman,1855:257.

Cassida australica:Maulik,1919:410.

Metriona australica ab. *nigridorsis* Spaeth,1926:56.

Taiwania australica:Zia & Wang,1981:521.

鉴别特征:体长 4.50~5.50mm。卵圆形,尾端较狭,略带三角形。体光亮,敞边乳白色,透明;盘区黑底棕黄斑,外周缘淡色。前胸背板盘基有 2 个狭长淡斑,每鞘翅有五六个,大小不等;中缝基部和肩瘤处各一,较小,有时消失,第 1~3 行距间自基至尾端 1/4 处共有 4 个,排成直行,其中以第 2 个为最大,第 4 个外侧稍前,于 4~6 刻点行间 1 个,与前者排成斜行;盘周淡色,于腰间与尾部各有一淡色半圆形向内凸出,致黑区呈曲口状;亦有盘区无斑纹,除周缘外全部呈黑色,只是极少个体而已。前胸腹板凸片、中后胸腹板以及腹部中区,均呈黑色,外周围包括头部呈黄色。触角及足全部黄色。额唇基侧沟不明显,中区三角形,光洁饱满,端半部具浅凹纹。触角细长,第 3 节显长于第 2 节但短于第 4 节,第 5、6 两节近乎等长,或者前者略长,7~11 节较粗,各节均至少长倍于阔。前胸背板椭圆形,前后缘都较弓处,侧角圆形,不十分阔;表面光洁,刻点缺如。鞘翅远较胸面宽阔,肩角前伸到胸中线;盘区光滑无脊线,仅淡色斑纹有时微凹,但不显著;驼顶微微拱起,基洼略现;刻点较小,稀密不均,行列尚整齐,远较行距为狭;后者平坦不隆,敞边斜峻,尾端亦不平,约及腰阔之半,而腰阔略逊于每翅盘阔之半。

采集记录:1 头,秦岭小安井,1951. Ⅶ. 13。

分布:陕西(秦岭)、四川、云南、西藏;越南,老挝,泰国,缅甸,印度,尼泊尔。

(286)枸杞龟甲 *Cassida deltoides* Weise, 1889 (图 70)

Cassida deltoides Weise, 1889: 644.

Cassida klapperichi Spaeth, 1940: 37.

图 70　枸杞龟甲 *Cassida deltoides* Weise, 1889 整体图

鉴别特征:体长 4.30 ~ 5.50mm。卵形或圆卵形,雄虫比雌虫短阔,敞边斜峻,与盘区同一垂面。活体草绿至翠绿色,鞘翅盘基于驼顶前呈现一块三角形血红色大斑,仔细观察,镶有金色细狭边;小盾片金色;死后变深,收藏较久的标本绿色完全消退,变为棕黄或棕栗,鲜艳的红斑变为污红或污栗色,腹面、触角及足全部淡色以至棕栗色,有时额唇基带黑色。额唇基次方形,面平,刻点显著,侧沟粗深,微微弯弓,侧沟外沿略微隆起,尤以顶端沿触角基最为显著,其色泽亦较深,因而中区显得低陷。触角达到肩角,端末 6 节粗厚,但各节均长略胜于阔,第 6 节端部有时亦稍粗。前胸背板椭圆带僧帽形,阔倍于长,最阔处在中线稍前,侧角阔圆,刻点不粗,紧密。鞘翅基缘较胸基略阔,肩角钝圆,前伸达到前胸中线水平;驼顶平拱,其前斜向盘基肩瘤处,形成 1 个明显的斜倾三角区;基洼浅,刻点粗大,行列整齐,一般阔于行距,后者不隆凸,以第 2 条似较阔,但亦不显著;敞边垂罩,不阔,尾部更狭,只及腰阔之半;刻点较密,混乱,显得皱麻。

采集记录:1 头,武功,1916. Ⅷ. 22;1 头,1951. Ⅵ. 12。

分布: 陕西(武功)、内蒙古、河北、宁夏、江苏、浙江、湖南。

寄主: 枸杞,藜类。

(287) 蒿龟甲指名亚种 *Cassida fuscorufa fuscorufa* Motschulsky, 1866

Cassida fuscorufa Motschulsky, 1866: 178.

Cassida consociata Baly, 1874: 213.

Cassida russata Fairmaire, 1887: 335.

Cassida (s. str.) *sikanga* Gressitt, 1952: 518.

Cassida (s. str.) *laticollis* Gressitt, 1952: 510.

鉴别特征: 体长 5.00~6.20mm。体椭圆略带卵形,不甚拱凸,无明显驼顶,敞边不阔,平坦。背面深棕红,个别标本淡棕黄色。鞘翅具模糊而不规则略深色的斑纹,散布于盘侧区的较大,但深色个体往往斑纹消退。腹面包括头、足黑色;胸腹侧片及腹部外周淡色,有时中区局部亦较淡。触角棕栗带赤,基节的大部分与末端 5 节黑或黑褐色。体背具细皮纹,以前胸背板及小盾片较幽暗,皮纹更为紧密。额唇基次方形,面平粗糙,刻点一般不清晰,呈长卵形成短沟状;侧沟细而显,两沟端不相接,有时甚至不达到顶端,沟外端部亦较阔。触角长度及各节长短略有变异;一般不达到肩角,第 2、5 两节约等长;第 3 节较长;第 8 节近乎方形;其余各节均长胜于阔,有时 8~10 各节呈次方形。前胸背板带橄榄形,雄虫较阔,相等或稍阔于鞘翅基部;雌虫则等阔或稍狭;前缘显比基缘弓出,侧角尖钝不一,通常处于中线稍后,亦有与中线平行的;表面粗麻,常多皱纹,但有时又较光洁;刻点深浅疏密不一,以密居多;高倍镜下能见细短毛,大都着生于刻点内。鞘翅肩角很圆,在雄虫与前胸侧角相离较远;驼顶平拱,有时顶端呈不高显的短横脊;鞘翅粗糙,有时隆脊显著;基、中洼时显时隐,一般基洼显于中洼;刻点尚粗深紧密,有时很整齐,排成 10 行;有时比较混乱,在第 3~4、8~9 刻点行间另增加一不规则的短行,因此在坡前区域可以看到有 12 个行列;行距以第 2、4 两条较显隆。

采集记录: 6 头,周至厚畛子,1350m,1999. Ⅵ.24-26;2 头,留坝,1470m,1999. Ⅶ.01;2 头,华阴华山,1936. Ⅵ.09。

分布: 陕西(周至、留坝、华阴)、黑龙江、吉林、辽宁、河北、山西、山东、河南、甘肃、江苏、浙江、湖北、江西、海南、广西、四川;俄罗斯,朝鲜,日本。

寄主: 蒿属(野艾蒿、牡蒿、黄花蒿等),野菊花。

(288) 蒿龟甲浙闽亚种 *Cassida fuscorufa jacobsoni* Spaeth, 1914

Cassida jacobsoni Spaeth, 1914: 138.

Cassida (*Cassida*) *jacobsoni*: Spaeth, 1926: 36.

Cassida fuscorufa jacobsoni: Chen *et al.*, 1986: 476, 626.

鉴别特征:体长 7 ~ 8mm。和指名亚种基本相同,两者的主要区别在于本亚种体型一般较大,长度在 7mm 以上;驼顶隆起较明显,常呈瘤状,并向第 2 行距放出相当明显的隆枝,但亦有该行距较低,隆枝不显的。由于驼顶较高,鞘翅的基洼和中洼亦往往较深,整个表面看起来没有前亚种那样平均。

分布:陕西(秦岭)、浙江、福建。

(289) 黑条龟甲 *Cassida lineola* **Creutzer, 1799**(图 71)

Cassida lineola Creutzer, 1799: 119.

Cassida russica Herbst, 1799: 232.

Cassida signata Herbst, 1799: 234.

Cassida sibirica Gebler, 1833: 306.

Cassida bicostata Fischer, 1842: 24.

Cassida suturalis Fischer, 1842: 24.

Cassida nigroguttata Gorham, 1885: 281.

Cassida nigrostrigata Fairmaire, 1888: 157.

Cassida lineola ab. *formosana* Chûjô, 1934: 176.

Cassida(s. str.)*lineola* var. *japonica* Chûjô, 1951: 46.

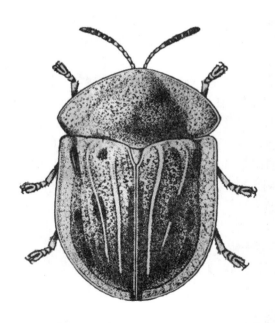

图 71　黑条龟甲 *Cassida lineola* Creutzer, 1799 整体图

鉴别特征:体长 6 ~ 8mm。椭圆形,两侧较平行,驼顶不拱凸,敞边平坦,鞘翅敞边很狭,较均匀,最阔处仅及每鞘翅盘阔的 1/4 或稍逊。活虫绿色居多具银色条纹,干标

本由翠绿、橙黄、棕红到血红色;前胸背板无花纹;鞘翅盘区具黑条斑,其分布大致如下:中缝黑条,自驼顶起向后断断续续直到缝角;每翅具若干短条斑,分成两纵行,一行在第 2 条纵脊线上,另 1 条在盘侧;但亦有中缝淡色仅缝角黑色而盘区黑斑减少成2~3 个的。腹面大部黑色。触角及足棕黄色或棕红色,前者有时基节和末端 5 节带褐黑色;足的跗节有时亦呈黑色。在高倍镜下能见背面具细毛,前胸背板大致每刻点内1 根,鞘翅细毛着生于行距上刻点之间,似较明晰。额唇基面平,刻点不大,极其紧密,呈横皱纹;细毛较多,生在刻点内;侧沟极浅,中区带钟形。触角接近肩角,第 2、4、5、6各节几乎等长,第 3 节较长。前胸背板最阔处在基侧角,雄虫僧帽形,雌虫近乎半圆形;表面较拱,局部隐约凸起;刻点紧密,中区较细。小盾片粗麻具刻点。鞘翅基部显较前胸狭缩(雄性)或近乎等阔(雌性),肩角圆塌,几乎不向前伸;基洼略凹;盘区刻点有粗有细,个体差异较大,但总比前胸面的粗,排列整齐中有散乱区,一般第 1~3、4~7 行列整齐,第 3~4、7~10 行列间另具刻点,显得紧密混乱,有时小盾片侧于基洼内亦较散乱;第 2、4 两行距特别隆凸,其上略布微细刻点。敞边刻点亦密,透明;中段边缘有时稍粗。腹面及足细刻点,细毛较多,前足基节彼此较为靠近。

采集记录:1 头,华阴华山,1936.Ⅵ.09;1 头,宁陕旬阳坝,1350m,1998.Ⅶ.29。

分布:陕西(华阴、宁陕)、内蒙古、河北、江苏、浙江、湖北、江西、福建、台湾、广西、四川;蒙古,俄罗斯,韩国,日本,越南,欧洲。

寄主:蒿属,甜菜。

(290)蒙古龟甲 *Cassida mongolica* **Boheman,1854**

Cassida mongolica Boheman,1854:449.

Cassida russata Fairmaire,1887:355.

鉴别特征:体长 7~9mm。椭圆形,两侧较平行,背面不拱凸,粗糙,驼顶不显,敞边平坦,不透明。体背棕酱至纯黑色;一般前胸背板前缘居中有 2 个并列的淡色斑点,有时淡斑缩小成一狭条,亦有淡色扩大断续至后半部的;腹面、触角及足全部黑色,有时胸、腹部的外周缘及触角第 2~6 节呈棕酱色。体最阔处在鞘翅肩角,背面满布短白毛,相当密,前胸背板大致每刻点内 1 根,鞘翅短毛着生于刻点之间,分布疏密不匀,敞边外缘较多密。额唇基面平较光洁,刻点清晰不粗糙,侧沟不深,但明显,中区钟形,细毛极短,不显著。触角勉强达到鞘翅肩角或稍短,第 2 节比第 3 节显然短,而长于第 6节,约与第 5 节等长,末端 5 节变粗厚,其中 4 节较幽暗多毛,前胸背板椭圆形略带五角形,较鞘翅基缘相狭或等阔,侧角阔圆,处于中线稍后,基缘中央凹进,表面具凹潭;盘区刻点较小弱,有稀有密,或呈皱纹状;敞边上刻点粗大,但不深刻。鞘翅盘区基缘相当平直,敞边基缘则向前伸突,肩角极圆,肩角后呈微凹形;盘面多纵横隆脊,略呈格子状,亦有横脊不显的;布有较小而不规则的刻点,靠近中缝 2、3 行较整齐;行距具细刻点与细毛;敞边刻点非常模糊,内边多短隆脊。腹面及足刻皱较多。

分布：陕西（秦岭）、河北、山东、江苏；蒙古，俄罗斯，日本。

寄主：蓟属。

(291) 甜菜大龟甲 *Cassida nebulosa* Linnaeus, 1758（图 72）

Cassida nebulosa Linnaeus, 1758：363.
Cassida affinis Fabricius, 1775：88.
Cassida tigrina de Geer, 1775：168.
Cassida nigra Herbst, 1799：131.

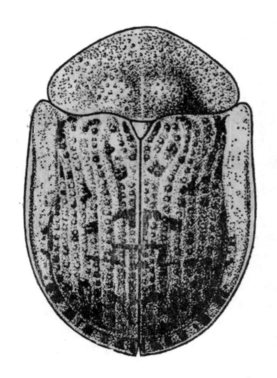

图 72　甜菜大龟甲 *Cassida nebulosa* Linnaeus, 1758 整体图

鉴别特征：体长 6.00～7.80mm。长椭圆形带长卵形，背面较不拱起，敞边不阔，平坦，半透明或不透明，无网纹，具刻点。体背色泽变异较大，有草绿、橙黄或棕赭，孵出不久的个体呈乳绿色，通常前面比鞘翅盘区色淡而黄。前者无花纹；鞘翅除敞边基中部无斑外，其后半部及盘区满布不规则的小黑斑，有时多密，有时稀少，一般比盘面的小，敞边上的比较大。腹面黑色，腹部外周、额唇基、触角 1～6 节及足均较淡，与体背铜色，触角末端 5 节褐黑色，有时带墨绿色；足的腿节中段有时带灰褐色。背面近乎无细毛或极不明显，即使在高倍镜下亦不易见到；鞘翅敞边外缘中段显著阔厚，这是本种的主要特征之一。额唇基长略胜于阔，面平多刻点，不算粗

糙,侧沟清晰,中区钟形。触角达到鞘翅肩角,第2、6两节等长,雄虫 第3～5各节约等长,雌虫第3节略长于第4或第5节,末端5节粗壮,但各节均长胜于阔。前胸背板半圆形略带三角形,基侧角甚阔圆;表面满布粗密刻点,盘区中央具2个微隆凸块,盘基侧与敞边分界处具浅凹潭,有时不明显。鞘翅较胸基稍阔,盘区基缘平直,敞边基缘向前弓出,致肩角略向前伸展;两侧平行,驼顶平拱,顶端呈平塌横脊,伸出与第2行距连接;基洼微显;刻点粗密深刻,行列整齐,一般阔于行距;第2行距隆起特高,其他行距均微微隆起,并布有微刻点;敞边狭,刻点密,表面粗皱,外缘肩角后至后部2/3处的阔缘上微刻点亦较清晰。

采集记录:28 头,留坝庙闸口,1998. Ⅶ. 20;3 头,秦岭山梁,1998. Ⅶ. 30;6 头,佛坪凉风垭,1999. Ⅵ. 28;1 头,宁陕火地塘,1580m,1998. Ⅶ. 29;21 头,宁陕火地塘,1998. Ⅶ. 27。

分布:陕西(宝鸡、留坝、佛坪、宁陕)、黑龙江、吉林、辽宁、内蒙古、河北、山西、山东、宁夏、甘肃、新疆、江苏、上海、湖北、四川;俄罗斯,蒙古,韩国,日本,欧洲。

寄主:甜菜,藜属,滨藜属,苋属,旋花属,蓟属。

(292) 准小龟甲 *Cassida parvula* Boheman, 1854

Cassida parvula Boheman, 1854: 428.

Cassida navicula Boheman, 1854: 429.

Cassida comparata Rybakow, 1889: 289.

鉴别特征:体长4.00～4.50mm。体卵形,敞边斜峻,鞘翅基部不特别下裹。体淡黄色,每翅第2行距上有一银色条纹,干标本颜色变深,银条纹亦消退,有时只留若不固定亦不明确的较深色斑块;腹面黑色;额唇基与腹部外周淡黄;触角及足淡棕黄,前者末端4节带熏烟色;足基节有时略带褐色。额唇基次方形,中区三角形,顶端不尖锐,面平粗糙,刻点粗密,侧沟清晰,但亦有较模糊的沟端遇接,与头顶纵沟贯通,后者亦较细弱。触角第2、6两节几乎等长,均短于第3节。前胸背板长阔比约为1.00:1.60,五角扇形,侧角圆,处于中线前,表面刻点相当粗密,但盘区前方则极细稀,在高倍镜下能见到每刻点内具细毛1根。鞘翅基部与前胸侧角等阔,背面光洁平整,驼顶不拱,凹洼缺如,肩瘤不显,隆脊毫无;刻点尚粗,行列整齐,第3～4行间杂有不规则刻点,基部及端部1/4处更为显著;有时5～6、7～8行间于后部亦另具刻点,但有时消失,总之,盘区刻点粗细不一,除第3行距的粗刻点为固定具有外,端部的刻点则时有时无;各行距上,在高倍镜下能见到布有或多或少的微细刻点及稀疏细毛;敞边刻点粗大稀疏,尾部缺如。

分布:陕西(秦岭)、吉林、内蒙古、河北、山东、甘肃、青海、新疆、江苏;蒙古,俄罗斯,中亚,欧洲。

(293) 虾钳菜日龟甲 *Cassida japana* Baly, 1874

Cassida japana Baly, 1874: 212.

Cassida (*Cassida*) *japana* Spaeth, 1914: 130.

Cassida japonica [sic!]: Hua, 1989: 87.

Cassida piperata var. *japana* Weise, 1900: 295.

Cassida rugifera Kraatz, 1879: 274.

Cassida annamita Spaeth, 1919: 197.

Cassida japana ab. *anamita* [sic!] Spaeth *et* Reitter, 1926: 31.

Cassida lineola Gressitt, 1938: 387 (misdentification).

鉴别特征: 体长 4.50~6.00mm。卵圆形。底色由乳黄至深棕红色,敞边较淡,半透明,无深色斑。鞘翅花斑变异较大,有几种类型:驼顶短横脊前 1 个,盘侧 1 条不规则纵带,第 2、4 行距上以及后部均有斑点;有时整个盘区布有不规则的小斑点;有时斑色淡而模糊,亦有全盘黑色的,但极少见。腹面黑色;额唇基、腹部外周、触角和足呈黄色或棕黄色,足基节略带褐黑色。额唇基长胜于阔,平整光洁,具稀疏细毛;侧沟极深阔显著,两沟端遇接,但与头顶纵沟贯通不明显,至少不呈粗沟贯通,后者明显细弱,中区三角带尖桃形。触角长达鞘翅肩角,第 2 节为第 3 节长度的 2/3,第 6 节比第 2 节稍短或等长。前胸背板椭圆形,两侧极为阔圆,不呈角状;肩角圆,前伸不至胸中线;驼顶微拱,顶端具光洁短脊,与第 2 行距连接;基洼较明显,盘区后部有时亦现短横隆脊;盘面刻点粗而密,中部的呈扁阔形,均阔于行距;第 2 行距较粗显,中后部有 1 段明显隆凸,有时第 1、4 行后部亦较突,但不及第 2 行明显。敞边基部较斜峻,最阔处几乎达到盘阔的 1/2,或倍于尾部;表面多弱皱纹,刻点模糊。

采集记录: 1 头,佛坪,950m,1998. Ⅶ.23。

分布: 陕西(佛坪)、甘肃、江西、广东。

寄主: 虾钳菜。

(294) 虾钳菜披龟甲 *Cassida piperata* Hope, 1842

Cassida piperata Hope, 1842: 62.

Cassida labilis Boheman, 1854: 402.

Cassida piperita [sic!]: Boheman, 1856: 131.

Cassida biguttulata Kraatz, 1879: 275.

Cassida sparsa Gorham, 1885: 284.

Cassida piperta [sic!]: Gruev, 1994: 83.

鉴别特征: 体长 4.00~5.50mm。体椭圆形,背面淡黄至棕黄色。前胸背板基部中央具 1 块深色小斑,有时缺如;鞘翅敞边中后部及缝角具黑褐色或黑色斑纹,驼顶前部中缝上深色,每鞘翅盘区布有若干不很明确的深色斑,以盘侧深色较多,往往连成1条弓形纵带;腹面大部分为黑色,有时前胸、中胸腹侧片和腹部外周淡色。额唇基极光洁,侧沟极深显,中区近正三角形,端部尖。触角第3节明显长于第2节,末端5节较粗。前胸背板椭圆形,两侧阔圆,不呈角状;盘区刻点清晰,尚粗。基侧略布微弱皱纹。小盾片具细刻点。鞘翅肩角钝圆,略前伸,不到达前胸中线;驼顶平拱不显突,基、中洼浅弱;刻点粗大紧密,行列整齐,一般阔于行距,3～5行更加扁阔,第3、4刻点行之间的基部常有若干不规则刻点;第2、4两行距较隆起,而以第2条中后部较阔而拱凸。

　　分布:陕西(秦岭)、黑龙江、吉林、辽宁、北京、天津、河北、山东、河南、江苏、上海、浙江、湖北、江西、福建、台湾、广东、广西、四川、贵州、云南;俄罗斯,朝鲜,日本,越南,菲律宾。

　　寄主:虾钳菜,苋属,牛膝属,水花生,甜菜,藜属,滨藜属,鸭拓草属。

(295) 密点龟甲 *Cassida rubiginosa* Müller, 1776

> *Cassida viridis*: Scopoli, 1763: 37(nec Linnaeus, 1758: 362)(misinterpretation).
>
> *Cassida cardui* de Geer, 1775: 174(part).
>
> *Cassida rubiginosa* Müller, 1776: 65.
>
> *Cassida melanosceles* Schrank, 1798: 520.
>
> *Cassida nigra* Herbst, 1799: 258.
>
> *Cassida similis* Marsham, 1802: 144.
>
> *Cassida singularis* Stephens, 1832: 369.
>
> *Cassida lata* Suffrian, 1844: 139.
>
> *Cassida rugoso-punctata* Motschulsky, 1866: 177.
>
> *Cassida erudita* Baly, 1874: 212.
>
> *Cassida graeca* Kraatz, 1874: 104.
>
> *Cassida rubiginosa* var. *fuliginosa* Weise, 1893: 1104.
>
> *Cassida*(s. str.)*rubiginosataiwana* Gressitt, 1952: 517.
>
> *Cassida rubiginosa babai* Kimoto, 1986: 128.

　　鉴别特征:体长7.00～8.50mm。椭圆形较扁平,敞边平坦,不阔,半透明,无网纹,具刻点。体背草绿色、棕黄色或棕绿色,一般外周缘较黄,有时驼顶前有1个不甚明显的三角形污红斑纹;触角黄色至棕红色,基节和末5节灰褐色;腹面包括额唇基纯黑色;足棕黄色,腿节大部分黑色,胫节有时不带褐。背面光洁平整,无脊线与凹洼,驼顶不拱。额唇基较大,面平,较粗麻,满布刻点,每点内具细毛1根;侧沟细弱,不清晰。触角达到鞘翅肩角,第3节比第4、5节长,末端5节粗壮。前胸背板梭形,近乎半圆;基缘较前缘平直,侧角尖锐,处于基部,接近鞘翅肩角;表面密布散乱粗弱刻点,盘侧于敞边刻点较深粗,每刻点内具极细短毛1根,有时前缘亦有稀疏细短毛。小盾片无刻点,多微弱皱纹。肩角不算前伸;盘区刻点极其紧密,比前胸背板上的粗深,局部混乱,有时全部混乱,不分行列;细毛极短疏,一般着生于刻点之间;第2、4行距处有两行微隆线;敞边尾部阔于中部之半;表面粗糙,刻点紧密多皱纹。

采集记录:1头,秦岭,1961.Ⅷ.08。

分布:陕西(宝鸡)、吉林、山西、青海、江苏、浙江、湖北、福建、台湾、西藏;韩国,中亚,加拿大,欧洲。

寄主:蓟属,风毛菊属,飞廉属。

(296)秦岭蚌龟甲 *Cassida tsinlinica* Chen et Zia, 1964

Cassida(*Odontionycha*)*tsinlinica* Chen et Zia, 1964:124, 133.

Cassida tsinlinica:Borowiec, 1999:289.

鉴别特征:体长7mm。短椭圆形带卵形,最阔处在鞘翅基部,向后明显狭缩,背面较扁平,不甚拱凸。污棕色,较幽暗,具细皮纹及短细毛,活体应为绿色;触角基节及末端4节或多或少棕褐色;额唇基深棕红色,局部带黑褐色;腹面胸腹黑色,腹部侧缘及末端棕色,2~4各腹节后沿中部染有极狭1条黄边,足全部棕色。额唇基梯形,侧沟细而清晰,中区三角形,而顶角不尖;表面不光滑,刻点粗而深,点内外均具细毛,触角超出胸侧角一节半,第3、4两节等长,第5、6两节约等长,但前两节比后两节稍长,而第6节端部较粗,第2节比第3节短1/3,7~11节较粗厚,但各节均长胜于阔。前胸背板椭圆带僧帽形,后缘较平直,两侧阔圆,最阔处在中线稍前;盘区拱度甚弱,刻点粗密,不清晰,往往连接呈粗皱纹,特别在盘侧更为粗皱;敞边基部一带的刻点较清楚明确;盘区近基部与敞边分界处具一明显小凹。小盾片呈三角形,阔略胜于长,角钝圆,面麻皱。鞘翅较短阔,至多倍长于前胸背板的中长,基缘比胸面宽阔,肩角极圆;驼顶平拱,呈蚌壳形,中缝特隆,尾部稍平;肩瘤微显;凹洼缺如;盘区刻点粗大而混乱,但盘侧中段有3行似成行列;鞘翅上细毛比前胸背板的细毛稍密,且分布均匀;敞边平坦,刻点粗浅,内半边明显稀疏,以致于局部无刻点,其色亦较淡。

采集记录:1头,秦岭,1951.Ⅴ.27。

分布:陕西(宝鸡)。

(297)山楂肋龟甲 *Cassida vespertina* Boheman, 1862

Cassida vespertina Boheman, 1862:357.

Deloyala vespertina:Weise, 1900:295.

Cassida(*Deloyala*)*vespertina*:Spaeth, 1914:95.

Cassida(*Lasiocassis*)*vespertina*:Gressitt, 1952:486.

Cassida(*Alledoya*)*vespertina*:Chûjô & Kimoto, 1961:196.

Alledoya vespertina:Chen et al., 1986:548, 633.

鉴别特征:体长 4.70 ~ 7.00mm。雌虫较狭长,呈椭圆形;敞边淡黄色,透明或半透明,具很大的深色斑,布有网格纹,斑大且稀。体色幽暗,不光亮,背面大都酱褐色至黑色;通常前胸背板较淡,带赭褐色,敞边每边基半部棕酱色,仅留出前方淡色。小盾片黑中带棕赭。鞘翅盘区全部黑色或紫褐色,有时驼顶横脊较淡;敞边每边具 3 个与盘区同色的深斑,基部与中后部 2 个均很大,中缝尾端 1 个很小,有时不甚明确,整个敞边仅留出中段和尾部一小块淡色。腹面棕褐至黑色,外周缘棕黄色;头部、触角及足棕赭,触角有时末数节稍深;腿节基半部呈或深或淡的黑色。额唇基中区钟形,饱满,顶端略拱起,具粗刻点,不算密,每刻点内有细毛 1 根,与眼缘毛相仿。触角短粗,勉强达鞘翅肩角,第 3 节短于第 4 节(雄性),或者等长(雌性),第 2、6 节约等长,8 ~ 10 节各节均长胜于阔。前胸背板呈狭椭圆形,前缘相当直,两侧甚阔圆,不呈角状;表面具细皮纹,盘区刻点尚粗、清晰,两侧多皱纹,基部与敞边分界处凹印明显;敞边上刻点细而稀。小盾片端角钝圆,带阔舌形。鞘翅肩角极圆,前伸到前胸中线,翅基远比前胸背板宽阔;侧缘较直,尾端平圆;盘区多脊线,显得粗糙;中缝基部隆起,驼顶高耸,顶端横脊狭而显,略呈"人"字形,至第 2 行距分成 2 支;整个盘面呈不规则网纹或龟纹状;肩瘤尖凸,盘侧中桥略向敞边突出;刻点深且紧密,有粗有细,粗的呈扁阔形,行列断续,背线上缺如;敞边较麻粗,并有短横脊,有时网格纹凸起,以深色区更明显;尾端极狭,只及中部阔度的 1/3;尾端腹面具稀疏短毛。

分布:陕西(秦岭)、内蒙古、浙江、湖北、湖南、福建、台湾、广东、四川;俄罗斯,蒙古,韩国,日本。

寄主:山楂,悬钩子属,铁线莲属,白蔹属,打碗花属。

(298) 准杞龟甲 *Cassida virguncula* Weise,1889

Cassida virguncula Weise,1889:645.

Cassida(*Tylocentra*)*lenis* Spaeth *in* Spaeth & Reitter,1926:59.

鉴别特征:体长 4.30 ~ 5.40mm。体卵圆略带三角形,最阔处在鞘翅肩角后,背向上拱凸,敞边峻垂,与盘区同一垂面。活体翠绿,干标本绿色渐褪,变为淡棕黄色至污棕红色。鞘翅盘区有时具血红色斑,有时缺如;血斑处于中缝上,从驼顶到盘尾共 3 个,最后 1 个较小,第 2 个最大,伸达第 2 行距;各斑间由血红色的中缝或小斑点连接,有时肩瘤处亦略带赤色。腹面及足一般淡色,后胸腹板及腹部有时部分带黑色。触角淡色,端末 3、4 节稍深,末节端部有时带褐色。额唇基长胜于阔,侧沟较细狭,中区钟形,微注,顶端较阔,刻点相当细密;头顶纵沟很浅弱。触角第 2 节只及第 3 节长度的 2/3,与第 5 节大致等长;末端 5 节粗厚,各节或多或少长胜于阔。前胸背板阔倍于长,略带五角扇形,侧角不甚膨阔,处于中线前;表面较光洁,刻点细弱模糊,中前方刻点极其细稀。鞘翅基缘与胸基等阔或略阔,肩角钝圆,角度小于胸侧角,伸达前胸中线;盘基三角注区较明显,驼顶较拱,但不呈瘤状;基注较凹,使中缝基部显得隆起;中注缺如,肩瘤微显;刻点较小,但明显比前胸的刻点粗大,一般比行距狭,但亦有较粗而行距稍阔的,不过至少基部沿小盾片两侧的 3 行刻点均狭于彼此间的距离,其中第 2 行距特别宽阔;是本种和枸杞龟甲的一项重要的区别特征;刻点行列整齐,尾部与驼顶侧区有时较混乱;各行距上具稀疏微细刻点,高倍镜下能看到;敞边粗麻,刻点明显较盘区浅弱。

采集记录:1 头,秦岭小安井,1951. Ⅶ. 13;2 头,武功,1951. Ⅴ. 15。

分布:陕西(宝鸡、武功)、河北、宁夏、甘肃、青海、新疆、江苏;蒙古。

寄主:枸杞。

（二）铁甲亚科 Hispinae

鉴别特征:以半开式爪型为主要特征,体一般长形,背面常具刺突或者瘤突;头部插入胸腔较浅,口器全部外露,幼虫潜叶,头壳常呈凹顶形。

生物学:寄主主要是单子叶和双子叶植物。

分布:世界广布。我国已知有 3 族 34 属 277 种。陕西秦岭地区记录 2 属 4 种。

分属检索表

触角 9 节,前胸前缘有刺 ·· 趾铁甲属 *Dactylispa*

触角 11 节,前胸前缘无刺 ·· 稻铁甲属 *Dicladispa*

121. 趾铁甲属 *Dactylispa* Weise，1897

Dactylispa Weise, 1897: 137. **Type species**: *Hispa andrewesi* Weise, 1897 (= *Hispa severini* Gestro, 1897).

Hispa Chapuis, 1875: 333.

Dactylispa(*Monohipsa*)Weise, 1897: 147. **Type species**: *Hispa singularis* Gestro, 1888.

Dactylispa(*Triplispa*)Weise, 1897: 150. **Type species**: *Hispa platyprioides* Gestro, 1890.

Dactylispa(*Platypriella*)Chen *et* Tan, 1961: 459. **Type species**: *Hispa exicisa* Kraatz, 1879.

Dactylispa(*Rhoptrispa*)Chen *et* Tan, 1961: 414. **Type species**: *Dactylispa luhi* Uhmann, 1951.

属征:体一般长形;触角细长,端部不明显粗大,每节长均胜阔。不少种类的前胸盘区皆具 1 个突起的横行光滑区;前胸刺序一般为 2∶3,胸刺端末常分叉或具小侧刺。鞘翅边缘不敞出,一般第 9、10 两行刻点的中部或中前部合并成 1 行。

分布:古北区,东洋区,非洲区,澳洲区。中国已知 99 种,本志记述了 3 种。

分种检索表

1. 鞘翅肩角外侧及端部外侧向外呈半圆形延伸,外缘呈锯齿状 ·········· **束腰扁趾铁甲 *D. excisa***

　　鞘翅两侧接近平行,无任何外伸 ·· 2

2.　鞘翅侧缘刺短,锯齿状,刺长不超过触角第一节长度 ············· 锯齿叉趾铁甲 **D. angulosa**

　　鞘翅侧缘刺长,一般长于触角第一节长度 ···················· 尖齿叉趾铁甲 **D. crassicuspis**

(299)锯齿叉趾铁甲 *Dactylispa angulosa*(Solsky, 1871)(图73)

Hispa angulosa Solsky, 1871: 262.

Hispa japonica Baly, 1874: 215.

Dactylispa angulosa: Weise, 1897: 148.

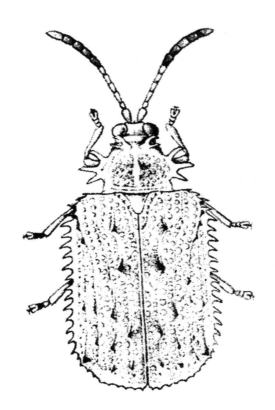

图73　锯齿叉趾铁甲 *Dactylispa angulosa*(Solsky, 1871)整体图

　　鉴别特征:体长3.30～5.20mm。体方形,端部稍阔,体背棕黄色至棕红色,具黑斑,有光泽;触角棕黄色至棕红色,基部2节较深,柄节基部常为黑色;前胸背板盘区具2个黑斑,或除中央1条红色光纵纹外,盘区完全黑色,胸刺棕黄色,鞘翅具黑斑或大部分黑色,瘤突黑色,外缘刺除后侧角的几个黑刺外,皆淡棕黄色;小盾片中央常具1块红斑;胸部腹面黑色,腹部褐黑,两侧有时棕黄色或棕红色;足黄色。头具刻点及皱纹。触角粗短,约为体长的1/2,末端5节稍粗,具较密的淡黄色柔毛;第1节粗大,第2节短,约为第1节的1/2,第3节短于第1节而长于第4节,第4、5两节约等长,第6

节短于第 5 节,第 7 节稍长于第 6 节,第 8~10 节圆柱形,各节长大于阔,末节长于第 10 节,末端尖。前胸横阔;盘区全面密布刻点,具淡黄色短毛,中央有 1 条光滑纵纹,接近前缘、后缘各有 1 条横沟,前缘横沟较浅,盘区中部稍隆起,胸刺粗短,前缘每侧有 2 刺,两刺之间相距较远,前刺与后刺约等长,前刺近端部有 1 个小侧齿,有时后刺亦有小侧齿;侧缘每边有 3 刺,约等长,着生于 1 个扁阔的基部上,第 1、2 刺近端部各具 1 个小侧齿。小盾片三角形,末端圆钝。鞘翅侧缘敞出,两侧平行,端部微阔,具 10 行圆刻点,翅背具短钝瘤突。翅基缘及小盾片侧共有六七个很小的刺,翅端有几个小附刺。侧缘刺扁平,锯齿状,短而密,各刺大小约相等;端缘刺小,刺长短于其基阔。

采集记录:1 头,长安,1956. Ⅵ;3 头,周至,1962. Ⅷ;3 头,太白,1957. Ⅵ;8 头,太白山中山寺,1981. Ⅵ.08-10;3 头,太白山蒿坪寺,1983. Ⅴ.10;1 头,华阴华山,1957. Ⅵ。

分布:陕西(长安、周至、太白、眉县、华阴)、黑龙江、吉林、辽宁、北京、天津、河北、山西、山东、河南、甘肃、江苏、上海、安徽、浙江、湖北、湖南、福建、台湾、广东、广西、四川、贵州、云南;俄罗斯(西伯利亚),韩国,日本。

(300)尖齿叉趾铁甲 *Dactylispa crassicuspis* Gestro, 1906

Dactylispa crassicuspis Gestro, 1906: 184.

鉴别特征:体长 4.00~4.80mm。体长方形,底色黑。头顶复眼之间常有 1 块暗红色小斑;触角棕黄色,第 1 节基部黑色;前胸背板中央有 1 条红色短纵纹,有时红纹不显,背板全部黑色;胸刺棕黄色,端末黑色;鞘翅盘区具棕红色斑,或除瘤突、肩胛及其外侧以外盘区大部分为棕红色;外缘刺除后侧角上 2、3 个黑色刺外,均为棕红色;腹部腹面两侧淡黄或土黄色;足棕黄或淡棕红。触角细长,达到或稍超过体长的 2/3,端部 5 节稍粗,具较密的淡色毛;第 1 节膨大,第 2 节最短,近于椭圆形,第 3 节最长;长于 1 和 4 节,约为第 2 节长的两倍,末节端部略尖锐。前胸背板横阔,密布刻点,中央有 1 条光滑狭纵纹,盘区中部稍隆起,后缘前面有 1 条横沟,胸刺较细,前缘刺每侧 2 个,后刺直,稍长于前刺,前刺向后弓弯,端部前缘有 1 小侧刺,有时后刺亦有小侧刺,侧缘刺每边 3 个,共具 1 个扁阔的基部,第 2 刺最长,第 3 刺稍短于第 1 刺,第 2 刺端部前缘有时有 1 根极小的侧刺。小盾片三角形,基部阔,端末圆钝。鞘翅侧缘敞出,端部微阔于基部,盘区有 10 行刻点,瘤突端部尖锐而稍侧扁;肩刺 6~7 个,锯齿状,刺长稍大于其基阔;翅基及小盾片侧共有 4~6 根小刺。侧缘刺细长而稍扁平,在后侧角上的两三个黑色刺较短阔,侧缘刺有 13~15 个;端缘刺 6~8 个,短小,齿状。

分布:陕西(秦岭)、山西、湖北、江西、湖南、福建、广东、四川、贵州、云南。

寄主:棠梨。

（301）束腰扁趾铁甲 *Dactylispa excisa*（**Kraatz，1879**）

Hispa excisa Kraatz，1879：140.

Dactylispa excisa：Weise，1897：150.

Dactylispa excisa repanda Weise，1922：81.

Dactylispa（*Platypriella*）*excisa meridionalis* Chen *et* Tan，1961：475.

鉴别特征：体长 3.60～4.60mm。体短阔，近乎四方形，背面黑色；胸刺（除基部外），翅侧缘中部及端缘（包括刺）棕黄色，足及腹部淡棕黄色，胸部腹面及各足基节黑色；触角淡黄色，末端 5 节棕红色。触角短，仅达体长之半，7～11 节膨大成棒状；第 1 节长而粗，第 2 节短，第 3 节短于第 1 节而长于第 4 节，第 4、5 节等长，第 6 节短于第 5 节，第 7 节长于第 6 节，8～10 节短，第 8 节长胜于阔，9、10 节横阔，末节稍长于第 10 节，末端尖。前胸衡阔；盘区具大而深的圆刻点，中央有 1 条后端较阔的无刻点纵斑纹；前缘刺粗短，每边 2 根刺，共具 1 个侧扁、短阔的基部，后刺长于前刺，前刺前缘有 1 根小侧刺；侧缘每边 4 根刺，短而扁，着生于 1 个敞出的扁阔基部上，前 3 根刺较大，第 3 根刺最大。小盾片呈三角形，基部阔，端末圆钝。鞘翅阔，有光泽；敞边基端两处均膨阔成半圆形侧叶，中部狭；盘区具小圆刻点；翅背瘤突短钝。小盾片侧刺极小，轮廓不明显，一般 3～4 个；此外翅盘端部常具几个很小的附加瘤突。敞边前后侧叶各有 10～11 个扁平锯齿状刺，各刺长度不超过其基阔；中部束狭处有 2、3 个小间刺；端缘刺小于侧刺，一般 7 个左右。

分布：陕西（秦岭）、吉林、江苏、安徽、浙江、湖北、福建、台湾、四川、贵州、云南；俄罗斯，韩国，日本。

寄主：柞树，李属。

122. 稻铁甲属 *Dicladispa* Gestro，1897

Hispa Chapuis，1875：333（nec Linnaeus，1767）.

Hispa（*Dicladispa*）Gestro，1897：81. **Type species**：*Hispa testacea* Linnaeus，1767.

Dicladispa Gestro，1898：712（full genus）.

Brachispa Gestro，1906：488. **Type species**：*Brachispa multispinosa* Gestro，1906.

Hispa Maulik 1919：247（nec Linnaeus，1767）.

Dicladispa（*Eutrichispa*）Gestro，1923：21. **Type species**：*Thoracispa schoutedeni* Gestro，??.

Dicladispa（*Decispa*）Uhmann，1928：81. **Type species**：*Hispa meyeri* Uhmann，1928.

Cirrispa Uhmann，1936：123［nomen nudum］.

Cirrispa Uhmann，1940：143. **Type species**：*Cirrispa conradsi* Uhmann，1940.

属征：体狭长，腹面黑褐色到黑色，背面铜绿色、蓝黑色或栗褐色，具金属光泽。头较前胸狭；头顶两眼间区域约与每眼阔度（从背面观）相等，与后头区比较，隆起颇高，表面具皱纹,中线凹入颇深,后头区光亮无刻点,触角 11 节,约及体长之半或稍长,背刺缺;第 1 节粗大,第 2 节短小,近乎长方形,第 3～6 节细长,长度依次渐减,以第 3 节最长,第 7～11 节棍棒状,被黄色密毛,前胸近方形,长阔几乎相等,四角均有 1 根鬃毛,前角毛者生于管状突起上,后角毛着生于齿状突起;盘区粗糙,密布刻点或微粒,有时具浅凹洼及细毛;前缘不具刺,两侧各具数刺,刺基一般合并成粗壮短柄,或稍后有 1 根单独的短刺;前胸刺中型或极长。小盾片较小,端圆,表面一般粒状。鞘翅基部较前胸略阔,背面刻点粗大或细小,每翅中部有 7～9 行不规则刻点;毛被稀疏或缺如;鞘翅主要背刺者生于行距 2,4,6,8 之上,其他行距有时亦具小刺;行距阔于或狭于刻点直径;背刺极长或较短;翅侧长刺短于触角第 3 节长度的 2 倍,或超过第 3 节长度的 4 倍。足一般较细长,腿节中部与胫节端部稍粗,第 1 跗节近乎三角形,第 3 跗节两叶与爪均细长;爪二叉,等长,端部尖细。

分布:古北区,东洋区,非洲区。中国已知 2 种,本志记述了 1 种。

(302) 水稻铁甲 *Dicladispa armigera* (Olivier, 1808) (图 75)

Hispa armigera Olivier, 1808: 763.

Hispa cyanipennis Motschulsky, 1861: 238.

Hispa aenescens Baly, 1887b: 412.

Hispa boutani Weise, 1905: 101.

Hispa similis Uhmann, 1927d: 116.

Hispa semicyanea Pic, 1932b: 26.

Dicladispa armigera: Uhmann, 1952: 236.

Dicladispa armigera yunnanica Chen et Sun, 1962: 130.

Dicladispa yunusi Abdullah et Qureshi, 1969: 103.

鉴别特征:体长 3.80～4.80mm。体狭长,背面铜绿色或蓝黑色,带金属光泽;腹面与足褐黑色或黑色,腿节有时褐红色或棕红色。额唇基大;两触角间具微隆纵脊;头顶两眼间隆起颇高,表面具皱纹,中线后端凹入相当深阔。触角达体长之半,端部数节较 粗大,略呈棒状,自第 7 节以后均被黄色密毛:第 1 节圆筒形,腹端具一极短小齿,第 2 节略短,第 3～6 节细,以第 3 节最长,以下各节长度渐减,第 7 节略短于第 6 节,第 8～10 节约等长,近乎长方形,末节较长,端细狭。前胸近方形,前、后缘平直,附近有细横纹;盘区刻点紧密,中央有 1 条光滑阔纵条;两侧在第 5 根刺附近微凹刻点缺如,仅具极细皱纹;基部横凹深阔;背板两侧各具 5 根刺,前端 4 个刺均粗壮,基部并合成束,排列为外侧有 3 根刺,内侧有 1 根刺,第 5 根刺较短细,与前 4 根刺相距稍远。小盾片基稍阔,端圆,表面平滑、光亮。鞘翅长方形,两侧近平行,端稍膨;背面刻点粗密,行距狭于刻点直径,刻点行不规则,一般基部 9 行,中部 8 行,小盾片刻点行清楚。鞘翅刺较短,背刺长不超过翅侧长刺,或极为短小。小盾片刻点行与第 1 行刻点间有 1～2 个极小刺突,侧刺一般有 9 个,长短不等,长刺较触角第 3 节稍长,端缘无刺,仅具1行极小齿突;腹面光亮,后胸腹板两侧刻点较密,有时具皱纹,中间刻点稀少,或被淡色细毛;腹部几乎不具刻点。足较长,被细毛,以胫节端部与跗节较密,尤以前者较长,跗节端阔基狭,一般爪节长不超过第3节两叶,有时中足爪节稍为超过。

　　分布:陕西(秦岭)、浙江、江西、福建、台湾、广东、海南、四川、云南;日本,东南亚,非洲。

　　寄主:稻属,禾本科等。

图75　水稻铁甲 *Dicladispa armigera*(Olivier,1808)整体图

参考文献

Achard J. 1914. Un genre nouveau de coléoptères phytophages. *Bulletin de la Société Entomologique de France*, 83: 288-290.

Achard J. 1922. Decriptions de nouveaux Chrysomelini. *Fragments Entomologiques*(*Prague*), 1-2: 1-48.

Achard J. 1926. Descriptions de nouveaux Chrysomelini. *Fragments Entomologiques*(*Prague*), 3: 129-144.

Allard E. 1889. Contributions a la faune Indo-Chinoise. 5e Memoire. Galerucides et Alticides. *Annales de la société Entomologique de France*, 6(9): 309-320.

Allard E. 1890. Troisième note sur les galérucides. *Bulletin ou Comptes-rendus des Séances de la Société Entomologique de Belgique*: 80-94.

Askevold I S. 1990. Reconstructed phylogeny and reclassification of the genera of Donaciinae(Coleoptera: Chrysomelidae). *Quaestiones Entomologicae*, 26: 601-644.

Aslam N A. 1972. On the genus *Drasa* Poryant(Coleoptera: Chrysomelidae: Galerucinae) with some no-menclatorial notes on the Galerucinae. *Journal of Natural History*, 6(5): 483-501.

Baly J S. 1859. Descriptions of new species of phytophagous insects. *The Transactions of the Entomological Society of London*, (2)5: 146-161.

Baly J S. 1859. Descriptions of new genera and species of phytophagous insects. *The Annals and Magazine of Natural History*, 3(4): 55-61, 124-128, 270-275.

Baly J S. 1860. Description of some new species of *Sagra*; remarks on that genus; and characters of *Cheiloxerna*, a new genus belonging to the same family. *The Transactions of the Entomological Society of London*,(2)6: 236-260.

Baly J S. 1860. Descriptions of new genera and species of Eumolpidae. *Journal of Entomology*, 1: 23-36.

Baly J S. 1861. Descriptions of new genera and species of Phytophaga. *Journal of Entomology*, (1-2)/ 1861-1862. 1861: 193-206, 275-302; 1962: 450-459.

Baly J S. 1862. Descriptions of new species of phytophagous beetles. *Annals and Magazine of Natural History*, 3(10): 17-29.

Baly J S. 1863. Descriptions of new of phytophagous. *The Transactions of the Entomological Society London*, 3(1): 611-624.

Baly J S. 1864. Descriptions of uncharacterized genera and species of Phytophaga. *The Transactions of the Entomological Society of London*, 3(2): 223-258.

Baly J S. 1865. Descriptions of new genera and species of Phytophaga. *The Annals and Magazine of Natural History*, 3(15): 33-38.

Baly J S. 1865. Descriptions of new species of Crioceridae. *The Annals and Magazine of Natural History*, (3)16: 153-160.

Baly J S. 1865. Descriptions of new genera and species of Galerucidae. *Entomologist's Monthly Magazine*, 2: 97-148.

Baly J S. 1865. Descriptions of new genera and species of phytophagous. *The Transactions of the Entomological Society London*, 21: 427-440.

Baly J S. 1873. Catalogue of the Phytophagous Coleoptera of Japan, with descriptions of the species new to science. *The Transactions of the Entomological Society of London*, 1873: 69-99.

Baly J S. 1874. Catalogue of the Phytophagous Coleoptera of Japan, with descriptions of the species new to science. *The Transactions of the Entomological Society of London*, 1874: 161-217.

Baly J S. 1878. Descriptions of the Phytophagous Coleoptera collected by the late Dr. F. Stoliczka during Forsyth's Erpedition to Kashgar in 1873-1874. *Cistula Entomologica*, 2: 305-316(369-383).

Baly J S. 1879. Descriptions of new genera and species of Galerucidae. *The Annals and Magazine of Natural History*, 4: 108-120.

Baly J S. 1879. List of the Phytophagous Coleoptera collected in Assam by A. W. Chennell, with notes and descriptions of the uncharacterized Genera and Species. *Cistula Entomologica*, 2: 435-465.

Baly J S. 1886. Descriptions of a new genus and some new species of Galerucidae, also diagnostic notes on some of the older described species of *Aulacophora*. *Journal of the Linnean Society*,(5): 1-27.

Barroga G F, Mohamedsaid M S. 2002. Revision of the genus *Aulacophora* Chevrolat(Coleoptera: Chrysomelidae：Galerucinae)in Sundaland. *Serangga*, 7(1-2)：15-194.

Bates H W. 1866. On a collection of Coleoptera from Formosa, sent home by R. Swinhoe, Esq. , H. B. M. Consul, Formosa. *Proceedings of the Zoological Society of London*, 23：339-355.

Bechyné J. 1947. Přispěvek k poznání redive skupiny "Stilodes Chevrl." Additamenta ad cognitionem genris sensu latiore "Stilodes Chevrol." (Col. Phytoph. Chrysomelidae). *Acta Entomologica Musei Nationalis Pragae*, 25(339)：113-118, 2 figs.

Bechyné J. 1948. Přispěvek k poznáni rodu *Phytodecta* Kirby. Additamenta ad cognitionem generis *Phytodecta* Kirby(Col. Phytoph. Chrysomelidae). *Sbornik Národniho Musea v Praze* 3B, 3 (1947)：89-158.

Bechyné J. 1950. Contribution à la connaissance du Genre *Chrysolina* Motsch. (Col. Phytophaga Chrysomelidae). *Entomologische Arbeiten aus dem Museum G. Frey, München*, 1：47-185.

Beenen R. 2008. Taxonomical and nomenclatural changes in Palaearctic Galerucinae and description of a new species(Chrysomelidae). *Entomologische Blaetter fuer Biologie und Systematik der Kaefer*, 103：63-80.

Beenen R. 2010. Three new galerucine species from high altitude habitats in Africa and additional information on described species(Coleoptera：Chrysomelidae：Galerucinae). *Entomologische Zeitschrift*, 120 (2)：76-80.

Bezdek J. 2003. Studies on Asiatic *Apophylia*. Part 1：new synonyms, lectotype designations, redescriptions, descriptions of new species and notes(Coleoptera：Chrysomelidae：Galerucinae). *Genus(Wroclaw)*, 14(1)：69-102.

Bezdek J. 2009. Revisional study on the genus *Mimastra*(Coleoptera：Chrysomelidae：Galerucinae)：species with unmodified protarsomeres in male. Part 1. *Acta Entomologica Musei Nationalis Pragae*, 49 (2)：819-840.

Bezdek J, Lee C F. 2014. Revision of *Charaea*(Coleoptera：Chrysomelidae：Galerucinae)from Taiwan. *Zootaxa*, 3861(1)：1-39.

Boheman C H. 1854. *Monographia Cassididarum*. Tomus secundus. Holmiae, 506 pp. + 2 tab.

Boheman C H. 1855. *Monographia Cassididarum*. Tomus tertius. Holmiae, 543 pp. + 1 tab.

Boheman C H. 1862. *Monographia Cassididarum*. Tomus quartus. Holmiae, 504 pp.

Borowiec L. 1997. *A monograph of the Afrotropical Cassidinae(Coleoptera：Chrysomelidae)*. *Part II. Revision of the tribe Aspidimorphini* 2, *the genus Aspidimorpha Hope*. *Genus(Supplement)*. Biologica Silesiae, Wrocław, 596 pp.

Borowiec L. 1999. *A world catalogue of the Cassidinae(Coleoptera：Chrysomelidae)*. Biologica Silesiae, Wrocław, 476 pp.

Bryant G E. 1954. Entomological results from the Swedish Expedition 1934 to Burma and British India. Coleoptera. Chrysomelidae, Galerucinae collected by Rene Malaise. *Arkiv for Zoologi Stockholm(NS)*, 6：547.

Chapuis F, Lacordaire M T. 1875. Famille IX IX. Phytophages. *In*：Lacordaire M T, Chapuis F. (Eds.), Historie naturelle des insectes. Genera des Coleopteres, Vol. 11. paris, pp. 1-420.

Chen S H. 1934. *Recherches sur les Chrysomelinae de la Chine et du Tonkin*. Thèse Faculté de Sciences

Université de Paris, Paris, 105 pp.

Chen S H. 1935. Study on Chinese Eumolpid beetles. *Sinensia*, 6(3): 221-383.

Chen S H. 1935. Classification of asiatic *Phytodecta*(Col. Chrysomelidae). *The Chinese Journal of Zoology*, 1: 125-133.

Chen S H. 1942. Synopsis of the Coleoptera Sagrinae of China and Indochina. *Sinensia*, 13: 105-108.

Chen S H. 1942. Synopsis of the coleopterous genus *Cryptocephalus* of China. *Sinensia*, 13: 109-124.

Chen S H. 1942. Galerucinae nauveaux de la faune chinoise. *Notes d'Entomologie chinoise*, 9: 9-67.

Chen S H. 1961. New species of Chinese Chrysomedlidae. *Acta Entomologica Sinica*, 10(4-6): 432, 435.

Chen S H. 1964. New genera and species of Galerucinae from China. *Acta Entomologica Sinica*, 13(1): 201-211.

Chen S H. 1974. New chrysomelid beetles from west China. *Acta Entomologica Sinica*, 17(1): 43-45, 47-48.

Chen S H, Jiang S Q. 1986. On the Chinese species of the galerucine genus *Japonitata* (Coleoptera: Chrysomelidae). *Acta Zootaxonomica Sinica*, 11(1): 72-79.

Chen S H, Tan C C and Yu P Y. 1961. Results of the zoologico-botanical expedition to southwest China 1955-57(Coleoptera: Hispidae I). *Acta Entomologica Sinica*, 10: 457-481.

Chen S H, Tan C C, Yu P, Sun C and Zia Y. 1986. *Coleoptera Hispidae. In: Fauna Sinica, Insecta.* Science Press, Beijing, 653 pp. + X V pl.

Chen S H, Yang X K. 1992. Descriptions of new and first recorded species of the genus *Gallerucida* (Coleoptera: Chrysomelidae: Galerucinae). *Zoological Research*, 13: 133-137.

Chen S H, Young B. 1941. The coleopterous genus Asiphytodecta Chen. *Sinensia*, 12: 199-210.

Chen S H, Zia Y. 1964. New Cassidinae beetles from China. *Acta Zootaxonomia Sinica*, 1: 122-138.

Chen S H, Zia Y. 1984a. A new genus and species of Cassidinae from Yunnan(Coleoptera: Hispidae). *Entomotaxonomia*, 6: 79-82.

Chevrolat L A A. 1836. Chrysomelidae [Livraison 5, pp. 361-442]. *In* Dejean P F A M. *Catalogue des coléoptères de la collection de le M. le Comte Dejean. Deuxième édition, revue, corrigée et augmentée.* Paris: Méquignon-Marvis Père et Fils.

Chevrolat L A A. 1837. Chrysomelidae [Livraison 5, pp. 385-503]. *In* Dejean P F A M. *Catalogue des coléoptères de la collection de le M. le Comte Dejean. Trosième édition, revue, corrigée et augmentée.* Paris: Méquignon-Marvis Père et Fils, 503 pp.

Chûjô M. 1934. H. Sauter's Formosa-Ausbeute: subfamily Criocerinae, Clytrinae und Cryptocephalinae (Coleoptera: Chrysomelidae). *Arbeiten über Morphologische und Taxonomische Entomologie*, 1: 281-292.

Chûjô M. 1935. H. Sauter's Formosa-Ausbeute: subfamily Galerucinae(Coleoptera: Chrysomelidae). *Arbeiten über Morphologische und Taxonomische Entomologie*: 160-174;

Chûjô M. 1941. First supplement to the fauna of Korean chrysomelid-beetles(I). *Transactions of the natural History Society of Formosa*, 31: 451-462.

Chûjô M. 1938. H. Sauter's formosa-collection: subfamily Galerucinae(Coleoptera: Chrysomelidae). *Arbeiten über Morphologische und Taxonomische Entomologie*: 135-152.

Chûjô M. 1942. Chrysomelid-beetles from Kwangtung-Province. *Mushi Fukuoka*, 14(2): 51-65.

Chûjô M. 1943. Description of new chrysomelid beetle from Formosa. *Transactions of the Natural History Society of Taiwan*, 33: 242-243, 570-572.

Chûjô M. 1951. A taxonomic study on the Chrysomelidae(Insecta: Coleoptera) of Formosa. I. subfamily Criocerinae. *Technical Bulletin of the Kagawa Agricultural College*, 2(2): 71-120.

Chûjô M. 1954. Chrysomelid-beetles from Shikoku, Japan(Ⅲ). *Transactions of the Shikoku Entomological Society*, 4: 57.

Chûjô M. 1957. Beitrag zur Kenntis der Chrysomelidenfauna Chinas(Coleoptera)Ⅱ. *Memories of the Faculty of Liberal Arts & Education, Kagawa University*, (2)47: 1-5.

Chûjô M. 1958, A taxonomic study on the Chrysomelidae(Insecta: Coleoptera) from Formosa. Part 10. subfamily Chrysomelinae. *Quarterly Journal of the Taiwan Museum*, 11: 1-85.

Chûjô M. 1962. A taxonomie study on the Chrysomelidae(Insecta: Coleoptera)from Formosa. Part 11 subfamily Galerucinae. *Philippine Journal of Science*: 1-239.

Chûjô M, Kimoto S. 1961. Systematic catalog of Japanese Chrysomelidae. *Pacific Insects*,3: 138-148.

Chûjô M, Kimoto S. 1961. Systematic catalogue of Japanese Chrysomelidae(Coleoptera). *Pacific Insects Monograph*,(3): 117-202.

Clark H. 1864. Descriptions of new Australian Phytophaga. *Journal of Entomology*, ii: 247-263.

Clavareau C H. 1913. Pars 53: Chrysomelidae: Megascelinae, Megalopodinae, Clytrinae, Cryptocephalinae. Chlamydinae, Lamprosominae. *In* Schenkling S. (ed.): *Coleopterorum Catalogus*. Berlin: W. Junk, 278 pp.

Creutzer, Ch. 1799. *Entomologische Versuche*. Wien: Bey karl Schaumburg and comp. 142 pp.

Crotch G R. 1873. Materials for the study of the Phytophaga of the United States. *Proceedings of the Academy Philadelphia*, 25: 19-83.

Crowson R A. 1946. A revision of the genera of the Chrysomelid group Sagrinae(Coleoptera). *The Transactions of the Royal Entomological Society of London*, 97: 75-115.

Dejean P. 1837. *Catalogue des Coléoptères de la collection de M. le Comte DEJEAN. Troisème édition, révue, corrigée et augmentée*. Paris, XIV + 503 pp.

Delherm de Larcenne E. 1885. Harpalus foveicollis Delherm et *Lema nigra* Delherm, decrits du midi de la France. *Le Naturaliste*, 7: 120.

Duvivier A. 1887. Description de trois Galerucindes nouvelles. *Annales de la Societe Entomologique de Belgique*: 47-51.

Fabricius J C. 1775. *Systerma Entomologiae sistens insectorum classes, ordines, genera, species, adectis synonymis, locis, descriptionibus, observationibus*. Flensburgi et Lipsiae: Libraria Kortii, xxxii + 832 pp.

Fabricius J C. 1781. *Species insectorum exhibens eorum differentiasm specificas, synonyma auctorum, locanatalia, metamorphosis, adiectis observationibus. Tome I*. Hamburgi et Kilonii, Carol Ernest Bohni, viii + 552 pp.

Fabricius J C. 1787. *Mantissa insectorum, sistens eorum species nuper detectas adiectis characteribus genericis, differentiis specificis, emendationibus, observationibus. Tomus* I. Hafniae: C. G. Proft, xx +

348 pp.

Fabricius J C. 1798. *Supplementum entomologiae systematicae*. Hafniae: Proft et Storch, [4] + 572 pp.

Fairmaire L. 1878. Descriptions de coleopteres recueillis par M. l'abbe David dans la Chine central. *Annales de la Societe Entomologique de France*, 5: 87-140.

Fairmaire L. 1885. [new taxa]. *Bulletin de la Société Entomologique de France*: lxiv-lxv.

Fairmaire L. 1887. Coleopteres des voyages de M. G. Revoil chez les Somalis et dans l'interieur du Zanguebar. *Annales de la Socièté Entomologique de France*, 7: 69-186, 277-367, pl. i-iii.

Fairmaire L. 1887. Notes sur Les Coleopteres des environs de pekin. *Revue d'Entomologie*, 6: 312-335.

Fairmaire L. 1888. Notes sur Les Coléoptères des environs de Pékin(2e partie). *Revue d'Entomologie*, 7: 111-160.

Fairmaire L. 1888. Coleopteres de l'interieur de la Chine(Suite.). *Annales de la Societe Entomologique de Belgique*, 32: 7-46.

Fairmaire L. 1888. Descriptions de coléoptères de l'Indo-Chine. *Annales de la Socièté Entomologique de France*, 6(8): 333-378.

Fairmaire L. 1889. Coleopteres de l'interieur de la Chine(5e partie). *Annales de la Societe Entomologique de France*, 6: 5-84.

Fairmaire L. 1894. Quelques coléoptères du Thibet. *Annales de la Société Entomologique de Belgique*, 38: 216-225.

Fairmaire L. 1898. Description d'un genre nouveau d'eumolpide (Col.). *Bulletin de la Société Entomologique de France*, 1898: 19-20.

Faldermann F. 1835. Coleopterorum ab illustrissimo Bungio in China boreali, Mongolia, et montibus Altaicis collectorum, nec non ab iII. Turczaninoffio et Stchukino e provincia Irkutzk missorum illustrationes. *Mémoires présentés à l'Académie Impériale des Sciences de Staint-Pétersbourg (6) Sciences Mathématiques, Physiques et Naturelles*, 2: 337-464.

Fleischer A. 1916. Neue Chrysomeliden aus Japan. *Wiener Entomologische Zeitung*, 28: 222-223.

Franz H. 1949. Zur Kenntnis der Rassenbildung bei einigen Arten der Gattung *Cryptocephalus*(Coleopt. Chrysom.). *Portugaliae Acta Biologica* (B), vol. Julio Henriques: 165-195.

Ge S Q, Daccordi M, Wang S Y and Yang X K. 2009. Study of the genus *Entomoscelis* Chevrolat(Coleoptera: Chrysomelidae: Chrysomelinae)from China. *Proceedings of the Entomological Society of Washington*, 111: 410-425.

Gebler F A von. 1830. Bemerkungen über die Insecten Sibiriens vorzüglich des Altai. *In* C F Ledebour, *Reise durch das Altai-Gebirge und die soongorische Kirgisen-Steppe. Auf Kosten der Kaiserlichen Universität Dorpat unternommen im Jahre 1826 in Begleitung der Herren D. Carl Anton Meyer und D. Alexander von Bunge K. K. Collegien-Assessors*. Zweiter Theil, III. Berlin, 1829, 228 pp.

Gebler F A von. 1832. Notice sur les Coléoptères qui se trouvent dans le district de mines de Nertchinsk, dans la Sibérie orientale, avec la description de quelques espèces nouvelles. *Nouveaux Mémoires de la Société Impériale des Naturalistes de Moscou*, 2: 23-78.

Gebler F A von. 1830. Bemerkungen über die Insecten Sibiriens, vorzüglich des Altai. (Part 3). pp. 1-228. *In* C F Ledebour, *Reise durch das Altai-Gebirge und die soongorische Kirgisen-Steppe. Auf Kosten* der Kaiserlichen Universität Dorpat unternommen im Jahre 1826 in Begleitung der Herren D. Carl Anton Meyer und D. Alexander von Bunge R. K. Collegien-Assessors. Zweiter Theil. Berlin: G. Reimer, iv + 522 + [2] pp.

Gemminger M, Harold E. 1876. Catalogus coleopterorum hucusque descriptorum synonymicus et systematicus. Monachii, XXXVI + 3822 + XXIII pp.

Geoffroy E L. 1762. Histoire abrégée des Insectes qui se trouvent aux environ de Paris, dans laquelle ces animaux sont rangés suivant un ordre méthodique. Tome première. Paris: Durand, [4] + xxxviii + 523 + [1] pp., 10 pls. [Reissued in identical edition in 1764].

Geoffroy E L. 1785. New taxa. In Fourcroy A F. de: Entomologia Parisiensis, sive Catalogus Insectorum, quae in Agro Parisiensi reperiuntur; Secundum methodum Geoffraeanam in sectiones, genera et species distributus: cui addita sunt nomina trivialia et fere trecentae novae Species. Pars prima. Parisiis: Privilegio Academiae, vii + [1] + 231 pp.

Germar E F. 1824. Insectorum species novae aut minus cognitae, descriptionibus illustratae. Volumen primum, vol. I Coleoptera. Halae, XXIV + 624 pp.

Gestro R. 1897b. Materiali per lo studio delle Hispidae. Annali del Museo Civico di Storia Naturale di Genova, (2)18(38):37-138.

Gestro R. 1906b. Materiali per lo studio delle Hispidae XXVIII. Descrizioni di Alcune Hispidae inedite. Annali del Museo Civico di Storia Naturale di Genova, (3)2(42):468-500.

Gestro R. 1923. Materiali per lo studio delle Hispidae LIV. Contributi alla sistematica Della Tribu e descrizione di specie nuove. Annali del Museo Civico di Storia Naturale di Genova, (3)11(51):5-22.

Gistel J. 1848. Naturgeschichte des Thierreichs für höhere Schulen. Stuttgart, 216 pp. + 32 pls.

Gistel J. 1856. Die Mysterien europäischen Insectenwelt. Kempten: Tobias Dannheimer, xii + 532 pp.

Gmelin J F. 1790. Caroli a Linné Systema Naturae, 13. Edition(Editor: Gmelin), Lipsiae, Beer. Vol. 1, Teil 4, 1-500.

Gmelin J F. 1790. Caroli a Linné Systema Naturae per regna tria naturae, secundum classes, ordines, genera, species, cum characteribus, differentis, synonymis, locis. Editio decima tertia aucta, reformata. I. 4. Lipsiae, 1517-2224.

Goecke H. 1934. Revision asiatischer Donaciinen(Col. Chry.)I. Koleoptersiche Rundschau, 20: 215-230.

Goeze J A E. 1777. Entomologische Beyträge zu des Ritter Linné zwölften Ausgabe des Natursystems. Erster Theil. Leipzig, XVI + 736 pp.

Gozis M. des. 1886. Recherche de l'espèce typique de quelques anciens genres. Rectifications synonymiques et notes diverses. Montlucon: Herbin, 36 pp.

Gressitt J L. 1939. Hispine beetles in the collection of the Lingnan Natural History Survey and Museum (Coleoptera: Chrysomelidae: Hispinae). Lingnan Science Journal, 18:161-186.

Gressitt J L. 1942a. Plant-Beetles from south and west China. I. Sagrinae, Donaciinae and Megalopodinae(Coleoptera). Lingnan Science Journal, 20: 271-293.

Gressitt J L. 1942b. Plant-beetles from south and west China. II. Criocerinae(Chrysomelidae). Lingnan Science Journal, 20: 295-323, pls 15-18.

Gressitt J L. 1945. On some genera of Oriental Orsodacninae and Eumolpinae(Col. Chrysom.). Lingnan

Science Journal, 21(1-4): 135-146.

Gressitt J L. 1950. The hispine beetles of China(Coleoptera: Chrysomelidae). *Lingnan Science Journal*, 23(1-2):53-142.

Gressitt J L. 1952. The tortoise beetles of China(Chrysomelidae: Cassidinae). *Proceedings California Academy of Sciences*, 27: 433-592.

Gressitt J L, Kimoto S. 1961. The Chrysomelidae(Coleopt.) of China and Korea, part 1. *Pacific insects Monograph*, 1A: 1-299.

Gressitt J L, Kimoto S. 1963. The Chrysomelidae(Coleopt.) of China and Korea. Part 2. *Pacific Insects Monograph*, 1B. Entomology department, Bernice P. Bishop Museum Honolulu, Hawaii, USA. pp. 301-1026.

Gressitt J L, Kimoto S. 1961. The Chrysomelidae(Coleopt.) of China and Korea, part 1. *Pacific Insects Monograph*, 1A: 1-299.

Gressitt J L, Kimoto S. 1963. The Chrysomelidae(Coleopt.) of China and Korea. Part 2. *Pacific Insects Monograph*, 1B. pp. 301-1026.

Gressitt J L, Kimoto S. 1965. Second supplement to 'The Chrysomelidae(Coleopt.) of China and Korea'. *Pacific Insects*, 7(4): 799-806.

Gressitt J L, Kimoto S. 1979. Chrysomelidae(Coleoptera) of Thailand, Cambodia, Laos and Vietnam I. Sagrinae, Donaciinae, Zeugophorinae, Megalopodinae and Criocerinae. *Pacific Insects*, 20(2-3): 191-256.

Harold E. 1874a. Geänderte Namen. *Coleopterologische Hefte*, 12: 152.

Harold E. 1874b. Palesida, neue Eumolpiden-Gattung. *Berliner Entomologische Zeitschrift*, 18: 23-24.

Harold E. 1877. Nomenclatorische und synonymische Bemerkungen zur zweiten Ausgabe des Catalogus Coleopterorum Europae. *Mitteilungen der munchner entomologischen Verein. Munchen*, 1: 113-125.

Heinze E. 1927b. Drei neue Criocerinen-Gattungen, drei neue Lema-Arten und einige Bemerkungen über bekannte Lema-Arten von Afrika. *Entomologische Blätter*, 23: 161-170.

Heinze E. 1929. Übersicht der Arten des afrikanischen Festlandes der Gattung Hapsidolema Heinze. *Deutsche Entomologische Zeitschrift*, 1929: 289-297.

Heinze E. 1930. Über afrikanische Criocerinen, vorzugsweise aus dem Kongo-Museum Tervueren. *Revue de Zoologie et de Botanique Africaines*, 20: 23-55.

Heinze E. 1931. Über neue und bekannte afrikanishe Criocerinen, großenteils aus Londoner Museen. *Wiener Entomooglische Zeitung*, 48: 175-213.

Heinze E. 1943. Über bekannte und neue Criocerinen. 29. Beitrag zur Kenntnis der Criocerinen [Col. Chrysomel.]. *Stettiner Entomologische Zeitung*, 104: 101-109.

Herbst J F W. 1786. Erste Mantisse zum Verzeichniss der ersten Klasse meiner Insektensammlung. *Archiv der Insectenschichte* [*J. C. Fuessly*], 7-8: 153-182, pls. 43-48.

Heyden L F J D. 1887. Verzeichniss der von Herrn Otto Herz auf der chinesischen Halbinsel Korea gesammelten Coleopteren. *Horae Societatis Entomologicae Rossicae*, xxi: 243-273.

Hincks W D. 1950. Some nomenclatorial notes on Chrysomelidae(Col.). No. 2, Galerucinae; corrections and additions. *Journal of Natural History*, 3(25): 86-88.

Hope F W. 1831. Synopsis of the new species of Nepaul Insects in the collection of Major General Hardwicke. *In* Gray. *Zoological Miscellany*, London, Vol. 1: 21-32.

Hope F W. 1840. *The Coleopterist's Manual, part the third, containing various Families, Genera and Species, of Beetles, recorded by Linneus and Fabricius. Also, descriptions of newly discovered and unpublished Insects.* London, Bridgewater, Vol. 3, 191 pp. , 3 pls.

Hope F W. 1843. Descriptions of some new coleopterous insects sent to England by Dr. Cantor from Chusan and Canton, with observations on the entomology of China. *The Annals and Magazine of Natural History*, 11: 62-66.

Hope F W. 1842. On some rare and beautiful Coleopterous Insects from Silhet, the major part belonging to the collection of Frederic Parry, Esq. , of Cheltenbaum. *The Annals and Magazine of Natural History*, 9: 247-248.

Hope F W. 1842. Descriptions on the Coleopterous Insects sent to England by Dr. Cantor from Chusan and Canton, with observations on the entomology of China. *Annals and Magazine of Natural History*, 11: 62-66.

Lablokoff-Khnzorian S M. 1962. Novye vidy zhestkokrylykh iz Zakavkazya. *Zoologicheskiy Sbornik Akademii Nauk Armyanskoy SSR*, 12: 99-124.

Jacob H. 1954. Bemerkungen zu *Chrysomela cerealis* ssp. *alternans* Panz. (= ssp. *plorans* Bechyne). 10. Beitrag zur Kenntnis pal. Chrysomeliden. (Chrys. Col.). *Koleopterologische Rundschau*, 32: 104.

Jacobs W. 1926. Über einige neue deutsche Coleopteren-Abeerra-tionen. *Entomologische Zeitschrift Frankfurt*, 39: 166 pp.

Jacobson G G. 1896. Chrysomelidae palaearcticae novae vel parum cognitae. 2. *Horae Societatis Entomologicae Rossicae*, 29: 529-558.

Jacobson G G. 1901. Symbola ad Cognitionem Chrysomelidarum Rossiae asiaticae. *Öfversigt af Finska Vetenskaps-Societetens Förhandlingar B*, 43: 99-147.

Jacobson G G. 1902. Leaf beetles of Western Siberia collected by A. G. Jakobson during 1897-1898. *Trudy Russkago Entomologicheskago Obshchestva*, 35: 91-103.

Jacobson G G. 1925. De Chrysomelidis palaearcticis. Descriptionum et annotationum series 3, 4. *Revue Russe d'Entomologie*, 19: 143-148.

Jacoby M. 1884. Descriptions of new genera and species of phytophagous Coleoptera, collected by H. Hagen at Serdang, East Sumatra. *Notes from the Leyden Museum*, 6: 201-230.

Jacoby M. 1885. Descriptions of phytophagous Coleoptera of Japan. *Proceedings of the Scientific Meetings of the Zoological Society of London*, 1885: 719-755.

Jacoby M. 1888. Descriptions of new species of phytophagous Coleoptera from Kiukiang(China). *Proceedings of the Scientific Meetings of the Zoological Society of London*, 1888: 339-351.

Jacoby M. 1890. Descriptions of new speceis of phytophagous Coleoptera received by Mr. J. H. Leech, from Chang-Yang, China. *The Entomologist*, 23: 84-89, 114-118, 161-167, 193-197, 214-217; 2 pls.

Jacoby M. 1892. Description of the new genera and species of the phytophagous Coleoptera, obtained by Sign. L. Lea in Burma. *Estratto dagii Annali del Museo Civico di Storia Naturale di Genova, Ser. 2,*

12(32): 869-999.

Jacoby M. 1893. Descriptions of some new species of Donaciinae and Criocerinae contained in the Brussels Museum and that of my own. *Annales de la Société Entomologique de Belgique*, 37: 261-271.

Jacoby M. 1896. Descriptions of the new genera and species of phytophagous Coleoptera obtained by Mr. Andrewes in India. *Annales de la Société Entomologique de Belgique*, 40: 250-304.

Jacoby M. 1903. Descriptions of the new genera and species of Phytophagous Coleoptera obtained by Mr H. L. Andrewes and Mr T. R. D. Bell at the Nilgiri hills and Kanara. *Annales de la Societe Entomologique de Belgique*, 47: 80-128.

Jacoby M. 1908. *The Fauna of British India, including Ceylon and Burma. Coleoptera, Chrysomelidae*. Vol. 1. London: Taylor & Francis, xx + 534 pp., 2 pls.

Jiang S Q. 1988. A study on the Chinese *Liroetis* (Coleoptera: Chrysomelidae). *Sinozoologia*, 6: 183-198.

Jiang S Q. 1990. A new species of the genus *Pseudosepharia* (Coleoptera: Chrysomelidae). *Acta Entomologica Sinica*, 33: 455-456.

Joannis L D. 1866. Gallerucides, Tribu de la Famille des Phytophages, ou Chrysomelines. (Completed.). *L'Abeille*, 3: 82-96.

Jolivet P. 1957. Chrysomelidae: Orsodacninae. *In* Hincks W D. (ed.): *Coleopterorum Catalogus Supplementa*, Pars 51, Fasc. 3, W. Junk, s-Gravenhage, 16 pp.

Kimoto S. 1961. A revisional note on the type specimens of Japanese Chrysomelidae which are preserved in the museums of Europe and the United States. 1. *Kontyû*, 29: 157-166.

Kimoto S. 1964. The Chrysomelidae of Japan and the Ryukyu Islands. 1-3. *Journal of the Faculty of Agriculture, Kyushu University* (Fukuoka), 13: 99-164.

Kimoto S. 1964. The Chrysomelidae of Japan and the Ryukyu Islands. 1-6. *Journal of the Faculty of Agriculture Kyushu University Fukuoka*, 13: 287-308.

Kimoto S. 1965. A list of specimens of Chrysomeiidae from Taiwan preserved in the Naturhistorisches Museum/Wien (Insecta: Coleoptera). *Annalen des Naturhistorischen Museums in Wien*, 68: 485-490.

Kimoto S. 1966. A list of the Chrysomelidae specimens of Taiwan preserved in the Zoological Museum, Berlin. *Esakia*, 5: 21-38.

Kimoto S. 1979. The Galerucinae (Coleoptera: Chrysomelidae) of Nepal, Bhutan and Northern Territories of India, in the Natural History Museum in Basel, 1. *Entomologica Basiliensia*, 4: 463-478.

Kimoto S. 1982. Description of a new species of galerucid beetle from Taiwan, China (Coleoptera: Chrysomelidae). pp. 151-152. *In*: Satô M *et al* (eds.): Special Issue to the Memorial of retirement of Emeritus Professor Michio Chûjô. *Nagoya*, (4) +185pp.

Kimoto S. 1989. Chrysomelidae (Coleoptera) of Thailand, Cambodia, Laos and Vietnam. 4. Galerucinae. *Esakia*, 1-241.

Kimoto S. 2004. New or little known Chrysomelidae (Coleoptera) from Nepal, Bhutan and the northern territories of Indian subcontinent. *Bulletin of the Kitakyushu Museum of Natural History and Human History Series A Natural History*, 2: 47-63.

Kimoto S, Gressitt J L. 1981. Chrysomelidae (Coleoptera) of Thailand, Cambodia, Laos and Vietnam. 2. Clytrinae, Cryptocephalinae and Chlamisinae, Lamprosomatinae and Chrysomelinae. *Pacific Insects*,

23：286-391.

Kimoto S, Kawase E. 1966. A list of some Chrysomelid specimens collected in E. Manchuria and N. Korea. *Esakia*, 5：39-48.

Kippenberg H. 1994. 88. Familie：Chrysomelidae. pp. 17-92, 142. *In* Lohse G A & Lucht W H. (eds)：Die Käfer Mitteleuropas. Band 14. Supplementband mit Katalogteil：Goecke & Evers, 403 pp.

Kirby W. 1837. *Fauna Boreali-Americana*；*or the Zoology of the Northern Parts of British America*：*containing descriptions of the objects of natural history collected on the late northern land expeditions*, *under command of Captain Sir John Franklin*, *R. N. by John Richardson. Part 4. The Insects by W. Kirby.* London, 1837. 39 + 325 pp., 8 pls.

Kolbe H J. 1886. Beiträge zur Kenntnis der Coleopteren-Fauna Koreas, bearbeitet auf Grund der von Herrn C. Gottsche während der Jahre 1883 und 1884 in Korea veranstalteten Sammlung；nebts Bemerkungen über die zoo-geohraphischen Verhältnisse dieses Faunengebietes und Untersuchungen über einen Sinnes-apparat im Gaumen von Misolampidius morio. *Archiv für Naturgeschichte*, 52(1)：139-240, pls X, XI.

Konstantinov A S. 1998. Revision of the *Aphthonacrypta* group of species and a key to the species groups in *Aphthona* Chevrolat(Coleoptera：Chrysomelidae：Alticinae). *Coleopterists Bulletin*, 52(2)：134-146.

Konstantinov A S, Lingafelter S W. 2002. Revision of the Oriental species of *Aphthona* Chevrolat(Coleoptera：Chrysomelidae). *Entomological Society of Washington*, 349 pp.

Konstantinov A S, Prathapan K D. 2008. New generic synonyms in the Oriental flea beetles(Coleoptera：Chrysomelidae). *Coleopterists Bulletin*, 62(3)：381-418.

Konstantinov A S, Vandenberg N J. 1996. Handbook of Palearctic flea beetles(Coleoptera：Chrysomelidae：Alticinae). *Contributions on Entomology International*, 1(3)：237-439.

Konstantinov A S, Baselga A, Grebennikov V V, Prena J and Lingalfelter S W. 2011. *Revision of the Palearctic Chaetocnema species.* (*Coleoptera：Chrysomelidae：Galerucinae：Alticini*). Pensoft. 363 pp.

Kraatz G. 1879. Neue Käfer vom Amur. *Deutsche Entomologische Zeitschrift*, 23：121-144, pl. 2.

Kraatz G. 1879. Die Cryptocephalen von Sibirien und Japan und ihre geographische Verbreitung. *Deutsche Entomologische Zeitschrift*, 23：257-265.

Kraatz G. 1879b. Die Cassiden von Ost-Sibirien und Japan. *Deutsche Entomologische Zeitschrift*, 23：267-275.

Kunze G. 1818. *Zeugophora* (Jochträger), eine neue Käfergattung. *Neue Schriften der Naturforschenden Gesellschaft zu Halle*, 2(4)：71-76.

Kuwayama S. 1931. *Lema oryzae* sp. nov. *Insecta Matsumurana*, 5：155.

Kuwayama S. 1932. Studies on the morphology and ecology of the rice leaf-beetle, *Lema oryzae* Kuwayama, with special reference to the taxomomic aspects. *Journal of the Faculty of Agriculture Hokkaido Imperal University Sapporo*, 33：1-132, 4 pls.

Laboissière V. 1922. Etude des Galerucini de la collection du Musee du Congo Beige. *Revue Zoologique Africaine*, 10：32-33.

Laboissière V. 1927. Contribution a l'etude des Galerucini de l'lndo-Chine et du Yunnan, avec descriptions de nouveaux genres et especes(Col. Chrysomelidae). *Annales de la Societe Entomologique de*

France, 96: 41-58.

Laboissière V. 1929. Observations sur les Galerucini asiatiques principalement du Tonkin et du Yunnan et descriptions de nouveaux genres et especes. *Annales de la Societe Entomologique de France*, 98: 251-288.

Laboissière V. 1930. Observations sur les Galerucini asiatiques principalement du Tonkin et du Yunnan et description de nouveaux genres et especes(2e partie). *Annales de la Societe entomologique de France*, 99: 325-368.

Laboissière V. 1933. Observations sur les Galerucini asiatiques principale-ment du Tonkin et du Yunnan et descriptions de nouveaux genres et especes (4e partie). *Annales de la Societe Entomologique de France*, 102: 51.

Laboissière V. 1934. Galerucinae de la faune fran Yaise (Coleoptera). *Annales de la Societe Entomologique de France*, 103: 1-108.

Laboissière V. 1936. Observations sur les Galerucini asiatiques principalement du Tonkin et du Yunnan et descriptions de nouveaux genres et especes (5e partie). *Annales de la Societe Entomologique de France*, 105: 219-258.

Laboissière V. 1938. Galerucinae(Col.)de la Chine du Musee de Stockholm. *Arkiv for Zoologi Stockholm*, 30A: 4-9.

Laboissière V. 1940. Observations sur les Galerucinae des collections du Musée royal dhistoire naturelle de Belgique et descriptions de nouveaux genres et espèces. 4me note. *Bulletin du Musée Royal d'Histoire Naturelle de Belgique*, 16(37): 1-41.

Lacordaire J T. 1845. Monographie des coléoptères subpentamèeres de la famille des phytophages. Tome I. *Mémoires de la Société Royale des Sciences de Liége*, 3(1): xiii + 740 pp. (note: issued separately, Paris: L. Buquet).

Lacordaire J T. 1848. Monographie des coléoptères subpentamères de la famille des phytophages. Tome 2. *Mémoires de la Société Royale des Sciences de Liége*, 5, vi + 1-890.

Laicharting J N E. von 1781. *Verzeichnßund Beschreibung der Tyroler-Insekten. 1. Theil. Käferartige Insecten. 1. Band.* Zürich: Johann Caspar Füessly, [4] + xii + [1] + 248 pp.

Latreille P A. 1829. Suite et fin des insectes. *In* Cuvier G. *Le règne animal distribué d'après son organisation, pour servir de base à l'histoire naturelle des animaux et d'introduction à l'anatomie comparée. Nouvelle édition, revue et augmentée.* Tome 5. Paris: Déterville, xxii + 556 pp.

Leconte J L. 1850. General remarks upon the Coleoptera of Lake Superior. pp. 201-242. *In* Agassiz L. (ed.): Lake Superior: its physical character, vegetation, and animals, compared with those of other similar regions. (With narrative of the tour by J. Elliot Cabot). Gould, Kendall and Lincoln, Boston, x + 428 pp. + 17 pls.

Lee C F, Bezdek J. 2013. Revision of the genus *Dercetina* from Taiwan and their similar species, with description of a new species from Myanmar (Insecta: Chrysomelidae: Galerucinae). *Zookeys*, 323: 1-33.

Lee C F, Bezdek J. 2014. Taxonomic Studies on the Genus *Apophylia* from Taiwan (Coleoptera: Chrysomelidae: Galerucinae). *Journal of Taiwan Agricultural Research*, 63: 1-16.

Lee C F, Bezdek J and Suenaga H. 2012. Revision of *Menippus* (Coleoptera: Chrysomelidae: Galeruci-nae) of Taiwan and *Menippus dimidiaticornis* species group with a new generic synonymy. *Zootaxa*, 3427: 1-16.

Lefèvre É. 1877. Descritpions de coléoptères nouveaux ou peu connus de la famille des eumolpides. 1 re partie. *Annales de la Société Entomologique de France*, (5)7: 115-116.

Lefèvre É. 1884a. Descritpions de quatre genres nouveaux et de plusieurs espèces nouvelles de coléoptères de la famille des eumolpides. *Annales de la Société Entomologique de Belgique*, 28: cxciii-ccvi.

Lefèvre É. 1884b. [New taxa]. *Bulletin de la Société Entomologique de France*, 1884: lxxvi-lxxvii.

Lefèvre É. 1885. Eumolpidarum hucusque cognitarum catalogus, sectionum conspectu systematico, gene-rum sicut et specierum nonnularum novarium descriptionibus adjunctis. *Mémoires de la Société Royale des Sciences de Liège*, (2)11: 1-172.

Lefèvre É. 1887. [new taxa]. *Bulletin de la Société des Entomologique de France*: liv-lvii.

Lefèvre É. 1889. Contributions à la faune indo-chinoise. 4e Mémorie(1). Cryptocéphalides, clytrides et eumolpides. *Annales de la Société Entomologique de France*, (6)9: 287-299.

Lefèvre É. 1893. Contribution à la faune indo-chinoise. 12e Mémorie(1). Clytrides & eumolpides(2e mémorie). *Annales de la Société Entomologique de France*, 62: 111-134.

Li L. 2003. A primary taxonomic study on Crioceridae from Shaanxi(Coleoptera: Crioceridae). *Journal of Shaanxi Normal University(Natural Science Edition)*, 31(4): 71-76. [李力. 2003. 陕西负泥虫分类的初步研究(鞘翅目: 负泥虫科). 陕西师范大学学报(自然科学版), 31(4): 71-76.]

Linnaeus C. 1758. *Systema Naturae per regna tria naturae, secundum classes, ordines, genera, species, cum characteribus, differentiis, synonymis, locis. Tomus I. Editio decima, reformata.* Holmiae: Im-pensis Direct. Laurentii Salvii, iv + 824 + [1] pp.

Lopatin I K, Kulenova K Z. 1986. *Leaf beetles(Coleoptera: Chrysomelidae) of Kazakhstan: identification.* Alma-Ata, Nauka: 1-198.

Lopatin I K, Smetana A and Schöller M. 2010. Chrysomelidae: Cryptocephalinae: remaining Cryptoceph-alini: genus *Cryptocephalus*. *In* Löbl I & Smetana A. *Catalogue of Palaearctic Coleoptera*, Vol. 6. Chrysomeloidea. Stenstrup: Apollo Books. 580-606.

Machatschke J W. 1959. Üeber die verwanstschaftliche Stellung des *Cryptocephalus angaricus* Franz(Cole-optera: Chrysomelidae). *Beiträge zur Entomologie*, 9: 746-752.

Mannerheim C G. 1825. Novae coleopterorum species Imperii Rossici incolae. In Hummer A D. *Essaia entomologiques*, 4, *Insectes de* 1824. *Nouve species*. St. Petersbourg, 4: 19-41.

Marseul S A de. 1875. Monographie des Cryptocéphales du nord de l'ancien-monde. *L'Abeille*, 13: 1-326.

Matsumura Y, Sasaki S, Imasaka S, Sano M and Ohara M. 2011. Revision of the *Lema*(*Lema*) *concin-nipennis* Baly, 1865 species group(Coleoptera: Chrysomelidae: Criocerinae)in Japan. *Journal of Nat-ural History*, 45(25-26): 1533-1561.

Maulik S. 1919. *Hispinae and Cassidinae of India, Burma and Ceylon.* The fauna of British India. Taylor & Francis, London. 439 pp.

Maulik S. 1936. *Coleoptera, Chrysomelidae, Galerucinae.* The fauna of British India. Taylor & Francis,

London. 441 pp.

Medvedev L N. 1958. Chinesische und japanische Criocerinen aus der Kollektion des Musrums G. Frey (Col. Chrysom.). *Entomologische Arbeiten aus dem Museum G. Frey*, 9: 106-113.

Medvedev L N. 1969. Oriental Clytrinae(Coleoptera)from Basel Museum of National History. *Verhandlungen der Naturforschenden Gesellschaft in Basel*, 80: 281-285.

Medvedev L N. 1971. New forms of the subfamily Clytrinae(Coleoptera: Chrysomelidae)in the USSR and adjacent countries. *Zoologicheskiy Zhurnal*, 50: 686-695.

Medvedev L N. 1973. Novye zhuki-listoedy(Coleoptera: Chrysomelidae)palearktiki [New leaf-beetle(Coleoptera: Chrysomelidae)from Palaearctic]. *Entomologicheskoe Obozrenie*, 52: 876-885.

Medvedev L N. 1978. Taxonomical notes on leaf beetles(Coleoptera: Chrysomelidae)from Sakhalin and Kurile Islands. *Trudy Biologo-Pochvennogo Instituta* (N. S), 50: 82-86.

Medvedev L N. 1992. Chrysomelidae from the Nepal Himalayas, 3. (Insecta: Coleoptera). *Stuttgarter Beitraege zur Naturkunde Serie A(Biologie)*, 485: 1-36.

Medvedev L N. 2001. Jacoby's types of Chrysomelidae(Coleoptera)from Burma in the Museo Civico di Storia Naturale "Giacomo Doria", Genoa. Part 3. *Annali del Museo Civico di Storia Naturale "Giacomo Doria"*, 94: 249-264.

Medvedev L N. 2009. New and poorly-known species of Chrysomelidae(Coleoptera)from Sulawesi, Bali and Singapore. *Entomologica Basiliensia*, 31: 245-254.

Medvedev L N. 2011. A contribution to knowledge of Oriental species of *Cneorane* Baly, 1865(Chrysomelidae: Galerucinae). *Entomologica Basiliensia et Collectionis Frey*, 33, 351-368.

Medvedev L N and Samoderzhenkov E V. 1997. Revision of *Paridea* Baly, 1886(Chrysomelidae: Galerucinae)from the Himalaya and adjacent regions. *Russian Entomological Journal*, 6(1-2), 57-65.

Monrós F. 1953. Some corrections in the nomenclature of Clytrinae(Chrysomelidae). *The Coleopterists' Bulletin*, 7:45-50.

Monrós F. 1960. Los géneros de Chrysomelidae. *Opera Lilloana(Tucumán)*, 3 [1959]: 1-337.

Monrós F and Bechyné J. 1956. Uber einige verkannte Chrysomeliden-Namen. *Entomologischen Arbeiten aus dem Museum G. Frey*, 7: 1118-1137.

Motschulsky V. 1860. Coléoptères rapportés de la Sibérie orientale et notamment des pays situées sur les bordes du fleuve Amour. *In*: Schrenk L. (ed.), *Reisen und Forschungen im Amur-Lande im Aufrage der Kaiserl. Akademie der Wissenschaften zu St,Petersburg ausgeführt*. St. Petersburg. 2(2): 79-257.

Motschulsky V de. 1860. Insectes du Japon. *Études Entomologiques*, 9: 4-39.

Motschulsky V de. 1862. Insectes du Japon. *Études Entomologiques*,10: 3-24.

Motschulsky V de. 1866. Catalogue des Insectes reçus du Japon. *Bulletin de la Société Impérialesdes Naturalistes de Moscou*, 39(1): 163-200.

Müller G. 1948. Contributo alla conoscenza dei coleotteri fitofagi(Cerambycidae: Chrysomelidae). *Atti del Museo Civico di Storia Naturale di Trieste*, 17: 61-98.

Müller G. 1764. *Fauna insectorum Fridrichsdalina, sive methodica descriptio insectorum agri fridrichsdaline, cum characteribus genericis & specificis, nominibus trivialibus, iconibus allegatis, novisque pluribus speciebus additis*. Hafniae & Lipsiae, Gleditsch, i-xxiv + 96 pp.

Müller G. 1776. *Zoologiae Danicae prodromus, seu Animalium Daniae et Norvegiae indigenarum characteres, nomina, et synonyma imprimis popularium.* Havniae, xxxii + 274 pp.

Müller O F. 1776. *Zoologiae Danicae Prodromus, seu animalium Daniae et Norvegiae indigenarum characteres, nomina et synonyma imprimis popularium.* Hafniae: Hallageriis, xxxii + 282pp.

Nakane T. 1963. New or little-known Coleoptera from Japan and its adjecent regions. XVI. *Fragmenta Coleopterologica*, 4/5: 18-20.

Ogloblin D A. 1936. Faune de l'USSR. Insectes, Coleopteres, 26: 247-447.

Olivier A G. 1790. *Encyclopédie méthodique, ou par ordre de matières; par une société de gens de lettres, de savans et d'artistes; Précédée d'un vocabulaire universel, servant de table pour l'Ouvrage, ornée des Portraits de MM. Diderot l'Alembert, premiers Éditeurs de l'Encyclopédie. Historie naturelle. Insectes. Tome cinquième.* Paris: Panckoucke, 793pp.

Olivier A G. 1807. *Entomologie, ou histoire naturelle des Insectes, Avec leurs caracteres génériques et spécifiques, leur description, leur synonymie, et leur figure enluminée. Coléopteres. Tome cinquieme.* Paris, 2 + 612 pp.

Olivier A G. 1808. *Entomologie, ou histoire naturelle des insects, avec leurs caractères génériques et spécifiques, leur description, leur synonymie et leur figure enluminée. Coléoptéres. Tome sixième.* Paris: Desray, [4] + 613-1104, 46 pls [note: plates are separately numbered for each genus].

Pallas P S. 1773. Reise durch verschiedene Provinzen des Russischen Reichs. *Zweyter Theil. St. Petersburg*, pp. 371-750, 19 tt.

Papp C S. 1946. Synonymischen Bemerkungen. *Additamenta Faunistica Coleopterorum*, 4: 7.

Pic M. 1907. Notes entomologiques diverses(Suite). *L'Échange, Revue Linnéenne*, 23: 111-112, 113-115, 137-139, 145-146, 153-154, 177-179.

Pic M. 1909. Descriptions ou diagnoses et notes diverses(Suite). *L'Échange, Revue Linnéenne*, 25: 97-100, 105-106, 121-123, 129-131, 137-139, 145-146, 153-156, 161-162, 177-179, 185-186.

Pic M. 1917. Descriptions abrégées diverses. *Mélanges Exotico-Entomologiques*, 24: 2-24.

Pic M. 1921a. Nouveautés diverses. *Mélanges Exotico-Entomologiques*, 33: 1-33.

Pic M. 1921b. Deux nouveaux *Crioceris* Geoffr. asiatiques. *Bulletin de la Société Entomologique de France*, 1921: 136-137.

Pic M. 1922. Notes diverses, descriptions et diagnoses(Suite). *L'Échange, Revue Linnéenne*, 38: 17-19, 25-28.

Pic M. 1923. Noveautés diverses. *Mélanges Exotico-Entomologiques*, 38: 1-32.

Pic M. 1924. Noveautés diverses. *Mélanges Exotico-Entomologiques Moulins*, 41: 1-32.

Pic M. 1927. Coléoptères du globe. *Mélanges Exotico-Entomologiques*, 50: 1-36.

Pic M. 1927. Coléoptères exotiques en partie nouveaux(Suite). *L'Échange, Revue Linnéenne*, 43: 7-8.

Pic M. 1928. Notes et descriptions. *Mélanges Exotico-Entomologiques*, 51: 1-36.

Pic M. 1928. Contribution à l'étude du genre *Lema* F. *Bulletin de la Société Entomologique de France*, 1928: 95-96.

Pic M. 1930. Nouveautés diverses. *Mélanges Exotico-Entomologiques*, 56: 1-36.

Pic M. 1930. Nouveaux coléoptères exotiques. *Bulletin Bi-Mensuel de la Société Linnéenne de Lyon*, 9: 36-37.

Pic M. 1931. Nouveaux coléoptères du globe. *Bulletin de la Société Linnéenne de Lyon*, 10: 138-139.

Pic M. 1932. Nouveautés diverses. *Mélanges Exotico-Entomologiques*, 60: 1-36.

Pic M. 1932. Nouveautés diverses. *Mélanges Exotico-Entomologiques*, 59: 10-36.

Pic M. 1934. Nouveautés diverses. *Mélanges Exotico-Entomologiques*, 64: 1-36.

Pic M. 1935. Schwedisch-chinesische wissenschaftliche Expedition nach den nordwestlichen Provinzen Chinas, unter Leitung von Dr. Sven Hedin und Prof. Sü Ping-Chang. Insekten gesammelt vom schwedischen Arzt der Expedition Dr. David Hummel 1927-1930. 16. Coleoptera. 2. Helmidae, Dermestidae, Anobiidae, Cleridae Malacodermata, Dascillidae, Heteromera(ex p.), Bruchidae, Cerambycidae, Phytophaga(ex p.). *Arkiv för Zoologi*, 27 A(2): 1-14.

Pic M. 1936. Nouveautés diverse. *Mélanges Exotico-Entomologiques*, 68: 10-36.

Pic M. 1938. Coleoptera partim: Dermestidae-Phytophaga. pp. 14-18. *In* Sjöstedt Y. Insekten aus China im Naturhistorischen Reichsmuseum zu Stockholm. Heimgebracht von Direktor Kjell Kolthoff und anderen schwedischen Forschern und Reisenden. *Arkiv för Zoologi*, 30 A(13): 1-19.

Pic M. 1945. Coléoptères du globe(suite). *L'Échange*, *Revue Linnéenne*, 61: 1-4, 10-12.

Pic M. 1953. Coléoptères du globe(suite). *L'Échange*, *Revue Linnéenne*, 69: 2-4, 5-8, 9-12, 14-16.

Pic M. 1954. Coléoptères Nouveaux de Chine. *Bulletin de la Société Entomologique de Mulhouse*, 1954: 53-59, 61-64.

Redtenbacher L. 1874. *Fauna Austriaca. Die Käfer, nach der analytischen Methode bearbeitet*. Edition 3. Wien, 571 pp.

Regalin R, Medvedev L N. 2010. Chrysomelidae: Cryptocephalinae: Clytrini. *In* Löbl I & Smetana A. *Catalogue of Palaearctic Coleoptera*, Vol. 6. Chrysomeloidea. Stenstrup: Apollo Books. p. 564-580.

Reitter E. 1900. Coleoptera, gesammelt im Jahre 1898 in Chin. Central-Asien von Dr. Holderer in Lahr. *Wiener Entomologische Zeitung*, 19: 153-166.

Reitter E. 1913. *Fauna Germanica. Die Käfer des Deutschen Reiches. Nach der analytischen Methode bearbeitet*. 4. *Band.* [1912]. Stuttgart: K. G. Lutz' Verlag, 236 pp., pl. 129-152.

Reitter E. 1920. Bestmmungs-Tabelle der europäischen Donaciini, mit Berücksichtigung der Arten aus der paläarktischen Region. *Wiener Entomologische Zeitung*, 38: 21-40.

Rossi P. 1792. *Mantissa Insectorum exhibens species nuper in Etruria collectas adiectis faunae Etruscae illustrationibus, ac emendationibus.* 1. Pisa, 148 pp.

Scherer G. 1969. Die Alticinae des indischen Subkontinentes(Coleoptera: Chrysomelidae). *Pacific Insects Monograph*, 22: 1-251.

Schmitt M. 2010. Chrysomelidae: Criocerinae. pp. 359-368. *In*: Löbl I & Smetana A. *Catalogue of Palaearctic Coleoptera*, Vol. 6. Apollo Books, Stenstrup, 924 pp.

Schneider D H. 1791. Rezensionen. *Neueste Magazin für die Liebhaber der Entomologie*, 1: 90-109.

Sekerka L. 2010. New acts and comments. Chrysomelidae: Sagrinae. pp. 61-62. *In*: Löbl I & Smetana A. *Catalogue of Palaearctic Coleoptera*, Vol. 6. Apollo Books, Stenstrup, 924 pp.

Solsky S. 1872. Coléopteres de la Sibérie Orientale. *Horae Societatis Entomologicae Rossicae*, (1871)8: 232-277.

Spaeth F. 1914. Chrysomelidae: 16. Cassidinae. *In*: W Junk, S Schenkling, *Coleopterorum Catalogus*,

Pars 62, Berlin, 182 pp.

Spaeth F. 1919. Neue Cassidinae aus der Sammlung von Dr. K. Brancsik, dem Ungarischen National-Museum und meiner Sammlung. *Annales Musei Nationalis Hungarici*, 17: 184-204.

Spaeth F. 1926. Beschreibung neuer Cassidinen. *Bulletin Mensuelde la Société des Naturalistes Luxembourgeois* (N. S.), 20: 11-24, 47-60.

Stephens J F. 1831. *Illustrations of British entomology; or, a synopsis of indigenous insects, containing their generic and specific distinctions; with an account of their metamorphoses, times of appearance, localities, food, and economy, as far as practicable. Mandibulata.* Volume 4. Baldwin & Cradock, London, 1-408.

Suffrian E. 1841. Fragmente zur genaueren Kenntnis deutscher Käfer. *Entomologische Zeitung* (*Stettin*), 2: 38-47, 97-106.

Suffrian E. 1860. Berichtigtes Verzeichniss der bis jetzt bekannt gewordenen Asiatischen Cryptocephalen. *Linnaea Entomologica*, 14: 1-72.

Takizawa H. 1985. Notes on chrysomelid-beetles (Coleoptera: Chrysomelidae) of India and its neighbouring areas, part 1. *Kontyû*, 53(3), 565-575.

Tan J J, Yu P Y, Li H X, Wang S Y and Jiang S Q. 1980. *Economic insect fauna of China Fasc.* 18, Coleoptera: Chrysomeloidea (Ⅰ). Science Press, Beijing, China. 213 pp. [谭娟杰, 虞佩玉, 李鸿兴, 王书永, 姜胜巧. 1980. 中国经济昆虫志第十八册, 鞘翅目叶甲总科(一). 北京: 科学出版社, 213 页.]

Thomson C G. 1858. Deuxième Partie. Insects. I. Ordre Coléoptères. *In*: Voyage au Gabon. Histoire naturelle des insectes et des arachinides recuillis pendant un voyage fait au Gabon en 1856 et en 1857 par M. Henry C. Deyrolle sous les auspices de MM. Le Comte de Mniszech et James Thomson, précédée de l'histoire du voyage par J. Thomson; Arachnide par H. Lucas. *Archives Entomologiques*, 2: 1-469.

Thomson C G. 1858. Insects. I. Ordre Coléoptères. Archives entomologiques ou recueil contenant des illustriations d'insectes nouveaux ou rares. Paris, 29-376 pp.

Thomson C G. 1866. *Skandinaviens Coleoptera: synoptiskt bearbetade.* Lund 8, 409 + 75 pp.

Tishechkin A K, Konstantinov A S, Bista S, Pemberton R W and Center T D. 2011. Review of the continental Oriental species of *Lilioceris Reitter* (Coleoptera: Chrysomelidae: Criocerinae closely related to *Lilioceris impressa* F.). *Zookeys*, 103: 63-83.

Uhmann E. 1940. Die Genotypen der von mir aufgestellten Hispinen-Gattung. 88. Beitragzur Kenntnis der Hispinen (Col. Chrys.). *Entomologisk Tidskrift*, 61: 143-144.

Uhmann E. 1952. Austral-Asiatische Hispinae (9. Teil) (Col.). *Dicladispa*-Arten und *Dicladispa occator* (Brullé). 127. Beitrag zur Kenntnis der Hispinae (Coleoptera: Chrysomelidae). *Treubia*, 21(2): 231-239.

Wagner T. 2007. *Monolepta* Chevrolat, 1837, the most speciose galerucine taxon: redescription of the type species *Monolepta bioculata* (Fabricius, 1781) and key to related genera from (Chrysomelidae: Coleoptera). *Journal of Natural History*, 41(1-4): 81-100.

Wagner T. 2012. Galerucine type material described by VICTOR MOTSCHULSKY in 1858 and 1866 from the

Zoological Museum Moscow(Coleoptera: Chrysomelidae: Galerucinae). *Entomologische Zeitschrift Stuttgart*, 122: 210.

Wang S Y, Chen S H. 1992. Coleoptera, Chrysomelidae-Chrysomelinae, 628-646. *In* Chen S H(ed.). *Insect of the Hengduan Mountains Region*. 1. Science Press, Beijing, 1, 682 pp. ［王书永，陈世骧. 1992. 鞘翅目，叶甲科-跳甲亚科，628-646. 见:陈世骧主编，横断山区昆虫，第一册. 北京:科学出版社，682 页.］

Weber F. 1801. *Observationes entomologicae, continentes novorum quae condidit generum characteres, et nuper detectarum specierum descriptiones*. Kiliae, impensis Bibliopolii Academici Novi, 69 pp.

Weber F. 1801. *Observationes Entomologicae*. 116 pp.

Weise J. 1883. Ueber die mit *Galeruca* Geoffr. verwandten Gattungen. *Deutsche Entomogischen Zeitschrift*, 32: 315-316.

Weise J. 1887. Neue sibirische Chrysomeliden und Coccinelliden nebst Bemerkungen über früher beschriebene Arten. *Archiv für Naturgeschichte*, 53(1): 164-214.

Weise J. 1889. Insecta a Cl. G. N. Potanin in China et in Mongolia novissime lecta. xx. Chrysomelidae et Coccinellidae. *Horae Societatis Entomologicae Rossicae*, xxiii: 560-653.

Weise J. 1898. Ueber neue und bekannte Chrysomeliden. *Archiv für Naturgeschichte*, 64(1): 177-224.

Weise J. 1900. Beschreibungen von Chrysomeliden und synonymische Bemerkungen. *Archiv für Naturgeschichte*, 66(1): 267-296.

Weise J. 1905. Neue afrikanische Chrysomeliden und Coccinelliden. *Deutsche Entomologische Zeitschrift*, 1905: 33-54.

Weise J. 1911. *Coleopterorum Catalogus Chrysomelidae: Hispinae*. W. Junk, Berlin. Pars 35:1-94.

Weise J. 1913. Uber Chrysomeliden und Coccinelliden der Philippinen. 2. Teil. Philippine *Journal of Science D General Biology Ethnol Anthrop*, 8: 215-242.

Weise J. 1916. Results of Dr. E. Mjoberg's Swedish scientific expeditions to Aus-tralia 1910-1913. XI. Chrysomeliden und Coccinelliden aus West Australien. *Arkiv for Zoologi Stockholm*, 10: 1-51.

Weise J. 1922. Chrysomeliden der Indo-Malayischen region. *Tijdschrift voor Entomologie*, 65: 39-130.

Weise J. 1922. Hispinen der Alten Welt. *The Philippine Journal of Science*, 21(D):57-85.

Weise J. 1922. Chrysomeliden der Philippinen, 3. *The Philippine Journal of Science*, 21: 423-490.

Weise J. 1924. Chrysomelidae: 13. Galerucinae. *In Junk* W & *Schenkling* S(eds.): *Coleopterorun Catalogus*, Pars 78. W, Junk, Berlin, 225 pp.

Weise J. 1897. Kritisches Verzeichniss der von Mr. Andrewes eingesandten Cassidinen und Hispinen aus Indien. *Deutsche Entomologische Zeitschrift* , 1897: 97-150.

White R E. 1981. Homonymy in world species-group names of Criocerinae(Coleoptera: Chrysomelidae). *United States Department of Agriculture*, *Technical Bulletin*, 1629: 1-69.

Wilcox J A. 1971. Chrysomelidae: Galerucinae(Oidini, Galerucini, Metacyclini, Sermylini). *In*: *Wilcox* J A(eds.), *Coleopterorum Catalogus Supplementa*. Pars 78(1), Second edition. Netherlands: W Junk, 1-220.

Wilcox J A. 1973. Chrysomelidae: Galerucinae. Luperini: Luperina. *In*: *Wilcox* J A(eds.), *Coleopterorum Catalogus Supplementa*. Pars 78(3), Second edition. Netherlands: W. Junk, 433-664.

Wilcox J A. 1975. Chrysomelidae: Galerucinae. Addenda et index. *In*: *Wilcox* J A (eds.), *Coleopterorum Catalogus Supplementa*. Pars 78 (4), Second edition. Netherlands: W. Junk, 667-770.

Yang X K. 1991. Notes on Chinese species of the genus *Sermyloides* Jacoby (Coleoptera: Chrysomelidae: Galerucinae). *Sinozoologia*, 8: 297-305.

Yang X K. 1993. Notes on the genus *Fleutiauxia* Laboissiere (Coleoptera: Chrysomelidae: Galerucinae). *Entomotaxonomia*, 15 (3): 219-227.

Yang X K. 1995. Studies on the subfamily Galerucinae 1. Complementary description of the genus *Aplosonyx* and the descriptions of two new species (Coleoptera: Chrysomelidae). *Acta Zootaxonomica Sinica*, 20 (1): 90-94.

Yang X K, Li W Z, Zhang B and Xiang Z. 1997. Coleoptera: Chrysomelidae: Galerucinae. pp863-904. *In*: *Yang* X K. (ed.): *Insects of the Three Gorge Reservoir area of Yangtze river*. *Part 1*. Chongqing: Chongqing Publishing House, xx + 974.

Yu P Y, Wang S Y and Yang X K. 1996. *Economic Fauna of China*. *Vol. 54*. *Coloptera*, *Chrysomeloidea II*. Science Press, Beijing, 1-324. [虞佩玉，王书永，杨星科. 1996. 中国经济昆虫志. 第五十四册，鞘翅目，叶甲总科 (二). 北京，科学出版社, 1-324 页.]

Yu P Y, Liang H B. 2002. A check-list of the Chinese Megalopodinae (Coleoptera: Chrysomelidae). *Oriental Insects*, 36: 117-128.

Zhang L J, Yang X K. 2004. A review of the genus *Paragetocera* Laboissiere (Coleoptera: Chrysomelidae: Galerucinae). *Oriental Insects*, 38: 289-302.

Zhang Y, Wang S Y and Yang X K. 2006. A new species of the genus *Altica* Geoffroy (Coleoptera: Chrysomelidae: Alticinae) from China. *Acta Zootaxonomica Sinica*, 31 (4): 855-858.

象甲总科 Curculionoidea

张润志　　任立　　王志良

（中国科学院动物进化与系统学重点实验室，中国科学院动物研究所，北京 100101）

象甲不同种类间体型大小差异很大，体壁骨化强，体表多被鳞片；喙通常显著，由额部向前延伸而成，多无上唇；触角多为 11 节，膝状或非膝状，分柄节、索节和棒节 3 部分，棒节多为 3 节组成；颚唇须退化，僵硬；外咽片消失，外咽缝常愈合成 1 条；鞘翅长，端部具翅坡，通常将臀板遮蔽；腿节棒状或膨大，胫节多弯曲；胫节端部背面多具钩；跗节 5-5-5，第 3 节双叶状，第 4 节小，隐于其间；腹部可见腹板 5 节，第 1 节宽大，基部中央伸突于后足基节间。幼虫蛴螬型，上颚具发达的臼齿；无足和尾突；幼虫可以生活在土中以及植物的根、茎、枝、叶、花、果、种子等各个部分。

象甲总科（Curculionoidea）是鞘翅目昆虫中种类最多的 1 个类群，目前已记述种类达到 5800 余属 62000 多种。本志共记述了采自陕西秦岭地区的象虫总科昆虫 7 科 107 属 198 种，包括 7 个陕西新纪录属，19 个陕西新纪录种，其中 1 个同时也是中国新纪录种。

分科检索表

1. 上唇明显而分离；前胸背板基部至两侧后端有隆脊 ………………………… **长角象科 Anthribidae**
   上唇绝不真正分离；前胸背板无上述隆脊 ……………………………………………………… 2
2. 转节放长，基节与腿节不接触 ……………………………………………………………………… 3
   转节不放长，基节与腿节至少有部分接触 ……………………………………………………… 4
3. 触角不呈膝状，柄节短，末端不明显膨大，索节 7 节，触角沟深；前胸背板及鞘翅基部平滑；2 ~ 4 腹节缝两侧向后弯曲；小盾片可见；前胸腹板在前足基节前可见，较长；爪多具齿突 …………
   ……………………………………………………………………………………… **梨象科 Apionidae**
   触角膝状，柄节长，末端明显膨大，索节 4 ~ 6 节，触角沟浅；前胸背板及鞘翅基部念珠状突起；2 ~ 4 腹节缝两侧不向后弯曲；小盾片不可见；前胸腹板在前足基节前不可见；爪多无齿突 ……
   …………………………………………………………………………………… **橘象科 Nanophyidae**
4. 触角不呈膝状，触角棒为明显的 3 节；上颚外缘多少有齿，腹板 1 ~ 2 愈合，或上颚外缘无齿，腹板 1 ~ 4 愈合；体壁通常光滑，发亮，不被覆鳞片 ……………………………………………… 5
   触角呈膝状，触角棒各节密实；上颚外缘无齿，腹板 1 ~ 2 愈合；体壁大都被覆鳞片 ……………… 6
5. 爪分离 ……………………………………………………………………… **齿颚象科 Rhynchitidae**
   爪合生 ……………………………………………………………………………… **卷象科 Attelabidae**
6. 触角棒节愈合，节间环纹不明显，或基节扩大而发光，节间缝几乎不明显；身体光滑，稀被覆鳞片;索节 6 节,有时退化为 5 或 4 节;臀板外露;前足胫节内缘近端部不密布长而直立的毛 ……
……………………………………………………………………… 隐颏象 Dryophthoridae

触角棒节不愈合,节间环纹通常明显,不发光;身体通常被覆鳞片,稀光滑
……………………………………………………………………… 象甲科 Curculionidae

一、长角象科 Anthribidae

鉴别特征:长角象科是象虫总科中最原始的类群之一,区别于其他科的主要特征是上唇明显并且分离,前胸背板基部至两侧具隆脊。

生物学:绝大部分种类食菌,也有小部分种类取食植物的种子。

分类:主要分布在热带和亚热带地区,温带的种类较少。目前世界已记述的种类达到 378 属 3800 多种,中国已知 54 属 197 种。秦岭地区记录了 12 属 12 种。

分亚科检索表

触角着生在喙的侧面 ………………………………………… 长角象亚科 Anthribinae
触角着生在喙或头的背面 ………………………………… 背长角象亚科 Choraginae

（一）长角象亚科 Anthribinae

分族检索表

1. 上颚腹侧面边缘有粗齿,背面正常;眼圆形或卵形;触角窝与眼接触,触角棒宽 ………
……………………………………………………… 齿颚长角象族 Cratoparini
   上颚腹侧面边缘不具齿 ……………………………………………………………… 2
2. 侧面观喙与头的下缘形成 1 条均匀的曲线或者 1 个相当宽的钝角,喙腹面不具横向深沟 …… 3
   侧面观喙与头的下缘形成 1 个锐角或直角,有时在交角处具 1 个横向深沟;若交角钝圆,则眼在额部,彼此十分靠近;触角窝背面观不可见,完全生于喙的侧面,若可见,则眼位于头的背面且彼此很接近,圆形至椭圆形 ……………………………… 三纹长角象族 Tropiderini
3. 前胸背板背隆脊靠近基部 ……………………………………………………………… 4
   前胸背板背隆脊离基部较远,眼小,位于侧面,不具缺刻;触角窝不与眼接触,通常向腹面延伸;鞘翅具肩,若不具肩,则眼长椭圆形或者前胸背板的背隆脊缺失;触角窝背面观不可见,若可见,则触角棒 4 节 ……………………………………… 平行长角象族 Ecelonerini
4. 雄虫触角第 4 节异常膨大;触角窝位于背侧面,与眼相接,背面观至少前端可见;身体圆柱形;前胸背板侧隆脊在前端其终止的部位具齿;喙两侧平行或向端部放宽 ………………………
……………………………………………………… 瘤角长角象族 Ozotomerini
   雄虫触角第 4 节正常;触角窝位于侧面或背侧面 …………………………………… 5

5.　触角窝位于侧面,背面观至少端部可见,不与眼接触;喙两侧平行或向端部放宽;眼前缘多少具
　　凹刻;触角细长,触角棒 3 节;喙基部中间具 1 个凹坑或刻点 ⋯⋯ **宽喙长角象族 Platystomini**
　　触角窝位于喙侧面,背面观不可见;喙从基部向端部迅速缩窄,两侧具隆脊且隆脊达到眼前缘;
　　前胸背板侧隆脊达到前胸背板的前缘;眼前缘具深或浅的凹刻 ⋯⋯⋯⋯⋯⋯⋯⋯⋯⋯⋯⋯⋯⋯
　　⋯⋯⋯⋯⋯⋯⋯⋯⋯⋯⋯⋯⋯⋯⋯⋯⋯⋯⋯⋯⋯⋯⋯⋯ **三角长角象族 Trigonorhinini**

Ⅰ. 齿颚长角象族 Cratoparini LeConte, 1876

1. 齿颚长角象属 *Euparius* Schoenherr, 1823

Euparius Schoenherr, 1823: 1135. **Type species**: *Macrocephalus marmoreus* Olivier, 1795.
Cratoparis Dejean, 1834: 235［unnecessary RN］.
Caccorhinus Sharp, 1891: 321. **Type species**: *Caccorhinus oculatus* Sharp, 1891.

属征:喙极短,喙在腹面与头之间被 1 个深的狭缩分开;上颚腹侧面边缘有粗齿,背面边缘正常;触角着生于喙的侧面,触角窝的后缘与眼前缘接触,触角棒宽;眼圆形或卵圆形;前胸背板基部具隆脊,且靠近基部边缘。

分布:本属古北区已知 10 种,中国记录 4 种。秦岭地区发现 1 种。

(1) 眼齿颚长角象 *Euparius oculatus oculatus*（**Sharp, 1891**）

Caccorhinus oculatus oculatus Sharp, 1891: 321.

鉴别特征:体黑色,触角浅褐色;索节 1、2 远比其余索节粗,但较长,索节 3 ~ 8 相当细长,索节 9 宽,近正方形,索节 10 宽大于长,膨大且中部呈三角形,索节 11 长是宽的 2 倍;喙宽大于长,具中沟;前胸长,向端部缩窄,基部通常颜色较端部深,背隆脊靠近前胸背板基部,与侧缘形成 1 个锐角;鞘翅相当长,灰色,被绒毛,具很多黑色的斑点,在鞘翅奇数行间形成不连续的纵纹,端部缩成钝尖;前足胫节具窄的白色条带,中足和后足胫节具宽的白色条带;跗节 2 略短于 1,端部裂开,跗节 3 可见,但远小于 2,二叶,跗节 4 几乎不可见。

分布:陕西(秦岭)、台湾;俄罗斯,韩国,日本。

寄主:真菌(蘑菇)。

Ⅱ. 平行长角象族 Ecelonerini Lacordaire, 1865

2. 平行长角象属 *Eucorynus* Schoenherr, 1823

Eucorynus Schoenherr, 1823：1135. **Type species**：*Anthribus crassicornis* Fabricius, 1801.

属征：喙不具中隆脊,喙的侧缘具缺刻,使得触角窝的前端从背面观可见,触角窝沟状,向后下方延伸;后颏无突起;触角棒 4 节;眼圆形,无缺刻;前胸背板侧隆脊最多达到中部;鞘翅具肩;胫节的横切面圆形,跗节 3 最多与跗节 2 等宽。

分布：古北区。本区已知 1 种,中国记录 1 种。秦岭地区发现 1 种。

(2) 粗角平行长角象 *Eucorynus crassicornis* (Fabricius, 1801)

Anthribus crassicornis Fabricius, 1801：407.

Eucorynus clavator Fairmaire, 1903：43.

Eucorynus colligendus Walker, 1859a：261.

Eucorynus setosulus Pascoe, 1859b：434.

鉴别特征：体长而略扁,体壁黑褐色,被覆黄色和黑色的短绒毛,夹杂少量长刚毛。所有胫节均具 2 条黄色绒毛形成的条带,近基部的条带窄,近端部的条带宽。眼圆,眼间距几乎与喙的宽度相等。触角索节 3 是索节 2 的 1.50 倍,索节 5 和索节 6 的端部具浅黄色的绒毛,索节 7 几乎全部被覆浅黄色的绒毛,索节 8~11 被覆黑色绒毛,触角棒宽而扁,4 节。雄虫索节 6~11 的腹面被覆黑色长毛。前胸背板中间最宽,具浅刻点,黄色的绒毛形成几个斑点,每一刻点具 1 根长刚毛,绒毛仅覆盖刻点之外的部分。背隆脊较近基部,与侧隆脊以钝角相连,侧隆脊达到前胸两侧的中部。鞘翅两侧平行,长远大于宽(12∶7)。鞘翅具黄褐色绒毛形成的斑纹,鞘翅近端部的斑纹最大。前足基节略分离。胫节直,向端部略放宽。跗节短,跗节 1 和 2 等长,跗节 2 端部略二裂,跗节 3 略小于跗节 2,二叶状,跗节 4 几乎不可见。臀板宽大于长。

分布：陕西(秦岭)、福建、台湾、海南、香港、广西、云南;俄罗斯(远东地区),朝鲜,韩国,日本,泰国,印度,尼泊尔,菲律宾,马来西亚,新加坡,巴基斯坦,非洲,东洋区。

Ⅲ. 瘤角长角象族 Ozotomerini Morimoto, 1972

3. 瘤角长角象属 *Ozotomerus* Perroud, 1853

Ozotomerus Perroud, 1853: 406. **Type species**: *Ozotomerus maculosus* Perroud, 1853.

Dipieza Pascoe, 1859a: 331. **Type species**: *Oedecerus bipunctatus* Montrouzier, 1855.

Oedecerus Montrouzier, 1855: 46. **Type species**: *Oedecerus bipunctatus* Montrouzier, 1855.

属征: 体圆筒形; 触角窝着生于背侧面, 紧邻眼部; 雄虫触角第 4 节特别膨大; 上颚边缘在腹面不具齿; 前胸背板近正方形, 背隆脊靠近基部, 侧隆脊在前端终止的部位具齿。

分布: 本属古北区已知 6 种, 中国已知 6 种。秦岭地区发现 1 种。

(3) 日瘤角长角象 *Ozotomerus japonicus laferi* Egorov, 1986

Ozotomerus japonicus laferi Egorov, 1986: 15.

鉴别特征: 体长 5.10~9.50mm。体圆筒形, 长为宽的 3.20 倍, 黑褐色, 被覆白色、黄色和暗褐色的柔毛。腿节暗褐色, 胫节浅褐色, 跗节黑色。喙宽远大于长, 端部和两侧具隆线。喙端部中间向内凹陷。眼圆, 前端略凹。触角窝位于背侧面, 与眼相连。雄虫的触角索节 4 异常膨大, 触角棒分节紧密。上颚边缘在腹面不具齿。前胸背板近正方形, 背隆脊靠近基部, 侧隆脊占前胸侧缘基部的 2/3, 与背隆脊在基部两侧形成锐角, 基部小隆脊短, 较远离基部尖角。小盾片不可见。鞘翅两侧平行, 近端部具黑色的横带, 横带很宽, 翅坡被覆白色柔毛。跗节 1 长为跗节 2 的 2 倍, 跗节 3 深二叶状, 跗节 5 与跗节 1 等长。

分布: 陕西(秦岭)、安徽; 俄罗斯, 韩国。

Ⅳ. 宽喙长角象族 Platystomini Pierce, 1916

分属检索表

喙长远小于宽; 触角细长, 雌虫触角超过前胸背板后缘, 雄虫触角远超过身体末端; 触角 11 节 ······
·· 皮长角象属 *Phloeobius*

喙长宽近相等;触角窝远离眼 ·· 宽喙长角象属 *Platystomos*

4. 皮长角象属 *Phloeobius* Schoenherr, 1823

Phloeobius Schoenherr, 1823: 1135. **Type species**: *Ptinus gigas* Fabricius, 1775.

Branconymus A. Hoffmann, 1959: 341. **Type species**: *Phloeobius hypoxanthus* Jordan, 1911.

属征:喙很短,远短于宽;触角窝坑状,触角细长,11 节,雌虫触角超过前胸背板后端,雄虫触角比体长得多,雌雄虫的触角棒均为 3 节。

分布:本属古北区已知 9 种,中国已知 8 种。秦岭地区发现 1 种。

(4) 瘤皮长角象 *Phloeobius gibbosus* Roelofs, 1879

Phloeobius gibbosus Roelofs, 1879: lv [= 1880a: 26].

鉴别特征:体长 8.70~9.60mm。黑色,足具黄灰色的刚毛形成的花纹,体表刚毛从白色到黑色,触角黑色,雄虫触角各节端部具白色的柔毛形成的环状斑纹(触角棒除外)。头和喙粗糙不平滑,喙略洼,头在腹面有一横沟将喙和头部分开。触角窝着生在背侧面,触角第 1 节粗壮,第 2 节小,3~8 节逐渐变短,长锥形,触角索节最末 1 节在雄虫通常细长且呈二曲状,触角棒在雌虫通常不对称,在内侧扩大更明显。前胸背板中央前端有 2 个小盾片大小的白色斑纹。整个腹板被覆黄色柔毛,中胸舌状突起的宽度大于中足基节窝的宽度。鞘翅基部近鞘翅中缝处有 2 个棕黑色瘤状突起,鞘翅行间略突出,翅坡被覆黄色柔毛,形成黄色斑纹,翅坡略凹。跗节 1 大于 2,跗节 1 小于 5,跗节 2、3 正常,不扩大。

分布:陕西(秦岭)、山西、甘肃、台湾、四川;日本,东洋区。

5. 宽喙长角象属 *Platystomos* D. H. Schneider, 1791

Platystomos D. H. Schneider, 1791: 21. **Type species**: *Curculio albinus* Linnaeus, 1758.

Macrocephalus Olivier, 1789: 36. **Type species**: *Curculio albinus* Linnaeus, 1758.

Platystomos Hellwig, 1792: 393. **Type species**: *Curculio albinus* Linnaeus, 1758.

Anthrodus Megerle, 1826: 32. **Type species**: *Anthribus albinus* sensu auct.

Anthotribus Gistel, 1856: 375. **Type species**: *Curculio albinus* Linnaeus, 1758.

属征:喙长近于宽;触角窝坑状,远离眼部;触角细长,雌雄虫的触角棒均为 3 节。

分布:本属古北区已知 7 种,中国已知 4 种。秦岭地区发现 1 种。

(5)长跗宽喙长角象 *Platystomos sellatus longicrus* Park，Hong，Woo *et* Kwon，2001

Platystomos sellatus longicrus Park，Hong，Woo *et* Kwon，2001：182.

鉴别特征：体长 6.50～10.00mm。体长卵形，两侧近平行，体壁黑色。头部背面被覆白色柔毛，喙和额凹凸不平，喙在触角沟中部具沟，在眼前近边缘处具隆线，上唇后具"V"形的脊，喙的侧缘具隆脊、凸隆。触角细长，雄虫触角达到鞘翅白色斑纹的前缘，雌虫触角仅达到前胸背板的后缘；触角索节每节端部具白色柔毛形成的条带，索节 10 在基部具白色条带。前胸背板被覆褐色柔毛，在端部边缘处具 1 个"T"形的白色斑纹，前胸背板中部具 3 个瘤突，其上被覆黑色和浅褐色的长刚毛组成的毛束。鞘翅被覆褐色柔毛，近基部具小瘤突，其上被覆黑色刚毛组成的毛束，黑色刚毛周围环绕褐色刚毛；基部之后具 1 个窄的星状斑纹，在星状斑纹之后行间有 3 个黑色刚毛组成的毛束，在最后 1 个黑色毛束之后的端部区域被覆白色柔毛，近端部区域具瘤突。足具白色条带，中足和后足跗节 1 长度与剩余跗节长度之和接近相等。臀板露在鞘翅之外的部分与被鞘翅覆盖的部分长度相等。

分布：陕西(秦岭)、河北；韩国。

V. 三角长角象族 Trigonorhinini Valentine，1999

6. 刻眼长角象属 *Opanthribus* Schilsky，1907

Paramesus Fåhraeus，1871：443[HN]. **Type species**：*Paramesus lituratus* Fåhraeus，1871.

Opanthribus Schilsky，1907：2. **Type species**：*Anthribus tessellatus* Boheman，1829.

Kimenus Wolfrum，1961：319. **Type species**：*Kimenus submetallicus* Wolfrum，1961.

属征：眼扁平，前缘深凹刻；触角窝位于喙侧面，背面观不可见；喙从基部向端部迅速缩窄，两侧具隆脊且隆脊达到眼前缘；前胸背板侧隆脊达到前胸两侧前缘，基部隆脊靠近基缘。

分布：本属古北区已知 1 种，中国已知 1 种。秦岭地区发现 1 种。

(6)格纹刻眼长角象 *Opanthribus tessellatus*(Boheman，1829)

Anthribus tessellatus Boheman，1829：119.

Opanthribus brunneipennis Reitter，1916：8.

Brachytarsus fallax Perris，1874：13.

鉴别特征：体长 2.10～3.50mm。体暗褐色,胫节、跗节和触角索节基部浅褐色。白色、灰色和暗褐色柔毛在体表背面形成镶嵌的斑纹。前胸背板中部具 2 个纵向的白色条带。小盾片被覆白色柔毛。鞘翅被覆白色和褐色柔毛,柔毛形成斑纹。喙向端部明显狭缩,两侧具隆线,达到眼的中部。触角索节长大于宽,从索节 1 向 11 逐渐变短,触角棒远宽于索节。前胸背板基部最宽,向前端逐渐缩窄。背隆脊与前胸背板基部略分离,在中部略呈角状。背隆脊与侧隆脊的交角钝,侧隆脊达到前胸侧面的基部 1/3 处。鞘翅无瘤突,仅在基部略隆起。鞘翅侧缘几乎直,从近端部 1/3 处向端部逐渐狭缩。前胸腹板在前足基节间的突起尖,前足基节彼此相连,中胸腹板在中足基节间的突起截断形。腿节棒状,胫节几乎直,跗节 1 略长于 2,跗节 3 深二叶状。

分布：陕西(秦岭)、四川;俄罗斯,韩国,日本,欧洲,非洲。

Ⅵ. 三纹长角象族 Tropiderini Lacordaire, 1865

分属检索表

1. 喙腹面被 1 条横的深沟与头分开,喙长宽近相等,腹面平坦,无中隆脊;触角窝完全生于侧面或腹侧面,背面观不可见;鞘翅基部弓形;触角侧扁,触角棒远宽于其余各节,雄虫触角略超过或接近鞘翅端部,雌虫触角棒扁,达到肩之后 ·················· **扁角长角象属 Androceras**
   喙腹面无深横沟,喙长略大于宽,侧面观喙腹面与头成直角,喙腹面中隆脊有或无 ············· 2
2. 喙腹面基部有短的中隆脊;触角窝的前端背面观可见;触角短,不超过鞘翅末端,雄虫触角第 8 节短于第 9 节,雌雄虫触角第 10 节均远短于第 11 节,触角棒细长;喙基部最窄,向端部逐渐放宽,两侧在眼前通常各具 2 条隆脊;前足跗节 1 短于其余各节之和;雄虫第 5 腹板具隆脊;前胸腹板的侧隆脊消失或不明显 ·················· **细棒长角象属 Acorynus**
   触角窝的前端背面观不可见,被喙端部两侧突出的部分遮盖 ·················· 3
3. 触角第 10 节长大于宽,触角棒细长;喙基部最窄,触角着生处最宽,从触角着生处向端部不放宽;额宽,眼较小,两眼之间的距离至少为眼横径的 1/3;喙腹面具中隆脊;前胸背板背隆脊与侧隆脊以平缓曲线相连接 ·················· **阔额长角象属 Sphinctotropis**
   触角第 10 节最多长宽相等,不大于宽,触角棒宽 ·················· 4
4. 鞘翅翅坡处具 1 条白色的横向带状斑纹,斑纹达到鞘翅两侧边缘;前胸背板背隆脊二曲状 ······
   ·················· **阔喙长角象属 Eurymycter**
   鞘翅翅坡无斑纹,即使有,斑纹边界模糊且未达鞘翅边缘;前胸背板背隆脊直或呈平滑曲线 ···
   ·················· **三纹长角象属 Tropideres**

7. 细棒长角象属 Acorynus Schoenherr, 1833

Acorynus Schoenherr, 1833: 123. **Type species**: *Acorynus sulcirostris* Boheman, 1833.

属征:喙腹面基部有短的中隆线,喙基部最窄,两侧接近平行,喙两侧眼以前各具2条隆线,喙腹面无深横沟;触角不超过鞘翅末端,雄虫触角第8节短于第9节,雌雄虫第10节均远短于第11节;前足跗节1短于其余各跗节之和;前胸腹板侧隆线消失或不明显;雄虫腹板5具隆脊。

分布:古北区已知12种,中国已知4种。秦岭地区发现1种。

(7)尖角细棒长角象 *Acorynus apicinotus* Wolfrum, 1948

Acorynus apicinotus Wolfrum, 1948:136.

鉴别特征:体黑色,具黄色和灰色斑纹。喙厚,宽略大于长,具5条隆线。触角超过前胸背板基部,第8节与第10节等长,长度均为第3节的1/2,第10节长略大于宽,第9节与第11节长度相等,均长于第3节。前胸背板具刻点,无中沟,侧隆线消失,背隆线二曲状。

分布:陕西(秦岭)、福建。

8. 扁角长角象属 *Androceras* Jordan, 1928

Androceras Jordan, 1928:83. **Type species**:*Mucronianus khasianus* Jordan, 1903.

属征:触角侧扁,触角棒远宽于其余各节,雄虫触角略超过或接近鞘翅端部,雌虫触角棒扁,达到肩之后;触角窝从背面不可见,完全侧生或腹侧生;喙两侧眼以前各具2条隆线,喙腹面与头被1条深横沟分开,不具中纵隆线;鞘翅基部弓形;后足胫节端部正常。

分布:古北区已知4种,中国已知2种。秦岭地区发现1种。

(8)扇扁角长角象 *Androceras flabellicorne*(Sharp, 1891)

Tropideres flabellicorne Sharp, 1891:305.

鉴别特征:体长7.20mm。触角黑色,第7节密被白色柔毛,其余节的白色柔毛稀少;触角基部2节短,近球状,第1节远短于第2节,第3节短于第4节(此节为所有节中最长的一个),第6~11节侧扁且腹面具刷状的黑色刚毛,第5节长为端部长度的1/3,与第6节等长。喙近方形。眼近圆形,端部彼此接近。鞘翅在基部近鞘翅中缝处略凸隆,但是没有形成瘤突。跗节1明显为白色。

分布:陕西(秦岭)、河北;俄罗斯,韩国,日本。

9．阔喙长角象属 *Eurymycter* LeConte，1876

Eurymycter LeConte，1876：394. **Type species**：*Macrocephalus fasciatus* Olivier，1795.

属征：触角第 10 节长最多等于宽，触角棒宽，触角窝前端不可见，被喙两侧向外突出的部分遮住；喙长略大于宽，喙腹面中隆线短，侧面观喙与头成一直角；额较宽，眼小；鞘翅翅坡处具 1 条宽的浅色横带，横带向两侧分别达到鞘翅边缘；前胸背板基部隆脊略呈二曲状，中部具 1 条横向的波状短中沟。

分布：古北区已知 1 种，中国已知 1 种。秦岭地区发现 1 种。

（9）乳尾阔喙长角象 *Eurymycter lacteocaudatus*（**Fairmaire**，1889）

Tropideres lacteocaudatus Fairmaire，1889b：57.

鉴别特征：触角第 10 节长最多等于宽，触角棒宽，触角窝前端不可见，被喙两侧向外突出的部分遮住；喙长略大于宽，喙腹面中隆线短，侧面观喙与头成一直角；额较宽，眼小；鞘翅翅坡处具 1 条宽的浅色横带，横带向两侧分别达到鞘翅边缘；前胸背板基部隆脊略呈二曲状，中部具 1 条横向的波状短中沟。

分布：陕西（秦岭）、甘肃、四川。

10．阔额长角象属 *Sphinctotropis* Kolbe，1895

Sphinctotropis Kolbe，1895：379. **Type species**：*Sphinctotropis albofasciata* Kolbe，1895.

Spathorrhamphus T. A. Marshall，1902：210. **Type species**：*Spathorrhamphus corsicus* T. A. Marshall，1902.

属征：触角第 10 节长大于宽，长度与第 9 节或 11 节近相等，触角棒细长，触角窝前端不可见，被喙两侧向外突出的部分遮住；喙长略大于宽，基部最窄，触角着生处最宽，从触角着生处到端部不扩宽，侧面观喙与头成一直角，腹面具中隆线；额宽，眼小，两眼之间的距离至少为眼横向直径的 1/3；前胸背板基部背隆脊与侧隆脊以 1 条平缓的曲线相交。

分布：古北区已知 6 种，中国已知 5 种。秦岭地区发现 1 种。

（10）凸喙阔额长角象 *Sphinctotropis laxa*（**Sharp**，1891）

Tropideres laxa Sharp，1891：304.

　　鉴别特征：体长 4.20 ~ 8.00mm。眼卵圆形，略凸隆，眼间距为单个眼直径的 1/3 ~ 1/2。喙长大于宽，喙背面具 3 条纵隆脊，侧面观喙背面略凸隆。触角棒较细长，不十分紧凑，触角棒各节几乎长度相等，每节均长大于宽。背隆脊在中部远离前胸背板的基部，在两侧则靠近基部。小盾片之前具 1 个较大的近正方形的褐色斑纹，小盾片之后在鞘翅基部各具 1 个浅褐色的斑纹，鞘翅中部之后靠近鞘翅中缝的两侧各具 1 个白色的斑纹。每一胫节具 2 个浅色的环状斑纹。

　　分布：陕西（秦岭）、湖北、江西、福建、广东、广西、贵州；俄罗斯，韩国，日本。

11. 三纹长角象属 *Tropideres* Schoenherr, 1823

Tropideres Schoenherr, 1823: 1135. **Type species：** *Curculio albirostris* Schaller, 1783.

Tropidoderes Gistel, 1856: 375. **Type species：** *Curculio albirostris* Herbst, 1784.

Tropidodres Gemminger et Harold, 1872: 2733[unjustified emendation].

　　属征：喙长略大于宽，基部最宽，向端部逐渐放宽，腹面具短的中隆线，无横深沟，侧面观喙腹面与头成直角；触角窝背面观不可见，喙在触角窝上方扩展到侧面，触角第 9 节和 11 节最多长略大于宽，倒数第 2 节宽等于或宽于长，触角棒宽；前胸背板前缘几乎直，前胸背板基部背隆脊均匀微曲，前胸背板中部具 1 条波状的横沟；鞘翅无圆锥形凸起，长通常为宽的 1.50 倍，两侧平行，鞘翅翅坡处不具斑纹。

　　分布：古北区已知 22 种，中国已知 14 种。秦岭地区发现 1 种。

(11) 小斑三纹长角象 *Tropideres naevulus* Faust, 1887

Tropideres naevulus Faust, 1887: 162.

Tropideres germanus Sharp, 1891: 304.

Tropideres vilis Sharp, 1891: 305.

Tropideres yezoenzis Oda, 1979: 121.

　　鉴别特征：体长 3.30 ~ 5.80mm。体长卵形，长为宽的 2 倍，前胸背板向端部强烈狭缩；体壁黑色，触角、爪红褐色，柔毛倒伏，白色和黑褐色，腹面、喙和颊被覆浅色柔毛，浅色柔毛在身体背面形成斑纹。喙两侧近平行，端部最宽，长为宽的 1.40 倍，端部 1/3 处具近三角形的凹陷，从两眼之间到喙中部具 1 个不是很明显的中隆脊，两侧边缘具侧隆脊。眼卵圆形，大，两眼在前端互相接近。触角较短，达到前胸背板的基部，第 1 ~ 8 节白色柔毛稀疏；第 1 节粗壮，略长于第 2 节，第 2 节最粗，第 4 节长于第 3 节，第 5 节短于第 3 节，第 6 ~ 8 节长度近相等，第 9 节呈三角形，长度为第 10 节的 2 倍，触角棒紧凑。前胸背板宽大于长，从背隆脊处向端部狭缩强烈，在背隆脊之后仅略狭缩,背隆脊几乎直,与侧隆脊形成的交角圆,背隆脊之后在前胸背板基部的中间和两侧各具1个边界清楚的白色斑点。小盾片卵圆形,宽大于长,被覆雪白色柔毛。鞘翅两侧近平行,长为宽的1.53倍,肩胝略明显,每一鞘翅在小盾片附近略隆起;鞘翅奇数行间略宽于偶数行间,行间3略凸隆,行间3和5在翅坡前具白色的纵纹。跗节1短于2~5之和。

分布:陕西(秦岭)、内蒙古、河北、甘肃;俄罗斯,韩国,日本。

(二)背长角象亚科 Choraginae

12.细角长角象属 *Araecerus* Schoenherr,1823

Araecerus Schoenherr,1823:1135. **Type species:** *Curculio fasciculatus* de Geer,1775.

Araecerus Schoenherr,1839:273 [emendation].

Arrhaecerus Germar,1829:357. **Type species:** *Anthribus coffeae* Fabricius,1801.

属征:体宽卵形;触角较粗,第9~11节不呈或略呈长椭圆形,第11节正常,不弯曲,不长于第10节;眼卵形,略突出,具小缺刻;前胸背板后角背面观呈钝角或圆角,前胸背板侧隆脊达到中部;鞘翅近基部,不具瘤突;前足胫节简单,跗节细长,前足跗节1长于其他各跗节之和。

分布:古北区已知9种,中国已知5种。秦岭地区发现1种。

(12)咖啡豆象 *Araecerus fasciculatus*(de Geer,1775)

Curculio fasciculatus de Geer,1775:276.

Bruchus cacao Fabricius,1775:64.

Bruchus peregrinus Herbst,1797:168.

Bruchus capsinicola Fabricius,1798:159.

Anthribus coffeae Fabricius,1801:411.

Amblycerus japonicus Thunberg,1815:122.

Anthribus alternans Germar,1824:175.

Phloeobius griseus Stephens,1831:211.

Cratoparis parvirostris J. Thomson,1858:113.

Araecerus seminarius Chevrolat,1871:7.

Tropideres mateui Cobos,1954:41.

鉴别特征:体长2.50~4.00mm。体红褐色至黑褐色,被覆黄褐色和暗褐色的柔毛。触角和足黄褐色,但是触角棒为暗褐色。眼很大,位于两侧,卵圆形,在接近额的地方具 1 条窄隆脊。触角着生处位于眼的内侧近腹面,触角沟的上缘与眼相接。前胸背板背隆脊靠近基部,略凹,侧隆脊达到前胸背板侧缘基部的 1/3 处。小盾片被覆黄色柔毛。鞘翅基部略凸隆。足细长,腿节略呈棒状,胫节细长;前足胫节简单,端部不具端刺,最多腹面具 1 列小瘤;中足基节不具瘤突;跗节 1 长为宽的 5 倍,与其余的跗节长度之和相等,跗节 1 长度为跗节 2 的 2 倍,跗节 3 明显为二叶状,跗节 4 几乎不可见。臀板长略大于宽。

分布:陕西(秦岭)、辽宁、内蒙古、河北、山东、河南、甘肃、青海、江苏、安徽、浙江、湖北、江西、湖南、福建、台湾、广东、香港、广西、四川、贵州、云南;韩国,日本,土耳其,以色列,澳大利亚,新西兰,欧洲,非洲,北美洲,南美洲。

寄主:咖啡,可可,玉米,枣等仓储粮食或种子。

二、齿颚象科 Rhynchitidae

鉴别特征:上唇不真正分离;前胸背板近基部无隆脊;转节不放长,基节与腿节至少有部分接触;触角不呈膝状,触角棒为明显的 3 节;上颚外缘多少有齿,腹板 1~2 愈合,或上颚外缘无齿,腹板 1~4 愈合;体壁通常光滑,发亮,不被覆鳞片;爪分离。

分类:世界性分布,在热带地区物种多样性最高,而新西兰地区则少有该类群的种类。目前世界已记述 75 属 1250 余种,中国已知 49 属 340 种,陕西秦岭地区发现 8 属 13 种。

分族检索表

1.　下唇须 1~2 节;臀板及臀板前部分区域外露;雄性外生殖器的骨化棍末端向左侧弯曲 ·········
　　·· **切叶象族 Deporaini**
　　下唇须 3 节;臀板不外露或极少外露;雄性外生殖器的骨化棍末端向右侧弯曲 ·············· 2
2.　腹板 1 的两侧侧叶发达,把后足基节与后胸前侧片分开;眼略凸隆·············· **金象族 Byctiscini**
　　腹板 1 的两侧侧叶缺失,未把后足基节与后胸前侧片分开;眼强烈凸隆 ·············· 3
3.　前胸背板通常较宽;眼小;阳茎内囊的骨片对称;鞘翅行纹可见 ·········· **齿颚象族 Rhynchitini**
　　前胸背板通常长大于宽,较长;眼大;阳茎内囊的骨片针状;鞘翅行纹彼此愈合或不清晰 ·········
　　·· **霜象族 Eugnamptini**

Ⅰ. 金象族 Byctiscini Voss, 1923

13. 盾金象属 *Aspidobyctiscus* Schisky, 1903

Aspidobyctiscus Schilsky, 1903: U. **Type species**: *Rhynchites lacunipennis* Jekel, 1860.

Taiwanobyctiscus Kôno, 1929: 128. **Type species**: *Byctiscus paviei* Aurivillius, 1891.

Parabyctiscus Legalov, 2003b: 330. **Type species**: *Aspidobyctiscus kazantsevi* Legalov, 2003.

Chinobyctiscus Legalov, 2005: 110. **Type species**: *Aspidobyctiscus mirabilis* Legalov et Liu, 2005.

Eobyctiscus Legalov, 2005: 104. **Type species**: *Byctiscus coerulans* Voss, 1929.

属征: 体壁深蓝色、蓝紫色、绿色、金褐色或黑色,有金属光泽,被覆金色刚毛; 喙较长且弯,向端部放宽,刻点密集,触角着生于喙的中部; 额凸隆; 眼中等大小,不凸隆; 头在眼后不狭缩,向后渐宽; 触角短粗,触角棒紧密,末节端部略尖; 前胸背板宽略大于长,两侧凸圆,背面凸隆,刻点细密,具浅的中隆线; 小盾片宽大于长; 鞘翅近长方形,中部最宽,肩较发达,行间扁平或凸隆,具小刻点,行纹刻点小而圆或大而深,甚至部分刻点愈合在一起形成纵长的凹坑,行纹 9 和 10 在鞘翅中部愈合在一起; 腹板凸隆,臀板凸隆,具细刻点; 足细长,前足胫节略弯。

分布: 古北区已知 21 种,中国记录 18 种,秦岭地区发现 2 种。

(13) 葡萄金象 *Aspidobyctiscus* (*Aspidobyctiscus*) *lacunipennis* (Jekel, 1860)

Rhynchites lacunipennis Jekel, 1860: 225.

Attelabus cicatricosus Motschulsky, 1860b: 173.

Byctiscus collaris Voss, 1930b: 199.

Byctiscus subtilis Voss, 1930b: 199.

鉴别特征: 体长 4.87mm。体壁褐色,有金属光泽,密布细小刻点,密被灰白色短卧毛。头长略等于基部宽,端部略缩窄; 额宽略等于眼长,略凹,密布纵皱纹。眼大,较扁平,不突出于头的轮廓。喙粗壮,短于前胸长,基部背面扁平,密布纵皱纹,中隆线细,两侧棱角明显,喙端半部较弯,密布刻点。触角着生于喙中间之前,柄节粗短,略长于索节 1,索节 1 较粗长,索 2 节细而短,棒节 1、2 节宽大于长,3 节长宽略相等,端部尖。前胸宽大于长; 雄虫两侧凸圆,中间最宽,侧面近前缘有 1 个叶状齿突; 雌虫两侧略圆,中间之后最宽,前缘缩缢,侧面无齿突; 中沟明显,前后缘密布横皱纹,近外侧为不规则皱刻点; 后缘向后突出,有细隆线。小盾片宽且短。鞘翅肩胝明显,两侧略平行,行纹刻点深,长短不等,行纹窄,行间较宽、较隆,行纹刻点之间有时隆起,形成高低不平的横、纵隆突。腹板第1节在后足基节两侧的位置上有腹叶,致使后足基节与前胸侧片分隔,臀板外露,末端圆形。腿节棒状;胫节端部较粗;跗节爪分离,具平行的齿。

分布:陕西(秦岭)、黑龙江、吉林、辽宁、北京、河北、山东、河南、甘肃、江苏、上海、安徽、湖北、江西、湖南、台湾、广东、香港、广西、四川;俄罗斯,朝鲜,韩国,日本,尼泊尔,东洋区。

寄主:葡萄属,蛇葡萄属。

(14) 派氏盾金象 *Aspidobyctiscus* (*Taiwanobyctiscus*) *paviei* (Aurivillius, 1891)

Byctiscus paviei Aurivillius, 1891: 207.
Aspidobyctiscus (*Taiwanobyctiscus*) *paviei*: Legalov, 2007: 208.

鉴别特征:体壁深蓝色,有紫色光泽;喙粗,向端部逐渐扩宽,触角着生于中部之前;触角较短粗,未达前胸背板前缘,触角棒明显宽于索节,较紧密,端部钝尖;眼较大,不十分凸隆;前胸背板长宽近相等,两侧凸圆,中间最宽,背面具1条浅而细的中沟,刻点细而较密,雄性两侧具指向前的锐齿;小盾片舌状;鞘翅近长方形,肩不十分发达,行纹刻点粗大且密集,行纹宽,行间较窄。

分布:陕西(秦岭)、黑龙江、吉林、辽宁、河北、江苏、安徽、湖北、福建、台湾、广东、广西、四川、云南;韩国,东洋区。

14. 金象属 *Byctiscus* C. G. Thomson, 1859

Byctiscus C. G. Thomson, 1859: 130. **Type species**: *Curculio populi* Linnaeus, 1758.
Bystictus Desbrochers des Loges, 1908: 80 [unjustified RN].

属征:体壁金绿色、蓝绿色、蓝紫色、红铜色,具金属光泽;喙较长而粗,触角着生于近中部;头在眼后向基部扩大,额窄;眼较大,不凸隆;触角较粗,触角棒较紧密,末节端部略尖;前胸背板通常宽大于长,两侧凸圆,背面凸隆,刻点小而稀疏,有浅而细的中沟,雄性前胸背板两侧有向前的齿突;小盾片宽大于长,近长方形;鞘翅近长方形,肩发达,鞘翅在小盾片后略凹,中间或中间之后最宽,行纹规则,行纹刻点较粗大,行间宽、平坦、刻点细而稀疏;腹部凸隆,密布刻点。

分布:古北区已知29种,中国已知25种,秦岭地区记录3种。

分种检索表

1. 鞘翅背面有2条纵向的红色条带 ······················· 大金象 *B. macros*

鞘翅背面无任何条带 ·· 2

2.　体整体绿色 ····································· **压痕金卷象 _B. impressus impressus_**

鞘翅、中胸部分区域紫色 ···························· **秦金象 _B. qingensis_**

（15）压痕金卷象 _Byctiscus impressus impressus_（**Fairmaire，1900**）

Rhynchites impressus impressus Fairmaire，1900：636.

Bystictus chinensis Formánek，1911：208.

Bystictus subpectitus Voss，1943：232.

鉴别特征：体长 5.50~6.50mm。体绿色，有金属光泽。头在眼后向基部扩大，背面隆凸，有小而稀的刻点，眼大，不隆凸，额窄，中部有椭圆形的坑；触角位于喙的近中部，柄节与索节 1 等长，长大于宽，索节 5、6 球形，7 节横。前胸宽大于长，两侧凸圆，背面有细而稀刻点。小盾片横阔，侧后缘弓形。鞘翅肩后平行，后端扩大，行纹规则，行纹刻点细，较行间刻点明显，行间宽。臀板密布刻点。雄虫喙长大于头长的 1.50 倍，中部弯曲，前胸两侧和背面较隆凸，前胸两侧有齿突；雌虫喙不大于头长的 1.50 倍，比较直，前胸两侧和背面隆凸弱，两侧无齿突。

分布：陕西（秦岭）、甘肃、上海、安徽、浙江、湖北、江西、福建、四川、贵州。

（16）大金象 _Byctiscus macros_ **Legalov，2004**

Byctiscus macros Legalov，2004：70.

鉴别特征：体绿色，喙两侧蓝紫色，鞘翅背面有 2 条纵向的红色条带，额具红色斑纹；身体短而窄，刚毛紧贴体壁；喙长于头，弯曲，向端部放宽，无光泽，具细刻点；触角着生于喙中部；额窄，略凹陷，粗糙具刻点；头顶凸隆，具细刻点，较粗糙；触角柄节卵形，索节 1 长于索节 2，索节 3 长于索节 2，索节 3、4 近等长，索节 5 和 6 宽卵形，索节 7 宽大于长，棒节较长；前胸背板宽大于长；两侧略凸圆，具背中沟，背面凸隆，具稀疏的细刻点；小盾片宽；鞘翅宽，几乎长方形，在小盾片周围略凹陷，中间之后最宽，肩较平滑，行间宽，扁平，具细而稀疏的刻点，行纹明显，行纹刻点细；后胸前侧片宽，具细小刻点；腹部凸隆，粗糙密布刻点；足长，腿节宽，胫节长，略弯。

分布：陕西（秦岭）、四川。

（17）秦金象 _Byctiscus qingensis_ **Legalov，2009**

Byctiscus qingensis Legalov，2009：34.

鉴别特征：体绿色，前胸两侧、鞘翅、中胸部分区域紫色，有金色光泽；喙短粗，弯曲,长为宽的 3 倍,向端部放宽,刻点细;触角着生于喙的中部;额宽,扁平,具刻点;头顶凸隆,刻点细密;触角短,未达前胸背板,柄节和索节 1～5 卵形,索节 1 长于柄节,索节 2 远短于 1,索节 3 不长于 2,触角棒长,略短于索节,侧扁,较紧密;前胸背板宽大于长,两侧凸圆,背面凸隆,具细刻点,中沟不十分明显;小盾片宽,长方形,具细刻点;鞘翅近长方形,长略大于宽,肩较发达,鞘翅中部之后最宽,行间窄,扁平,具细刻点,行纹刻点小;腹板凸隆,密布刻点,略成褶皱;臀板凸隆,刻点小;足长,腿节较宽,前足胫节略弯、细长,刻点密集。

分布:陕西(秦岭)。

Ⅱ. 切叶象族 Deporaini Voss, 1929

15. 切叶象属 *Deporaus* Samouelle, 1819

Deporaus Samouelle, 1819: 201. **Type species**: *Attelabus betulae* Linnaeus, 1758.
Platyrynchus Thunberg, 1815: 110. **Type species**: *Attelabus betulae* Linnaeus, 1758.
Neodeporaus Kôno, 1928: 177. **Type species**: *Neodeporaus femoralis* Kôno, 1928.
Paleodeporaus Legalov, 2003b: 174. **Type species**: *Deporaus rhynchitoides* Sawada, 1993.
Pseudapoderites Legalov, 2003b: 173. **Type species**: *Rhynchites pacatus* Faust, 1882.
Roelofsideporaus Legalov, 2003b: 174. **Type species**: *Deporaus affectatus* Faust, 1887.
Caeruleodeporaus Legalov, 2007: 94. **Type species**: *Deporaus lizipingensis* Legalov, 2007.
Chinadeporaus Legalov, 2007: 91. **Type species**: *Deporaus bicolor* Voss, 1938.
Paleodeporaoides Legalov, 2007: 93. **Type species**: *Paleodeporaus daliensis* Legalov, 2007.
Parvodeporaus Legalov, 2007: 94. **Type species**: *Parvodeporaus gaoligongiensis* Legalov, 2007.
Japonodeporaus Legalov, 2007: 96. **Type species**: *Deporaus hartmanni* Voss, 1929.

属征:体壁黄褐色、深蓝色至黑色,有金属光泽,被覆浅黄色或金黄色刚毛;喙相当短且粗,雄性的喙略长于头;触角着生于喙中部;眼大,略凸隆,雌性的眼小于雄性;额宽,扁平;头顶凸隆;头在眼后延长的长度与眼直径近相等,凸隆;触角中等长度,休止时达到或超过前胸背板中部,触角棒细长,末节端部尖;前胸背板宽略大于长,两侧较凸圆,向前向后略狭缩,背面平坦或略凸隆,通常比较粗糙,具刻点;鞘翅近长方形,中间最宽,肩较平坦,行间宽,具刻点,行纹清晰,行纹刻点大,行纹 9 和行纹 10 在鞘翅端部合并;臀板外露,宽;足相当长,前足胫节直,中后足胫节较宽且弯。

分布:古北区已知 40 种,中国已知 30 种。秦岭地区记录 1 种。

(18) 伪切叶象 *Deporaus* (*Roelofsideporaus*) *affectatus* Faust, 1887

Deporaus affectatus Faust, 1887b: 163.

鉴别特征:体长2.73mm。体黑色,明亮,无金属光泽。密被短毛;雄虫喙短;雌虫喙中等长度,稍弯,光亮,向端部渐宽;触角着生在喙中部。眼大,强烈外凸;雌虫眼较小,稍外凸。额宽,其间布具皱刻或刻点。头顶凸出,具刻点,头在眼后稍缩绕;触角短,较纤细;索节2长于索节1;棒节细,比较紧密,稍尖锐。前胸背板横向,基部有明显凸线,表面凸起,具皱刻,侧面稍隆圆;小盾片近梯形,鞘翅近矩形,最宽处在中部以下,肩部明显。行间凸起,其间具刻点;刻线清晰,比较宽,其间具稠密深刻;倒数第2条刻线与最后1条刻线在鞘翅端部附近合并;腹部外凸。足中等大小,腿节粗壮无锯齿或凸起,胫节近直,稍弯,雄虫端部有时具爪形凸;跗节长。

分布:陕西(秦岭)、黑龙江、吉林、北京、河北;俄罗斯,朝鲜,日本。

寄主:花楸属,桦属。

Ⅲ. 霜象族 Eugnamptini Voss, 1930

16. 霜象属 *Eugnamptus* Schoenherr, 1839

Eugnamptus Schoenherr, 1839: 339. **Type species**: *Rhynchites angustatus* Herbst, 1797.
Chineugnamptus Legalov, 2007: 83. **Type species**: *Chineugnamptus kubani* Legalov, 2007.

属征:鞘翅浅褐色、红褐色至黑褐色,具蓝色或紫色闪光;被覆细长的金色刚毛;喙略弯曲,雄性喙相当短,雌性喙相当长;触角着生处接近喙的中部;眼强烈凸隆,雄性较雌性的眼大;额较窄;触角达到或未达鞘翅肩部;前胸背板长大于宽,雄性窄于雌性,中间之前最宽,背面扁平,具刻点;鞘翅长卵形,中间最宽,肩发达,鞘翅行纹刻点大而粗,行间多少凸隆,相当宽;前足胫节细长,略弯。

分布:古北区已知10种,中国已知10种,秦岭地区发现1种。

(19) 浙江霜象 *Eugnamptus zhejiangensis* Legalov, 2003

Eugnamptus zhejiangensis Legalov, 2003b: 161.

鉴别特征:体壁淡棕黄色,头黑色;鞘翅行间7和8黑褐色。喙较短,几乎直,有光泽,刻点稀疏;触角着生于喙中部;眼大,凸隆;额窄,凸隆,刻点相当细小且密集;头顶凸隆,刻点细小且密集;触角达到鞘翅基部;前胸背板背面刻点相当密集且细小;鞘翅长卵形,长大于宽,肩较平,行间宽,平坦且光滑,行纹清晰;前足胫节较直;中足胫节微曲。

分布：陕西（秦岭）、安徽、浙江、湖北、福建。

17．新霜象属 *Neoeugnamptus* Legalov，2003

Neoeugnamptus Legalov，2003b：152．**Type species**：*Rhynchites amurensis* Faust，1882．

属征：鞘翅通常黑色，具蓝色或紫色闪光，有时前足部分黄色；被覆相当长而尖的金色刚毛；喙略弯曲，雄性喙相当短，雌性喙相当长；触角着生处接近喙的中部；眼强烈凸隆，雄性较雌性的眼大；额相当窄；触角达到鞘翅肩部；前胸背板长大于宽，雄性窄于雌性，中间之前最宽，背面扁平，具刻点；鞘翅长卵形，中间最宽，肩发达，鞘翅行纹刻点大而粗，行纹 9 与 10 在鞘翅端部联合，行间多少凸隆，相当宽；前足胫节细长，略弯。

分布：古北区已知 23 种，中国已知 20 种，本志记述了 1 种。

（20）黑龙江新霜象 *Neoeugnamptus amurensis*（Faust，1882）

Rhynchites amurensis Faust，1882：285．
Eugnamptus fragilis Sharp，1889：69．
Rhynchites gracilicornis Schilsky，1906：81．

鉴别特征：体长 3～5mm；体壁深蓝色，具金属光泽；喙短而粗，额较平坦；触角着生于喙近中部；眼强烈凸隆；前胸背板刻点较密集而深；鞘翅较短，行纹刻点较大而粗，行纹明显。

分布：陕西（秦岭）、黑龙江、吉林、北京、浙江、贵州；俄罗斯（远东地区），朝鲜，韩国，日本。

Ⅳ．齿颚象族 Rhynchitini Gistel，1848

18．剪枝象属 *Cyllorhynchites* Voss，1930

Cyllorhynchites Voss，1930a：73．**Type species**：*Rhynchites ursulus* Roelofs，1874．
Hypocyllorhynus Legalov，2003b：255．**Type species**：*Cyllorhynchites indicus* Legalov，2003．
Hyporhynchites Voss，1935：101．**Type species**：*Rhynchites lauraceae* Voss，1935．
Pseudocyllorhynus Legalov，2003b：255．**Type species**：*Rhynchites subcumulatus* Voss，1930．

属征：体壁褐色至深褐色，具浅蓝色金属光泽；具长而粗的刚毛，中胸、后胸腹板无密集的刚毛;喙长,略弯,具刻点;触角着生处不隆扩,雄性触角着生于喙中部,雌性触角着生于喙中部之前;眼大,相当凸隆,雌性较雄性略小且扁平;额凸隆,具刻点;头顶凸隆,密布刻点;头在眼之后不狭缩;触角长,触角棒松散,末节端部尖;前胸背板向前后分别狭缩,两侧凸圆,背面凸隆或平坦,雄性前胸背板具小齿;鞘翅近长方形,中间最宽,肩较平坦,行间凸隆且窄,行纹明显,行纹刻点大而深;腹板凸隆,第1、2节腹板相当宽,第3至5节腹板窄;足长,胫节几乎直,爪具齿。

分布:古北区已知15种,中国已知11种,秦岭地区发现1种。

(21)橡实剪枝象基喙亚种 *Cyllorhynchites ursulus rostralis*(**Voss,1930**) 陕西新纪录

Rhynchite sursulus rostralis Voss,1930a:78.

鉴别特征:雄虫触角着生于喙中部偏后;额上刻点稀疏;前胸背板较长,两侧近中部具锐齿。

采集记录:5♂1♀,周至钓鱼台,1480m,2008.Ⅵ.20,葛斯琴采;1♂5♀,宁陕火地塘,1979.Ⅶ.21-30,韩寅恒采;1♀,旬阳白柳镇下毛塔,N32.92° E109.30°,386m,2014.Ⅷ.01,姜春燕采;1♂,柞水营盘镇营盘村,1081m,N33.80° E109.04°,2014.Ⅶ.30,姜春燕采。

分布:陕西(周至、宁陕、旬阳、柞水)、辽宁、河北、河南、新疆、江西、湖南、福建、四川、云南;东洋区。

19. 文象属 *Involvulus* Schrank,1798

Involvulus Schrank,1798:360. **Type species**:*Curculio cupreus* Linnaeus,1758.

Euvolvulus Reitter,1916:264. **Type species**:*Curculio cupreus* Linnaeus,1758.

Teretriorhynchites Voss,1938a:135. **Type species**:*Curculio caeruleus* de Geer,1775.

Aphlorhynchites Sawada,1993:50. **Type species**:*Rhynchites amabilis* Roelofs,1874.

Parinvolvulus Legalov,2003b:297. **Type species**:*Rhynchites pilosus* Roelofs,1874.

Nigroinvolvulus Legalov,2003b:298. **Type species**:*Rhynchites apionoides* Sharp,1889.

Chinorhynchites Legalov,2003b:297. **Type species**:*Rhynchites fulvihirtus* Voss,1938.

Parinvolvoides Legalov,2003b:299. **Type species**:*Involvulus legalovi* Alonso-Zarazaga,2001.

Fujarhynchites Legalov,2007:186. **Type species**:*Rhynchites carinulatus* Voss,1942.

Chinorhynchitoides Legalov,2007:182. **Type species**:*Teretriorhychites kangdingensis* Legalov,2007.

鉴别特征:体壁黄褐色、绿色、黑褐色、深蓝色至黑色,有蓝色、红绿色或青铜色金属光泽,被覆细长的刚毛;喙中等大小或较长,略弯,刻点较密集;雄性触角着生于喙的中部或中部之前,雌性触角着生于喙的中部或中部之后;眼中等大小,凸隆,雄性的眼更凸隆;额宽,多少具刻点;头在眼后不狭缩;头顶凸隆,具刻点;触角较长,索节较粗,

触角棒明显粗于索节,末节端部略尖;前胸背板宽大于长,两侧凸圆,背面凸隆,具刻点;小盾片近方形;鞘翅近长方形,中部最宽,肩相当发达,行间宽,平坦,具刻点,行纹明显,行纹刻点粗大或较小;腹部凸隆,腹板 1 和 2 相当宽,腹板 3~5 窄;臀板凸隆;足长,前足胫节几乎直。

分布:古北区已知 34 种,中国已知 24 种,秦岭地区发现 2 种。

(22)宝鸡文象 *Involvulus* (*Involvulus*) *baojiensis* **Legalov,2007**

Involvulus baojiensis Legalov,2007：187.

鉴别特征:体长 4.20mm。体壁褐色,具铜色金属光泽,被覆细而较长的刚毛;喙较粗,略短;眼较凸隆;鞘翅行纹刻点较大,彼此相连部分愈合在一起。

分布:陕西(秦岭)。

(23)丽文象 *Involvulus* (*Teretriorhynchites*) *amabilis* (**Roelofs,1874**)

Rhynchites amabilis Roelofs,1874：145.

Rhynchites laevior Faust,1882：284.

Rhynchites nudipennis Voss,1929a：25.

Caenorhinus vossi Ter-Minasian,1971：265.

鉴别特征:体长 7.17mm。被短的半卧的毛;眼大稍外凸;腹部外凸;喙长,稍弯,触角着生在喙中部或中部以前的两侧;颊短,额宽;前胸背板具稠密且中部有光滑的中线,两侧稍突;小盾片矩形,肩不显著,刻线不明显,行间具细密刻点,近直粗;前足腿节粗壮,胫节具毛束和小刻点。

分布:陕西(秦岭)、黑龙江、吉林、辽宁、北京、河北、山西、山东、河南、安徽;蒙古,俄罗斯,朝鲜,韩国,日本。

寄主:梨树,碧桃,李树,杏树,梅。

20. 虎象属 *Rhynchites* **D. H. Schneider,1791**

Rhynchites D. H. Schneider,1791：83. **Type species**：*Curculio bacchus* Linnaeus,1758.

Neorhynchites Voss,1969：342. **Type species**：*Rhynchites velatus* LeConte,1880.

Epirhynchites Voss,1969：348. **Type species**：*Rhynchites heros* Roelofs,1874.

Prorhychites Voss,1973：40. **Type species**：*Rhynchites slovenicus* Purkyně,1954.

Colonnellinius Legalov,2003b：289. **Type species**：*Rhynchites smyrnensis* Desbrochers des Loges,1869.

Pyrorhynchites Legalov,2003a：72. **Type species**：*Rhynchites giganteus* Schoenherr,1832.

Terminassianaeus Legalov,2003b：287. **Type species**：*Rhynchites lopatini* Ter-Minasian,1968.

Tshernyshevinius Legalov，2003a：72．**Type species**：*Rhynchites zaitzevi* Kieseritzky，1926．

鉴别特征：体壁绿色、蓝紫色或青铜色，具金属光泽，被覆长而尖的白色或金黄色刚毛；喙具刻点，无隆脊，雄性喙长且较弯，触角着生于中部或中部之前，雌性喙较直，触角着生于喙中部或中部之后；眼较小，凸隆，雄性凸隆更强烈；额宽，凸隆，密布刻点，在额中部具1个小坑；头顶凸隆，具刻点；头在眼后不狭缩；触角相当长，柄节和索节1卵形，索节1短于索节2，索节2~5长卵形，索节6卵形，索节7短棒状，触角棒相当宽且较紧密，末端尖；前胸背板宽大于长，两侧凸圆，中间或中间之后最宽，前胸背板背面中间有时具1条细的中纵脊，背面凸隆，密布刻点或具褶皱，中纵脊两侧有时具较大的凹坑，雄性前胸两侧近前缘处具1个尖锐的长齿，齿指向身体前方；小盾片梯形或近方形；鞘翅近长方形，中间最宽，肩发达，行间宽，具刻点，行纹刻点粗大或不清晰；腹部凸隆，具刻点，腹板1~3宽，腹板4和5窄；臀板凸隆，具刻点；足长，腿节较粗，胫节几乎直，端部略外扩。

分布：古北区已知18种，中国已知5种，秦岭地区发现2种。

分种检索表

体壁蓝紫色，具红铜色金属光泽；体型较大；前胸中间最宽；鞘翅行间刻点粗大，行纹不清晰 ………
…………………………………………………………………………… **梨虎象 *E. heros***
体壁金绿色，具红铜色金属光泽；体型较小；前胸中间之后最宽；鞘翅行间刻点较小 …………………
……………………………………………………………………………… **杏虎象 *R. fulgitus***

（24）梨虎象 *Rhynchites*（*Epirhynchites*）*heros* **Roelofs，1874**

Rhynchites ignitus Voss，1853：43．

Rhynchites heros Roelofs，1874：141．

Rhynchites foveipennis Fairmaire，1888：136．

Rhynchites koreanus Kôno，1926：89．

Rhynchites mongolicus Voss，1930a：78．

鉴别特征：体长7.70~9.50mm，宽4.20~4.60mm。体背面红紫铜色，发金光，略带绿色或蓝色反光，腹面深紫铜色。喙端部、触角蓝紫色。全身密布大小刻点和长短直立、半直立绒毛，腹面毛灰白色，较长而密。头宽略大于长，额宽略大于眼长。眼小，凸隆。喙粗壮，长约等于头胸之和。雄虫喙端部较弯，触角着生于喙端部1/3处；雌虫喙较直，触角着生于喙中部。触角柄节长于索节1，索节2、3等长，约为柄节和索节1的长度之和。前胸宽略大于长，两侧略圆，前缘之后和基部之前略缢缩，中间之后最宽，中沟细而浅，两侧有1个倒"八"字形的斜浅窝；雄虫前胸腹板前区宽，基节前外侧各有1个钝齿，雌虫前胸腹板前区十分窄，基节前外侧无齿。小盾片倒梯形。鞘翅肩胝明显,基部两侧平行,向后缩窄,分别缩圆,行纹刻点大而深,刻点间隆起,行间宽;鞘翅背面形成横隆线,行间密布不规则刻点;臀板外露,密布刻点和毛。足腿节棒状,胫节细长;爪分离,有齿爪。

分布:陕西(秦岭)、黑龙江、吉林、辽宁、内蒙古、北京、河北、山西、山东、河南、宁夏、新疆、江苏、浙江、湖北、江西、湖南、福建、广东、广西、四川、贵州、云南;蒙古,俄罗斯(东西伯利亚、远东地区),朝鲜,韩国,日本。

寄主:梨,苹果,沙果。

(25)杏虎象 *Rhynchites*(*Rhynchites*)*fulgitus* **Faldermann,1835**

Rhynchites fulgitus Faldermann,1835:420.

Rhynchites faldermanni Schoenherr,1839:248.

Rhynchites kozlovi Suvorov,1915:345.

Rhynchites confragosicollis Voss,1933b:110.

Rhynchites bacchoides Voss,1934:82.

Rhynchites tygosanensis Voss,1938b:171.

鉴别特征:体长6.87mm。体椭圆形,红色,有金属光泽,有绿色反光。喙端部触角和足端部深红色,有时发蓝紫色光。头长等于或略短于基部宽,密布大小刻点,密被长短绒毛,基部有横皱纹,刻点大,额稍凹陷。眼小,略隆。喙长略等于头胸之和,基半部中隆线粗,侧隆线细,位于两列纵刻点之间,端半部布纵皱刻点;上颚扁平,外侧有齿。触角着生于喙中间附近,柄节短,长度约等于索节1,索节2~4较长,长度约相等,棒3节较紧密。前胸宽大于长,两侧拱圆,背面刻点明显,前缘缩窄,后缘略窄,中沟后端较深,中沟两侧有1个倒"八"字形的浅窝。小盾片倒梯形。鞘翅肩明显,鞘翅基部内角隆起,两侧平行,端部分别缩圆,行纹刻点略明显,行纹窄,行间宽,密布不规则的刻点。臀板外露,端部圆。足细长,腿节棒状,胫节细长;爪分离,有齿爪。雄虫前胸腹板前区较宽,基节前外侧有叶状小齿突;雌虫前胸腹板很短,无齿状突起。

分布:陕西(秦岭)、黑龙江、吉林、辽宁、内蒙古、北京、河北、山西、山东、宁夏、甘肃、浙江、湖北、江西、湖南、福建、香港、广西、四川、贵州;蒙古,俄罗斯(远东地区)。

寄主:梨树,碧桃,李树,杏树,梅。

三、卷象科 Attelabidae

鉴别特征:体小型至中等,不被覆鳞片,大多数体色艳丽并具有金属光泽;喙或头基部延长;上唇消失,下颚须4节;外咽缝愈合;触角不呈膝状;末端3节呈松散的棒状。喙长,上颚扁平,外缘具齿;腹板1、2节愈合,或喙短,上颚外缘无齿。

生物学:雌虫能切叶卷筒,卵产于卷筒内,幼虫以筒巢为食;或能在果实上钻孔,卵产于果中,幼虫为害果实。本科昆虫的很多种类是林木和果树的重要害虫。

分类:世界广布。中国已知39属294种,陕西秦岭地区发现12属18种。

Ⅰ. 卷象族 Apoderini Jekel, 1860

21. 卷象属 *Apoderus* Olivier, 1807

Apoderus Olivier, 1807: 12. **Type species**: *Attelabus coryli* Linnaeus, 1758.

Granulapoderus Legalov, 2003b: 553. **Type species**: *Apoderus rugicollis* Schilsky, 1906.

Konoapoderus Legalov, 2003b: 551. **Type species**: *Apoderus jekelii* Roelofs, 1874.

属征:体壁褐色、红褐色至黑色,有光泽,部分种类体壁除了鞘翅和前胸背板部分区域外均为黑色;头长卵形;眼大,较凸隆;额宽,略凸隆或平坦;头在眼后延长呈圆锥状或柱状,雄性的更长;触角短而较粗,雄性较雌性的略细,触角棒末节端部尖;前胸背板钟罩状,背面具1条浅中沟,有时具横向褶皱;小盾片大,舌状或半圆形;鞘翅近长方形,中部或中部之后最宽,肩相当发达,行间平坦或略凸隆,具刻点,行纹刻点粗且较大;中胸不具突起;腹板凸隆,臀板具刻点;足长,胫节几乎直或略弯,内缘具小齿。

分布:古北区已知9种,中国已知8种,秦岭地区发现4种。

分种检索表

1. 前胸背板背面光滑,无横向细皱纹,仅具1条浅而较宽的中沟 ·················· 2
   前胸背板背面粗糙,具1条细而较深的中沟,中沟两侧具很密集的横向细皱纹 ············· **皱胸卷象 A. rugicollis**
2. 雄性的头在眼后明显延长,眼略凸隆,雌性前胸背板两侧不凸隆 ·········· **榛卷象 A. coryli**
   雄性的头在眼后仅略延长,眼强烈凸隆,雌性前胸背板两侧仅略凸隆 ········· 3
3. 头和前胸背板较宽;鞘翅黄褐色,前胸背板两侧更凸圆,前胸背板宽远大于长,头在眼后更凸隆,小盾片舌状 ·········· **柯氏卷象 A. kresli**
   头和前胸背板较窄;鞘翅褐色,前胸背板宽略大于长,头在眼后略凸隆,小盾片近三角形,黑色 ·········· **伪卷象 A. pseudofidus**

(26)榛卷象 *Apoderus coryli*(**Linnaeus, 1758**)

Attelabus coryli Linnaeus, 1758: 387.

Attelabus avellanae Linnaeus, 1767: 619.

Curculio collaris Scopoli, 1763: 25.

Attelabus dauricus Laxmann, 1770: 595.

Attelabus denigratus Gmelin, 1790: 1809.

Apoderus morio Bonelli, 1812: 175.

Apoderus kamtschaticus Motschulsky, 1845b: 380.

Apoderus nigricollis Faust, 1882: 295.

Apoderus gibbicollis Faust, 1882: 295.

Apoderus superans Faust, 1882: 295.

Atteladus niger Gortani *et* Grandi, 1904: 171.

Apoderus nigrifrons Della Beffa, 1912: 1.

Apoderus homalinus Voss, 1927: 28.

鉴别特征:体长 6.80~8.60mm。头、胸、腹、触角和足黑色,鞘翅红褐色,但颜色有变异,前胸和足红褐色或部分红褐色。头长卵形,长宽之比约为 8:5,基部缩短,细中沟明显,缘短,长宽约相等,端部略放宽,背面密布细刻点,上颚短,钳状。触角着生于喙背面中间或稍靠后,触角着生处隆起成瘤突,瘤突上有宽的中沟,从缘基部向额两侧至眼背缘有细沟。触角柄节短于索节1、2 之和,索节 2~4 较长,索节 7 粗短。眼凸隆。前胸宽略大于长,前缘比后缘窄得多,两侧较隆,后缘有窄隆线,近基部有横沟。小盾片短宽,略呈半圆形。鞘翅肩明显,两侧平行,端部放宽,刻点行明显,行纹 3~4 之间有 2 条短的刻点行,行间扁平,第 3、5 行间基部略隆。腹面和臀板密布粗刻点。雄虫胫节较细长,外端角有向内指的钩;雌虫胫节较短宽,内端、外端角均有钩,内角有齿;爪合生。

分布:陕西(秦岭)、黑龙江、吉林、辽宁、内蒙古、北京、河北、山西、甘肃、新疆、江苏、福建、台湾、四川、云南;蒙古,俄罗斯(东西伯利亚、远东地区、西西伯利亚),朝鲜,韩国,日本;欧洲。

寄主:柞木属,胡颓子,榆属,棒属,恺木属,桦属,水青冈属,栋属,柳属。

(27) 柯氏卷象 *Apoderus kresli* Legalov, 2003

Apoderus kresli Legalov, 2003b: 549.

属征:体壁除了鞘翅和小盾片之外均为黑褐色,鞘翅和小盾片黄褐色,前胸背板部分红褐色,具光泽;喙短粗,头宽圆,在眼后凸隆,在接近前胸背板前缘时突然狭缩;前胸背板钟罩状,背面凸圆,中间具 1 条浅中沟,在基部之前有 1 条横线较深的沟;小盾片舌状,宽远大于长;鞘翅长方形,行间略凸隆,3 和 5 行间凸隆较其他行间明显,行纹刻点粗大,较密集。

分布:陕西(秦岭)。

(28) 伪卷象 *Apoderus pseudofidus* Legalov, 2003

Apoderus pseudofidus Legalov, 2003b: 551.

鉴别特征: 体壁黄褐色至深红褐色, 鞘翅颜色较淡, 头部、前胸背板小盾片及足颜色较深; 头较长, 凸隆; 前胸背板背面凸隆, 具 1 条浅中沟, 中沟两侧具极浅的横向褶皱; 鞘翅行纹刻点粗大, 奇数行间在鞘翅基部 1/3 处较凸隆。

分布: 陕西(秦岭)、四川。

(29) 皱胸卷象 *Apoderus rugicollis* Schilsky, 1906

Apoderus rugicollis Schilsky, 1906: 76.

Apoderus tuberculimerus Voss, 1930a: 84.

Apoderus kuatunanus Voss, 1949: 160.

鉴别特征: 体壁深红褐色, 跗节、触角和胫节略呈黄褐色; 喙短粗, 眼较凸隆, 头在眼后相当凸隆; 前胸背板钟罩状, 具 1 条细而较深的中沟, 中沟两侧具很多横向的细褶皱; 小盾片大, 舌状, 近黑色; 鞘翅长方形, 中间之后最宽, 肩相当发达, 行纹刻点粗大, 行间较窄, 行间 3 和 5 在鞘翅基部 1/3 处凸隆; 胫节内缘具小齿。

分布: 陕西(秦岭)、北京、湖北、福建、广西、四川、贵州、云南; 印度。

22. 丽卷象 *Compsapoderus* Voss, 1927 陕西新纪录

Compsapoderus Voss, 1927: 62. **Type species**: *Attelabus erythropterus* Gmelin, 1790.

Compsapoderopsis Legalov, 2003b: 528. **Type species**: *Apoderus dimidiatus* Faust, 1890.

Paracompsus Legalov, 2003b: 537. **Type species**: *Apoderus lepidulus* Voss, 1927.

属征: 体壁黄褐色或红褐色, 头、胫节、跗节及鞘翅背面有时颜色较深; 喙短; 眼大, 凸隆; 额宽, 凸隆, 中部具 1 个小凹坑; 头顶凸隆, 头在眼后, 圆锥状; 触角短, 柄节卵形, 索节 1 宽, 索节 2 至 5 长圆锥形, 索节 6 和 7 宽, 触角棒相当窄, 紧密, 第 1 节长于第 2 节, 第 3 节端部略尖; 前胸背板背面凸隆, 具 1 条细的中线, 光滑; 小盾片宽大于长; 鞘翅近长方形, 肩相当发达, 行间扁平、宽、光滑, 行纹刻点小而浅, 稀疏; 中胸不具凸起; 腹板凸隆, 具刻点, 腹板 1 至 4 相当宽, 腹板 5 窄; 臀板凸隆, 稀被刻点; 足长, 胫节略弯, 内缘具小齿, 雄性前足胫节更弯且长。

分布: 古北区已知 21 种, 中国已知 12 种, 秦岭地区发现 2 种。

（30）黑梢丽卷象 *Compsapoderus dimidiatus*（**Faust，1890**）陕西新纪录

Apoderus dimidiatus Faust，1890b：421.

鉴别特征：体壁黄褐色，头部、触角、胫节和鞘翅端部 1/3 黑色，黑色部分有蓝色光泽；喙短粗；眼大，较凸隆；前胸背板梯形，背面较凸隆；鞘翅肩相当发达，行纹刻点小而密集，行间平坦，仅行间 2 和 4 在基部略凸隆；前足胫节略向内弯曲。

采集记录：1♀，宝鸡，1951.Ⅵ.03。

分布：陕西（宝鸡）、甘肃、湖北、四川。

（31）泛红丽卷象 *Compsapoderus erythropterus*（**Gmelin，1790**）陕西新纪录

Apoderus erythropterus Gmelin，1790：1809.

Attelabus intermedius Illiger，1794：615.

Apoderus politus Gebler，1866：50.

Apoderus bicolor Redtenbacher，1868：161.

Apoderus frontalis Faust，1882：294.

Apoderus atricolor Faust，1887a：28.

鉴别特征：体壁黑红色，头部、前胸背板、足近黑色，具蓝色光泽，鞘翅深红褐色，触角黑褐色；喙短粗；头凸隆；前胸背板凸隆，钟罩形，背面极凸圆，中间具 1 条浅而细的沟；鞘翅肩较发达，行纹刻点大且稀疏，行间较平坦；前足胫节几乎直。

采集记录：1♂，西安涝峪，1951.Ⅵ.03，周尧采；2♀，丹凤庾岭镇寨子沟，N33.88°E110.42°，1157m，2014.Ⅷ.10，姜春燕采。

分布：陕西（西安、丹凤）、黑龙江、吉林、辽宁、内蒙古、北京、河北、山东、甘肃、上海、江苏、浙江、安徽、湖北、四川；蒙古，俄罗斯，朝鲜，韩国，日本，哈萨克斯坦。

23．细颈卷象属 *Cycnotrachelodes* Voss，1955

Cycnotrachelodes Voss，1955：273. **Type species**：*Apoderus roelofsi* Harold，1877.

Pseudcycnolodes Legalov，2003b：571. **Type species**：*Apoderus coeruleatus* Faust，1895.

属征：体壁黑色，有光泽；头部延长，额宽且平坦；眼凸隆，雄性的眼大于雌性的眼；头顶凸隆，头在眼后延长呈圆锥状并逐渐狭缩至一细长颈部；触角较短而细，触角棒末节端部尖；前胸背板梯形，具较浅的中沟；小盾片近半圆形；鞘翅近长方形，肩发达，行间宽，多少有些凸隆，行间 2 和 4 在基部 1/3 处略凸隆，行纹刻点深且大；腹板凸隆，具刻点；臀板具刻点；足长，胫节弯曲，胫节端部具小齿。

分布：古北区已知 7 种，中国已知 7 种，秦岭地区发现 2 种。

(32) 蓝细颈卷象 *Cycnotrachelodes cyanopterus*（Motschulsky，1861）

Apoderus cyanopterus Motschulsky，1861：22.

Apoderus coloratus Faust，1882：292.

　　鉴别特征:体壁黑色,有蓝色金属光泽,无毛或鳞片;喙较长,触角着生于喙中部;眼较凸隆;头在眼后狭缩,呈圆锥状,接近前胸背板前缘时缩成两侧平行的圆柱状;触角较长且粗,未达前胸背板前缘,触角棒紧密,末节端部略尖;前胸背板梯形,端部远窄于基部,背面光滑;小盾片宽远大于长,舌状;鞘翅近长方形,肩发达,行间较宽,平坦,行纹刻点浅。

　　分布:陕西(秦岭)、黑龙江、吉林、辽宁、北京、河北、山西、江苏、浙江、福建、云南;俄罗斯(远东地区),朝鲜,韩国,日本。

(33) 川细颈卷象 *Cycnotrachelodes sitchuanensis* Legalov，2003 陕西新纪录

Cycnotrachelodes sitchuanensis Legalov，2003b：571.

　　鉴别特征:体壁黑色,有光泽,无毛或鳞片,胫节、跗节和腹部黄褐色;喙极短,头部延长,喙具细而密的刻点,触角着生于喙中部;眼大,凸隆;头顶凸隆,具 1 条极浅的中沟;头在眼后圆锥状,逐渐狭缩,最后缩成一段较细的圆柱状,具环纹褶皱;触角较长,但未达前胸背板,柄节较大,长卵形,索节短棒状,触角棒窄,较紧密,最后 1 节略延长,端部尖且略弯;前胸背板梯形,端部远窄于基部,背面凸隆,光滑;小盾片宽,近半圆形;鞘翅近长方形,中部最宽,肩发达,行间宽,较平坦且光滑,行间 2 和 4 在基部 1/3 处略凸隆,行纹刻点浅,密集;腹板凸隆,刻点细小,腹板 1~3 较宽,腹板 4 和 5 窄;臀板凸隆,刻点细小;足长,胫节长而弯。

　　采集记录:1♀,佛坪上沙窝,1295m,2008.Ⅶ.05,史宏亮采;3♂,宁陕火地塘林场,1550m,2007.Ⅵ.02,李文柱采;1♂,宁陕火地塘林场,1538m,2007.Ⅵ.01,史宏亮采;1♀,宁陕火地塘林场,2007.Ⅵ.02,崔俊芝采;1♀,宁陕县广贸街镇,1210.92m,2014.Ⅶ.26,张梦蕾采;1♀2♂,宁陕,1600m,1979.Ⅶ.25,韩寅恒采。

　　分布:陕西(佛坪、宁陕)、浙江、四川、云南。

24. 异卷象属 *Heterapoderus* Voss，1927

Heterapoderus Voss，1927：52. **Type species**：*Apoderus sulcicollis* Jekel，1860.

Eoheterapoderus Legalov，2003b：547. **Type species**：*Apoderus geniculatus* Jekel，1860.

Neheterapoderus Legalov, 2003b：543. **Type species**：*Apoderus macropus* Pascoe, 1883.

Pseudoheterapoderus Legalov, 2003b：546. **Type species**：*Apoderus crenatus* Jekel, 1860.

Heterapoderopsis Legalov, 2003b：542. **Type species**：*Apoderus pauperulus* Voss, 1927.

Macroderites Legalov, 2003b：539. **Type species**：*Macroderites nepalensis* Legalov, 2003.

Microcorynus Legalov, 2003b：539. **Type species**：*Apoderus blandus* Faust, 1895.

Aheterapoderus Legalov, 2007：356. **Type species**：*Apoderus brachialis* Voss, 1924.

　　属征：体壁红褐色至黑色,触角红褐色;喙短粗,头在眼后延长近圆柱状,仅靠近前胸背板前缘处突然强烈狭缩;眼小,凸隆;触角短,雌雄均未达前胸背板前缘,索节粗,触角棒紧凑,端部末节略尖;前胸背板钟罩形,两侧凸圆,端部远窄于基部,背面凸隆,有向基部弯曲的圆弧形细褶皱,前胸背板具 1 条较深的中纵沟;小盾片较大,舌状,宽远大于长;鞘翅近长方形,中间最宽,鞘翅基部 1/3 靠近鞘翅缝处略洼陷,肩发达,强烈凸隆,行间宽,较平坦或部分凸隆,行纹刻点较粗大且深;腹板凸隆,刻点细小而密集;臀板凸隆,具刻点;足较长。

　　分布：古北区已知 17 种,中国已知 14 种,秦岭地区发现 1 种。

(34) 沟纹卷叶象 *Heterapoderus sulcicollis*(Jekel, 1860)

Apoderus sulcicollis Jekel, 1860：174.

　　鉴别特征：体长 9 ~ 11mm。体深红褐色。雄性头长,眼后向基部直的收缩,倒锥形,头顶光滑,中沟细,眼稍隆凸;喙长大于宽,两侧向端部加宽;触角着生于喙中部靠后,着生处隆凸,柄节等于 1、2 索节之和。前胸长小于宽,由基部向端部渐缩,背面无明显刻点,近基部有 1 条深的横沟,中央有 1 条宽而深的纵沟,其两侧有高的臀形突,外侧有较浅的纵沟。小盾片横阔。鞘翅肩后两侧近平行,向后稍放宽,行纹刻点深,鞘翅行间 2 近中部有 1 个小隆凸,行纹在此外弯,行间宽,在后半部分隆起。足极细长,腿节长棒状,胫节端部有 1 个钩。臀板外露,有密的粗刻点。雌特征同雄,但头眼后较短,弓形收缩,前胸两侧凸圆,足较短,胫节端部 2 个钩。

　　分布：陕西(秦岭)、黑龙江、江苏、上海、湖南、福建、广东、广西、四川、贵州、云南;东洋区。

25. 细卷象属 *Leptapoderus* Jekel, 1860

Leptapoderus Jekel, 1860：169. **Type species**：*Apoderus pectoralis* Thunberg, 1815.

Maculapoderus Legalov, 2003b：535. **Type species**：*Apoderus submaculatus* Voss, 1927.

Paraleptapoderus Legalov, 2003b：534. **Type species**：*Apoderus carbonicolor* Motschulsky, 1860.

Pseudapoderopsis Legalov, 2003b：530. **Type species**：*Leptapoderus tamdaoensis* Legalov, 2003.

Pseudoleptapoderus Legalov, 2003b：535. **Type species**：*Apderus balteatus* Roelofs, 1874.

Leptapoderidius Legalov, 2007：341. **Type species**：*Apoderus rubidus* Motschulsky，1860.

属征：体壁黄色、红褐色至黑色，部分种类前胸背板和鞘翅具斑纹，触角和足有时略浅于身体其他部分，光滑无毛；喙短粗，触角着生于喙中部；眼凸隆，两眼之间宽，略洼陷；头在两眼之后向后延长，呈圆锥状，凸隆，有的种类延长形成较细的颈部；触角中等长度，较细，触角棒节细长；前胸背板通常呈梯形，背面凸隆，具 1 条极细的中沟，极少具刻点；小盾片舌状，宽远大于长；鞘翅宽，近长方形，肩很发达，行间略凸隆，行纹刻点小而密集或大而深；中胸不具突起；腹板凸隆，腹板 5 不具齿或毛束；臀板凸隆，极少具刻点；足细长。

分布：古北区已知 37 种，中国已知 36 种，秦岭地区发现 1 种。

(35)黑尾卷叶象 *Leptapoderidius*（*Leptapoderidius*）*nigroapicatus*（**Jekel，1860**）

Apoderus nigroapicatus Jekel，1860：175.

Apoderus apicallis Faust，1890a：257.

Apoderus papei Voss，1927：62.

鉴别特征：体长 3.80～4.20mm。头、喙、小盾片、鞘翅肩和端部、腹面和足黑色，其余部分为红褐、黑褐或黄褐色，颜色有变异，黑色部分扩大或缩小，有的个体为黑色。头长卵形，基部缩窄，喙短，长宽约相等，端部稍放宽，密布细刻点；触角位于喙基背面小瘤突两侧，触角柄节短于索节 1、2 之和，索节 2～4 较长。前胸长宽约相等，两侧几乎直，前缘缢缩，中间稍凹，后缘有细隆线，近基部有 1 条浅横沟，背面光滑，中沟细。小盾片短宽，端部缩窄。鞘翅肩明显，两侧平行，端部放宽，行纹刻点明显，端部刻点缩小。雄虫胫节端仅有 1 个钩，雌虫胫节端有 2 个钩。

分布：陕西（秦岭）、江苏、浙江、湖北、江西、湖南、福建、台湾、广东、广西、四川、贵州、云南；印度；东洋区。

寄主：乌桕，洋槐。

26. 短尖角象属 *Paracycnotrachelus* Voss，1924

Paracycnotrachelus Voss，1924：45. **Type species**：*Attelabus cygneus* Fabricius，1801.

属征：体壁黄色至褐色，光滑无毛；喙短粗；雄虫的头部和颈很长，颈部具横的环状沟，头部具横褶皱；雄虫触角短，索节各节正常，端部不向内隆扩，不呈栉齿状，触角棒细长，端部锐尖且弯曲；前胸背板梯形，端部极窄，远窄于基部，基部和端部分别具缢缩，缢缩横纹距前后缘较远，前缘向后凹入，形成近"V"形；鞘翅近长方形，肩部发达，行纹刻点较大且深，行间略凸隆；腹板第 1 节向后胸延伸，成片状。

分布:古北区已知 5 种,中国已知 5 种,秦岭地区发现 2 种。

(36) 中国短尖角象 *Paracycnotrachelus chinensis*(Jekel,1860)

Apoderus chinensis Jekel,1860:164.

Apoderus longiceps Motschulsky,1860b:173.

鉴别特征:体长 9.80~10.00mm。体红褐色,光滑无毛。雄虫具很长的头部及颈。头及颈长为额宽的 3 倍,颈部具横的环状沟,头部具横皱,光亮,从上面观几乎凸出,从侧面观均匀地缩成颈状。额被覆明显的纵皱及刻点。头长为宽的 2 倍,从触角着生处稍细,到末端逐渐扩宽,触角基部之间从上面观明显呈驼形突出,在中部有纵沟,具密刻点皱。触角着生于靠头管端的 1/3 处,触角最末 1 节尖端非常尖锐而弯曲,棒节也很长并被覆鳞片。前胸背板长圆形,在基部及前端缢缩,在前缘明显隆凸;表面具细横皱及稀而小的刻点。鞘翅逐渐向后扩宽,具规则的刻点沟,行间明显突出,光秃,有光泽。足细长,胫节内侧有微齿,前足胫节具浅凹。中胸及后胸后侧片密布直立的毛,腹面全部及臀板密布大刻点。雌性的颈部明显短,头部加上颈部的长度为宽的 2 倍。头管短,触角着生于头部的中央,触角各节度不等。雌性触角第 1 节比雄性的细,第 3 节与第 4 节几乎相等,其长是雄性触角第 3 节的 1/2。雌虫胫节短而扁,端部外角和近内角均有钩,内角有小齿。

分布:陕西(秦岭)、黑龙江、吉林、辽宁、北京、河北、山西、山东、河南、青海、江苏、上海、安徽、浙江、湖北、江西、福建、台湾、广东、海南、香港、四川、云南;俄罗斯(远东地区),朝鲜,韩国,日本。

寄主:麻栎,榛,蒙古栎。

(37) 似短尖角象 *Paracycnotrachelus consimilis* Voss,1929 陕西新纪录

Paracycnotrachelus consimilis Voss,1929b:145.

鉴别特征:喙较短粗,头在眼后向后延长,呈近圆锥状;眼大,凸隆,两眼之间较宽,略凸隆;雄性触角长,索节第 2 节卵圆形,第 3~6 节长卵形,索节 2~6 端部向内略凸隆,呈栉齿状,触角棒细,端部尖;前胸背板梯形,端部远窄于基部,前胸背板背面无中沟或刻点;小盾片宽远大于长,舌状;鞘翅近长方形,肩发达,行间窄且凸隆,行纹刻点粗大。

采集记录:2♂,宁陕广货街镇,1210.92m,2014.Ⅶ.26,张梦蕾采;1♂,宁陕广货街镇,1210.92m,2014.Ⅶ.28,张梦蕾采;1♀,宁陕广货街镇鸳鸯沟,1263.92m,2014.Ⅶ.27,张梦蕾采;1♀,丹凤庾岭镇街坊村,1215m,2014.Ⅷ.11,张梦蕾采;1♂,丹凤庾岭镇街坊村,1215m,2014.Ⅷ.11,姜春燕采;1♂,丹凤庾岭镇街坊村,1215m,2014.Ⅷ.

11，姜春燕采。

　　分布：陕西（宁陕、丹凤）、北京、河北、山东、甘肃、江苏、安徽、浙江、湖北、湖南、海南。

27. 腔卷象属 *Physapoderus* Jekel, 1860

Physapoderus Jekel, 1860：170. **Type species**：*Attenlabus biguttatus* Fabricius, 1801.

Paracentrocorynus Voss, 1929b：97. **Type species**：*Attelabus biguttatus* Fabricius, 1801.

Alenxsandricorynus Legalov, 2003b：561. **Type species**：*Apoderus assamensis* Boheman, 1845.

Eocentrocorynus Legalov, 2003b：561. **Type species**：*Apoderus aemulus* Faust, 1895.

Formosusorynus Legalov, 2003b：566. **Type species**：*Centrocorynus gracilicornis* Voss, 1929.

Neocorynidius Legalov, 2003b：567. **Type species**：*Centrocorynus ruficlavis* Voss, 1929.

Aphrysapoderus Legalov, 2007：365. **Type species**：*Apoderus pulchellus* Pascoe, 1883.

Eophrysapoderus Legalov, 2007：365. **Type species**：*Apoderus crucifer* Heller, 1922.

　　属征：体壁红褐色；头在眼后强烈延长，喙很窄；眼大，凸隆；头顶凸隆；雄性触角长，触角棒细，最末节多少延长且端部尖，雌性触角较短，触角棒最后1节端部不尖；前胸背板梯形，端部远窄于基部，前胸背板在端部边缘之后有缢缩；小盾片舌状，宽远大于长；鞘翅近长方形，肩发达，行间扁平或凸隆，行纹明显或不明显，行纹刻点小或大而深；中胸具瘤突；腹板凸隆，臀板具刻点；足长，腿节粗，胫节长，雄性胫节较雌性长，弯，雄性胫节端部不具齿。

　　分布：古北区已知11种，中国已知10种，秦岭地区发现1种。

(38) 短棒腔卷象 *Physapoderus*（*Eocentrocorynus*）*breviclavus*（**Legalov, 2003**）陕西新纪录

Eocentrocorynus breviclavus Legalov, 2003b：565.

　　鉴别特征：体长7.20~8.00mm。体壁红褐色，有光泽，触角颜色略浅，腿节端部近黑色；喙短粗，触角着生于喙中部，未达前胸背板前缘；头在眼后强烈延伸，圆锥状；眼较大，凸隆；前胸背板梯形，端部远窄于基部，端部边缘之后有缢缩；小盾片近黑色，舌状，宽远大于长；鞘翅近长方形，肩发达，行间略凸隆，行纹明显，行纹刻点较大而深。

　　采集记录：1♂，西安，1963. Ⅴ. 02；1♀，西安，1936. Ⅴ. 02，蒲富基采；1♂，西安，1963. Ⅴ. 03，蒲富基采。

　　分布：陕西（西安）、云南。

II. 钳颚象族 Attelabini Billberg，1820

28. 弓唇象属 *Cyrtolabus* Voss，1925

Cyrtolabus Voss，1925：241. **Type species**：*Attelabus christophi* Faust，1884.

属征：体壁深蓝色，有金属光泽；喙短粗，眼略凸隆；触角棒较紧密，端部尖；前胸背板两侧凸圆，中间之后最宽，顶端凸隆，基部远长于端部，基部之前具横向的细褶皱；小盾片较大，舌状；鞘翅近方形，肩明显；前足腿节略膨大，粗于中后足，前足胫节内缘锯齿状。

分布：古北区已知 6 种，中国已知 6 种，秦岭地区发现 1 种。

(39) 蓝弓唇象 *Cyrtolabus mutus mutus*（Faust，1890）

Attelabus mutus mutus Faust，1890b：425.

鉴别特征：体长 4.87～5.24mm。深蓝色，触角和足黑色。头短，刻点细而分散；喙长大于宽，端部放宽，密布刻点；触角着生于喙中部，柄节与索节 1 等长，长大于宽，索节 2 长等于宽，索节 3 长等于索节 1，索节 4 较短，索节 5、6 长与宽相等，索节 7 宽大于长，棒节 1、2 节宽大于长。前胸宽大于长，侧缘圆凸，前缘缩窄，基部有细横皱，背面刻点细而分散。小盾片近方形，表面有细刻点。鞘翅较短，两侧平行，行纹刻点小，由基至端减弱，有小盾片行，行纹 9、10 在第 1 腹板之上愈合，行间宽面平，有皱刻点。臀板密布刻点，前足腿节腹面有多个小齿突。

分布：陕西（秦岭）、黑龙江、河北、山西、甘肃、江苏、浙江、湖北、江西、四川、云南；俄罗斯（远东地区），韩国。

III. 切象族 Euopsini Voss，1925

29. 切象属 *Euops* Schoenherr，1839

Euops Schoenherr，1839：318. **Type species**：*Attelabus falcatus* Guérin-Méneville，1833.
Kobusynaptops Kôno，1927：40. **Type species**：*Euops pustulosus* Sharp，1889.
Charops Riedel，1998：100. **Type species**：*Euops paradoxus* Voss，1935.

Riedeliops Alonso-Zarazaga *et* Lyal, 2002：10. **Type species**：*Euops paradoxus* Voss, 1935.

Nigroeuops Legalov, 2003b：403. **Type species**：*Sawadaeuops ovalis* Legalov, 2003.

Orienteuops Legalov, 2003b：388. **Type species**：*Euops tonkinensis* Voss, 1933.

Chinoeuops Legalov, 2003b：399. **Type species**：*Sawadaeuops davidiani* Legalov, 2003.

Parasuniops Legalov, 2003b：367. **Type species**：*Parasuniops fochaiensis* Legalov, 2003.

Parasynaptopsis Legalov, 2003b：377. **Type species**：*Euops chinensis* Voss, 1922.

Indoeuops Legalov, 2007：236. **Type species**：*Euops andrewesi* Voss, 1935.

Morphoeuops Legalov, 2003b：377. **Type species**：*Morphoeuops yunnanicus* Legalov, 2003.

Parasynatops Legalov, 2003b：378. **Type species**：*Attelabus politus* Roelofs, 1874.

Pseudoeuops Legalov, 2003b：380. **Type species**：*Parasynatops bicoloroides* Legalov, 2003.

Sawadaeuops Legalov, 2003b：398. **Type species**：*Attelabus punctatostriatus* Motchulsky, 1861.

Macrodentipes Liang *et* Li, 2005：266. **Type species**：*Morphoeuops yunnanicus* Legalov, 2003.

Macrosynaptopsis Legalov, 2005：115. **Type species**：*Macrosynaptopsis zhangi* Legalov *et* Liu, 2005.

Sawadaeuopsis Legalov, 2005：125. **Type species**：*Sawadaeuops punctatus* Legalov *et* Liu, 2005.

Suniopsidius Legalov, 2005：113. **Type species**：*Suniopsidius multicoloratus* Legalov *et* Liu, 2005.

Levoeuops Legalov, 2007：233. **Type species**：*Riedeliops vietnamensis* Legalov, 2003.

Neparasynatops Legalov, 2007：240. **Type species**：*Parasynatops moanus* Legalov, 2003.

Asynaptops Legalov, 2007：225. **Type species**：*Euops keiseri* Voss, 1957.

Asynaptopsis Legalov, 2007：225. **Type species**：*Asynaptops colombensis* Legalov, 2007.

Vietsuniops Legalov, 2007：223. **Type species**：*Suniops gorochovi* Legalov, 2003.

Orienteuopsidius Legalov, 2008：215. **Type species**：*Riedeliops rasuwanus* Legalov, 2003.

属征：体壁蓝色、黑色或褐色,有金属光泽;喙粗而短,刻点细;眼中等大小,不凸隆,彼此不接近或几乎接近;额凸隆,刻点小;头顶凸隆,具刻点;触角棒节相当窄,紧密,端部略尖;前胸背板宽略大于长,两侧凸圆,背面凸隆,具细小的刻点,刻点稀疏,前胸背板背面具浅的横向中沟;小盾片相当窄,近长方形;鞘翅近长方形,宽,向端部略狭缩,肩发达,行间宽,平滑,行纹刻点稀疏,行纹9和10在第1腹板前合并;腹板凸隆,具毛簇;足相当长,前足胫节长,内缘在中间向内突出,内缘呈二凹形,跗节长。

分布：古北区已知 58 种,中国已知 46 种,秦岭地区发现 1 种。

(40) 华中切象 *Euops*（*Riedeliops*）*centralchinensi*（**Legalov** *et* **Liu, 2005**）

Sawadaeuops centralchinensi Legalov *et* Liu, 2005：122.

鉴别特征：体型较大,体壁黑色,具蓝色或绿色光泽,触角黑褐色,爪褐色;喙短而直,向端部明显放宽,刻点明显但稀疏,触角着生于喙基部;额很窄;眼大,略凸隆;头顶凸隆,刻点密集;触角长,达到前胸背板中部,柄节和索节 1 宽卵形,索节 2 和 3 长卵形,索节 4 和 5 短卵形,索节 6 圆形,索节 7 宽大于长;前胸背板宽大于长,刻点稀疏,两侧略凸圆,中沟不明显;小盾片近长方形,稀被刻点;鞘翅近长方形,长略大于宽,肩较平滑,肩和鞘翅中间最宽,行间宽,平滑,行纹清晰,行纹刻点小而密,行纹9和10在后足基节之前合并;足长,胫节几乎直,跗节长。

分布：陕西（秦岭）、湖北。

Ⅳ. 霍普卷象族 Hoplapoderini Voss, 1962

30. 斑卷叶象属 *Paroplapoderus* Voss, 1926

Paroplapoderus Voss, 1926: 41. **Type species**: *Apoderus fallax* Gyllenhal, 1839.

Erycapoderus Voss, 1926: 69. **Type species**: *Apoderus angulipennis* Kolbe, 1886.

Gomadaranus Kôno, 1930a: 48. **Type species**: *Apoderus vitticeps* Jekel, 1860.

Pseudplapoderus Legalov, 2003b: 501. **Type species**: *Apoderus tentator* Faust, 1895.

属征:体壁全部黄褐色或红褐色,具黑色斑点,通常前胸背板中部左右各具 1 个黑色斑点,或者前胸背板和鞘翅黑色,其余部分红褐色;前胸背板宽远大于长,具褶皱,背面具 1 条中沟,基部有 2 个瘤突;鞘翅肩有小瘤突,鞘翅背面有 4 个刺突,鞘翅中部最宽;中胸具 1 个小瘤突,指向前胸背板;臀板无斑点;阳茎端部直,内囊具 1 个长片状结构。

分布:古北区已知 20 种,中国已知 16 种,秦岭地区发现 1 种。

(41) 尖角盘斑象陕西亚种 *Paroplapoderus* (*Erycapoderus*) *angulipennis shaanxinsis* (**Legalov, 2004**)

Erycapoderus angulipennis shaanxinsis Legalov, 2004: 84.

鉴别特征:体型较大,体壁褐色,头背面、触角索节、胫节、跗节、前胸背板基部以及鞘翅基部为黑色,前胸背板宽,鞘翅行间光滑。

分布:陕西(秦岭) 。

31. 瘤卷象属 *Phymatapoderus* Voss, 1926

Phymatapoderus Voss, 1926: 71. **Type species**: *Apoderus latipennis* Jekel, 1860.

属征:头在眼后最高;鞘翅具 2 个黑色瘤突,两侧行纹明显,通常不具斑纹;腹板第 1 节片状;雄性阳茎内囊骨化不强烈。

分布:古北区已知 9 种,中国已知 8 种,秦岭地区发现 1 种。

（42）黄足瘤卷象 *Phymatapoderus euflavimanus* **Legalov，2003** 陕西新纪录

Phymatapoderus euflavimanus Legalov，2003b：494.

鉴别特征：体壁黑色，触角和足黄色；头宽；前胸背板光滑，狭缩；鞘翅宽卵形，光滑，具大瘤突；腹部黑色，具极窄的黄色边缘。

采集记录：1♀，汉中桑园田坝，964m，2013.Ⅷ.18，姜春燕采；1♂，宁陕火地沟，1430m，2007.Ⅷ.19，史宏亮、杨干燕采；1♂2♀，柞水营盘镇营盘村，1081m，2014.Ⅶ.30，姜春燕采。

分布：陕西（汉中、宁陕、柞水）、四川。

32．锐卷象属 *Tomapoderus* **Voss，1926**

Tomapoderus Voss，1926：76. **Type species**：*Attelabus ruficollis* Fabricius，1781.
Tomapoderopsis Legalov，2003b：495. **Type species**：*Apoderus cyclops* Faust，1895.

属征：体壁黑色，鞘翅多少具蓝色闪光，头、足、腹部和前胸部分区域黄色，额上有时具黑色斑点；头卵圆形，雌性较雄性略大，头的基部最高；眼小，凸隆；额宽；触角短；前胸背板顶端凸隆，背面多少具刻点；小盾片宽，半圆形；鞘翅宽卵形，凸隆，不具瘤突，肩具小齿，行纹窄而清晰，行间宽，扁平；腹部凸隆，第1节片状；足中等大小，前足胫节略弯，跗节长。

分布：古北区已知10种，中国已知8种，秦岭地区发现1种。

（43）榆锐卷象 *Tomapoderus ruficollis*（**Fabricius，1781**）

Attelabus ruficollis Fabricius，1781：200.

鉴别特征：体长5.62～7.67mm，宽3.21～4.35mm。体黄至橘黄色。鞘翅蓝青色，有明显的光泽，眼、触角和爪褐色，额上有1个小圆黑斑，有时扩大成大黑斑，体腹面的黑斑时有变异。头短，略呈椭圆形，中纹明显，末端略凹；喙短，长与宽略相等，背面散布刻点，基部中间略洼，喙基部有短沟延伸到额两侧。触角着生于喙近基部两侧，柄节约等于索节前3节之和，棒3节紧密，纺锤形。前胸长度大于宽，基部最宽，两侧圆，略呈钟罩形，前端缩窄，中间凹圆，基部有窄隆线，近基部有横沟，中沟细而明显，两侧有弧形的纵刻痕，背面散布细刻点和皱纹。小盾片略呈半圆形。鞘翅肩胝明显，两侧平行，端部放宽，鞘翅缝和侧缘有隆脊，刻点行不十分明显，整个鞘翅背面密布不规则的细刻点，肩角有1个向外指的小尖突。雄虫足胫节直，细长，外端角有1个指向内的钩；雌虫胫节较短宽，外端和近内端角均有钩，内端角突起，有小齿。

分布:陕西(秦岭)、黑龙江、吉林、辽宁、北京、河北、内蒙古、山西、山东、安徽、台湾、贵州;蒙古,俄罗斯(远东地区),朝鲜,韩国,日本。

寄主:榆属,鹅耳枥属,桦树属。

四、梨象科 Apionidae

鉴别特征:梨象又称针嘴象虫(台湾),英文名称 Pear-shaped weevil。该类群体型微小,体色多为黑色。喙向前延伸,大部分仅轻微向下弯曲。鞘翅两侧肩不发达,背面观呈不对称的长卵形(梨形),因而得名。体长不超过 5mm,大部分小于 3mm。前胸基部与两鞘翅基部几乎等宽。背部明显隆起。体表毛较稀疏,具有鳞片或鳞片状刚毛。触角短,非膝状,柄节不膨大,约为体长的 1/2,索节 7 节,棒节 3 节。前胸长,无背侧缝。足大多细长,其中转节明显延长,呈长圆柱状,在其顶端与腿节相连。跗节5-5-5,第 3 节常呈双叶状,第 4 节隐藏于双叶状跗节下。爪简单,或具齿突。后翅较为发达。腹节共 5 节可见,第 2 节间沟固定不可动。

分类:梨象科共分为三亚科,分别为 Apioninae Schoenherr, 1823 和 Myrmacicelinae Zimmerman, 1994 及 Rhinorhynchidiinae Zimmerman, 1994。其中 Myrmacicelinae Zimmerman, 1994 和 Rhinorhynchidiinae Zimmerman, 1994 仅分布于大洋洲,而 Apioninae Schoenherr, 1823 几乎分布于全世界各大洲。世界已知约 1900 种,中国记录 118 种,陕西秦岭地区发现 1 属 1 种。

33. 梯胸象属 *Pseudopiezotrachelus* Wagner, 1907

Pseudopiezotrachelus Wagner, 1907: 227. **Type species**: *Apionprobum* Faust, 1899.

属征:体黑色,鳞片微小,披针形。体表光亮,具微小网状纹路。喙两性异型不明显,长度区别不大。喙中部背面观略微膨大,喙向端部渐渐变窄。头部复眼前方有纵向刻纹。前胸背板背面观梯形,基部最宽,向端部显著变窄,两侧缘平直,无基缘褶。盾前窝不清晰,呈点状。小盾片近矩形,末端尖,或近五边形,无明显凸起,表面光滑。鞘翅近椭圆形,侧面观隆起明显,背面观两侧近弧形,肩倾斜,略突起。腹板 1 ~ 2 节显著凸起,远大于腹板 3 ~ 5 节。雄虫无胫端距。足延长,爪具齿。

分布:古北区,东洋区。中国已知 7 种,秦岭地区发现 1 种。

(44) 颈梯胸象 *Pseudopiezotrachelus collaris*(Schilsky, 1906)

Apion tumidum Gerstaecker, 1854: 271.

Apion unicolor Roelofs, 1874: 129.

Apion conicicollis Schilsky, 1902: 32.

Apion collaris Schilsky, 1906: nr. 58.

Apion remaudierei A. Hoffmann, 1962: 664.

Apion cyrton Alonso-Zarazaga, 1986: 198.

Pseudopiezotrachelus silvanus Alonso-Zarazaga, 1986: 199.

Pseudopiezotrachelus frieseri Alonso-Zarazaga, 1989: 167.

鉴别特征:体小型,黑色,体表鳞片微小,十分稀少;喙背面观触角着生点处略膨大,喙基部与额约等宽,喙端部向前渐渐变窄;侧面观喙显著弯曲,触角沟位于喙中部;触角柄节与索节第1节等长,约为喙中部宽度的1/3,索节7节,端部棒3节紧凑,长度约为柄节的2倍;额中部有1条短的纵沟,复眼显著凸起;前胸背板背面观呈梯形,前缘宽度约为后缘宽度的1/2;鞘翅背面观近末端1/3处最宽,侧面观显著隆起;小盾片较小,长大于宽,近舌型;行纹清晰,第1~3行纹端部不伸达鞘翅前缘,末端行纹组合为1+2+9,3+4,5+6,7+8;足细长,腿节膨大不明显,胫节直,跗节扁平粗壮,第5跗节短且粗,爪小,具齿。

分布:陕西(秦岭)、北京、山西、江苏、浙江、湖北、江西、福建、四川;俄罗斯(远东地区),朝鲜,韩国,日本,尼泊尔,印度,阿富汗,澳大利亚,东洋区。

五、橘象科 Nanophyidae

鉴别特征:体型大多微小,体长1.00~3.50mm,大部分不超过2mm。体色多为黄色或橘红色等。喙与身体垂直向下延伸,鞘翅两侧几乎无肩,背面观整体更趋近于对称的长卵形。背部大多隆起明显。体表毛被较密,具有鳞片和刚毛。触角膝状,索节4~6节,棒节3节。足细长,转节明显延长,呈长圆柱状,在其顶端与腿节相连。跗节5-5-5,第3节常呈双叶状,第4节隐于第3节下。爪简单或具齿突。后翅发达。腹节共5节可见,第2节间沟固定不可动。

分类:世界已知270种,中国包括2亚科11属46种,陕西秦岭地区发现1属1种。

34. 橘象属 *Nanophyes* Schoenherr, 1838

Nanophyes Schoenherr, 1838: 170. **Type species**: *Curculio marmoratus* Goeze, 1777.

Nanodes Schoenherr, 1825: 587. **Type species**: *Curculio marmoratus* Goeze, 1777.

Sphaerula Stephens, 1829: 12. **Type species**: *Curculio marmoratus* Goeze, 1777.

Sphaerula Kiesenwetter, 1864: 284. **Type species**: *Curculio marmoratus* Goeze, 1777.

(45) 暗短橘象 *Nanophyes brevis obscurus* Zherikin, 1981 中国新纪录

Nanophyes brevis obscurus Zherikin, 1981: 58.

鉴别特征: 体表红色至棕红色, 鳞片白色至半透明, 矛尖状; 喙横截面近圆形, 背面观长约为宽的 4 倍, 略大于前胸背板中线长; 喙端部无刻点; 喙侧面观略微弯曲, 触角沟短, 具假触角沟; 额略凸起, 具细微网状纹; 复眼略凸起, 分离; 触角膝状, 着生于喙中部, 末端棒 3 节松散, 可明显看到节间缝; 前胸背板背面观梯形, 侧缘直, 后缘最宽, 约为前缘宽的 2 倍; 鞘翅长略大于宽, 无小盾片, 第 10 行纹中断; 足腿节明显膨大, 无端齿; 胫节直, 雄虫胫节末端具有微小的胫端距。

采集记录: 5♂7♀, 丹凤街坊村, 306m, 2014. Ⅷ. 13, 张梦蕾采; 7♂2♀, 丹凤瘐岭镇寨子沟, 1157m, 2014. Ⅷ. 10, 姜春燕采。

分布: 陕西(丹凤)、北京、辽宁、江苏、广西。

寄主: 千屈菜(*Lythrum salicaria* L.)。

六、隐颏象科 Dryophthoridae

鉴别特征: 颏缩入口腔, 从喙的腹面外观不可见; 触角沟一般坑状, 位于喙基部两侧下方, 少数种类触角沟直, 自喙中部两侧斜下伸至喙基部腹面; 触角一般膝状, 柄节细长, 少数种类触角直, 柄节甚短; 触角索节一般 6 节, 少数种类 5 节或 4 节, 触角棒各节愈合, 基部膨大而光滑, 端部密被绵毛; 臀板一般外露, 少数种类臀板完全为鞘翅遮盖; 腹部第 8 节背板隐于臀板之下。

生物学: 隐颏象科大多数种类取食单子叶植物的根、茎、果实和种子, 不少种类是农业、林业和仓储大害虫, 在世界范围及我国均造成重大经济损失。

分类: 全世界分布, 在热带和亚热带地区物种多样性最高。目前世界已知 152 属 1200 余种, 中国已知 38 属 72 种, 陕西秦岭地区发现 2 属 2 种。

分族检索表

各足胫节端部腹面具 1 枚明显的刺 ⋯⋯⋯⋯⋯⋯⋯⋯⋯⋯⋯⋯ **侏象族 Litosomini**

各足胫节端部腹面无刺 ⋯⋯⋯⋯⋯⋯⋯⋯⋯⋯⋯⋯⋯⋯⋯ **棕榈象族 Rhynchophorini**

Ⅰ. 侏象族 Litosomini Lacordaire，1865

35．米象属 *Sitophilus* Schoenherr，1838

Sitophilus Schoenherr，1838：967．**Type species**：*Curculio oryzae* Linnaeus，1763．

Calandra Gistel，1848：136[unnecessary RN]．**Type species**：*Curculio oryzae* Linnaeus，1763．

属征：体表具刚毛。前足基节间距大于中足基节间距。腹部第 1～2 节腹板节间缝比较明显。臀板接近基部具中纵沟。

分布：世界性分布。目前世界已知 14 种，其中古北区已知 8 种，中国已知 4 种，秦岭地区发现 1 种。

(46) 玉米象 *Sitophilus zeamais* Motschulsky，1855

Sitophilus zeamais Motschulsky，1855：77．

Cossonus quadrimaculus Walker，1859b：219．

Calandra chilensis R. A. Philippi *et* F. Philippi，1864：274．

Calandra platensis Zacher，1922：56．

鉴别特征：体红褐色或黑褐色，触角及各足跗节红褐色，鞘翅近基部具左右 2 个呈倒"八"字排列的近椭圆形橙红色斑，近端部常左右各具 1 个近圆形橙红色斑。头近圆锥状，密布细小圆形刻点，额具额窝，短纵沟状。喙侧面观略呈弧形，两侧弧形凸出，近端部 7/10 细长，密布粗糙刻点并具光滑的细中纵带，端部略扩宽。触角沟位于喙近基部两侧下方，弧形，后端下缘开放，后端与眼前缘的间隔与触角沟宽度相等并且具 1 行刻点。触角着生于喙近基部 1/7 处，柄节棒状，略弯，长为宽的 4.30 倍；索节 6 节，长为柄节的 1.30 倍；棒节长卵状，基部 3/4 光滑，端部 1/4 密布绵毛。前胸背板长度为宽的 1.05 倍，端缘近平直，基缘近平直但中央略呈钝角后凸，两侧宽弧形向端部渐缩狭。前胸背板具不明显的细而光滑的中纵带。前胸两侧端缘无眼叶，腹面端缘中央不凹入。小盾片较小，近半圆形，光滑无刻点。中胸腹板密布粗糙圆形刻点。中胸前侧片为不规则四边形，密布粗大圆形刻点。中胸后侧片为不规则五边形，密布粗大圆形刻点。后胸腹板密布粗大圆形刻点，中后部凹陷。后胸前侧片狭长，具 2 列圆形刻点。后胸后侧片半月形，具 2 个卵形刻点。鞘翅长度为宽的 1.35 倍，鞘翅两侧近基部 1/3 近平行，此后向端部渐狭，端缘共同圆凸。行纹宽沟状，具密集粗大圆形刻点，行间 1 约与行纹 1 等宽，平坦，具 1 列较小而稀疏的刻点，刻点常各具 1 枚刚毛，行间 3、

5、7、9处略狭,略凸,具1列稀疏细小刻点,刻点中具1枚刚毛,其余行间甚狭,平坦,光滑无刻点。各足腿节棒状,粗短,侧扁,但无齿。各足胫节近直,粗短,背面具1条光滑的脊,两侧各具2条密布刻点的纵沟和1条光滑的脊,腹面具2列毛,腹面近端部具1枚发达的端刺,基部两侧各具1簇长毛,端钩发达,弯曲。各足跗节第1~3节底面端部两侧具毛,第3节扩宽,三角形,第5节短于第1~3节之和,端部具2个爪,爪离生,不发达,略弯曲。第1、2、5节腹板密布粗大圆形刻点,刻点中具土黄色物质和1枚刚毛,第3、4节腹板各具1行刻点,刻点中具1枚刚毛。臀板外露,密布粗大圆形刻点,刻点中具土黄色物质和1枚刚毛,臀板近基部具1条纵沟,沟中具1条狭脊,外观像2条纵沟,以锁定两鞘翅。

采集记录:1♀,太白,1981.Ⅷ.03,实习生采;1♀,武功,1957.Ⅷ,李之姜采;1♂,武功二道沟,1962.Ⅶ,田振英采;3♂7♀,武功,1985.Ⅵ.02-03,1985.Ⅵ.09-10,周静若采;1♀,武功,1985.Ⅵ.02-05,周静若、郑淑玲、程玉秀采;1♂,武功,1985.Ⅵ.02-05,周静若、程玉秀采。

分布:陕西(太白、武功)、黑龙江、河南、湖北、江西、湖南、香港、广西、贵州;日本,印度,尼泊尔,不丹,伊朗,黎巴嫩,塞浦路斯,叙利亚,伊拉克,以色列,约旦,欧洲,非洲。

寄主:稻谷(包括大米和米糠),小麦(包括面粉,麦麸,酒曲和酒糟),玉米(包括玉米面),高粱,谷子(包括小米),大麦,莜麦,荞麦,黄米,大豆(包括豆饼),豌豆,蚕豆,绿豆,赤小豆,懒豆,甘薯(薯干),花生(包括花生饼),油菜籽(包括菜籽饼),芝麻,蓖麻籽,烟叶,沙参,菟丝子,白芷,防风,荔枝核,香橼片,葛根,山楂,桃仁,何首乌,天麻,温玉金,山药,香附子,蚕茧,香蕈,枣,薏苡米,莲子,乌墨,芷仙桃,板栗,栎。

Ⅱ.棕榈象族 Rhynchophorini Schoenherr,1833

36.弯胫象属 *Cyrtotrachelus* Schoenherr,1838

Cyrtotrachelus Schoenherr,1838:833. **Type species**:*Cyrtotrachelus thompsoni* Alonso-Zarazaga *et* Lyal,1999.

Roelofsia Ritsema,1891:148. **Type species**:*Cyrtotrachelus buquetii* Guérin-Méneville,1844.

属征:喙直。触角索节第2节不太长。前胸背面光滑,无中纵脊。左右两鞘翅端部分别圆凸。前足基节间距宽。各足跗节第3节呈三角形。

分布:古北区,东洋区,非洲区。世界已知8种,其中古北区已知7种,中国已知5种,秦岭地区发现1种。

（47）竹直锥象 *Cyrtotrachelus thompsoni* Alonso-Zarazaga *et* Lyal，1999

Curculio longimantus Fabricius，1775：822.

Curculio longipes Fabricius，1781：162.

Cyrtotrachelus thompsoni Alonso-Zarazaga *et* Lyal，1999：64.

鉴别特征：体红色，触角及各足跗节黑色，前胸基半部中央具大型黑斑，小盾片黑色，鞘翅肩部具黑斑，鞘翅端缘黑色。头半球状，背面光滑，具细小刻点，额具额窝。喙直，长为宽的 10 倍。触角窝位于喙近基部，弧形，坑状。触角柄节棒状，细长，长为宽的 8 倍；索节 6 节；棒节侧扁，侧面观靴形，近基部 2/3 光滑，近端部 1/3 密布绵毛。眼肾形，平坦，两眼在背面间距较狭，在腹面间距狭。前胸长大于宽，前胸背面无中纵脊或中纵沟，侧面端缘无眼叶，腹面基缘中央凹入。小盾片明显，三角形，基半部具细小刻点，端半部光滑无刻点。中胸腹板光滑，具细小刻点。鞘翅长大于宽，左右两鞘翅基缘共同弧形凹入，肩部宽圆。行纹线状，刻点小而不明显，行纹 1～6 明显，行纹 7～9 不明显，行纹 10 退化近消失，行纹 3 与 8、4 与 5、6 与 7 末端相连。行间宽，略凸，光滑，行间 1 末端内侧无刺突。各足腿节棒状，直，侧扁。前足胫节较长，弧形弯曲，侧扁，外侧具浅沟，腹面具 2 列细长的毛，内侧 1 列比外侧 1 列甚发达，中足胫节和后足胫节较短而直，腹面毛短小，各足胫节端钩发达，弯曲，基部下缘两侧各具 1 簇长毛。各足跗节第 1、2 节狭，腹面近端部两侧具毛垫，第 3 节扩宽，背面观三角形，腹面具毛垫。第 5 节短于第 1～3 节之和，无毛，端部具 1 对爪，爪离生，发达，弯曲。腹部第 1、2 节腹板中央各具 1 片刚毛区，第 2 节腹板短于第 3、4 节腹板之和，第 5 节腹板长于第 3、4 节腹板之和，中央具 1 片刚毛区，第 5 节腹板侧面观平直或略上翘。臀板外露，密布细小刻点，具不明显中纵脊，末端具 1 簇毛。

分布：陕西（秦岭）、河南、江苏、浙江、湖北、江西、湖南、福建、台湾、广东、香港、广西、四川、贵州、云南；日本，印度，东洋区，非洲（热带区）。

寄主：苦竹，小空心竹，黄竹，粉箪竹，青皮竹，广宁竹，水竹，绿竹，崖州竹，撑篙竹，山竹，棕叶树。

七、象甲科 Curculionidae

鉴别特征：体表多被鳞片；喙通常显著，由额部向前延伸而成，无上唇；触角多为 11 节，膝状，分柄节、索节和棒节三部分，棒节多为 3 节组成；颚唇须退化，僵硬；外咽片消失，外咽缝常愈合成 1 条；鞘翅长，端部具翅坡，通常将臀板遮蔽；腿节棒状或膨大，胫节多弯曲；胫节端部背面多具钩；跗节 5-5-5，第 3 节双叶状，第 4 节小，隐于其间；腹部可见腹板 5 节，第 1 节宽大，基部中央伸突于后足基节间。

分类:世界性分布。中国已知 439 属 1954 种,陕西秦岭地区发现 71 属 151 种。

分亚科检索表

1. 喙完全退化;身体通常较小,圆筒形或宽椭圆形 ………………………… **小蠹亚科 Scolytinae**
   喙未退化,短粗或细长 …………………………………………………………………………… 2
2. 胫节具断刺或无断刺,或至少后足胫节不具钩,胫节端部外缘鬃毛完整,有的甚至延伸到跗窝
   …………………………………………………………………………………………………… 3
   所有胫节端部具钩,钩起源于胫节端部外侧隆脊,胫节多少有些侧扁,跗窝与胫节纵轴之间的
   倾斜度更大 ……………………………………………………………………………………… 5
3. 后颏很短或不具柄;前颏扩大将口器大部分或全部遮蔽;上颚外角有 1 个可脱落的颚尖,脱落之
   后留有 1 个颚疤(Sitonini 除外);喙短粗,多数种类背面平坦,触角着生于喙近端部…………
   ……………………………………………………………………………… **粗喙象亚科 Entiminae**
   后颏具柄;前颏正常,未遮蔽口器 …………………………………………………………… 4
4. 中胸后侧片几乎与中胸前侧片一样大,向上升到鞘翅和前胸基部之间,从背面观可见;后胸腹
   板与腹板第 1 节在身体两侧后足基节与后胸前侧片之间相连;前胸两侧具眼叶;多数种类前胸
   腹板具胸沟,身体小且呈卵圆形………………………………… **龟象亚科 Ceutorhynchinae**
   中胸后侧片小于中胸前侧片,不上升到鞘翅和前胸基部之间,背面观不可见;喙细长,圆柱状,
   通常至少在触角着生处之前至端部光滑无毛,触角通常着生于喙中部 ……………………
   ……………………………………………………………………… **象甲亚科 Curculioninae**
5. 中胸后侧片几乎与中胸前侧片一样大,向上升到鞘翅和前胸基部之间,从背面观可见;前足基
   节分离;腹板 2~4 节后缘两侧向后弯曲;臀板部分或全部外露;眼大,位于背面或背侧面,占据
   了额部的绝大部分;胫节端部的钩起源于端角 ………………… **锥胸象亚科 Conoderinae**
   中胸后侧片未上升到鞘翅和前胸基部之间,背面观不可见 ……………………………… 6
6. 下唇须 1~2 节,较硬,着生于前颏端部之后腹侧面端角上的洞内,或完全消失;前颏截断形,端
   部纵向加厚;爪基部合生;喙粗壮,触角沟位于喙的侧面;前足基节彼此相连 ……………
   ……………………………………………………………………………… **方喙象亚科 Lixinae**
   下唇须 3 节,着生于前颏前缘 ………………………………………………………………… 7
7. 前足基节彼此相连;喙粗壮,触角通常着生于喙的近端部;身体通常被覆细的鳞片或刚毛 ……
   ……………………………………………………………………………… **魔喙象亚科 Molytinae**
   前足基节被前胸腹板突分开;如果彼此相连,则前胸腹板有细的胸沟且喙细长,同时触角着生
   于中部之后;休止时喙收在胸沟内,当喙外露的时候与身体的纵轴成近直角;胫节端部具梳状
   刚毛 ……………………………………………………………… **隐喙象亚科 Cryptorhynchinae**

(一)小蠹亚科 Scolytinae

鉴别特征:体形较小,长椭圆形或圆柱形,体长 0.70~12.00mm,体长通常是体宽
的1.20~8.00 倍。背面略凸隆至强烈凸隆,光滑,体表被覆的毛变化较大,从柔毛到
刚毛,甚至有时候被覆鳞片状刚毛。喙基本退化或完全退化,头有时候从背面观被前

胸背板遮盖。眼圆形至长椭圆形,浅凹刻至深凹刻,甚至完全断裂分成两半。触角顶端 3~4 节构成大的锤状部。胫节横断面扁平,胫节外缘有 1 列齿,或有 1 端距,第 1 跗节不特别长,约与后 2 节等长。

分布:中国已知 17 族 71 属 402 种,陕西秦岭地区发现 25 属 68 种。

分族检索表

胫节外缘有齿列,前足胫节外缘只有齿列无端距 ·················· 海小蠹总族 **Hylesinitae**
胫节外缘无齿列,但各有一向里弯曲的端距 ·················· 小蠹总族 **Scolytitae**

海小蠹总族 Hylesinitae Erichson, 1836

Ⅰ. 球小蠹族 Diamerini Hagedorn, 1909

37. 球小蠹属 *Sphaerotrypes* Blandford, 1894

Sphaerotrypes Blandford, 1894:61. **Type species**: *Sphaerotrypes pila* Blandford, 1894.

属征:中大型种类,体背突起呈半球状。眼分作两半,各自为 1 个半圆,间隔宽阔。触角基部靠近下半眼的上前缘,具触角沟,锤状部侧面扁平,正面呈椭圆形,顶端平齐,不分节,里外两面均有横直的毛缝,鞭节 5 节。额粗糙,有刻点、褶皱及颗粒,刻点中心具三叉毛,毛梢朝向额顶中心,少数种类刚毛简单;额下部具中隆线。下颚和下唇长大,丛生长毛。前胸背板长度小于宽,前缘附近有横向缢迹,表面刻点稠密,常汇合成点串或沟陷。鞘翅两基缘各自突起成弧,与凹陷的背板基缘两侧吻合,上有 1 列锯齿,小盾片处锯齿中断,翅面肩角显著。行纹深凹陷,行间宽阔,在翅基部,行间中遍布块状隆堤,向后逐渐趋于平坦,成为颗粒。行间刚毛从前到后逐渐变密。本属种类多寄生于阔叶树。

分布:主要分布于中国南部。古北区已知 13 种,中国已知 9 种,秦岭地区发现 4 种。

分种检索表

1. 体型较狭长,鞘翅长度与两翅合宽之比在 1.30 以上;沿翅端有横沟;体长在 4mm 以下;前胸背板粗糙,刻点大小不均匀 ···························· 铁杉球小蠹 *S. tsugae*

体型较短胖,鞘翅长度与两翅合宽之比约1.20,翅端平直无横沟 ………………………… 2
2. 头下方咽片亚颏区内有2丛贴伏于咽部的刚毛束 ………………………………… 3
头下方咽片亚颏区内无刚毛束,只有少许直竖的长毛,或者完全无毛;鞘翅前半部行间有2列颗
粒状突起,后半部只有1列 ……………………………………… **胡桃球小蠹 S. juglansi**
3. 鞘翅只有1种细小的尖鳞片 ……………………………… **黄须球小蠹 S. coimbatorensis**
鞘翅有大小2种鳞片 ………………………………………………… **榆球小蠹 S. ulmi**

(48) 黄须球小蠹 *Sphaerotrypes coimbatorensis* Stebbing, 1906

Sphaerotrypes coimbatorensis Stebbing, 1906：395.

鉴别特征:体长 2.50 ~ 2.80mm。雄虫额部狭平,中隆线短小;额面的刻点含混,疏密不匀,常被彼此通连,似点似沟,刻点间隔突起成粒;额毛有两种:短小的三叉毛自下而上贴伏于额面,挺拔的刚毛,均匀地散布于两眼之间的额面上,长短平齐,略向额顶倾伏;雌虫额部较雄虫宽阔平隆,毛被与雄虫相同;下颚和下唇丛生黄色长毛,下颚的绒毛尤其舒长,好像两束散放的绒花,附着在口下;在外咽缝两侧各有1束黄色刚毛,齐向前方伸展,直达下唇。前胸背板长度小于宽,长宽比为0.70。背板的刻点大小混杂,稠密粗糙;背板的毛被有两种:稠密的三叉毛,贴伏于体表,遍布全板面;少许小鳞片,疏疏落落,散布在板面上。鞘翅长度为前胸背板长度的2.10倍,为两翅合宽的1.20倍。鞘翅基缘上的锯齿稠密,由里向外,逐渐加大。刻点沟狭窄深陷,沟内刻点隐约不明;沟间部宽阔隆起,上面的刻点细小稠密,沟间部上散布着颗粒,横排各2~3枚,从翅基至翅端,由强壮变细弱;沟间部只有1种尖形的小鳞片,稠密浓厚,将翅面完全覆盖起来,各沟间部横排约10枚;鞘翅端缘之前没有明显的横向凹沟。最后的外露腹板上有2种毛被:稠密的三叉毛,覆盖在板面上;较长的刚毛,出露在三叉毛之上,均匀散布。前胃板:板状部稍短于片状部。板状部的半圆形骨化区有清楚的边缘,两骨化区的距离较宽;片状部约40个咀嚼片。雄性外生殖器:顶饰位于阳茎的中后部,形如细颈花瓶。

分布:陕西(秦岭)、黑龙江、北京、河北、山西、河南、安徽、湖南、四川;印度,东洋区。

寄主:枫杨(*Pterocarya stenoptera*),胡桃(*Juglans regia*)。

(49) 胡桃球小蠹 *Sphaerotrypes juglansi* Tsai *et* Yin, 1966

Sphaerotrypes juglansi Tsai *et* Yin, 1966：236, 239.

鉴别特征:体长 1.60 ~ 2.20mm。雄虫额部平凹,中隆线窄小微弱;额上的刻点圆形浅弱,刻点间距平滑光亮,刻点与间隔相互交织构成细腻均匀的额面。额部的毛被有2种:分叉的绒毛,遍铺全额面,有二叉、三叉、四叉等形状;粗短的刚毛,似毛似鳞,

稀疏散布。下颚和下唇均生黄色长毛,柔弱疏少,外咽缝两侧完全无毛。雌虫额部较雄虫隆起。前胸背板长小于宽,长宽比为0.70,亚前缘横沟浅弱。背板的刻点圆小,均匀稠密,刻点间隔在背中部平坦,在两侧则较粗糙,常突成小颗粒;背板上只有1种小鳞片,短阔方圆,像刻点一样,均匀稠密。鞘翅长度为前胸背板长度的1.80倍,为两翅合宽的1.20倍。鞘翅基缘上的锯齿大而稠密,里侧的锯齿低平圆钝,外侧的锯齿高起尖锐。刻点沟清晰平凹,沟底光滑,刻点下陷分明,相距稀疏;沟间部宽阔、隆起,刻点细小稠密,沟间部的颗粒明显,存在于翅面的始终,在翅面前半部各沟间部约2列,在后半部逐渐归并为1列;鞘翅上只有1种鳞片,鳞形甚小,短阔方圆,各沟间部横排约5枚,大部分鳞片低平匍匐,颗粒后端的鳞片高起竖立。鞘翅后缘平铺直下,没有凹陷或沟痕。前胃板:板状部稍长于片状部;板状部的半圆形骨化区不显著,齿较少;片状部约15个咀嚼片,贲门刚毛繁密。雄性外生殖器:阳茎粗短,顶饰位于阳茎后端,好像1对脚掌。

分布:陕西(秦岭)、山西、安徽、四川。

寄主:枫杨(*Pterocarya stenoptera*),胡桃(*Juglans regia*)。

(50)铁杉球小蠹 *Sphaerotrypes tsugae* Tsai *et* Yin,1966

Sphaerotrypes tsugae Tsai *et* Yin,1966:236,240.

鉴别特征:体长3.10~3.90mm。体长椭圆形,较狭长。雄虫额部平隆,额心略凹陷,中隆线短小光亮;额面的刻点清晰深陷,大小不匀,混乱散布;额毛深褐色,齐短竖立,上部簇向额面顶心;雌虫中隆线微弱,常仅余小段突起。前胸背板长度小于宽,长宽比为0.80。有亚前缘横沟,沟陷显著;背板的刻点含混,大小不匀,似圆非圆,分布稠密,刻点间隔时常突起,刻点和间隔交互分布,构成点粒混合的粗糙表面;背板的绒毛三叉状,贴伏于板面上,背中线附近的三叉毛较短,三叉并拢,似毛似鳞,背板两侧的毛长大,三枝分离,背板前缘还有少许长毛,排成横列,背板纵中线后端有同样长毛,左右对称,各自几枚。鞘翅长度为前胸背板长度的2.10倍,为两翅合宽的1.30倍。鞘翅基缘上的锯齿圆钝而略尖锐。刻点沟狭窄平浅,边缘分明,沟底光亮,沟内刻点浅小不明;沟间部宽阔隆起,上面的刻点微波稠密刻点中心窄小的鳞片,各沟间部横排约10枚;沟间部上还有突起的颗粒时疏时密,分布不匀,各自横排2~3枚,颗粒后面起立着鳞片,形状与其余鳞片相同,只是鳞身竖立。最后的外露腹板上生三叉毛,贴伏于板面上,细长稠密,错综交织成网,在这网面上,直立着挺劲的刚毛,均匀散布。前胃板:与大球小囊相似,片状部约40个咀嚼片。雄性外生殖器:阳茎封闭呈管道状,顶饰极小,位于阳茎后端,中突细窄,长度约与阳茎相等;腹针纤细。

分布:陕西(宁陕)、四川、云南。

寄主:铁杉(*Tsuga chinensis*)。

（51）榆球小蠹 *Sphaerotrypes ulmi* Tsai *et* Yin，1966

Sphaerotrypes ulmi Tsai *et* Yin，1966：237，240．

鉴别特征：体长 2.80～3.50mm。体椭圆形，黑褐色。雄虫额部平坦，中隆线短小狭窄，突起显著；额面的刻点含混，大小混合散布，刻点间隔突起成粒状，中隆线附近较平坦，越近两侧颗粒越粗大；额毛有倒伏的三叉毛和竖立的刚毛 2 种。头下外咽缝两侧各有 1 束黄色刚毛，紧贴咽部，直向前伸，达到下唇。前胸背板长度小于宽，长是宽 0.70 倍。背板前部的亚前缘横沟凹陷不深；背板的刻点疏密不匀，点身凹陷，点间突起，突起与凹陷相互交替，构成粗糙的板面；背板上生尖形鳞片，有大小两种，小鳞全面散布，大鳞散插在小鳞之间，整个背板没有绒毛。鞘翅长度为前胸背板长度的 2 倍，为两翅合宽的 1.20 倍。鞘翅基缘上的锯齿圆钝，形大疏少。刻点沟宽阔凹陷，沟缘棱角分明，沟底平陷，沟中刻点清楚；沟间部宽阔，在鞘翅基缘后面有横向隆堤，扁薄如片，突然耸立，有如基缘上的锯齿在翅后的延续；在翅基部还有块状隆堤，细碎稠密，翅中部以后隆堤疏散，成为圆小的颗瘤，均匀散布，各沟间部横排约 3 枚；沟间部的刻点细小稠密，点形不真；沟间部中有大小 2 种鳞片，小鳞片普遍散布，横排各自 7～8 枚，大鳞片起自瘤后面，横排各约 3 枚。鞘翅斜面平铺直下，翅端之前没有横向凹沟。最后的外露腹板上生鳞片和刚毛，鳞片贴伏于翅面上，刚毛竖立，稀疏散布。前胃板：板状部与片状部长度相等；片状部约 35 个咀嚼片。雄性外生殖器与黄须球小蠹相似。母坑道单纵坑，长达 4cm，交配室位于母坑道的下端；子坑道宽阔短直，长 2～3cm，相互排列紧密；蛹室位于子坑道末端，发育成熟的坑道系统，每穴构成 1 个椭圆。

分布：陕西（秦岭）、山西、四川。

寄主：榆（*Ulmus pumila*）。

Ⅱ. 根小蠹族 Hylastini LeConte，1876

38．根小蠹属 *Hylastes* Erichson，1836

Hylastes Erichson，1836：47．**Type species**：*Bostrichus ater* Paykull，1800．
Ipsocossonus Oke，1934：250．**Type species**：*Bostrichus ater* Paykull，1800．

属征：中型种类，体狭长，头尾稍尖，黑褐色，体表有短刚毛，有时鞘翅翅坡处具鳞片。眼长椭圆形。触角基部与眼前缘有一定距离，具触角沟，锤状部棍棒状，顶端尖锐，纺锤形，分 4 节，节间有横直毛缝，鞭节 7 节。额部狭长，有短阔的喙，额上下部隆起，中部凹陷，下半部有中隆线，额面刻点粗浅稠密，额毛疏短。前胸背板长度大于或等于宽度,前缘附近无明显的横向缢迹,表面平滑,刻点粗浅,有背中线。鞘翅基缘横直,小盾片处向后折曲,基缘上有粗糙的皱纹,无锯齿。行纹不凹陷,行纹的刻点深陷,行间低平,有横向皱纹和粗糙结构,翅坡处的行间具颗粒,鞘翅大部分区域具刚毛,翅坡处有时刚毛变成鳞片。

分布:古北区已知 16 种,中国已知 8 种,秦岭地区发现 3 种。

分种检索表

1. 鞘翅行间宽于行纹,鳞片在翅前部细弱,翅中部以后加宽变稠密 ··· 2
   鞘翅行间窄于行纹,行间自翅基部起有明显的短刚毛,刚毛始终如一 ···
   ·· 红松根小蠹 *H. plumbeus*

2. 前胸背板刻点较稀疏,从不连接成串,刻点间隔较宽阔;体长较大,平均 4.10mm;体形较宽阔,
   鞘翅第 2 行纹的刻点直径大于刻点间距 ························· 黑根小蠹 *H. parallelus*
   前胸背板刻点较稠密,并常连接成串,刻点间隔较狭窄 ·············· 云杉根小蠹 *H. cunicularius*

(52) 云杉根小蠹 *Hylastes cunicularius* Erichson, 1836

Hylastes cunicularius Erichson, 1836: 39.

Hylurgops starki Eggers, 1933a: l.

鉴别特征:体长约 4.50mm。黑褐色,稍有光泽,有稀少的刚毛。额部狭长,额面下半部低平,中隆线不显著,上半部突起,突起的高点在两眼之间,低平处与突起的交界为 1 条弓形弧线;额面遍布刻点,平浅稠密,点心各生 1 根毛,下半部的毛指向口上片中部,上半部的毛集向突起高点。前胸背板长度大于或等于宽度。背板的刻点稠密,常相互连接成为点串,刻点间隔狭窄,有时突起成粒,或刻点相连无间;点心各生 1 根短毛,全面均匀散布;有背中线,纵贯板面。鞘翅长度为前胸背板长度的 2.70 倍,为两翅合宽的 1.90 倍。沟中刻点圆形,大小适中,排列规则,点心无毛;沟间部宽于刻点沟,上面的刻点微小含混,分布零乱,在翅前部间插在横向隆堤的低洼处,翅中部以后,普遍散布;沟间部的绒毛翅基至翅端逐渐加大,翅基部为短小刚毛,清晰明显,翅中部以后变为大刚毛,贴伏于翅面,各沟间部横排 3~4 枚;沟间部中无竖毛。母坑道开始宽阔,一般纵向,少数窝空的母坑道斜向,长约 8cm,筑在韧皮部里面,边材上仅留下印痕,母坑道的边缘上有松油;子坑道稠密紊乱,完全印在树皮里;成虫在云杉幼树根部进行补充营养,取食韧皮部,削弱或完全摧毁幼树。

分布:陕西(秦岭)、辽宁、新疆、湖北、四川、云南;俄罗斯,朝鲜,日本,土耳其,叙利亚,欧洲,非洲(北部)。

寄主:云杉(*Picea asperata*)。

(53) 黑根小蠹 *Hylastes parallelus* Chapuis, 1875

Hylastes parallelus Chapuis, 1875: 196.

鉴别特征:体长 3.40~4.50mm。黑褐色至黑色,光泽弱。口上部中隆线显著,不同个体间有差异。前胸背板长宽比为 1:1;背板两侧前方收缩变狭窄;背板表面刻点椭圆形,分布较疏,从不连接成串,刻点间隔宽阔光滑;刻点中心各有毛孔,但无绒毛。鞘翅长度为前胸背板长度的 2.60 倍,为两翅合宽的 1.80~1.90 倍。鞘翅刻点沟的刻点圆形,排列规整;在第 2 刻点,沟、刻点的直径大于刻点与刻点间的距离(刻点间距);沟间部宽于刻点沟,沟间部上没有成列的刻点,只有极为细微的小点,像针尖锥刺的痕迹,疏疏落落,散布在刻点沟的在刻点附近;翅前部沟间部的毛被细弱不明,若有若无,翅中部以后毛被变得清楚,成为一根根短毛,贴伏在翅面上,各沟间部横排3~4枚;在斜面上,短毛又渐加宽成为狭窄的鳞片。除去这些贴伏于翅表的毛被外,鞘翅后半部沟间部还有竖立的短刚毛,疏散地各自成 1 个纵列。雄虫最后 1 个外露腹板上生有长毛,它们以该腹板的纵沟为缝,各自向两侧倒伏;雌虫该腹板正常,只有少许短毛,齐向尾端倒伏。本种坑道的交配室不规则,母坑道单纵坑,子坑道紊乱。1956年在黑龙江大海林林区,本种发现数量很大。

分布:陕西(秦岭)、黑龙江、吉林、辽宁、青海、台湾、四川;俄罗斯,韩国,日本。

寄主:红皮云杉(*Picea koraiensis*),鱼鳞松(*P. microsperma*),红松(*Pinus koraiensis*),华山松(*P. armandii*),油松(*P. tabulaeformis*)。

(54) 红松根小蠹 *Hylastes plumbeus* Blandford, 1894

Hylastes plumbeus Blandford, 1894: 57.

Hylastes obscurus Chapuis, 1876: 197.

Hylastes septentrionalis Eggers, 1923b: 135.

Hylurgops fushunensis Murayama, 1940: 235.

鉴别特征:体长 2.50~3.10mm。黑褐色至黑色,无光泽,有疏少短毛。额部狭长,下半部低平,无中隆线,上半部突起,两眼中间为突起高点;额面的刻点圆大,点心各生 1 根短毛,分布于全额面。前胸背板长宽相等。背板前 1/3 有横向缢迹,背板底面有网状细密印纹,背板的刻点浅在稠密,时常相互通连,成为纵横短沟;背板的绒毛起自刻点中心,一点一毛,短小细弱,均匀散布;背中线突起显著,纵贯板面。鞘翅长度为前胸背板长度的 1.90~2.00 倍,为两翅合宽的 1.70 倍。沟中刻点圆形,深在稠密,排成规则的纵列;沟间部狭于刻点沟,中部突起脊,坎坷不平,从翅基至翅端条脊的形式不变;沟间部的刻点细小不明,点心生黄色短毛,刚劲强直,贴伏于翅面上,从翅基至翅端,疏短整齐,始终不变,刚毛挺立,斜向后方。最后的外露腹板正常,没有雌雄差异。

分布:陕西(秦岭)、黑龙江、吉林、辽宁、山东、台湾、四川;俄罗斯,朝鲜,韩国,欧洲。

寄主:红皮云杉(*Picea koraiensis*),红松(*Pinus koraiensis*)。

39. 干小蠹属 *Hylurgops* LeConte, 1876

Hylurgops LeConte, 1876:389. **Type species**:*Hylastes pinifex* Fitch, 1858.

属征:中大型种类,体宽阔粗壮,黑褐色,稍有光泽,鞘翅刚毛向后逐渐增多。眼长椭圆形。触角基部与眼前缘有一定距离,具触角沟,触角柄节粗长,锤状部棍棒状,顶端尖锐,纺锤形,分4节,节间边缘有毛缝,鞭节7节。额部狭长,有短阔的喙。前胸背板长度小于宽,背板侧缘基半部强烈向外侧弓突,端半部急剧收缩,前缘附近有横向缢迹,表面遍布刻点,粗大稠密,有背中线。鞘翅基缘各自向前突出成为弧形,基缘上有微弱的锯齿,鞘翅基缘宽于前胸背板基缘。行纹不凹陷,行纹的刻点圆大深陷,行间宽阔,从鞘翅基部起向后由块状隆堤逐渐变成圆形颗粒,鞘翅刚毛从基部向翅坡逐渐增强,至翅坡处刚毛变成鳞片。

分布:古北区已知13种,中国已知10种,秦岭地区发现3种。

分种检索表

1. 鞘翅斜面第2行间凹陷,无颗粒状突起;前胸背板刻点只有1种类型,鞘翅斜面第2行间无颗粒状凸起 ·················· 皱纹干小蠹 *H. eusulcatus*
   鞘翅斜面第2行间不凹陷 ······················· 2
2. 鞘翅前半部有贴伏于翅表的短刚毛 ·················· 细干小蠹 *H. palliatus*
   鞘翅前半部自翅基部起有细小的绒毛 ·················· 长毛干小蠹 *H. longipillus*

(55)皱纹干小蠹 *Hylurgops eusulcatus* Tsai *et* Hwang, 1964

Hylurgops eusulcatus Tsai *et* Hwang, 1964:239, 241.

鉴别特征:体长3.70~4.50mm,额部有短阔的喙,额面狭长,底面呈细网状,额下部低平,有中隆线,上部突起,两眼之间为突起高点;额部的刻点粗浅稠密,额毛短齐刚劲,起自刻点中心,下部的毛指向突起高点。前胸背板长小于宽,长宽比为0.70~0.80。背板侧缘强烈外弓,背板前端紧收,亚前缘有显著的横向缢迹;背板底面细网状,背板的刻点只有1种,形小粗浅,边缘含混,疏密不匀,彼此纵横连贯,构成浅弱的点沟和条刻;背板的毛短齐刚劲,起自刻点中心,贴伏在板面上。鞘翅长度为前胸背板长度的2.20~2.70倍,为两翅合宽的1.40~1.60倍。刻点沟略陷,沟中刻点浅弱含混;沟间部宽阔,由基至端在翅面上逐渐变化,在基部沟间部生横向隆堤,起伏规则,高高起处平滑,低洼处散布着针刺状小点,三五群集,鞘翅中部沟间部平坦,密布刻点,在斜面上沟间部有圆形颗粒,等距间隔,各有 1 列。沟间部的毛被先弱后强,在翅面上逐渐变化,由光秃变为含混的小毛、清晰的刚毛,最后成为短小的鳞片,鳞片铺遍鞘翅斜面第 2 沟间部下陷,颗粒消失。

分布:陕西(秦岭)、四川、云南。

寄主:云杉(*Picea asperata*),丽江云杉(*P. likiangnsis*)。

(56) 长毛干小蠹 *Hylurgops longipillus* Reitter, 1895

Hylurgops longipillus Reitter, 1895: 63.

Hylastes imitator Reitter, 1900: 59.

Hylurgops likiangensis Tsai et Hwang, 1964: 237, 240.

鉴别特征:体长 3.30 ~ 4.10mm。额面狭长,底面呈细网状,额面下半部低平,有中隆线,起自口上片,止于额心,上半部突起,两眼中间为突起高点;额面的刻点平浅圆大,点底粗糙,遍布全额面和颅顶,额毛起自刻点中心,一点一毛,普遍均匀散布。前胸背长小于宽,长度与最大宽度之比为 0.70 ~ 0.90。背板侧缘后半部向外侧强烈弓突,前半部急剧收缩,背板前缘有横向缢迹;背板底面前 1、3 呈细网状,后 2、3 平滑;背的刻点大小不匀,也不能截然分作两型,刻点平浅下陷,点底粗糙,点缘清晰,分布稠密,刻点间隔小于刻点直径,点心绒毛微小,近于光秃。鞘翅长度为前胸背板长度的 2.30 ~ 2.40 倍,为两翅合宽的 1.70 ~ 1.80 倍。刻点沟微凹,沟中刻点圆大深陷,点缘分明,排成稠密规则的行列;沟间部宽阔,在翅基部生横向隆堤,起伏规则,高起处平滑,低洼处散布着细小稠密的刻点;在翅中部逐渐平坦,刻点普遍散布;在斜面上,起立 1 列颗粒,粒间仍旧散布着刻点;沟间部的毛被从含糊的小毛变成扁平的鳞片,逐渐厚密,它们起自翅基,止于翅端;在颗粒后面各有 1 枚刚毛,长直竖立,像颗粒一样,排成整齐的纵列;斜面第 2 沟间部不凹陷,上面的颗粒排至翅端。

分布:陕西(秦岭)、黑龙江、辽宁、山西、甘肃、广西、四川、云南;俄罗斯,朝鲜,日本。

寄主:红松(*Pinus koraiensis*),华山松(*P. armandii*),马尾松(*P. massoniana*),油松(*P. tabulaeformis*)。

(57) 细干小蠹 *Hylurgops palliatus*(Gyllenhal, 1813)

Ips piceus Marsham, 1802: 58.

Ips rufus Marsham, 1802: 57.

Hylesinus palliatus Gyllenhal, 1813: 340.

Bostrichu sabietiperda Bechstein, 1818: 74.

Hylesinus fuscus Duftschmid, 1825: 105.

Hylesinus marginatus Duftschmid, 1825：104.

Hylurgus rufescens Stephens, 1830：364.

Hylurgus helferi A. Villa *et* G. B Villa, 1835：49.

Hylurgops parvus Eggers, 1933a：2.

鉴别特征：体长 2.30～3.20mm。额面狭长,下部有短阔的喙,额部底面呈细网状,下部低平,有中隆线,上部突起,两眼之间为突起高点;额面的刻点粗浅稠密,点心各生 1 根小毛,额下部的毛指向下缘中部,上部的毛集指突起高点。前胸背板长小于宽,长度与最大宽度之比为 0.70～0.90。背板底面前 1/3 有网状细密印纹,后 2/3 光平;背板的刻点大小适中,深陷,稠密,分布不匀,或者连成点串,或者有横阔的刻点间隔;点心各生 1 根小毛,长短均一,整齐明显。鞘翅长度为前胸背板长度的 2.30～2.40倍,为两翅合宽的 1.60～1.70 倍。刻点沟宽阔,略凹陷,沟中刻点圆中深陷,紧密相接,排成显著的行列;沟间部狭窄,突起成脊,在鞘翅前半部,脊条表面粗糙,凹凸不平,刻点细小微弱,散布在低洼陷角之中;在鞘翅后半部,脊条平坦,当中有 1 列颗粒,等距排列,止于翅端,刻点均匀散布;沟间部的毛被在鞘翅前半部为刚毛,颜色灰黄,刚劲匀齐,贴伏于翅面,横排 2～3 枚;在鞘翅后半部,绒毛变成鳞片,稠密而显著;沟间部的颗粒后面,各生 1 根竖立刚毛,像颗粒一样,排成纵列;斜面第 2 沟间部不下陷,颗粒依旧,止于翅端。坑道系统很像宽条干小蠹,但母坑道较狭窄,其侧卵的排列间隔较小。

分布：陕西(秦岭)、黑龙江;俄罗斯,朝鲜,韩国,日本,哈萨克斯坦,土耳其,欧洲,非洲(北部),北美洲。

寄主：红皮云杉(*Picea koraiensis*),鱼鳞松(*P. microsperma*)。

Ⅲ. 海小蠹族 Hylesinini Erichson, 1836

40. 海小蠹属 *Hylesinus* Fabricius, 1801

Hylesinus Fabricius, 1801：390. **Type species**：*Bostrichus crenatus* Fabricius, 1787.

Leperisinus Reitter, 1913b：41. **Type species**：*Bostrichus varius* Fabricius, 1775.

属征：中大型种类,体宽阔、粗壮,椭圆形,侧面观鞘翅部分呈锥形。眼长椭圆形。触角锤状部扁平,纵向椭圆,分 3 节,节间内有几丁质嵌隔,鞭节 7 节,柄节粗长。雄虫额部凹陷,雌虫额部沿口上片有 1 条横沟,横沟以上额面微突,雌虫、雄虫额面均具刻点和刚毛。前胸背板长度小于宽,背板基缘中部向后延伸成角,基缘两侧前凹成弧,与前突的翅基吻合。前胸背板前侧方常具颗粒瘤突等粗糙结构,背板的刻点粗大,有时相互连接成沟陷,刻点中心各具 1 根刚毛,刚毛全部朝向身体末端,少数种类背板上具鳞片。鞘翅基缘各自向前突出成为弧形,基缘本身突起,上有 1 列锯齿,小盾片处锯齿中断。鞘翅行纹规则凹陷,行间隆起,粗糙,行间具颗粒,鞘翅刚毛从基部向翅坡逐渐增强,排成多列。

　　分布:古北区已知 17 种,中国已知 8 种,秦岭地区发现 1 种。

(58)水曲柳花小蠹 *Hylesinus varius*(Fabricius,1775)

　　Bostrichus varius Fabricius,1775:60.

　　Bostichus minutus Fabricius,1777:211.

　　Bostrichus melanocephalus Fabricius,1792:368.

　　Anthribus pubescens Fabricius,1798:161.

　　Bostrichus fraxini Panzer,1799:13.

　　Ips griseus Marsham,1802:55.

　　Ips haemorrhoidalis Marsham,1802:56.

　　Ips rufescens Marsham,1802:55.

　　Hylesinus picipennis Stephens,1830:359.

　　Hylesinus henscheli Knotek,1892:234.

　　鉴别特征:体长 2.50～3.50mm。卵圆形,黑色,无光泽。额部平坦,有细小的刻点和短绒毛。触角红褐色,具扁平尖削的锤状部。前胸背板近前方显著收窄,表面密被细小刻点,其前角具小瘤突并密覆鳞片。鞘翅暗红色,短椭圆形,末端钝圆。前胸背板和鞘翅上密被白、黄、褐三色相间的鳞片,形成大理石样花纹。

　　分布:陕西(秦岭)、黑龙江、吉林、辽宁;伊朗,土耳其,欧洲,非洲北部地区。

　　寄主:大叶白蜡,水曲柳,榛子,栎,山毛榉,核桃及其他阔叶树。

Ⅳ. 林小蠹族 Hylurgini Gistel,1848

41. 大小蠹属 *Dendroctonus* Erichson,1836

Dendroctonus Erichson,1836:52. **Type species**:*Bostrichus micans* Kugelann,1794.

　　属征:大型种类,有光泽。眼长椭圆形。触角着生点与眼前缘有一定距离,触角锤状部扁饼状,短椭圆形或圆形,顶端平齐,分 4 节,鞭节 5 节。额中部微突,有刻点和强劲的额毛,额毛以中部突起为中心,向四周倒伏。前胸背板长小于宽,背板两侧向端部急剧狭缩,背板基缘中部有凹刻。前胸背板表面平滑,有刻点和绒毛,毛梢指向背中线的中点。鞘翅基缘宽于前胸背板的基缘,鞘翅侧缘直,端部钝圆。鞘翅基缘各自向前突出成弧形,基缘本身突起,上有 1 列锯齿,小盾片处锯齿中断。鞘翅行纹稍凹陷,行纹的刻点圆大,行间隆起,粗糙,行间具褶皱和小颗粒。本属种类为害针叶树。

　　分布:主要分布于新北区。古北区记录 3 种,中国记录 3 种,秦岭地区发现 2 种。

分种检索表

体长平均大于 6mm,头部额面有三角形或"品"字形低平凸起,口上突极宽阔,中部横向洼陷,两侧臂凸起较高 ……………………………………………………………… 强大小蠹 *D. valens*

体长平均小于 5mm,头部额面凸起,呈厚饼状,无纵中线,口上突侧臂不高起 …………………… …………………………………………………………………… 华山松大小蠹 *D. armandi*

(59) 华山松大小蠹 *Dendroctonus armandi* Tsai *et* Li, 1959

Dendroctonus armandi Tsai *et* Li, 1959:80.

Dendroctonus prosorovi Kurentsov *et* Kononov, 1966:29.

　　鉴别特征:体长 4.40~4.50mm。眼长椭圆形,黑褐色。触角锤状部宽阔近横椭圆形,毛缝较弓曲,尤以锤状部里面为甚。额面下半部突起显著,突起中心有点状凹陷;额面刻点粗浅,点形不清晰,常相互汇合成点沟;刻点的间隔突起,呈颗粒状,额面粗糙,口上片像额面的其余部分一样,布满颗粒刻点,无平滑无点区;额毛略短,以额面突起顶部为中心向四处倒伏。前胸背板长度与背板的最大宽度之比为 0.70。背板的刻点细小,背中线部分较为稀疏;背板的绒毛柔软,倒向背中线的前部。鞘翅长度为前胸背板长度的 2.40 倍,为两翅合宽的 1.70 倍。刻点沟略凹陷,沟中刻点圆大,点缘模糊,排列密集;沟间部较隆起,沟间部的底面细网状,刻点全部变成颗粒,大小交混,翅面粗糙不平;斜面部分略渐平坦,各沟间部当中显露 1 列颗粒;沟间部的绒毛红褐色,较短密,翅后部渐疏长,排列不甚规则。母坑道单纵坑,长达 16~60cm,子坑道原为共同坑,由母坑道两侧伸出,以后分化为独立的子坑道,长 5~25cm。

　　分布:陕西(宁陕、勉县、石泉、黎平)、黑龙江、山西、河南、甘肃、湖北、湖南、四川、贵州、云南。

　　寄主:华山松(*Pinus armandii*),油松(*P. tabulaeformis*)。

(60) 强大小蠹 *Dendroctonus valens* LeConte, 1857

Dendroctonus valens LeConte, 1857:59.

Dendroctonus beckeri Thatcher, 1954:4.

　　鉴别特征:体长 5.70~10.00mm。圆柱形,淡色至暗红色。雄虫长是宽的 2.10

倍,成虫体有红褐色,额不规则凸起,前胸背板宽,具粗的刻点,向头部两侧渐窄,不收缩;虫体稀被排列不整齐的长毛。雌虫与雄虫相似,但眼线上部中额隆起明显,前胸刻点较大,鞘翅端部粗糙,颗粒稍大。

分布:陕西(秦岭)、河北、山西、河南;北美洲。

寄主:松属,落叶松属,冷杉属植物。

42. 近鳞小蠹属 *Pseudoxylechinus* Wood *et* Huang, 1986

Pseudoxylechinus Wood *et* Huang, 1986:465. **Type species**:*Pseudoxylechinus uniforms* Wood *et* Huang, 1986.

属征:触角锤状部强烈扁平,顶端宽圆,鞭节 7 节;额有两性差别,扁平,通常具中隆线或沟。鞘翅行纹相当窄,行纹的刻点小、密集;鞘翅中部行间无刺突等结构,具直立且密集的刚毛。

分布:古北区已知 8 种,中国已知 6 种,秦岭地区发现 1 种。

(61) 同型近鳞小蠹 *Pseudoxylechinus uniformis* Wood *et* Huang, 1986

Pseudoxylechinus uniformis Wood *et* Huang, 1986:465.

鉴别特征:体型大,黑褐色。雌雄虫额均具中隆线。额凸隆,仅在额的下 2/3 处略凹,凹陷的部分具 1 条细长的中隆线;额背面平滑光亮,侧面表面粗糙,具刻点,在中隆线附近无刻点;被覆短绒毛,较密集。眼椭圆形,长度为宽的 3 倍。前胸背板长度小于宽;前胸背板基部最宽,表面平滑光亮,小刻点密集,其中稀疏散布较大的刻点,大刻点的直径为小刻点的 2 倍;小刻点具鳞片状刚毛,每 1 个大刻点具 1 根粗而长的刚毛。鞘翅长为宽的 1.50 倍,鞘翅长度为前胸背板长度的 2.10 倍。鞘翅两侧几乎直,基部2/3 处近平行,端部钝圆。鞘翅行纹浅凹陷,行纹的刻点小而深;行间的宽度为行纹的2 倍,行间的刻点小,不清楚。翅坡较斜,凸隆;翅坡处的行间 1 和 3 较凸隆,行间 2 扁平且窄于平行间 1 或 3,不具刚毛或瘤突。

分布:陕西(秦岭)、四川。

寄主:油松。

43. 切梢小蠹属 *Tomicus* Latreille, 1802

Tomicus Latreille, 1802:203. **Type species**:*Dermestes piniperda* Linnaeus, 1758.

属征:中型种类,头尾略尖,棒槌状。头、前胸背板黑色,鞘翅红褐色至黑褐色,有强光泽。眼长椭圆形。触角基部距眼前缘有一定距离;触角锤状部呈棍棒状,分4节,节间平直,鞭节6节,柄节粗长。额面平坦,有刻点和短毛,下半部有中隆线。前胸背板长度略小于宽,侧缘基半部外突,端半部紧缩,前缘平直。前胸背板背面表面平滑光亮,有刻点,无突起或颗粒,有背中线。鞘翅基缘与前胸背板基缘等宽,鞘翅基缘各自向前突出成为弧形,基缘本身突起,上有1列锯齿,小盾片处锯齿中断。鞘翅行纹略凹陷,行间宽阔,在翅基部有横向隆堤,翅中部平坦,翅坡上有小颗粒,等距相隔,排成纵列;行间的刻点细小,均匀散布,不成行列。鞘翅翅坡无特殊结构。

分布:古北区已知7种,中国记录5种,秦岭地区发现3种。

分种检索表

1. 鞘翅行间的小点稀疏,小毛不显著;小颗粒自翅中部显著,粒后的刚毛也同时显著,自翅中部起它们排成纵列 ··· 2
   鞘翅行间的小点稠密,小毛也相应稠密,在鞘翅斜面聚集成簇;小颗粒不明显,仅发生在斜面上,粒后的刚毛短小,倾斜不明显 ·········· **多毛切梢小蠹 *T. pilifer***
2. 斜面第2行间凹陷,该行间表面平坦,没有颗粒和竖毛 ·········· **纵坑切梢小蠹 *T. piniperda***
   斜面第2行间不凹陷,该行间表面的颗粒和竖毛仍然存在,持续至翅端
   ··· **横坑切梢小蠹 *T. minor***

(62)横坑切梢小蠹 *Tomicus minor*(Hartig,1834)

Hylesinus minor Hartig,1834:413.

Myelophilus corsicus Eggers,1911:75.

鉴别特征:体长3.40~4.70mm。鞘翅行间刻点较稀疏,行间2在翅坡处不凹陷,其上的颗瘤和竖毛与其他行间相同。鞘翅从中部起各行间有1列竖毛。母坑道复横坑,子坑道向上下方垂直伸展,蛹室位于子坑道端头,全部坑道清晰地印在边材上。

分布:陕西(秦岭)、黑龙江、吉林、辽宁、内蒙古、河北、山西、河南、甘肃、江苏、安徽、浙江、湖北、江西、湖南、福建、广西、四川、贵州、云南;蒙古,俄罗斯,朝鲜,韩国,日本,哈萨克斯坦,土耳其,塞浦路斯,欧洲。

寄主:马尾松,油松,云南松。

(63)多毛切梢小蠹 *Tomicus pilifer*(Spessivtsev,1919)

Myelophilus pilifer Spessivtsev,1919:250.

鉴别特征:体长3.50~4.00mm。黑褐色至黑色,有光泽。额部较平坦,中隆线锐利,显著;额面的刻点较稠密,与刻点对应的额毛也较稠密,指向额顶。前胸背板长度

与背板基部宽度之比为0.80。背板表面的刻点较多,背板后侧的刻点更为细小稠密;背板的绒毛稠密。鞘翅长度为前胸背板长度的2.60倍,为两翅合宽的1.80倍。行纹略凹陷,行纹的刻点较圆大,但不显著;行间宽阔,行间上的刻点细小稠密,点心生细短刚毛,贴伏于翅面上,在翅中部各行间横排2～3枚,越向翅后短毛越密,汇聚成撮,纵列于行间上;行间的小颗粒不明显,仅在翅坡处可见,与颗粒对应的刚毛较短,向翅后方向倾斜。鞘翅行间2不凹陷,其上的颗粒和竖毛延续到翅端。

分布:陕西(秦岭)、黑龙江、吉林、内蒙古、北京、河北、山西、青海、湖北、四川、云南、西藏;俄罗斯(远东地区),朝鲜。

寄主:红松,油松。

(64) 纵坑切梢小蠹 *Tomicus piniperda*(Linnaeus,1758)

Dermestes piniperda Linnaeus,1758:355.

Bostrichus testaceus Fabricius,1787:37.

Hylurgus analogus LeConte,1868:172.

Blastophagus major Eggers,1943:50.

鉴别特征:体长3.40～5.00mm。头部、前胸背板黑色,鞘翅红褐色至黑褐色,有强光泽。额部略隆起,额心有点状凹陷;额面中隆线起自口上片,止于额心凹点,突起显著,突起的高低在不同个体中有差异;额部底面平滑光亮;额面刻点圆形,分布疏散;点心生细短绒毛,倾向额顶,口上片边缘的额毛长密下垂。前胸背板长度与背板基部宽度之比为0.80。鞘翅长度为前胸背板长度的2.60倍,为两翅合宽的1.80倍。行纹凹陷,行纹的刻点圆大,点心无毛;行间宽阔,翅基部行间生有横向隆堤,起伏显著,以后渐平,出现刻点,点小,有如针尖锥刺的痕迹,分布疏散,各行间横排1～2枚;翅中部以后行间出现小颗粒,从此向后排成纵列;行间的刻点中心生短毛,微小清晰,贴伏于翅面上,短毛起自横向的隆堤之后,继续到翅端,但不显著;行间的小颗粒后面伴生刚毛,挺直竖立,像小颗粒一样,从翅中部起至翅端部止,排成等距纵列。鞘翅行间2在翅坡处凹陷,其表面平坦,只有小点,没有颗粒和竖毛。

分布:陕西(秦岭)、辽宁、山西、山东、河南、江苏、安徽、浙江、湖南、台湾、四川、云南;蒙古,俄罗斯(西西伯利亚),朝鲜,日本,土耳其,欧洲,非洲(北部),北美洲,东洋区。

寄主:华山松,马尾松,高山松,油松,云南松。

44. 鳞小蠹属 *Xylechinus* Chapuis,1869

Xylechinus Chapuis,1869:36. **Type species**:*Hylesinus pilosus* Ratzeburg,1837.

Pruniphagus Murayama,1958:930. **Type species**:*Priniphagus gummensis* Murayama,1958.

Squamosinus Nunberg, 1964：431. **Type species**：*Squamosinus chiliensis* Nunberg, 1964.

Xylechinops Browne, 1973：283. **Type species**：*Xylechinus australis* Schedl, 1957.

属征：中小型种类,鳞片一色,无花样斑纹。眼长椭圆形,无凹刻。触角锤状部呈棍棒状,分3节,鞭节5节。雄虫额部狭窄凹陷,雌虫额部宽阔平隆,两性额下部均有中隆线;额面遍生刻点和短毛,下部的毛斜向中隆线,上部的毛簇聚于额顶中心。前胸背板表面的刻点细小稠密,点心生鳞片、横向背中线,背板上无颗粒。鞘翅基缘宽于前胸背板,鞘翅基缘各自向前突出成为弧形,基缘本身隆起,上有齿列,小盾片处齿列中断。鞘翅行纹凹陷,行纹的刻点排列紧密,点心生小毛;行间微隆,刻点细小多列,点心生鳞片。鞘翅行间1的鳞片特别密集,颜色浅淡,在翅缝两侧形成1条白色条带,纵贯翅面;翅坡弓曲。腹部腹面扁平。

分布：古北区已知8种,中国已知5种,秦岭地区发现1种。

(65) 云杉鳞小蠹 *Xylechinus pilosus*（**Razeburg, 1837**）

Hylesinus pilosus Razeburg, 1837：178.

鉴别特征：体长2.20~3.00mm。体形狭长,体表颜色黑褐,鳞片灰白,由于鳞片稠密,致使体色近似灰褐。雄虫额面较狭窄,凹陷,中隆线在额面下半部,狭窄端直;刻点细小不明,与颗粒相互交混;额毛灰色,短小刚劲,簇向额顶中心;雌虫额面较雄虫宽阔微突,中隆线同样狭窄端直,点粒、绒毛与雄虫相同。前胸背板长略小于宽,背板两侧由基向端先弓突后收缩,背板前缘横直略突,背板后缘完全横直。背板的刻点细小,均匀稠密,点基突起成粒,光滑细腻,粒而不粗,点心生鳞片,灰白色,较细长,似毛似鳞,左右两侧的鳞片均横向,在背中线处对搭,背中线不突起,成为鳞片对峙的标志。鞘翅长度为前胸背板长度的2.60倍,为两翅合宽的1.70倍。鞘翅基缘较背板基缘宽阔,鞘翅侧缘自基向端略许加宽,尾端尖圆;鞘翅基缘上的锯齿排列松散,尖锐竖立。刻点沟边缘清晰,沟中刻点深大紧密,点心生小毛,伏向后方,沟间部宽阔隆起,刻点细小稠密,点心生灰白鳞片,宽阔顶尖,形如花瓣,匍匐在翅面上,各沟间部横排4~5枚,沟间部中还有竖立的鳞片,白色长大,排成等距纵列,产生这样鳞片的刻点,基部突起,似点似粒,隐约成列。第1沟间部的鳞片特别稠密,好像1条白色纵带铺在鞘翅背中部。前胃板：板状部的长度占前胃板全长的15%,横齿线3~5条,前方的齿线由小齿构成,后方的齿线由线条构成;片状部咀嚼片60以上,无斜面齿。雄性外生殖器：顶饰形似南瓜雌花的柱头。主要特征：体形狭长;刻点沟明显;沟间部鳞片色浅,近灰黄,贴伏于翅面上。

分布：陕西(秦岭)、黑龙江、吉林、新疆;蒙古,俄罗斯,朝鲜,日本,哈萨克斯坦,欧洲。

寄主：鱼鳞松（*P. microsperma*）。

V. 皮小蠹族 Phloeotribini Nüsslin, 1912

45. 肤小蠹属 *Phloeosinus* Chapuis, 1869

Phloeosinus Chapuis, 1869: 37. **Type species**: *Hylesinus thujae* Perris, 1855.

属征: 中小型种类, 短阔粗壮, 赤褐色、褐色或黑色。眼肾形, 眼前缘中部有角形凹陷。触角锤状部呈长饼状, 分3节, 节间斜向, 中间夹有黑色几丁质嵌隔, 嵌隔起自触角一侧, 止于触角中部, 鞭节5节。雄虫额部狭长凹陷, 雌虫额部短阔平隆, 均有中隆线; 额面遍生刻点和绒毛, 均匀散布。前胸背板表面平坦, 只有刻点和毛鳞, 无颗粒结构。鞘翅基缘各自向前突出成为弧形, 基缘本身隆起, 上有1列锯齿。鞘翅行纹凹陷清晰; 行间宽阔, 刻点细小多列, 点心生刚毛或鳞片。鞘翅翅坡奇数行间突起, 偶数行间下陷; 行间1与行间2直通翅端, 行间3与环翅缘绕行的行间9在翅端汇合, 连成1个弧形角区, 将行间4~8截断在此区域内, 突起的行间上常有大型颗瘤, 排成纵列。

分布: 古北区已知30种, 中国已知12种, 秦岭地区发现4种。

分种检索表

1. 鞘翅遍布倾斜的刚毛状鳞片, 体大, 体长大于2mm …………………… 杉肤小蠹 *P. sinensis*
   鞘翅只有绒毛, 没有鳞片 ……………………………………………… 2
2. 体型较粗大; 鞘翅斜面的瘤突两性差别很大 ……………………………… 3
   体型较细窄, 鞘翅斜面的瘤突两性差别较小 …………………… 桧肤小蠹 *P. shensi*
3. 体型较大, 平均体长为2.40mm ………………………………… 柏肤小蠹 *P. aubei*
   体型较小, 平均体长为1.70mm ……………………………… 微肤小蠹 *P. hopehi*

(66) 柏肤小蠹 *Phloeosinus aubei* (Perris, 1855)

Hylesinus aubei Perris, 1855: lxviii.

Phloeophthorus praenotatus Gredler, 1866: 370.

Phloeosinus transcaspicus Semenov, 1903: 79.

Phloeosinus hercegovinensis Eggers, 1922b: 120.

Phloeosinus schumensis Eggers, 1922c: 166.

鉴别特征: 体长2.10~2.50mm。体形粗壮。复眼凹陷较浅, 两眼间的距离较宽。雄虫额部凹陷, 中心有1个凹点, 中隆线光滑低平, 起于口片, 止于额心; 额底面平滑光亮,刻点深圆细小,稠密均匀,额面两侧刻点间隔突起,形似小粒;额毛短小挺拔,直向竖立,只有口上片边缘的额毛长密下垂。雌虫额部短阔隆起,额心无凹点;中隆线与雄虫等长。前胸背板长小于宽,长宽比为 0.90,背板基缘和前缘平直,侧缘后半部弓突,前半部收缩,最大宽度在基缘之前。背板底面平滑光亮;刻点细小稠密,从不交合,刻点间隔平坦;刻点中心生短毛,两侧短毛齐指背板中线。鞘翅长度为前胸背板长度的 1.70 倍,为两翅合宽的 1.30 倍。鞘翅基缘突起很高,上有 1 列锯齿,靠近外侧的锯齿逐渐加大。刻点沟狭窄微陷,沟身平滑光亮,沟中刻点陷入沟底,刻点直径与沟宽相等,刻点间距大于刻点直径,点心不生绒毛;沟间部宽阔,略隆起,在鞘翅基缘及小盾片附近沟间部上有横向隆堤,以后消失,沟间部表面粗糙,上面的刻点细小,点基突起成粒;沟间部的绒毛细短,从基至端稍变稠密,贴伏于翅表上,斜向翅缝,各自横排 3～4枚。鞘翅斜面:雄虫奇数沟间部有大瘤,偶数平坦,第 1 沟间部有 5～6 枚,第 3 沟间部有 7～8 枚,第 5 及其以外各沟间部的颗瘤细小疏少;雌虫斜面的颗瘤与雄虫相对应,但较细小。前胃板:板状部的长度占前胃板全长的 1/2,横齿线突成弓形,排列紊乱,约 10～11 列。片状部为多片型,35～40 咀嚼片。

分布:陕西(秦岭)、北京、河北、山西、山东、河南、甘肃、青海、江苏、安徽、湖南、台湾、四川、贵州、云南;伊朗,土库曼斯坦,土耳其,塞浦路斯,叙利亚,以色列,欧洲,非洲(北部)。

寄主:杉木(*Cunninghamia lanceolata*),侧柏(*Biota orientalis*)。

(67) 微肤小蠹 *Phloeosinus hopehi* Schedl, 1953

Phloeosinus hopehi Schedl, 1953:23.

鉴别特征:体长 1.50～1.90mm。黄褐色至褐色,有光泽。复眼凹陷较浅,两眼间的距离较宽。雄虫额面平而略凹,额中心无凹点,中隆线狭窄突起,位于额面的下半部;额底面平滑光亮,刻点圆小稠密,从不交合,额下部两侧的刻点相距更密,刻点间隔突起成粒,点粒相间,均匀不糙,额毛短小,竖立,稠密而不显著。雌虫额面平突,较雄虫短阔。前胸背板长小于宽,长宽比为 0.80。基缘横直,侧缘由基向端渐变狭窄,背面观近似梯形;背板底面平滑光亮;刻点圆小深陷,稠密而不交合,全面散布;背板的绒毛短小,柔弱不显。鞘翅长度为前胸背板长度的 1.90 倍,为两翅合宽的 1.30 倍。鞘翅基缘突起不高,基缘上的锯齿直竖向上,由小盾片向外逐个增大。刻点沟狭窄轻陷,沟缘棱边不明;沟内刻点细小疏散,刻点直径小于刻点间距,点心绒毛微弱;沟间部宽阔微隆,表面平滑光亮,即便在基缘和小盾片附近,沟间部上的隆堤也只是疏疏落落,清晰可数;沟间部的刻点突起成粒,疏少均匀,表面依旧平滑,沟间部的绒毛黄色、短弱,横排约 2 枚,全部鞘翅没有鳞片。鞘翅斜面雄虫奇数沟间部突起,上有大瘤,偶数沟间部低平无瘤,第 1、3 沟间部 7～8 枚,瘤形甚大,第 5 及其以外各沟间部瘤形变小,瘤数减少。雌虫斜面颗瘤的位置和数量与雄虫相同,瘤形显著细小。前胃板:板状部长度占前胃板全长的40%~45%,横齿线约6列,齿数较少。片状部为多片型,有25~35个咀嚼片。

　　分布:陕西(秦岭)、北京、河北、山西、宁夏、湖南、四川;韩国。

　　寄主:侧柏(*Biota orientalis*),圆柏(*Sabina chinensis*)。

(68)桧肤小蠹 *Phloeosinus shensi* Tsai *et* Yin, 1964

Phloeosinus shensi Tsai *et* Yin, 1964:90, 95.

　　鉴别特征:体长2.20~2.90mm。为本属中较狭长的种类,黄褐色至深褐色,有光泽。复眼凹陷较浅,两眼间的距离较宽。雄虫额部狭长轻陷,额部中心有凹点,中隆线低弱狭窄,发生在额面凹点之下;额底面平滑光亮;刻点细小稠密,全面分布,额面下半部有小颗粒,点粒相间,分布均匀,额毛细短色浅,毛梢簇向额顶中心。雌虫额部平隆短阔,其他结构与雄虫相同。前胸背板长度小于宽,长宽比为0.80。基缘中部向后延伸,成一小角,整个背板轮廓接近梯形。背板底面平滑光亮;刻点细小清晰,稠密而不交合;背板的绒毛短小柔弱,颜色浅淡,发生于刻点中心,1个点1根毛,贴伏于板面上,毛梢聚向背板中心。鞘翅长度为前胸背板长度的2倍,为两翅合宽的1.40倍。鞘翅基缘突起,上面的锯齿相距较疏,由小盾片向外侧逐渐加大。刻点沟狭窄凹陷,沟缘棱角清晰;沟中刻点细小稀疏,点心无毛;沟间部宽阔,平坦光亮,沟间部的绒毛短小疏少,顺向后方倒伏,横排各沟间部2~3枚;全部鞘翅没有鳞片。鞘翅斜面:奇数沟间部隆起,偶数凹陷,第2、4沟间部无瘤,其余沟间部均有小瘤,瘤尖指向翅后下方,颗瘤前后排成纵列,第1间部6~7枚,第3沟间部4枚,第5及其以外各沟间部1~2枚。雌虫斜面沟间部的起伏、颗瘤的大小与分布,与雄虫相同。前胃板:板状部长度占前胃板全长的45%~50%,横齿线8~10列,板齿尖角形。片状部为多片型,约32咀嚼片。

　　分布:陕西(秦岭)、山西、云南。

　　寄主:圆柏(*Sabina chinensis*)。

(69)杉肤小蠹 *Phloeosinus sinensis* Schedl, 1953

Phloeosinus sinensis Schedl, 1953:23.

　　鉴别特征:体长2.00~3.80mm。复眼凹陷较浅,两眼间的距离较宽。雄虫额部稍许凹陷,额中心无凹点,中隆线发生于额面下半部,狭窄低弱,额底面平滑光亮;刻点稠密,在额面下半部有时上下通连,成为短小的纵沟,刻点间隔突起成粒,细小均匀;额毛刚劲短小,额下部直向竖立,额上部簇向额顶中部;雌虫额面较短阔且隆起,两性额部相似。前胸背长略小于宽,长宽比为0.80,背面观轮廓呈梯形,背板底面平滑光亮;

刻点细小浑圆,稠密均匀,刻点间隔小于刻点直径,背板上的绒毛稠密,起自刻点中心,贴伏于板面上,指向背中线。鞘翅长度为前胸背板长度的1.90倍,为两翅合宽的1.40倍。鞘翅基缘略隆起,上面的锯齿大小均一,相距紧密。刻点沟狭窄轻陷,沟底平滑,沟中刻点圆形,刻点直径与沟宽相等,并小于刻点间距,刻点中心光秃无毛;沟间部宽阔低平,上面的刻点圆而略深,分布不匀,常横向连成短沟,刻点间隔突起成粒,点、粒、沟谷相互交织,构成既粗糙又均匀的表面;沟间部的毛被厚密,向后方斜竖,在翅基部似刚毛,以后渐宽,又像鳞,各沟间部横排4~5枚。鞘翅斜面,第1、3沟间部隆起,第2沟间部低平,沟间部上的颗瘤形似尖桃,顶尖向后,相距紧密,第1、3沟间部各10枚以上,第2沟间部6~7枚,靠近翅端,第3及其以外各沟间部2~3枚,雌虫鞘翅斜面沟间部的起伏和颗瘤的排列与雄虫相同,但颗瘤显著细小。前胃板:板状部长占前胃板全长的1/2,弓形横齿线12~14列,片状部属多片型,约40咀嚼片。雄性外生殖器:阳茎和腹针均粗壮。

分布:陕西(秦岭)、山西、河南、江苏、安徽、浙江、湖北、江西、湖南、福建、广东、广西、四川、贵州、云南。

寄主:杉木(*Cunninghamia lanceolata*)。

Ⅵ. 四眼小蠹族 Polygraphini Chapuis, 1869

46. 四眼小蠹属 *Polygraphus* Erichson, 1836

Polygraphus Erichson, 1836: 57. **Type species:** *Dermestes poligraphus* Linnaeus, 1758.

Lepisomus Kirby, 1837: 193. **Type species:** *Apate rufipennis* Kirby, 1837.

Spongotarsus Hagedorn, 1908: 372. **Type species:** *Spongotarsus quadrioculatus* Hagedorn, 1908.

Pseudopolygraphus Seitner, 1911: 105. **Type species:** *Polygraphus grandiclava* C. G. Thomson, 1886.

Ozophagus Eggers, 1920: 234. **Type species:** *Polygraphus primus* Wichman, 1915.

Nipponopolygraphus Nobuchi, 1981: 12. **Type species:** *Nipponopolygraphus kaimochii* Nobuchi, 1981.

属征:中小型种类,体长4mm以下。圆柱形,黑褐色,有稠密的鳞片。眼自前缘中部断开,分为上下两半,两半的后缘仍旧连接。触角锤状部呈叶片状,无节间和毛缝,鞭节5~6节。雄虫额面中部两眼之间突起,当中有1对小瘤,瘤下方凹陷,由窄渐宽,有如扇面;额面有刻点和短毛,毛身匍匐;雌虫额面无瘤,平或凹陷,额面遍布刻点;额毛较长,直立,额周外缘的绒毛更长。前胸背板平坦无瘤,只有刻点,有绒毛和鳞片,横向而生,两侧的毛鳞在背中线处对搭。鞘翅基缘平直,两翅基连合,构成统一的直线;基缘本身略隆起,上有细小的锯齿,小盾片两侧齿列不中断。鞘翅行纹不凹陷;行间宽阔,有多列刻点和鳞片,行间上常有1列小颗粒,自翅中部起开始显著,终于翅端,颗粒后各具 1 枚鳞片,与其余鳞片相同,较直立;鞘翅翅坡处鞘翅缝和行间 1 略突起,其余行间平匀。

　　分布:古北区已知 40 种,中国已知 20 种,秦岭地区发现 3 种。

分种检索表

1. 平均体长小于 2.50mm ……………………………………………… 云杉四眼小蠹 *P. poligraphus*
   平均体长大于 2.50mm ………………………………………………………………………………… 2
2. 平均体长 2.90mm;鞘翅行纹深陷,刻点粗大,远大于行间的刻点;前胸背板的刻点细小稠密,不甚清楚;鞘翅斜面第 1 行间正常突起 ………………………… 油松四眼小蠹 *P. sinensis*
   平均体长 2.75mm;鞘翅行纹不下陷,刻点浅而小,与行间刻点大小相近;前胸背板的毛以鳞片为主 ………………………………… 露滴四眼小蠹河西亚种 *P. rudis hexiensis*

(70)云杉四眼小蠹 *Polygraphus poligraphus*(Linnaeus,1758)

Dermestes poligraphus Linnaeus,1758:335.

Bostrichus pubescens Fabricius,1792:368.

Polygraphus griseus Eggers,1923b:136.

　　鉴别特征:体长 2.40~3.20mm。黑褐色至黑色,鳞片灰黄色,由于覆盖稠密,致使虫体呈现灰黄色。触角鞭节 6 节,锤状部占触角的比例较短,末端尖锐。雄虫额面的凹陷深浅适中,额底面平滑光亮,刻点清晰正圆;额毛灰黄色,细短匍匐,毛梢指向额心突起,雌虫额面平面凹陷,底面像雄虫一样平滑光亮,刻点和额毛较雄虫稠密,毛身挺直竖立,周缘上的毛较长。前胸背板长小于宽,长宽比为 0.80。背板占体长的比例较大,背板上有亚前缘横向缢迹;背板的刻点细小,均匀稠密,点心生鳞片,灰黄色,长方而圆钝,横指向背板纵中线,均匀遍布全板面,全部背板没有绒毛。鞘翅长度为前胸背板长度的 2.30 倍,为两翅合宽的 1.80 倍。鞘翅两侧直向延伸,翅后部略许加宽;鞘翅基缘上的锯齿很小,稠密无间。刻点沟不凹陷,沟间部也不隆起,鞘翅的刻点,沟中与沟间大小相同,沟中刻点 1 列,点心生微毛,沟间刻点多列,点心生鳞片,灰黄色,排列稠密,各沟间部横排 3~4 枚。

　　分布:陕西(秦岭)、内蒙古、山西、甘肃、青海、四川、云南、西藏;蒙古,俄罗斯,日本,哈萨克斯坦,土耳其,欧洲,非洲(热带区)。

　　寄主:云杉(*Picea asperata*),华山松(*P. armandii*)。

(71)露滴四眼小蠹河西亚种 *Polygraphus rudis hexiensis* Yin *et* Huang,1996

Polygraphus rudis hexiensis Yin *et* Huang,1996:348.

鉴别特征:体长 2.80～3.80mm。触角鞭节 6 节,锤状部长大,顶端钝圆或微尖。雄虫额下部凹陷较深,口上片的中央缺刻宽阔,额面有瘤突起的地方有横向凹痕,额底面平滑光亮,额部的刻点在下部凹陷处较疏散,在上部双瘤突起处稠密,额毛细小倒伏。雌虫额面平滑光亮,刻点细小均匀,额毛直立。前胸背板长小于宽,长宽比为 0.80;背板侧缘收缩的强弱不等,个体之间有差别,弱者逐渐收缩,前缘的横缢微弱;强者急剧收缩,前部呈颈项状,前缘的横缢明显。背板的刻点细小稠密,点基突起成为小粒,有时在背板后部两侧各有 1 个小片无点平滑区;背板的毛被有 2 种:鳞片和绒毛,两者相间而生,各占 1/2。鞘翅长度为前胸背板长度的 2.40 倍,为两翅合宽的 1.70 倍。鞘翅基缘比背板基缘稍宽,鞘翅侧缘由基向端略许加宽;基缘本身突起,上面的锯齿圆钝,紧密连接,没有间隙,好像一道整体缘边。刻点沟与沟间部无凹陷与突起之分,翅面平坦;刻点不太细小,沟中与沟间大小相等,沟间部常有不规则的横纹,刻点位于横纹之中;沟间部的表面由平滑至粗糙,个体之间有所差异,除刻点外沟间部中一般没有颗粒,但部分个体有颗粒,排成纵列,隐约显现在斜面的前方;鞘翅斜面翅缝两侧微弱隆起,很不显著。

分布:陕西(秦岭)、宁夏、甘肃、青海、四川、云南。

寄主:冷杉(*Abies fabri*),丽江云杉(*Picea likiangensis*),川西云杉(*P. balfouriana*),红杉(*Larix potaninii*),华山松(*Pinus armandii*)。

(72) 油松四眼小蠹 *Polygraphus sinensis* Eggers, 1933

Polygraphus sinensis Eggers, 1933c: 100.

鉴别特征:体长 2.40～3.40mm。深褐色,不甚光亮。触角鞭节 6 节,锤状部占触角的比例较大。雄虫额下扇面状凹陷较浅,额心有瘤处的突起不高,额面刻点细小稠密,绒毛短小,指向双瘤。雌虫额面平,刻点匀密,刻点间距小于刻点直径,绒毛短小舒直,散布于全额面,额顶上缘的绒毛较长。前胸背板长小于宽,长宽比为 0:7;背板侧缘基部 2/3 向外弓曲,端部 1/3 收缩狭窄,背板前缘横直而前弓,中央无缺刻,有亚前缘横缢,背板基缘横直。背板的刻点稠密,点基突起成粒,越是靠近侧缘颗粒越多;背板上同时有鳞片和绒毛,以鳞片为主,绒毛少许,杂生其间。鞘翅长度为前胸背板长度的 2.40 倍,为两翅合宽的 1.60 倍。鞘翅侧缘直向延伸,翅后部稍许扩展,翅尾圆钝;鞘翅基缘略隆起,基缘上的锯齿竖立,稠密无间,好像一道整体缘边。刻点沟轻陷,沟中刻点极深大,圆形略横向伸展,点心生小毛;沟间部微隆起,在翅基部颗粒刻点散乱间杂,构成粗糙的表面,翅中部以后渐变平坦,颗粒疏散形圆,归并成 1 列;沟间部的刻点远比沟中微小,稠密多列,点心生鳞片,横排各约 3 枚,颗粒后面的鳞片竖立,像颗粒一样,各成 1 纵列;鞘翅斜面翅缝及第 1 沟间部突起成脊,延伸至翅端,第 2 沟间部下陷,上面的颗粒消失,其余沟间部像第 2 沟间部一样平匀弓曲,颗粒全变微弱。

分布:陕西(留坝、宁陕、勉县、石泉、黎坪)、山西、四川。

寄主:华山松(*Pinus armandii*),油松(*P. tabulaeformis*)。

小蠹总族 Scolytitae Latreile, 1804

Ⅰ. 梢小蠹族 Cryphalini Lindemann, 1876

47. 梢小蠹属 *Cryphalus* Erichson, 1836

Cryphalus Erichson, 1836: 61. **Type species**: *Bostrichus asperatus* Gyllenhal, 1813.

Pseudocryphalus Ferrari, 1869: 252. **Type species**: *Bostrichus sidneyanus* Nordlinger, 1856.

Taenioglyptes Bedel, 1888: 398. **Type species**: *Bostrichus piceae* Ratzeburg, 1837.

Cryptarthrum Blandford, 1896b: 200. **Type species**: *Cryptarthrum walkeri* Blandford, 1896.

Allarthrum Hagedorn, 1912: 355. **Type species**: *Allarthrum kollbei* Hagedorn, 1912.

Ericryphalus Hopkins, 1915a: 38. **Type species**: *Hypothenemus sylvicola* Perkins, 1900.

Piperius Hopkins, 1915a: 39. **Type species**: *Hypothenemus sylvicola* Perkins, 1900.

Ernocryphalus Murayama, 1958: 934. **Type species**: *Ernocryphalus birosimensis* Murayama, 1958.

属征:小型种类,短阔,稍有光泽。眼肾形。触角锤状部侧面扁平,正面椭圆形,分4节,锤状部的外面节间和毛缝近于横直,里面节间和毛缝向顶端弓曲,鞭节4节。两性额面相同,平匀隆起,遍布纵向针状条纹,条纹之间散布刻点和绒毛。前胸背板前缘的颗瘤较小,背板后缘有缘边;背板刻点区中的刻点稠密有绒毛或鳞片,或均有。鞘翅行纹刻点细小;行间有多列刻点,点心一般具鳞片,各行间具1列直立刚毛。

分布:古北区已知70种,中国已知34种,秦岭地区发现10种。

分种检索表

1. 鞘翅两性多少均有鳞片 …………………………………………………………… 2
   鞘翅无鳞片,或至少雄虫无鳞片 ………………………………………………… 8
2. 雄虫额上方无横向隆堤 …………………………………………………………… 3
   雄虫额上方有1个显著的横向隆堤 ……………………………………………… 5
3. 寄生于针叶树;触角棒节外面的第1条节间缝靠近基部;前胸背板的瘤突较多,排列似同心圆弧;口上片中央的缺刻较浅;鞘翅行纹较深 …………… **浅刻梢小蠹 C. *redikorzevi***
   寄生于阔叶树 ……………………………………………………………………… 4
4. 额面密生稠密的纵向针状褶纹 …………………………………………… **荚蒾梢小蠹 C. *viburni***
   额面生粗糙的刻点;触角棒节外侧3条节间缝稍向端部弓曲;口上片中央无明显缺刻 ………

(73) 秦岭梢小蠹 *Cryphalus chinlingensis* Tsai *et* Li, 1963

Cryphalus chinlingensis Tsai *et* Li, 1963: 612, 623.

　　鉴别特征:体长 1.40～1.80mm。体短椭圆形,有光泽。触角锤状部近圆形,锤状部上面的 3 条横缝明显。两性额部均平坦,底面光亮,额面遍布纵向针状条纹,雄虫额上部有 1 个横向隆堤,突起锐利,隆堤上面的压迹微弱,额中部有三角形的凹陷,中隆线微弱;额面的刻点粗糙,分布不匀,常上下通连构成条沟;绒毛柔细,两侧的毛齐伏向中隆线,口上片的绒毛稠密,伏向下方,雌虫额部无横向隆堤和三角形凹陷,中隆线明显,强于雄虫,额面刻点粗糙,额毛较多,额中部的绒毛竖立舒直,两侧的绒毛伏向额中。前胸背板长度略小于宽度;背板前缘有 3～4 枚颗瘤,以当中两枚较大,颗瘤后弓如钩;瘤区的颗瘤细弱,零落疏散,背顶部位于背板后 1/5 处,顶部的颗瘤集成锐角形的瘤区后缘;刻点区的刻点稠密,呈小粒状,刻点区生鳞片和茸毛,鳞片细小稠密,茸毛疏少,掺杂在鳞片之间。鞘翅长度为前胸背板长度的 2 倍,为两翅合宽的 1.40 倍。刻点沟不凹陷,沟中刻点细小,点心生微毛;沟间部平坦宽阔,沟间部的刻点微弱,鳞片短小,各沟间部横排 3～4 枚,沟间部中的竖立刚毛短小,排列整齐。前胃板:板状部长度占前胃板全长的 54%,端齿带呈馒头形,长度适中,占板状部宽度的 49%～59%;板片二部无分界线,后关闭刚毛等于或长于片状部,斜面齿不明显。雄性外生殖器:阳茎两侧平行,端片显著,中突长度为阳茎长度的 1.20 倍。

　　分布:陕西(秦岭)、山西、四川。

　　寄主:华山松(*Pinus armandii*)。

(74) 桑梢小蠹 *Cryphalus exiguous* Blandford, 1894

Cryphalus exiguous Blandford, 1894: 82.
Cryphalus pilsosus Sasaki, 1899: 238.

鉴别特征:体长 1.50~1.70mm。体呈短圆柱形,黑褐色。触角锤状部卵形,锤状部外面的 3 条横缝向基部弯曲。额部平,底面有细密印纹,有显著的中隆线,口上片无中央缺刻;雄虫额上部有横向隆堤,锐利光亮,额面的刻点粗糙疏散,绒毛短小,贴伏在额面上,两侧的绒毛齐横向中隆线,雌虫额面无隆堤,刻点较细弱稠密,额毛疏长竖立。前胸背板长略小于宽,背板两缘自基向端逐渐收缩,背板前部狭窄圆钝;背板前缘上有 4~6 枚颗瘤,以当中 4 枚较大,瘤区的颗瘤粒大单生,同由前缘至背顶渐趋稠密,瘤区的绒毛粗壮挺拔,稠密匀面,背板前部坡度陡峭,背顶部位于背板的后 1/3 处,顶部的颗瘤聚成直角后缘。背板后半部下倾,刻点区中主要生鳞片,短阔圆钝,稠密地覆盖在板面上,鳞片之间散插几许绒毛,它们共同指向背顶。鞘翅长度为前胸背板长度的 1.90 倍,为两翅合宽的 1.50 倍。刻点沟清楚微陷,沟中刻点圆大,点心各生 1 枚微毛,贴伏在沟缘上,排成纵向线列;沟间部宽阔,在翅基部有微弱皱纹,沟间部的刻点细小多列,点心各生 1 枚鳞片,宽阔圆钝,密覆在翅面上,使沟间部变成鳞片条带,整个翅面微毛线列与鳞片条带交替贯穿,平行有序;沟间部中的竖立刚毛,齐短挺直,排成等距纵列。前胃板:板状部长占前胃板全长的 61%,端齿带呈半圆形,其长度占板状部宽度的 60%;板片二部之间有显著的分界边线,后关闭刚毛长于片状部,斜面齿显著。雄性外生殖器:阳茎两侧平行,端片明显,中突长为阳茎长的 1.20 倍,阳基背面中央向后突出。

分布:陕西(秦岭)、北京、河北、山东、江苏、安徽、浙江、台湾、四川、贵州;俄罗斯(远东地区),朝鲜,韩国,日本。

寄主:桑(*Morus alba*)。

(75) 兔唇梢小蠹 *Cryphalus lepocrinus* Tsai *et* Li, 1963

Cryphalus lepocrinus Tsai *et* Li, 1963: 619, 624.

鉴别特征:体长 2.00~2.50mm。体宽阔椭圆,深褐色,有光泽。触角锤状部基宽顶狭,呈卵形,锤状部外面的 3 条横缝均向基部弯曲,第 1 长横缝不靠近基部。额上部的 2/3 微突,下部的 1/3 平坦,中隆线显著,光滑突起;额面的刻点粗糙,两侧较密,中部疏少,裸露出印有网纹的额部底面来;额毛疏短,伏向中隆线;口上片的中央缺刻宽阔深陷,弯曲如月,故而得名,缺刻内缘生稠密短毛,聚集成丛。前胸背板长度小于宽,长宽比为 0.80,背板侧缘自基向端收缩显著,背板前部较尖突;背板前缘上有 1 列小颗瘤,排列不规整;瘤区的颗瘤各自独立,布局匀称;整个背板突起强烈,背顶部在背板的后 1/3 处,顶部的颗瘤不甚稠密,构成钝角形的瘤区后缘;瘤区的绒毛粗长稠密,前缘和两侧边缘的绒毛更加长密,毛梢后弓,曲向背顶,刻点区的刻点全部突成粒状,稠密匀布。刻点区中只有绒毛,全无鳞片。鞘翅长度为前胸背板长度的 2.10 倍,为两翅合宽的 1.90 倍。鞘翅基缘狭于背板基缘,鞘翅侧缘前 2/3 向后直伸,微微增宽,后 1/3 急剧收缩,尾端尖圆。刻点沟略凹陷,由圆形的刻点组成;沟间部宽阔平坦,表面有少许微弱的横向皱纹;沟间部的刻点细小多列,雌虫间部全生绒毛,细小灰白,紧贴翅面。从翅基持续至翅端;雄虫沟间部在翅前部生绒毛,在斜面上绒毛变成鳞片,宽阔圆钝,稠密地覆盖着翅端;沟间部中的竖立刚毛粗长挺直,排列整齐,两性相同。前胃板:板状部长度占前胃板全长的 60%,中线齿 3 排,端齿 3 列,端齿带短,呈半圆形,其长度占板状部宽度的 74% ~75%;板片二部无分界边线,前关闭刚毛与后关闭刚毛形状相似,后关闭刚毛稍长于片状部。雄性外生殖器:阳茎狭长,有端片,中突长度为阳茎长度的 85%。

分布:陕西(秦岭)、四川、云南。

寄主:岷江冷杉(*Abies faxoniana*)。

(76) 华山松梢小蠹 *Cryphalus lipingensis* Tsai et Li, 1959

Cryphalus lipingensis Tsai et Li, 1959:90.

鉴别特征:体长 1.50 ~1.90mm。黑褐色,有光泽。触角锤状部椭圆形,锤状部外面靠近基部的 2 条横缝平直,靠近端部的 1 条向下凹陷成弧,锤状部里面的两条横缝向端部强烈弓突,缝缘上生稠密微毛。额部略平,表面遍布纵向针头条纹,细密均匀,条纹上部散放,下部集中,额下部有短小光滑的中隆线,口上片的中央缺刻宽阔轻陷;额面的刻点稀疏,散布在针状条纹的空隙之间;绒毛细长柔弱,像刻点一样稀疏,毛梢曲向中隆线。前胸背板长度小于宽,长宽比为 0.80。背板两侧缘自基向端均匀收缩,背板前部狭窄尖圆;前缘上有 8 ~9 枚颗瘤,以当中 4 枚较大;瘤区的颗瘤分布不均匀,前部疏散,空隙广阔,后部密集,横排靠近,却不连接,背顶部位于背板的后 1/5 处,顶部的颗瘤聚集处,构成钝角瘤区后缘。刻点区占背板总面积较小,刻点突成小粒,分布均匀;刻点区中只有绒毛,匍匐在板面上,毛梢聚向背顶,刻点区中无鳞片。鞘翅长度为前胸背板长度的 2 倍,为两翅合宽的 1.50 倍。刻点沟轻陷,由浅弱的刻点组成,排列不甚规整;沟间部不宽阔,在翅基部突起褶皱,沟间部的刻点细小稠密,点心各生 1 枚绒毛,短小灰白,紧贴翅面,沟间部的竖立刚毛长密匀齐,由翅基至翅端排成等距纵列,起立于低伏的绒毛之上,两性翅面相同,均无鳞片。雄虫最后的外露腹板中部纵陷。前胃板:板状部长度占前胃板全长的 46% ~52%,中线齿 1 排,位于前位,后部的齿消失,端齿带很长,其长度占板状部宽度的 84% ~85%,端齿 3 列;板片二部无分界边线,前关闭刚毛不显著,后关闭刚毛不达片状部的末端。雄性外生殖器:端片明显,射精管后部的骨质刺突呈刚毛状,稠密而不明显;阳基腹面的 1 对侧叶钝小;中突长为阳茎的 1.20 倍,两突端部相连。

　　分布:陕西(宁陕、黎平)、山西、海南、四川、贵州、云南。

　　寄主:华山松(*Pinus armandii*)。

(77)果木梢小蠹 *Cryphalus malus* Niisima, 1909

　　Cryphalus malus Niisima, 1909:144.

　　Cryphalus padi Krivolutskaya, 1958:144.

　　鉴别特征:体长 1.70~2.00mm。体呈长椭圆形,有光泽。触角锤状部宽大椭圆,锤状部外面的 3 条横缝略向端部弓曲,第 1 条横缝靠近基部。额上部稍微隆起,下部略平,额面有刻点,粗糙稠密,上下相连,变成沟纹;额面的绒毛中部疏长,竖立直伸,两侧较短,伏向中部;口上片的中央缺刻微弱,似有似无。前胸背板长度小于宽,长宽比为0.80。背板侧缘自基向端收缩显著,背板前缘狭窄尖圆;前缘上有 1 排颗瘤,数目不定,以当中 6 枚较大,狭长端钝,微向后曲;瘤区的范围狭窄,不达背板两侧边缘,颗瘤粗大稠密,顶部在背板的后 1/4 处,顶部的瘤区后缘成锐角。刻点区的刻点突起成粒,粗糙稠密,刻点区只有绒毛,没有鳞片。鞘翅长度为前胸背板长度的 2 倍。为两翅合宽的 1.50 倍;鞘翅基缘与背板基缘等宽,鞘翅侧缘后部向外方扩展,尾端收缩圆钝。刻点沟凹陷清晰,由圆大而深陷的刻点组成,点心生微毛;沟间部隆起,有皱纹和刻点,皱纹横向,前密后疏,逐渐消失;刻点细小,点心生鳞片,窄小稀疏,透露出光亮的鞘翅底面,沟间部中的竖立刚毛短小色深,比较明显。前胃板:板片二部等长,中线齿很弱,往往仅有痕迹;端齿带呈长菱形,它的长度占板状部宽度的 72%,板片二部之间没有分界线;后关闭刚毛长于片状部,斜面齿大而显著。雄性外生殖器:阳茎狭长,后部尤其细窄,两侧向背方强烈卷曲,几乎合拢;无端片;中突的长度短于阳茎,为阳茎长度的 85%。

　　分布:陕西(秦岭)、黑龙江、辽宁;俄罗斯(远东地区),朝鲜,韩国,日本。

　　寄主:杏(*Prunus armeniaca*)。

(78)伪秦岭梢小蠹 *Cryphalus pseudochinlingensis* Tsai et Li, 1963

　　Cryphalus pseudochinlingensis Tsai et Li, 1963:610, 623.

　　鉴别特征:体长 1.50~1.80mm。体呈长椭圆形,有光泽,褐色,前胸背板较鞘翅色深。触角锤状部近圆形,顶端稍尖,锤状部外面的 3 条横缝显著。额上部略突,下部低平,雄虫额上方有 1 个锐利的横向隆堤,隆堤上面的压迹浅弱,雌虫无此隆堤;两性中隆线均微弱;额面的绒毛疏少,两侧齐向中隆线倾伏;口上征的中央缺刻微弱,几不存在。前胸背板长小于宽,长宽比为 0.80。背板侧缘自基向端收缩明显,前部较狭窄;背板前缘上有 2~4 枚颗瘤,以中间 2 枚较大,瘤区的颗瘤细小稀疏,分布范围狭窄,背顶部强烈突起,位于背板后部 1/3 处,顶部的颗瘤松散,构成直角形的瘤区后缘;刻点区的刻点粗糙,突起成粒;刻点区中只有绒毛,匍匐向前,指向背顶。鞘翅长度为前胸背板长度的 1.90 倍,为两翅合宽的 1.40 倍。鞘翅基缘与前胸背板基缘等宽,鞘翅侧缘向后直线延伸,尾端圆钝;翅面肩角明显。刻点沟不凹陷,沟中刻点细小,点心生微毛,虽细小而显著;沟间部宽阔,在鞘翅前半部有轻微皱纹,后半部平坦,沟间部的刻点幼小均匀,沟间部的鱼片在翅基部狭窄如毛,在翅后部则变得宽阔圆钝,密覆在翅面上,各沟间部横排 3～4 枚;沟间部中的竖立刚毛短小柔弱,排列规则。前胃板:板状部长占前胃板全长的 54%～57%,端齿带甚长,呈丘形,其长度占板状部宽度的 93%～94%,齿带间隔明显,后关闭刚毛长于片状部,斜面齿长而显著。雄性外生殖器:阳茎狭长,端部闭合成管;无端片;中突长度占阳茎长度的 56%。

分布:陕西(秦岭)、山西。

寄主:华山松(*Pinus armandii*),油松(*P. tabulaeformis*)。

(79)伪油松梢小蠹 *Cryphalus pseudotabulaeformis* Tsai *et* Li, 1963

Cryphalus pseudotabulaeformis Tsai *et* Li, 1963:613,624.

鉴别特征:体长 1.60～1.90mm。体呈圆柱形,黑褐色,有光泽。触角锤状部椭圆形,锤状部外面的第 1 条横缝不靠近基部。额部微隆,额面有纵向条纹,匀细密布,中隆线较短,雄强雌弱,额面的刻点散布在条纹之间,口上片没有中央缺刻;雄虫额上部有 1 个锐利的横向隆堤,隆堤上面的压迹呈沟状,雌虫无隆堤。前胸背板长度略小于宽。背板两侧缘自基向端逐渐收缩,背板前部呈半圆形。背板前缘上有 4 枚颗瘤,大小均匀,背板前半部的颗瘤分布区域狭窄,颗瘤疏少,粒粒清晰,由前缘至背顶颗瘤渐趋稠密,在前部颗瘤的空隙之中,间撒着匀细的颗粒;瘤区的绒毛长密,普遍散布,伏向背顶,背顶部高而不突,平匀弓曲,位于背板后部的 1/3 处,顶部的颗瘤构成直角形的瘤区后缘。刻点区占背板的比例较大,刻点均匀稠密,刻点区中只有绒毛,短小细弱,匍匐向前。鞘翅长度为前胸背板长度的 1.80 倍,为两翅合宽的 1.60 倍。鞘翅基缘与背板基缘等宽,鞘翅侧缘直线延伸,同时略许加宽,翅尾圆钝。刻点沟轻陷,由微弱的刻点组成,刻点中心生微毛;沟间部宽阔,散布着细弱的皱纹,从鞘翅基缘至斜面前缘;沟间部中的刻点细小轻微,稠密多列;刻点中心生小鳞片,沟间部中的竖立刚毛短小,排列规则。前胃板:板状部长度占前胃板全长的 57%～60%,端齿带呈扇形,长度适中,占板状部宽度的 46%～56%;板片二部之间有分界边线,后关闭刚毛长于片状部,有斜面齿。雄性外生殖器:阳茎两侧平行,有端片,中突长度占阳茎长度的 70%。

分布:陕西(秦岭)、北京、河北、四川。

寄主:油松(*Pinus tabulaeformis*)。

(80) 浅刻梢小蠹 *Cryphalus redikorzevi* Berger, 1917

Cryphalus redikorzevi Berger, 1917: 232.

鉴别特征: 体长 1.60~1.70mm。体呈短椭圆形。黑褐色。触角锤状部近圆形，锤状部外面的第 1 条横缝靠近基部。额面微隆，上面的刻点粗糙，额中部较稀少，两侧较多，绒毛疏散；额底面光亮，中隆线短小，仅存在于口上部，有时不甚清晰；口上片中央的缺刻较浅。前胸背板长略小于宽，背前缘上有 7~8 枚颗瘤，圆钝均匀；背板前半部的颗瘤较多，排列形似同心圆弧，瘤区的顶部位于背板后 1/4 处，瘤区的后缘呈圆弧形；背板后半部的刻点粗糙。突起成粒，刻点区中只有少许绒毛，没有鳞片，板面接近光秃。鞘翅长度为前背板长度的 2 倍，为两翅合宽的 1.40 倍，鞘翅两侧的后部稍许加宽，鞘翅尾端狭窄。刻点沟较深陷，由较大的刻点组成；沟间部轻微隆起，上面有横向褶纹、细小刻点和稠密鳞片，各沟间部当中的 1 列刚毛，平齐竖立。前胃板：板状部的中线齿细小多排，端齿 3 列，列间的空隙显著，齿带较长，占板状部宽度的 90% 以上；板片二部之间没有分界边线，前关闭刚毛很长。雄性外生殖器：阳茎细长，与中突交界处有明显的边缘。

分布: 陕西（秦岭）、湖北、四川、云南；俄罗斯（远东地区），朝鲜，韩国。

寄主: 冷杉（*Abies fabri*）。

(81) 油松梢小蠹 *Cryphalus tabulaeformis* Tsai et Li, 1963

Cryphalus tabulaeformis Tsai et Li, 1963: 609, 623.
Cryphalus chienzhuangensis Tsai et Li, 1963: 610, 623.

鉴别特征: 体长 2.00~2.20mm。体呈椭圆形。黑褐色，前胸背板与鞘翅同色，有光泽。触角锤状部近圆形，端部稍狭窄，锤状部外面的 3 条横缝平直。额面平，底面有光泽，雄虫额上方有 1 个锐利的横向隆堤，隆堤上面压迹浅弱，雌虫无此隆堤；中隆线雌强雄弱；额面粗糙，有颗瘤，分布不规则；额毛细长疏散，口上片边缘的绒毛稠密下垂，口上片中央的缺刻微弱。前胸背长略小于宽，背板侧缘前部收缩微弱，形状圆阔；背板前缘上有 4~6 枚颗瘤，以当中 2 枚较大。背前部的颗瘤单生，均匀散布，在颗瘤的空隙之间散布着细小颗粒；背顶部强烈突起，在背板后部的 1/5 处，顶部的瘤区后缘成直角。刻点区中的刻点粗糙稠密，广阔散布；刻点区中密覆绒毛，紧贴板面，其间混杂着少许鳞片，共同指向背顶。鞘翅长度为前胸背板长度的 1.90 倍，为两翅合宽的 1.50 倍。刻点沟不凹陷，沟中刻点细小，点心生微毛；沟间部宽阔，在翅基部有横向皱纹，尤以小盾片两侧皱纹稠密，以后沟间部平坦；沟间部的刻点细小多列，点心生鳞片，形状狭窄，排列规则；沟间部地单生竖立刚毛匀齐稀疏，前后成列。前胃板：板状部长度占前胃板全长的 55%，中线齿显著，齿间有距离；端齿带甚长，中间突起，形如山丘，其长度占板状部宽度的 93%；板片二部分界不显著，后关闭刚毛长于片状部，斜面齿不明显。雄性生殖器：阳茎狭长，其末端闭合成管；无端片；中突长度占阳茎长度的 70%。

　　分布：陕西（秦岭）、辽宁、河北、山西、浙江、四川、贵州、云南。

　　寄主：油松（*Pinus tabulaeformis*）。

(82) 荚蒾梢小蠹 *Cryphalus viburni* Stark, 1936

Cryphalus viburni Stark, 1936: 151.
Cryphalus viburni Eggers, 1942: 30.

　　鉴别特征：体长 1.60~1.70mm。体呈椭圆形，无光泽。触角锤状部圆形略短，顶端稍宽，锤状部外面靠近端部的 2 条横缝向顶端弓曲。额面有纵向条纹，稠密匀细，中隆线短小明确；额面的刻点粗糙，主要发生在两侧，额中略疏；额毛细弱疏少；口上片中央的缺刻甚浅。前胸背板长小于宽，长宽比 0.80。背板前缘上有 1 排颗瘤，以当中 4 枚较大，瘤区颗瘤粗大广布，从前缘至背顶逐变稠密，有时横向相连成长弧状的堤壁，背顶部突起较高，位于前胸背板的后 1/3 处，顶部的颗瘤构成直角或钝角的瘤区后缘；顶部后面的刻点区骤然下陷，刻点凹陷，从不突成点粒；刻点区只有绒毛，长短参差，疏散分布，背中部绒毛甚少，有时光秃，刻点区中无鳞片。鞘翅长度为前胸背板长度的 1.90 倍。为两翅合宽的 1.50 倍。刻点沟不凹陷，浅淡不明，只在翅基部小盾片两侧第 1 和第 2 沟间部深陷；沟间部宽阔，在翅基部有粗糙的颗瘤，以后颗瘤消失，为细小的刻点所代替；沟间部的鳞片疏密适中，紧贴翅面，沟间部的刚毛长直挺立，毛列规则。

　　分布：陕西（秦岭）、山西；俄罗斯（远东地区）。

　　寄主：荚蒾（*Viburnum dilatatum*）。

Ⅱ. 毛小蠹族 Dryocoetini Lindemann, 1876

48. 额毛小蠹属 *Cyrtogenius* Strohmeyer, 1910

Cyrtogenius Strohmeyer, 1910: 127. **Type species**：*Cyrtogenius bicolor* Strohmeyer, 1910.
Carposinus Hopkins, 1915a: 9, 47. **Type species**：*Dryocoetes luteus* Blandford, 1894.
Orosiotes Niisima, 1917: 1. **Type species**：*Orosiotes kumamotoensis* Niisima, 1917.
Pelicerus Eggers, 1923a: 216. **Type species**：*Lepicerus nitidus* Hagedom, 1910.
Metahylastes Eggers, 1922c: 165. **Type species**：Cyrtogenius africus Wood, 1988.
Eulepiops Schedl, 1939b: 344. **Type species**：*Eulepiops glaber* Schedl, 1939.

Mimidendrulus Schedl, 1957：68. **Type species**：*Mimidendrulus movoliae* Schedl, 1957.

Ozodendron Schedl, 1957：13. **Type species**：*Pelicerus grandis* Beeson, 1929.

Carpophloeus Schedl, 1958：143. **Type species**：*Carpophloeus rugipennis* Schedl, 1958.

Taphroborus Nunberg, 1961：617. **Type species**：*Taphroborus vaticae* Nunberg, 1961.

Ozodendron Schedl, 1964：243. **Type species**：*Pelicerus grandis* Beeson, 1929.

Artepityophthorus Schedl, 1969：157. **Type species**：*Artepityophthorus aries* Schedl, 1969.

属征：中型种类，体粗壮，圆柱形。体表多毛，没有鳞片。触角锤状部扁平，有 1 条向前弯曲的缝；前胸背板侧视弓曲甚微，背板后半部有少数刻点；前足基节窝稍分离；鞘翅末端后侧边缘锐利，并生有小颗粒。

分布：古北区已知 6 种，中国已知 3 种，秦岭地区发现 1 种。

(83) 额毛小蠹 *Cyrtogenius luteus* (Blandford, 1894)

Dryocoetes luteus Blandford, 1894：94.

Orosiotes formosanus Schedl, 1952：63.

鉴别特征：体形狭长，黄色至褐色，体表少毛，略有光泽。眼的比例较大，前缘中部的角形凹刻宽阔深陷。触角锤状部圆形，分 3 节。额面平隆，刻点圆形凹陷，额毛粗长。前胸背板长大于宽，前胸背板后半部有大片刻点区；鞘翅行纹和行间的刻点大小差异悬殊；鞘翅翅坡处行间具颗粒，翅坡下半部有缘边，缘边上排列着颗粒；体表绒毛疏短，鞘翅的绒毛主要分布在翅坡上。

分布：陕西（秦岭）、山西、河南、江苏、安徽、浙江、湖北、江西、湖南、福建、台湾、广东、海南、广西、四川、贵州、云南；韩国，日本，东洋区。

寄主：马尾松，高山松，油松，云南松，思茅松。

49. 毛小蠹属 *Dryocoetes* Eichhoff, 1864

Dryocoetes Eichhoff, 1864：38. **Type species**：*Bostrichus autographus* Ratzeburg, 1837.

Anodius Motschulsky, 1860b：155. **Type species**：*Bostrichus autographus* Ratzeburg, 1837.

Dryocoetinus Balachowsky, 1949：180. **Type species**：*Bostrichus villosus* Fabricius, 1792.

属征：中型种类，圆柱形，较粗壮，体表多毛，全无鳞片。眼肾形。触角锤状部侧面扁平，正面圆形，分 3 节，锤状部的外面基节较长，占锤状部长度的 1/2，节片光突，中节较短，呈横条状，沿节间有 1 列微毛，排成毛缝，将节片遮盖起来，端节长于或等于中节，有毛缝或散毛；锤状部的里面节间集中在锤状部的顶端边缘附近，微毛疏少，1 片平滑；鞭节 5 节。额面遍生刻点或颗粒，中隆线有或无，额毛细长舒展，部分种类雌虫额毛细短直立，稠密如绒。前胸背板侧面观自前向后均匀隆起，成为弧线；背板表面遍生颗瘤,后半部的中部有少许刻点;背板的绒毛遍布甚多。鞘翅行纹与行间各有1列刻点;鞘翅的绒毛起自刻点中心,一点一毛,排列规则,绒毛舒长而稠密,因而得名。鞘翅翅坡简单弓曲,无纵沟、翅盘等特殊结构;翅缝及行间1时常突起,其余行间高低一致,翅坡处行间的刻点有时突成小粒。

　　分布:古北区已知29种,中国已知9种,秦岭地区发现3种。

分种检索表

1. 鞘翅行间与行纹大小相近;体被稠密的长毛 ·················· 密毛小蠹 *D. uniseriatus*
   鞘翅行间与行纹差别明显;体被较稀疏的短毛 ····························· 2
2. 鞘翅行间与行纹大小差别很大;斜面弓突弯曲,翅缝与第1行间不凸起,各行间高低一致 ····· ························· 肾点毛小蠹 *D. autographus*
   鞘翅行间与行纹大小差别不甚悬殊,斜面平坡直下,不隆起,翅缝和第1行间略微凸起,第2行间稍有平陷 ····························· 云杉毛小蠹 *D. hectographus*

(84) 肾点毛小蠹 *Dryocoetes autographus* (**Ratzeburg,1837**)

Bostrichus villosus Herbst,1794:121[HN].
Bostrichus autographus Ratzeburg,1837:160.
Bostrichus septentrionis Mannerheim,1843:298.
Bostrichus septentrionis Mannerheim,1852:358.
Bostrichus victoris Mulsant *et* Rey,1853:91.
Dryocoetes americanus Hopkins,1915a:51.
Dryocoetes pseudotsugae Swaine,1915:360.
Dryocoetes suecicus Eggers,1923b:136.
Dryocoetes alternans Eggers,1931:30.
Dryocoetes artepunctatus Eggers,1941:122.
Dryocoetes brasiliensis Schedl,1940:207.
Dryocoetes longicollis Eggers,1941:121.
Dryocoetes sachalinensis Sokanovskiy,1960:675.

　　鉴别特征:体长3~4mm。圆柱形,赤褐色,有光泽,绒毛较疏短。眼狭窄,呈长肾形,前缘中部的凹刻开口宽阔。触角有短直的小毛,疏散在鞭节和锤状部的基节上。额中部微隆,下部口上片以上横陷,额面有光平的中隆线,下部宽阔,上部在隆起处骤然变狭,额面的刻点突起成粒,圆小光滑,疏密适中,额毛金黄色,像刻点一样疏密适中,直向竖立,额上缘的绒毛稍长,由此向下渐次缩短,口上片边缘上有金色刚毛,连续排成横列,横列中部刚毛稠密,形如排刷。前胸背板长宽相等,背面观基缘横直,侧缘向外弓突,前缘突出,轮廓成梨形,背板的最大宽度在中部;侧面观背板表面呈1条平浅的弧线。颗瘤的分布呈倒"U"形,颗瘤甚小,低弱不明;刻点区被包围在背板后半的中部,倒"U"的中心,刻点平浅,各处形状不同:背中部的刻点圆小规则,边缘清晰,由此向外刻点加大,点形渐凹,形如半月;没有背中线;背板的绒毛金黄色,短小不齐,匍匐在板面上,毛梢指向中部背顶。鞘翅长度为前胸背板长度的1.70倍,为两翅合宽的1.60倍。鞘翅基缘横直,稍宽于前胸背板基缘,两侧缘自基向端直向延伸,在翅长后1/4处开始收尾。刻点沟不凹陷,沟中刻点圆大深陷,疏密适中,排成径直的纵列;沟间部平坦,有1列刻点,微小如针刺。鞘翅斜面形如于翅长后1/4处,弓突下收,侧面观斜面呈1个弧形曲面;斜面部分沟中刻点依旧圆大,但变平浅,沟间刻点变成微粒;鞘翅的绒毛短小疏少,翅前部沟中无毛,在翅后部沟中有微毛,贴伏在翅面上;沟间部生有竖立短毛,翅前部较疏短,翅后部略许变长加多;斜面部分翅缝不突起,各沟间部高低平匀。

分布:陕西、黑龙江、辽宁、山西、甘肃、台湾、海南;蒙古,俄罗斯,朝鲜,韩国,日本,欧洲,北美洲,新热带区。

寄主:云杉(*Picea asperata*),红松(*Pinus koraiensis*),华山松(*P. armandii*)。

(85)云杉毛小蠹 *Dryocoetes hectographus* Reitter, 1913

Dryocoetes hectographus Reitter, 1913b:76.

Ozopemon ater Eggers, 1933c:101.

Dryocoetes formosanus Nobuchi, 1967:18.

鉴别特征:体长3.80~4.80mm。圆柱形,较粗壮,褐色至黑褐色,绒毛较疏少。眼狭长,呈肾形,前缘中部有开阔的角形凹刻。额中部平隆,额下部口上片以上横向凹陷,凹陷常成角形,中部向上方延伸,使凹陷由横条变成三角,有短小平滑的中隆线,额底面或者平滑,或者呈细网状;额面刻点轻浅,大小不匀,大部分刻点凹陷,偶然几枚突起成粒,刻点相互连成圆弧,以中隆线为纵向直径,向两侧层层扩散;额毛稀少舒长。前胸背板长宽相等;背面观基缘横直,两缘向外方弓突,前缘向前弓突,整个轮廓呈梨形,最大宽度在背板的中部;侧面观背板表面呈1条浅弱的弧线,最高点在中部。背板表面颗瘤的分布呈倒"U"字形,分布在背板前半部和后半部的两侧,背板的刻点夹在倒"U"字中间,颗瘤粒点按照背板的前中后分成3段:前部的颗瘤圆小疏散,中间有宽阔平坦的空隙,中部的颗瘤呈波浪形,大而扁平,分布稠密,后部的颗瘤转化为刻点,圆小平浅,刻点间隔突起,似瘤非瘤;背板上的绒毛纤细,长短不一;前缘及外围的绒毛略长,背顶中部的绒毛较短,长短绒毛共同伏向中部背顶。鞘翅长度为前胸背板长度的1.80倍。为两翅合宽的1.60倍。鞘翅基缘横直,稍宽于背板基缘。两侧自基向端略许加宽,在翅端后1/4处开始收尾,尾端缝缘微尖。鞘翅表面光亮,小盾片大,方圆平滑。刻点沟微陷,沟中刻点大小、深浅适中,点缘不清晰;沟间部宽阔平坦,有1列刻点,与沟中刻点相似而略小。鞘翅斜面形如于鞘翅后1/3处,斜面平坡直下,不弓突,侧视呈1条斜线,在斜面上沟中刻点较翅前部略小,点点清晰,沟间刻点突起成粒,微小圆滑,第 2 沟间部略许低平下陷,衬托出隆起的翅缝及第 1 沟间部,第 2 沟间部的颗粒消失,仅留有微弱的刻点;鞘翅的绒毛稀少,沟中刻点大部光秃,只在斜面上生有微毛,沟间刻点生绒毛,短齐竖立,排成疏散的纵列,显现在鞘翅后半部。前胃板:板状部的长度占前胃板全长的 1/3 左右;板状部皱纹的多少因个体不同而有变化;无副关闭刚毛;关闭刚毛基部的锯齿较小。雄性外生殖器与肾点毛小蠹相同。

分布:陕西(秦岭)、黑龙江、吉林、辽宁、山西、甘肃、青海、台湾、四川、云南、西藏;俄罗斯,朝鲜,日本,哈萨克斯坦,欧洲。

寄主:云杉(*Picea asperata*),红皮云杉(*P. koraiensis*),青海云杉(*P. crassifolia*),川西云杉(*P. balfouriana*),鱼鳞松(*Pinus microsperma*),红松(*Pinus koraiensisi*),华山松(*P. armandii*),高山松(*P. densata*),云南松(*P. yunnanensis*)。

(86)密毛小蠹 *Dryocoetes uniseriatus* Eggers,1926

Dryocoetes uniseriatus Eggers,1926:145.

鉴别特征:体长 2.50~3.00mm。圆柱形,褐色,光泽甚弱,全体密被长毛。触角锤状部下狭上阔,形似团扇。额面平隆,底面平滑光亮,刻点突起成粒,稀疏散布,没有平滑或突起的中线;额毛甚长,竖立而柔软。前胸背板长度略大于宽;背面观基缘横直,侧缘基部的 2/3 逐渐收缩,端部的 1/3 与前缘一起前弓成为弧形,背板的最大宽度在基部;侧面观背板前半部匀曲上升,后半部平直。背板表面前 2/3 为瘤区,后 1/3 为刻点区,瘤区中的颗瘤前后不同;在背板前 1/3 长度里,颗瘤甚小,呈粒状,分布疏散,粒间空隙宽大,平滑光亮,中部的 1/3 颗瘤呈波浪状,十分稠密,间错铺列,分层上升,后部的 1/3 颗瘤过渡为刻点,圆大深陷,刻点间隔狭窄突起,粗糙不平,没有背中线,背板的绒毛金黄色,分布稠密,有长短两型:大部分为长毛,粗壮竖立,梢端曲向背顶;少数为短毛,倒伏在板面上,插在长毛之间,分布在板面中部。鞘翅长度为前胸背板长度的 1.60 倍,也为两翅合宽的 1.60 倍。鞘翅基缘与前胸背板基缘等宽,两侧缘自基向端直向延伸,同时稍许加宽,在鞘翅长度后 1/5 处开始收尾。刻点沟微陷,沟中刻点相似。在翅前部沟中与沟间刻点常横向相连,三五成沟。粗糙不平。鞘翅斜面发生在翅长后 1/3~1/4 处,平坡直下,不弯曲,侧面观呈 1 条斜线。在斜面上沟中刻点变圆小,沟间刻点突成小粒,斜面下部没有锐利缘边,斜面部分翅缝不突起。鞘翅的绒毛起自刻点中心,一点一毛,沟中的绒毛短小不显,贴伏在翅面上,沟间的绒毛极长,竖立舒直,排成纵列,多列长毛连成一片,将鞘翅密覆起来。前胃板:板状部的长度占前胃板全长的 40%,缘齿钝,骨化较强,有副关闭刚毛。雄性外生殖器:旋丝背枝的前部较粗。

分布:陕西(秦岭)、山西;俄罗斯(远东地区),日本。

寄主:云杉(*Picea asperata*),红松(*Pinus koraiensisi*),华山松(*P. armandii*),高山松(*P. densata*),油松(*P. tabulaeformis*),云南松(*P. yunnanensis*),思茅松(*P. khasya*)。

Ⅲ. 齿小蠹族 Ipini Bedel, 1888

50. 齿小蠹属 *Ips* de Geer, 1775

Ips de Geer, 1775: 190. **Type species**: *Dermestes typographus* Linnaeus, 1758.

Cumatotomicus Ferrari, 1867: 44. **Type species**: *Dermestes sexdentatus* Boerner, 1766.

Cyrtotomicus Ferrari, 1867: 44. **Type species**: *Bostrichus acuminatus* Gyllenhal, 1827.

Emarips Cognato, 2001: 779. **Type species**: *Tomicus emarginatus* LeConte, 1876.

Granips Cognato, 2001: 780. **Type species**: *Tomicus grandicollis* Eichhoff, 1868.

Bonips Cognato, 2001: 779. **Type species**: *Tomicus bonanseai* Hopkins, 1906.

属征：大型种类，圆柱形，粗壮。眼肾形。触角锤状部侧面扁平，正面圆形或椭圆形，锤状部的外面分 3 节，节间与毛缝向顶端弓曲，锤状部的里面无节无毛，平滑光亮；鞭节 5 节。额部微隆，满生颗粒和竖立长毛，额心偏下常有 1 个大颗瘤，两性额部相同。前胸背板长宽相近，背板前缘和后缘分别向前后弓突，侧缘直伸；背板表面前部为鳞状瘤区，后部为刻点区，没有隆起的背中线，常有无点光平的背中线；前胸背板的前半部和侧缘附近生有长毛，后半部刻点区无毛。鞘翅行纹的刻点圆大，行间无点，在翅缝两侧、翅盘前缘、鞘翅末端和鞘翅边缘等部位，则有较密的刻点；鞘翅的绒毛也分布在上述的刻点稠密区，背中部光秃无毛。鞘翅翅坡呈盘状，盘底圆形深陷，疏散着刻点，不分行列，盘缘突起生齿，齿的数量形状等因种类不同而有差异；翅盘开始于翅后部的 1/2 ~ 1/3 处，比较倾斜，鞘翅尾端略向后水平延伸；翅盘的形态两性相同。

分布：古北区。世界已知 14 种，中国记录 12 种，秦岭地区发现 4 种。

分种检索表

(87) 十二齿小蠹 *Ips sexdentatus* (Boerner, 1766)

Dermestes sexdentatus Boerner, 1766: 78.

Bostrichus pinastri Bechstein, 1818: 74.

Bostrichus stenographus Duftschmid, 1825: 88.

Ips junnanicus Sokanovskiy, 1959: 94, 95.

鉴别特征:体长 5.80～7.50mm。圆柱形,褐色至黑褐色,有强光泽。眼肾形,眼前缘中部有弧形缺刻。触角锤状部扁平正圆,共分 3 节,锤状部的外面节间向顶端强烈弓突,呈角形。额面平隆,刻点突起成粒,下部的点粒细小稠密,上部的点粒粗大疏散,额顶上缘的刻点不突起,凹陷纵长,有时相互连成纵沟;额毛金黄色,细弱竖立,下部较短,上部较长,长短绒毛以额中部为界;额面有 1 个横向隆堤,突起在两眼之间的额面中心,堤基宽厚,堤顶狭窄光亮,呈"一"字形,横堤与口上片之间有中隆线与横堤连成"丁"字形,有时中隆线中断,下陷成坑。前胸背板长大于宽,长宽比1:1。瘤区和刻点区各占背板长度的1/2。瘤区中的颗瘤低平微弱,背板前部的颗瘤圆小细碎,分布疏散;后部的颗瘤扁平,形如鳞片,规则稠密;瘤区的绒毛细弱,向后方倾伏,前长后短,稀疏散布,分布在背板前半部和后半部的两侧边缘上;刻点区底面平滑光亮,刻点稀疏散布,有不突起的无点背中线,中线外侧的刻点稍渐加多;刻点区无毛。鞘翅长度为前胸背板长度的 1.50 倍,为两翅合宽的 1.60 倍。刻点沟微陷,沟中刻点圆大深陷,前后等距排列,大小始终不变;沟间部宽阔平坦,无点无毛,一片光亮;鞘翅的绒毛短少细弱,散布在翅盘前缘、鞘翅尾端和鞘翅侧缘上,翅缝两侧光秃无毛。翅盘开始于翅长后部的1/3处,盘底深陷光亮,翅缝微弱突起,底面上散布着刻点,圆大疏少,集中在盘底翅缝边缘上,点心光秃无毛;翅盘两侧各有 6 齿,前 4 齿等距排列,第 5 齿与第 6 齿略疏散,各齿的形状略有差异;前 3 齿基阔顶尖,呈锥形,其中第 1、3 两齿略大,第 2 齿稍小;第 4 齿粗壮挺拔,形如镖枪端头,为 6 齿中最强大者,第 5 齿仍呈锥形,与第 2 齿相似,第 6 齿圆钝,稍小于第 5 齿,齿后鞘翅尾端水平延伸连成 1 块板面;两性翅盘完全相同。前胃板:板状部的长度占前胃板全长的1/2,中线齿成对并列,不达中线中点;端齿细小稀少;副关闭刚毛稠密细弱,形如绒毛,沿板状部边缘分布,从后端直到前缘;关闭刚毛超过咀嚼刷长的1/2;斜面齿细小不显,有时呈钩状。雄性外生殖器:长度达 3mm,为体长的1/2;旋丝的长度约为阳茎长度的 3 倍;中突的长度约为阳茎长度的 2 倍。

分布:陕西(留坝、勉县、石泉)、黑龙江、吉林、辽宁、内蒙古、河北、山西、河南、甘肃、湖北、四川、云南;蒙古,俄罗斯,朝鲜,韩国,日本,哈萨克斯坦,土耳其,欧洲,东洋区。

寄主:云杉(*Picea asperata*),红松(*Pinus koraiensisi*),华山松(*P. armandii*),高山松(*P. densata*),油松(*P. tabulaeformis*),云南松(*P. yunnanensis*),思茅松(*P. khasya*)。

(88)香格里拉齿小蠹 *Ips shangrila* Cognato *et* Sun, 2007

Ips shangrila Cognato *et* Sun, 2007: 8.

鉴别特征:头部、前胸和鞘翅黑色,触角和足褐色。额略凸隆,具瘤突和刚毛。前胸背板长度大于宽。鞘翅长度大于宽,长度为前胸长度的 1.46 倍。行纹的刻点在鞘翅背面略凹陷,刻点间的间距与其直径近相等;行间的刻点在两侧和端部更密集,具刚毛。每一鞘翅在翅坡处均具 4 齿,第 1 齿长 0.08mm,圆锥形,端部尖锐,从行间 1 生出;第 2 齿长 0.16mm,圆锥形,端部尖锐,从行间 3 生出;第 3 齿长 0.20mm,圆锥形,端部尖锐,从行间 3 生出;第 2、3 齿基部以鞘翅翅面的凸隆部分彼此相连;第 4 齿长 0.08mm,端部尖锐,从行间 5 生出;其余部分边缘从行间 6 开始至翅坡缝逐渐外翻。翅坡具刻点,与行纹的刻点大小近相等。

分布:陕西(秦岭)、甘肃、青海、四川、云南、西藏。

寄主:紫果云杉(*Picea purpurea*),丽江云杉(*Picea likiangensis*)。

(89) 落叶松八齿小蠹 *Ips subelongatus*(**Motschulsky**, **1860**)

Tomicus subelongatus Motschulsky, 1860b: 155.

鉴别特征:体长 4.40～6.00mm。黑褐色,有光泽。眼肾形,前缘形中部有缺刻,眼在缺刻上部圆阔,下部狭长。额面平而微隆,刻点突起成粒,圆小稠密,遍及额面的上下和两侧;额心没有大颗瘤;额毛金黄色,细弱稠密,在额面下短上长,齐向额顶弯曲。前胸背板长度大于宽,长宽比为 1:2,瘤区与刻点区各占背板长度的 1/2,瘤区的颗瘤圆小细碎,分布稠密,从前缘直达背顶;瘤区中的绒毛细长挺立,在背中部分布于前半部,在背板两侧从前缘直分布到背板基缘;刻点区的刻占圆小浅弱,背板两侧较密,中部疏少,没有无点的背中线,刻点区光秃无毛。鞘翅长度为前胸背板长度的1.40 倍,为两翅合宽的 1.70 倍。刻点沟轻微凹陷,沟中刻点圆大清晰,紧密相接;沟间部宽阔,靠近翅缝的沟间部中刻点细小稀少,零落不成行列;靠近翅侧和翅尾的沟间部中刻点深大,散乱分布,鞘翅的绒毛细长稠密,除鞘翅尾端和边缘外,在鞘翅前部的沟间部中也同样存在,只是较稀疏,翅盘开始于翅长后部的 1/3 处,盘面较圆小,翅缝突起,纵贯其中,翅盘底面光亮,刻点浅大稠密,点心生细弱绒毛,尤以盘面两侧更多;翅盘边缘上各有 4 齿,齿形与齿间的距离与光小蠹相似。前胃板:板状部长度占前胃板全长的1/2;中线齿不达中线的中点,端齿较小,副关闭刚毛稀疏,在板状部后侧端齿附近的副关闭刚毛极长;端齿细小,齿带甚长;关闭刚毛超过咀嚼刷长的 1/2,斜面齿细小稀少。雄性外生殖器:旋丝长度为阳茎长度的 1.50 倍,中突与阳茎等长。

分布:陕西(秦岭)、黑龙江、吉林、辽宁、内蒙古、山西、山东、河南、新疆、台湾;蒙古,俄罗斯,朝鲜,日本,欧洲。

寄主:落叶松(*Larix gmelinii*),黄花松(*L. olgensis koreana*)。

(90) 云杉八齿小蠹 *Ips typographus*（**Linnaeus**，**1758**）

Dermestes typographus Linnaeus，1758：355.

Ips japonicus Niisima，1909：147.

Bostrichus octodentatus Paykull，1800：146.

鉴别特征：体长 4～5mm。圆柱形，红褐色至黑褐色，有光泽。眼肾形。额部平，全面散布粒状刻点，点粒均匀，虽突起而不粗糙，额心偏下有 1 大颗瘤，突出在额面的点粒之上，十分明显；额毛金黄色，细长挺立，由额下向上逐渐加长，稠密浓厚。前胸背板长大于宽，长宽比为 1:1。瘤区和刻点区各占背板长度的 1/2；瘤区的瘤形似鳞片，扁薄清晰，规则间错地铺展在背板前半部；瘤区的绒毛金色，细长竖立，稠密均匀，呈倒"U"形分布在背中部的前半部和背板两侧的全部；刻点区的刻点圆小细浅，稠密均匀地全面散布，只有 1 条平滑无点的背中线，将刻点从中断开，刻点区光秃无毛。鞘翅长度为前胸背板长度的 1.30 倍，为两翅合宽的 1.50 倍。刻点沟凹陷，沟中的刻点圆大深陷，紧密相连，使翅面显露出清晰的条条纵沟来；沟间部微隆，在背中部沟间部中无点无毛，一片光亮；在翅侧边缘和鞘翅末端沟，间部中遍布刻点，分布混乱不成行列。鞘翅的绒毛细弱舒长，分布在刻点稠密区，鞘翅前背方光亮无毛。翅盘开始于翅长的 2/5 处，盘面纵向椭圆，翅缝突起，纵贯其中，盘底晦暗无光，好像涂有 1 层蜡膜；底面的刻点细小匀散，点心光秃无毛；翅盘两侧边缘上各有 4 齿，4 齿各自独立，没有共同的基部，第 1 齿尖小如锥，第 2 齿基宽顶尖，形如扁阔的三角，第 3 齿挺直竖立，最为高大，形如镖枪端头，第 4 齿圆钝，在这 4 齿中以第 1 齿最小，以第 1 齿与第 2 齿间的距离为最大：两性翅盘相同。前胃板：板状部长占前胃板全长的 43%；中线齿不达中线中点，端齿大，齿带不长；副关闭刚毛稀疏，长短较均匀，不达板状部的前缘，片状部的关闭刚毛为咀嚼刷长的 1/2，斜面齿小钩状，在片状部的两侧自前向后各自成 1 个纵列。雄性外生殖器：旋丝长为阳茎长的 1.30 倍，伸展在阳茎前端以外；中突与阳茎等长。

分布：陕西（秦岭）、黑龙江、吉林、内蒙古、河南、甘肃、青海、新疆、四川；蒙古，俄罗斯，朝鲜，韩国，日本，哈萨克斯坦，土耳其，欧洲，非洲（北部）。

寄主：红皮云杉（*Picea koraiensis*），天山云杉（*P. schrenkiana tianshanica*），鱼鳞松（*Picea microsperma*），落叶松（*Larix gmelinii*），红松（*Pinus koraiensisi*）。

51. 瘤小蠹属 *Orthotomicus* **Ferrari**，**1867**

Orthotomicus Ferrari，1867：44. **Type species**：*Bostrichus laricis* Fabricius，1792.

Neotomicus Fuchs，1911：33. **Type species**：*Bostrichus laricis* Fabricius，1792.

属征：中型种类，圆柱形。眼肾形。触角锤状部侧面扁平，正面近圆形，分 3 节，锤状部外面下半部光滑,节间与毛缝集中在上半部,锤状部的里面大部分光滑,节间和毛缝集中在端缘上;鞭节 5 节。两性额部相同,中部隆起,下部横向凹陷;额面遍布刻点和绒毛。前胸背板长度大于宽,前半部为鳞状瘤区,后半部为刻点区,无隆起的背中线;前胸背板的绒毛在鳞状瘤区稠密,在刻点区短小,有时光秃。鞘翅行纹不凹陷,行纹的刻点圆大深陷;行间宽阔,刻点细小稀疏,各有 1 列,或者全无刻点;刻点中心或者光秃,或者生毛,在两侧和翅盘边缘前面绒毛较长密;翅盘陡立,鞘翅末端不向后延伸,盘缘的齿雄性强大,雌性较弱,齿的数目和位置两性一致;盘面翅缝稍许隆起,刻点散布在盘面上,不分行列,点心生短毛。

　　分布:古北区已知 17 种,中国已知 9 种,秦岭地区发现 4 种。

分种检索表

1. 翅盘两侧各有 4 齿,其中第 2 齿侧面观基部宽而末端尖锐,整体呈扁三角形 ………………
………………………………………………………………………… 松瘤小蠹 *O. erosus*
　　翅盘两侧各有 3 齿 ……………………………………………………………………… 2
2. 第 1 与第 2 齿着生于共同的基部 ………………………………… 小瘤小蠹 *O. starki*
　　各齿独立,无共同的基部 ………………………………………………………………… 3
3. 额底面平滑;翅盘两侧的齿内移,成对的齿相距较近 ………………… 近瘤小蠹 *O. suturalis*
　　额底面呈细网纹状,翅盘两侧的齿位于外盘边缘上,第 3 齿位置偏下,在翅盘下部的 1/4 处;盘面凹陷较深 ……………………………………………………………… 边瘤小蠹 *O. laricis*

(91) 松瘤小蠹 *Orthotomicus erosus* (Wollaston, 1857)

Tomicus erosus Wollaston, 1857: 95.

Tomicus rectangulus Ferrari, 1867: 83.

　　鉴别特征:体长 2.50～3.40mm。圆柱形,粗壮,赤褐色,有强光泽。眼长椭圆形,眼前缘的凹陷浅弱呈弧形。额部平隆,底面光亮,额面的刻点较疏散,大小不匀,下部的刻点突起成粒,上部的刻点凹陷为点,额面纵中部点少平滑,平滑区的中部隆起,上面常有 2 枚较大的颗粒,横排并列;额面的绒毛细长疏少。前胸背板长度大于宽,长宽比为 1:1,瘤区和刻点区各占背板长度的 1/2;瘤区的颗瘤圆钝、细小、均匀;刻点区的刻点圆大粗糙,有空白无点的中线区,中线以外两侧刻点逐渐稠密;背板的毛刚劲挺拔,较疏散,毛梢齐向背顶弯曲,背板侧缘上的毛细弱,舒直不弯,刻点区中无毛。鞘翅长度为前胸背板长度的 1.40 倍,为两翅合宽的 1.60 倍。刻点沟不凹陷,由圆大的刻点组成,等距排列;沟间部宽阔平坦,靠近翅缝的沟间部没有刻点,或偶有一两个小点,疏落不明,靠近翅盘前缘、鞘翅尾端和翅侧边缘的沟间部,刻点稠密,散乱不成行列,尤以翅侧边缘的刻点稠密混乱。鞘翅的绒毛疏少竖立,分布在翅缝后部、翅盘前缘和鞘翅侧缘上。翅盘开始于翅长后的 1/4 至 1/5 处,盘面纵向椭圆,凹陷不深,翅缝边缘轻微突起,纵贯其中,雄虫盘缘两侧各有4齿,第1齿单独靠近翅缝,第2、3、4齿顺序紧密相连;第1齿与第2齿间的距离大于或等于第2齿与第4齿间的距离,4齿的形状略有差异:第1、3、4齿形状相同,均呈锥形,第2齿基部宽阔,顶端尖锐,侧视呈扁三角形,除上述4齿外,盘缘外侧还有钝瘤,与缘齿交相呼应,它们分别位于第1齿的下面,第3齿和第4齿的外侧,顺着这些钝瘤再向下方,就是连续的翅盘下缘。雌虫翅盘各齿均较细小,第3齿完全消失,故翅盘两侧仅各有3齿,第2齿着生在1个面积宽大、隆起不高的基部上。前胃板:板状部长度约为前胃板全长的1/2,中线齿疏少,关闭刚毛的长度稍短于咀嚼的长度。雄性外生殖器:旋丝呈螺旋丝状,它的长度为阳茎长度的1.50倍;中突长度亦为阳茎长度的1.50倍;腹针长于阳茎。

分布:陕西(秦岭)、辽宁、山西、山东、河南、江苏、安徽、湖北、江西、湖南、福建、广东、广西、四川、贵州;阿富汗,伊朗,乌兹别克斯坦,土耳其,叙利亚,以色列,约旦;欧洲,非洲(北部、热带地区),北美洲。

寄主:马尾松(*Pinus massoniana*),油松(*P. tabulaeformis*),云南松(*P. yunnanensis*),思茅松(*P. khasya*)。

(92) 边瘤小蠹 *Orthotomicus laricis* (Fabricius, 1792)

Bostrichus laricis Fabricius, 1792:365.

Scolytus chalcographus Olivier, 1795:7.

鉴别特征:体长3.30~3.50mm。圆柱形,褐色,有光泽,绒毛疏密适中。额中部隆起,下部口上片横向凹陷,额底面呈细网状;有中隆线,纵贯额面,中隆线上半部光亮突起,较明显,下半部常被点粒所遮盖,隐约不明,额面的刻点粗大分散,时而突起成粒,时而下陷成点,它们以额面隆起的最高点为心,连成同心圆弧,向四外层层扩散;额毛疏少挺立,长短不齐。瘤区和刻点区各点背板长度的1/2,瘤区的颗瘤低平,形如波浪,瘤区至刻点区的过渡明显,刻点区平坦光亮,刻点圆大深陷,粒粒清晰,稠密散布,没有空白无点的背中线;背板上的绒毛有长有短;短毛均匀分布,遍布全板面,毛梢伏向背顶;长毛疏少,分布在背板前部和侧缘上,像短毛一样,也伏向背顶。鞘翅长度为前胸背板长度的1.60倍,也为两翅合宽的1.60倍。刻点沟轻微凹陷,沟中刻点圆大甚深,稠密相连,致使一条条刻点沟清晰地刻画在翅面上;沟间部宽阔平坦,靠近翅缘的四五条沟间部中极少刻点,几近光秃,翅盘前缘和鞘翅侧缘的沟间部刻点极稠密,混乱不成行列;鞘翅的绒毛主要分布在刻点密集区,鞘翅背方的沟间部中仅偶有一二枚,独自竖立。翅盘开始于翅长后部的1/5处,盘面凹陷甚深,盘缘显著高于翅缘,盘面上的刻点圆大深陷,在翅缝两侧密集成列,其余部分刻点疏少,盘面刻点中心生小毛,向下方垂直;翅盘两侧各有3齿,第1齿对齿间的横向距离等于第1齿与第2齿间的纵向距离,第3齿位置偏低,在翅盘下部的1/4处,各齿的位置均靠近外侧边缘,成对的齿相距较远,在第2齿与第3齿之间翅盘边缘上还有2枚钝瘤,盘底下缘平滑,没有折角;雌虫盘缘上的齿也同样锐利,与雄虫的差别不大。前胃板:板状部的长度占前胃板全长的40%,关闭刚毛的长度超过咀嚼刷长度的1/2。雄性外生殖器:旋丝为双股扭丝,它的长度为阳茎长度的1.40倍;中突与阳茎等长;腹针纤细,稍长于阳茎。

分布:陕西(秦岭)、黑龙江、河北、山西;蒙古,俄罗斯,朝鲜,韩国,日本,哈萨克斯坦,土耳其,欧洲,非洲(北部)。

寄主:华山松(*Pinus armandii*),油松(*P. tabulaeformis*)。

(93) 小瘤小蠹 *Orthotomicus starki* Spessivtsev, 1926

Orthotomicus starki Spessivtsev, 1926: 217.

鉴别特征:体长2.00~2.50mm。长圆柱形,褐色,有光泽。额面平隆,底面平滑光亮,有小段中隆线,额面的刻点不突起,大小和疏密不匀,喙上片上缘的刻点细小稠密,自此向上刻点渐变疏大,中隆线附近的刻点稀少;额面的绒毛细短,疏散竖立。前胸背板长度大于宽,长宽比为1:1;背板表面前半部为瘤区,后半部为刻点区,瘤区的颗瘤圆小突起,其间常有空隙,瘤区与刻点区界线分明;刻点区的前缘突然下陷,背板后半部平坦光亮,上面的刻点圆大清晰,分布疏散,有空白无点的背中线无背板的绒毛细弱疏少,分布在背板前半部和背板两侧边缘上,刻点区光秃无毛。鞘翅长度为前胸背板长度的1.90倍,为两翅合宽的2倍。刻点沟不凹陷,由圆大的刻点组成,排成笔直的纵列;沟间部狭窄,靠近翅缝的沟间部无点无毛,靠近翅盘边缘和翅侧边缘的沟间部中有刻点,散乱不整;鞘翅的绒毛细短直立,极其疏少,分布在刻点稠密区。翅盘开始于翅长后部的1/5处,盘面纵向椭圆,凹陷轻微,盘面的刻点排在翅缝两侧的纵沟里,为盘面的深陷部分;翅盘边缘略微隆起,两侧各有3齿,第1与第2齿相互靠近,着生于同1个高起的基部上,第3齿远离,它的基部稍许隆起,第2、3齿间的距离相当于第1、2齿间距离的2倍,在第2、3齿之星翅盘外侧还有1齿;翅盘下缘钝齐,没有明显的缘边。雌虫翅盘两侧的齿较雄虫微弱圆钝。前胃板:板状部的长度占前胃板全长的40%左右,中线齿细小整齐。雄性外生殖器:旋丝呈螺旋丝状,长度为阳茎长度的2倍;中突也为阳茎长度的2倍;腹针长于阳茎。

分布:陕西(秦岭)、黑龙江、吉林、山西、青海、新疆、四川、云南;俄罗斯(东西伯利亚、远东地区、西西伯利亚),欧洲。

寄主:岷江冷杉(*Abies faxoniana*),红皮云杉(*Picea koraiensis*),云杉(*Picea aspera-ta*),丽江云杉(*P. likiangensis*),高山松(*Pinus densata*)。

(94) 近瘤小蠹 *Orthotomicus suturalis* (Gyllenhal, 1827)

Bostrichus suturalis Gyllenhal, 1827: 622.

Bostrichus nigritus Gyllenhal, 1827: 623.

鉴别特征:体长 2.40～3.30mm。圆柱形,黑褐色,有光泽,多绒毛。额中部隆起,下部口上片以上横向凹陷,额底面平滑光亮,刻点在中部隆起处较粗大稀疏,有时突起成粒,有时下陷为点,点粒不定,在额下部凹陷处刻点圆小,全部突成小粒,分布稠密,绒毛褐色,竖立,分布疏少。前胸背板长度大于宽,长宽比为 1:1,瘤区和刻点区各占背板长度的 1/2,两区的过渡界线不明;瘤区的颗瘤近似半圆,前平后弧,均匀密布。刻点区的表面平滑,刻点圆大深陷,粒粒清晰,稠密均匀地普遍分布,有空白无点的背中线,长直宽阔,平滑光亮;背板上的绒毛细弱,长短参差不齐,长毛分布在背板前半部和背板两侧,短毛分布在背板后半部刻点区,长、短绒毛齐从外围伏向背顶。鞘翅长度为前胸背板长度的 1.50 倍,为两翅合宽的 1.80 倍。刻点沟略凹陷,沟中刻点圆大,相距紧密,连成笔直的纵线;沟间部狭窄平坦,刻点较浅小,同样排成纵列;鞘翅的绒毛甚多,起自刻点中心;沟中的毛短小倒伏;沟间的毛长而竖立,它们交替排列,纵贯翅面前后。翅盘开始于翅长的后部 1/4 处,翅盘倾斜,纵向椭圆,盘面凹陷较浅,盘底翅缝较低平,盘面的刻点集中在翅缝两侧,成为稠密的纵列,其余部分刻点浅弱,分布疏少,盘面的刻点中心生短毛,直向下垂;翅盘边缘两侧各有 3 齿,第 1 对齿间的横向距离大于第 2 齿间的纵向距离,第 3 齿位于翅盘下部的 1/3～1/4 处,成对的齿位置靠近,故而得名;在第 2 齿与第 3 齿之间,翅盘边缘上还有 2～3 枚小钝瘤,翅盘下缘平滑微突,没有折曲的棱角;雌虫翅盘两侧同样各有 3 齿,但较雄虫的齿微弱圆钝。前胃板:板状部长度占前胃板全长的 1/3;关闭刚毛的长度超过咀嚼刷长的 1/2。雄性外生殖器:旋丝为双股扭丝,它的长度为阳茎长度的 1.60 倍;中突长度为阳茎长度的 1.20 倍;腹针长于阳茎。整个雄性外生殖器各部较粗大。

分布:陕西(秦岭)、吉林、辽宁、山西、青海、云南;蒙古,俄罗斯,朝鲜,韩国,日本,哈萨克斯坦,土耳其,欧洲。

寄主:苍山冷杉(*Abies delavayi*),华山松(*P. armandii*),高山松(*Pinus densata*),黑松(*P. thunbergii*)。

52. 星坑小蠹属 *Pityogenes* Bedel, 1888

Pityogenes Bedel, 1888:397. **Type species**: *Dermestes chalcographus* Linnaecus, 1760.

Eggersia Lebedev, 1926:121. **Type species**: *Bostrichus bidentatus* Herbst, 1784.

Pityoceragenes Balachowsky, 1947:44. **Type species**: *Bostrichus quadridens* Hartig, 1834.

属征:小型种类,圆柱形。眼肾形。眼前缘无凹刻。触角锤状部侧面扁平,正面圆形,分 3～4 节,鞭节 5 节。雄虫额部平隆,底面光亮,有粗糙的刻点和疏散的额毛;雌虫额部有陷坑,位于额面中部或额顶,部分种类没有陷坑;额面的刻点细小稠密,额毛在陷坑下部短细稠密,聚集成丛。前胸背板长度稍大于宽,背板后缘横直,没有缘边。背板前半部为鳞状瘤区,后半部为刻点区,刻点区中有平滑无点的背中线。鞘翅表面平坦,行纹由 1 列刻点组成,点心生短毛;行间平滑,少点少毛。鞘翅翅坡处翅缝下陷,

成为 1 条纵沟,直达末端,沟缘外侧有 3 对尖齿;雌虫纵沟狭窄平浅,3 对齿平钝细小;
在翅坡大齿附近有直立长毛,零落疏少。

　　分布:古北区已知 18 种,中国已知 8 种,秦岭地区发现 3 种。

分种检索表(雌虫)

1. 雌虫额面无凹陷 ………………………………………………… 暗额星坑小蠹 *P. japonicus*
　　雌虫额面有凹陷 ……………………………………………………………………………… 2
2. 凹陷位于额中部,呈扁椭圆形 …………………………… 中穴星坑小蠹 *P. chalcographus*
　　凹陷向顶端弓曲呈半月形 ……………………………… 月穴星坑小蠹 *P. seirindensis*

(95) 中穴星坑小蠹 *Pityogenes chalcographus* (**Linnaeus,1760**)

Dermestes chalcographus Linnaeus,1760:143.

Scolytus sexdentatus Olivier,1795:11.

Ips spinosus de Geer,1775:197.

Bostrichus xylographus C. R. Sahlberg,1836:148.

　　鉴别特征:体长 1.40～3.20mm。圆柱形,褐色,少毛,有光泽。眼椭圆形,眼前缘
中部无缺刻。触角锤状部圆形,共 3 节,触角鞭节 4 节。雄虫额面上部突起,下部平
凹,底面光亮;中隆线不明显,若有若无;额面的刻点微小,突起成粒,均匀散布;额毛细
长舒展。雌虫额面正中有 1 个扁圆形陷坑,陷坑以下额面微突,底面颜色浅淡,呈黄褐
色,上面遍生微毛,茸茸细密,好像天鹅绒,额下外侧和额中陷坑外侧生少许长毛,陷坑
上部额面平展,颜色深黑,这里全面散布着圆小的刻点,点心生短毛,疏散下垂。前胸
背板长大于宽,长宽比为 1:1;瘤区和刻点区各占背板长度的 1/2。瘤区中的颗瘤墩厚
低伏,大小相间;瘤区中的刚毛短小,向后倒伏,簇聚背顶;刻点区平滑光亮,背中线长
直宽阔,纵贯点区,中线两侧各有一片无点区;刻点区中的刻点圆小清晰,分布在基缘
附近,点心生小毛,纤细微弱。鞘翅长度为前胸背板长度的 1.60 倍,为两翅合宽的
1.70倍;鞘翅基缘横直,侧缘自前向后笔直延伸,在翅后 1/4 处开始收缩,鞘翅尾端圆
钝。小盾片较大,后角圆钝。刻点沟不凹陷,由 1 列圆形刻点组成,鞘翅前部的刻点深
大,后部圆小,在斜面上点小如针刺,点心无毛,或有微毛,沟间部宽阔平坦,无点无毛,
偶有一二根长毛,独自竖立,多在翅缝边缘或斜面两侧。鞘翅斜面的凹沟开始于鞘翅
中部以后,直达翅端,凹沟外侧各有 3 枚尖齿,第 2 齿位于第 1、3 两齿的正中,或稍偏
第 3 齿;第 3 齿的下面翅缝边缘上有 1 个小颗粒。雌虫斜面的纵沟较浅弱,3 对齿均
低平圆钝。前胃板:板状部端齿有少许副关闭刚毛。

　　分布:陕西(秦岭)、黑龙江、吉林、辽宁、内蒙古、新疆、四川;蒙古,俄罗斯,朝鲜,
韩国,日本,土耳其,欧洲,新热带区。

　　寄主:云杉(*Picea asperata*),红松(*Pinus koraiensisi*),红皮云杉(*Picea koraiensis*)。

(96) 暗额星坑小蠹 *Pityogenes japonicus* **Nobuchi, 1974**

Pityogenes japonicus Nobuchi, 1974: 39.

鉴别特征:体长 2.10~2.40mm。老熟成虫黑褐色,光亮。眼椭圆形,其前缘缺刻微弱。触角锤状部近圆形,锤的外面有近横直的 2 节缝,鞭节 5 节。额平而微凸,表面光亮,遍生粗糙刻点和短刚毛;额面同样平凸,无任何孔穴,其表面晦暗,表面的刻点极其微小细腻,并生柔细的绒毛,额周缘的绒毛较直立而稠密。前胸背板长宽相等,背板前半部为瘤区,后半部为刻点区;刻点区表面平滑光亮,刻点深陷,在刻点区中有光平无点的背中线。鞘翅的长宽比为 1.67;翅长与前胸背板长度之比也为 1.67。鞘翅斜面有 3 对瘤,以翅缝为轴,左右对称;第 1 对瘤纵长;呈堤状,对瘤均甚圆小,其中第 1、2 瘤的间距小于第 2、3 瘤的间距。

分布:陕西(秦岭)、山西、四川、贵州、云南、西藏;日本。

(97) 月穴星坑小蠹 *Pityogenes seirindensis* **Murayama, 1929**

Pityogenes seirindensis Murayama, 1929: 26, 30.
Pityogenes aizawai Kôno, 1938: 69.
Pityogenes nitidus Eggers, 1941: 121.

鉴别特征:体长 1.80~2.40mm。圆柱形,黄褐色,有强光泽,体表少毛。眼椭圆形,上宽下狭,前缘成一直线,无缺刻。雄虫额部平,底面平滑光亮,有中隆线,它的基底宽阔,脊梁狭窄微弱,中隆线两侧有粒状刻点,均匀散布;绒毛粗长竖立,像刻点一样均匀散布。雌虫额顶有 1 个向上方弓曲的半月形凹沟,下陷很深。凹沟下面又有一片轻微突起,形似浮雕花瓶,下部半圆,有如瓶底,上部长直有如瓶颈,起自口上片止于凹沟中顶,瓶状突起的底面黄褐色,表面有细腻微粒,并遍生绒毛,短密如绒,额面也有几许长毛,分布在两侧边缘上。前胸背板长稍大于宽;背面观轮廓为 1 个拉长的半圆;背板的瘤区与刻点区各占 1/2,瘤区的颗瘤扁薄低平,大小相间,分布均匀稠密,从不连成瘤弧,瘤区的刚毛短小疏少,向后方弓曲;刻点区一片平滑,没有背中线,刻点细小疏少,分布在基缘附近;点心生绒毛,它们像刻点一样疏少,分布在基缘和侧缘的边缘上。鞘翅长度为前胸背板长度的 1.60 倍,为两翅合宽的 1.70 倍。鞘翅侧缘自基向端直向延伸,在翅长的后 1/5 处始变狭窄,鞘翅尾端圆钝。小盾片大,半圆形。刻点沟不凹陷,由圆小的刻点组成,排列略疏,点心无毛;沟间部宽阔,无点无毛。鞘翅斜面的凹沟开始于翅长的 1/3 处,翅缝下陷,逐渐低深扩展,止于翅端,翅缘两侧各有 3 齿,第 2 齿较近第 1 齿,齿的形状基阔顶尖,有如圆锥。雌虫的齿圆钝低平,没有尖头;鞘翅的绒毛疏少,发生在斜面上,沟缘边大齿附近,大部分翅面无毛。前胃板:板状部端齿带较长,有少许关闭刚毛。

分布:陕西(秦岭)、黑龙江、辽宁、四川;俄罗斯(远东地区),朝鲜,韩国,日本。

寄主:云杉(*Picea asperata*),红松(*Pinus koraiensisi*),红皮云杉(*Picea koraiensis*),鱼鳞松(*P. microsperma*)。

Ⅳ. 小蠹族 Scolytini Latreille, 1804

53. 小蠹属 *Scolytus* Geoffroy, 1762

Scolytus Geoffroy, 1762: 309. **Type species**: *Bostrichuss colytus* Fabricius, 1775.

Ekkoptogaster Herbst, 1794: 124. **Type species**: *Bostrichus scolytus* Fabricius, 1775.

Coptogaster Illiger, 1804: 108. **Type species**: *Bostrichus scolytus* Fabricius, 1775.

Eccoptogaster Gyllenhal, 1813: 346. **Type species**: *Bostrichus scolytus* Fabricius, 1775.

Scolytochelus Reitter, 1913b: 23. **Type species**: *Ips multistriatus* Marsham, 1802.

Pinetoscolytus Butovitsch, 1929: 22, 48. **Type species**: *Scolytus morawitzi* Semenov, 1902.

Pygmaeoscolytus Butovitsch, 1929: 21, 28. **Type species**: *Bostrichus pygmaeus* Fabricius, 1787.

Ruguloscolytus Butovitsch, 1929: 20, 47. **Type species**: *Bostrichus rugulosus* R. W. J. Muller, 1818.

Spinuloscolytus Butovitsch, 1929: 21, 24. **Type species**: *Ips multistriatus* Marsham, 1802.

Tubuloscolytus Butovitsch, 1929: 21, 33. **Type species**: *Eccoptogaster intricatus* Ratzeburg, 1837.

Archaeoscolytus Butovisch, 1929: 21, 23. **Type species**: *Scolytus claviger* Blandford, 1894.

Confusoscolytus Tsai *et* Hwang, 1962: 3, 13. **Type species**: *Scolytus japonicus* Chapuis, 1876.

属征:中小型种类,体背面平直,腹部腹面由基部向端部逐渐上收,侧面观形如船尾。从背方可见头部。体表有光泽。眼纵椭圆形。触角柄节最短,鞭节次之,共分7节;锤状部最长大,有时长于鞭节,形如方铲,不分节,上面有"V"字形毛缝。大多数种类雄虫额面狭长平陷,与颅顶及两颊的交接处构成棱角,额面密布纵向针状条纹,常有光平的中隆线,额毛较长密,聚集在额周缘上;雌虫额部较雄虫短阔,额面与颅顶及两颊平缓交接,不成棱角,额面有与雄虫相同的条纹,没有纵中线,额毛疏短,均匀散布,遍及全额面。部分种类雄虫额面不凹陷,两性额面均像雌虫。前胸背板侧面观平直,背面观近似梯形,基缘和侧缘有缘边;背板表面光平,无任何颗粒,只有刻点,纵长椭圆,背中线附近细小稀疏,前缘和两侧粗大稠密,刻点中心光秃无毛。鞘翅基缘与前胸背板等宽,背面观鞘翅侧缘自前向后或者直伸,翅面近于矩形,或者收缩,前阔后狭,近于舌形,侧面观翅面平直,没有翅坡。行纹与行间各有1列刻点,翅面绒毛疏少,常发生在翅尾边缘,或在间隔的行间、间隔的刻点中心。腹部腹板上常有瘤齿等结构,雄强雌弱。各足胫节外缘无齿列,胫节末端各有1个强大的端距,向里面弯曲。

分布:古北区已知61种,中国已知29种,秦岭地区发现6种。

分种检索表

(98) 桕子木小蠹 *Scolytus abaensis* Tsai et Yin, 1962

Scolytus abaensis Tsai et Yin, 1962: 10, 16.

鉴别特征: 体长2.30~3.00mm。体黑色,前胸背板前缘和鞘翅尾端褐色,有光泽,翅面有毛列。雄虫额部狭长甚平,额周棱角较钝,额面遍布细窄的纵向条纹,纹间散布着刻点,有中隆线,狭窄细弱;额毛深褐色,长密平齐,普遍散布,中隆线不裸露;雌虫额部宽阔微隆,额部有条纹和刻点,绒毛短小细弱,疏少分散。前胸背板长度小于宽,长宽比为0.90。背板的刻点细小,中部疏散,周缘略密,从不连成点串;背板的绒毛分布在亚前缘和前缘两侧,长直竖立,略有几许。鞘翅长度为前胸背板长度的1.40倍,为两翅合宽的1.30倍;背面观鞘翅侧缘在延伸的同时逐渐收缩,前阔后狭,尾端圆钝。刻点沟不凹陷,沟中刻点正圆形,翅前部较深大,翅端部较细小;沟间部狭窄,有1列刻点,形状大小与沟中刻点大小相同,排列较疏,点间距离加大;鞘翅的绒毛短直挺立,起自沟间部刻点中心,一点一毛,从翅基至翅端排成纵列。腹部缓慢收缩,第1与第2腹板连合弓曲,构成弧形腹面,腹部散布着平齐顺向的刚毛,在各板面上排成横列。前胃板: 板状部宽阔,齿大而尖,有丘齿。雄性外生殖器: 阳茎封闭,后端锥状,后端的开口对身体腹面；旋丝和旋丝小棒相连；有端片，腹针有二侧突。

　　分布：陕西（秦岭）、山西、宁夏、四川。

　　寄主：细枝枸子（*Cotoneaster gracilis*）。

(99) 角胸小蠹 Scolytus butovitschi Stark，1936

Scolytus butovitschi Stark，1936：153.

Scolytus butovitschi Eggers，1942：35（nec Stark，1936）.

　　鉴别特征：体长 2.20~2.60mm。头和前胸背板黑色，背板前缘和鞘翅褐色，触角和足色浅，黄褐色，体表有光泽，少毛。雄虫额部平，额周棱角较钝，额面遍布纵向针状条纹，上部条纹散放，下部集聚，刻点分散在条纹之间，点形不显；额毛细长略疏，环绕在额周缘上，毛梢曲向额心。雌虫额部隆起，纵向条纹细密，没有中隆线，刻点疏少；额毛细短稀疏，若有若无。前胸背板最大长度与最大宽度之比为 1。背板基缘中部向翅后延伸，成 1 个尖角，突出在小盾片前面。背板表面刻点大小适中，全面散布，两侧和前缘渐变粗大，没有背中线；板面光秃无毛。鞘翅长度为前胸背板长度的 1.10 倍，也为两翅合宽的 1.10 倍。背面观鞘翅侧缘自基向端收缩甚少，翅面短阔，近矩形。小盾片下陷，表面粗糙，裸露无毛。刻点沟不凹陷，沟中刻点圆形较大，刻点距离等于刻点直径；沟间部宽度适中，有 1 列刻点，圆小轻浅，与沟中刻点有明显区别；第 2 刻点沟在小盾片两侧深刻凹陷；鞘翅的绒毛仅发生于尾端的延边刻点中心，短小竖立，沟间部中光秃无毛。腹部急剧收缩，第 1 与第 2 腹板构成直角腹面，雄虫第 2 腹板前缘中部有 1 颗瘤，瘤身扁窄，端头膨大如球；雌虫多数个体无瘤，少数有小瘤，或有瘤的痕迹，全部腹面密覆金黄色的小鳞片。前胃板：板状部狭长，齿大，没有丘齿。雄性外生殖器：阳茎扭曲，后端有端头。

　　分布：陕西（秦岭）、黑龙江、内蒙古、北京、河北；蒙古，俄罗斯。

　　寄主：榆（*Ulmus pumila*）。

(100) 三刺小蠹 Scolytus esuriens Blandford，1894

Scolytus esuriens Blandford，1894：77.

Scolytus sachalinesis Michalski，1964：666.

　　鉴别特征：体长 3.80~6.00mm。体黑褐色，前胸背板前缘、鞘翅基部小盾片两侧和肩角、翅尾端缘红褐色，有光泽，少毛。雄虫额部狭长极平，额周棱角不锐，额面遍布凸起的纵向条纹，同时散布着刻点，没有颗粒；颅顶中缝凹陷，成 1 条深短的小沟；额毛细短直立，均匀散布于全额面，两侧绒毛齐向纵中线倾伏。雌虫额部短阔微突，纵向条纹细匀，刻点纵椭圆形，散布在条纹之间；颅顶中缝有小段凹陷；额毛甚少，若有若无。前胸背板长小于宽，长宽比为 0.90。背板的刻点甚小，中部疏散，周围稠密，有无点的平滑中线,断断续续,显现在背中部。鞘翅长度为前胸背板长度的 1.40 倍,为两翅合宽的 1.20 倍;背面观鞘翅侧缘直向延伸,尾端收缩微弱,整个翅面接近矩形。小盾片有微毛覆盖。刻点沟凹陷显著,沟中刻点接近正圆形,形大下陷,点间距离等于刻点直径;沟间部宽阔,刻点圆小细弱,第 2 沟间部刻点双列,其余沟间部均为单列;鞘翅的绒毛甚少,发生于尾端沿边刻点中心,刚直竖立,斜向后方。腹部急剧收缩,第 1 与第 2 列腹板构成钝角腹面,雄虫在第 3 和第 4 腹板后缘的中部,各生 1 个尖突,在第 5 腹板后缘上生有 3 束黄色刚毛,尖锐规则,自尾端伸出;雌虫大部分个体第 3 和第 4 腹板后缘有尖突,20% 的个体没有尖突,全部个体翅尾无刚毛束。前胃板:板状部狭长,齿细小,有密集的秋齿。雄性外生殖器:阳茎呈沟状,开口对身体侧面;短片呈"H"形。

分布:陕西(秦岭)、黑龙江、吉林、河北;俄罗斯(远东地区),日本。

寄主:裂叶榆(*Ulmus laciniata*),春榆(*U. propinqua*)。

(101)果树小蠹 *Scolytus japonicus* Chapuis, 1876

Scolytus japonicus Chapuis, 1876:199.

Eccoptogaster confusus Eggers, 1922a:13.

Eccoptogaster mandli Eggers, 1922a:13.

Scolytus subconfusus Eggers, 1941:123.

Scolytus ussuriensis Kurentsov, 1941:102, 226.

鉴别特征:体长 2.00～2.50mm。头部黑色,前胸背板和鞘翅黑褐色,背板前缘黄褐色,有光泽,翅后部有毛列。两性额部相同,较宽阔隆起,额面遍布纵向针状密纹,额上部的密纹散放,下部向口上片中部聚集,额面的刻点椭圆形,间插在细纹之中,下部较稠密;额毛细短舒直,稠密均匀的散布。前胸背板长小于宽,长宽比为 0.90。背板的刻点较深大,背中部疏散,鞘翅的绒毛短齐竖立,在翅缝、翅端和翅侧分布零散,在沟间部排成纵列,自翅中部起止于翅端。腹部收缩缓慢,第 1 与第 2 腹板连合弓曲,成为弧形腹面;腹板上散布着刚毛,斜向竖立,顺着板缘排成横列,腹部没有特殊结构。前胃板:板状部宽阔,北方的标本板状部的齿更为尖锐,南方的标本齿较圆钝;有丘齿。雄性外生殖器:阳茎封闭成管道状,阳茎体粗大宽阔,后端开口,开口对身体腹面;旋丝和旋丝小棒相连;腹针有二侧突。

分布:陕西(秦岭)、黑龙江、吉林、辽宁、内蒙古、北京、河北、山西、江苏、上海、台湾、四川;蒙古,俄罗斯,朝鲜,韩国,日本。

寄主:梨(*Pyrus* sp.),苹果(*Malus pumila*),桃(*Prunus persica*),榆叶梅(*P. triloba*),杏(*P. armeniaca*),樱桃(*P. pseudocerasus*)。

(102)脐腹小蠹 *Scolytus schevyrewi* Semenov, 1902

Scolytus schevyrewi Semenov, 1902:265.

Scolytus sinensis Eggers, 1910：35.

Eccoptogaster emarginatus Wichmann, 1915：215.

Eccoptogaster frankei Wichmann, 1915：214.

Eccoptogaster transcaspicus Eggers, 1922b：116.

Scolytus seulensis Murayama, 1930：5.

鉴别特征：体长 3.00～3.80mm。头和前胸背板黑色,背板前缘和鞘翅黄褐色,鞘翅中部有黑褐色横带,深色部分沿翅缝自中带向翅前后延伸,小盾片两侧各有 1 枚黑褐色圆斑,带、斑的有无和深浅,在不同个体中有差异;体表有光泽,少毛。雄虫额部狭长平凹,有额周棱角,额面上密覆纵向针状条纹,额上缘条纹散放,下缘集向口上片中部,条纹之间散布着刻点;额毛细长,环绕在额周缘上,拢向额心。雌虫额部短阔平突,纵向条纹较细窄匀密,额下部刻点较稠密,上部略疏,额毛细短疏小,全面均匀散布。前胸背板长略小于宽。背板的刻点大小适中,中部疏散细小,两侧和前缘渐变粗大稠密;绒毛甚少,只在背板亚前缘上有几枚长毛竖立,其余全部板面光秃。鞘翅长度为前胸背板长度的 1.30 倍,为两翅合宽的 1.20 倍;背面观两侧收缩不显,翅面接近矩形。刻点沟浅弱,沟中刻点纵向椭圆,大小适中;沟间部狭窄,有 1 列刻点,大小和疏密与沟中刻点相似,两类刻点紧密地排列在翅面上,难辨沟中与沟间;鞘翅的绒毛发生在尾端延边的刻点中,竖立疏少,在相间的沟间部和相间的刻点中也偶有发生。腹部急剧收缩,第 1 与第 2 腹板构成钝角腹面,在第 2 腹板中部两性均有 1 颗瘤,瘤身侧扁,端头膨大;瘤的位置固定,瘤的宽狭长短在不同个体中有变化。雄虫第 7 背板后部有 1 对大刚毛。前胃板:板状部狭长,齿细小,有丘齿,但较稀疏。雄性外生殖器:阳茎细长,两侧对称,呈沟状,开口对身体背面,阳茎后端有瓜子形顶孔;中突较短,占阳茎与中突合长的 25%～30%;腹针侧突不明显。

分布：陕西(秦岭)、黑龙江、吉林、辽宁、内蒙古、北京、河北、山西、山东、河南、宁夏、甘肃、青海、江苏、四川、贵州;蒙古,俄罗斯,朝鲜,韩国,塔吉克斯坦,乌兹别克斯坦,土库曼斯坦,吉尔吉斯斯坦,哈萨克斯坦,欧洲。

寄主：柳(*Salix* sp.),榆(*Ulmus pumila*),春榆(*U. propinqua*)。

(103) 副脐小蠹 *Scolytus semenovi* (Spessivtsev, 1919)

Eccoptogaster semenovi Spessivtsev, 1919：247.

Scolytus kononovi Kurentsov, 1941：98, 228.

鉴别特征：体长 1.60～2.60mm。头和前胸背板黑色,背板前缘和鞘翅黄褐色,有时在小盾片两侧有黑斑,体表光亮少毛。雄虫额部平,有周缘棱角,但较平钝,额面遍布纵向针状条纹,条纹间散布着刻点,额毛细长疏少,环绕在额周缘上,向额心弓曲。雌虫额面圆弓,遍布狭窄均匀的纵向条纹,刻点散插在条纹之间,口上片附近较显著;额毛甚少,近于光秃。前胸背板长宽相等,刻点大小适中,全面散布,背中部较疏散,有短断无点的背中线;背板上的绒毛甚少,只在亚前缘上有几许竖立长毛,全部板面光秃。鞘翅长度为前胸背板长度的 1.10 倍,也为两翅合宽的 1.10 倍。背面观鞘翅测缘自基向端直线延伸,收缩甚少,整个翅面近矩形。小盾片深陷在翅面之下,表面粗糙,裸露无毛。刻点沟凹陷显著沟中刻点圆形或略长,深大稠密;沟间部宽度适中,有 1 列刻点,圆小清浅,沟间部常有 1 条细浅的纵沟,将小点连串起来;鞘翅的绒毛甚少发生在鞘翅尾端,翅缝两侧,及演变刻点中心,短小直立,沟间部中无毛。腹部急剧收缩,第 1 与第 2 腹板构成直角腹面,雄虫在第 2 腹板中部有 1 个桩状瘤,第 4 腹板后缘中部延伸加厚,构成 1 个扁阔的唇状瘤;雌虫第 2 腹板有 1 个桩状瘤,第 4 腹板无瘤;腹面上生有细弱绒毛,灰白色,毛梢曲向腹中部。前胃板:板状部狭长,齿长大,无集中的丘齿。雄性外生殖器:阳茎弯转扭曲,两侧不对称,有漏斗状的端头,端头前部纤细如脖颈;腹针有侧突。

本种第 2 腹板两性均有瘤,瘤形与脐腹小蠹(*S. schevyrewi* Semenov)和多毛小蠹(*S. seulensis* Murayama)相似;但本种体型较小,鞘翅的刻点,沟中与沟间大小差别明显。

分布:陕西(秦岭)、黑龙江、吉林、北京、河北、山西;蒙古,俄罗斯(东西伯利亚、远东地区),朝鲜,韩国。

寄主:榆(*Ulmus pumila*),春榆(*U. propinqua*)。

V.锉小蠹族 Scolytoplatypodini Blandford,1893

54.锉小蠹属 *Scolytoplatypus* C. F. C. Schaufuss,1891

Scolytoplatypus C. F. C. Schaufuss,1891:31. **Type species**:*Scolytoplatypus permirus* C. F. C. Schaufuss,1891.

Spongocerus Blandford,1893:431. **Type species**:*Scolytoplatypus tycon* Blandford,1893.

Taeniocerus Blandford,1893:437. **Type species**:*Scolytoplatypus Mikado* Blandford,1893.

Strophionocerus Sampson,1921:36. **Type species**:*Scolytoplatypus Mikado* Blandford,1893.

属征:雄虫:眼长椭圆形,眼面较突;触角柄节粗壮,鞭节 5 节,锤状部叶片状,不分节,狭长尖锐;额面深陷,有额周棱角;口上片向下延伸,遮盖住部分上颚;额面有细密印纹,散布着刻点,没有粗糙结构,额毛分额面毛和额缘毛;前胸背板侧面观平直,背面观近于方形;背板表面平坦,无颗粒瘤齿等构造;背板侧面缘边以下纵向凹陷,接纳缩曲的前足腿节和胫节;前侧下方有深坑,接纳前足的部分基节;前胸腹面在两足之间有前胸腹突;鞘翅基缘宽于背板基缘,有锐利的缘边,鞘翅侧缘直线延伸,斜面形式变化繁多;前足两基节窝宽阔分开,基节前面扁平,转节较小,腿节长方,端部内侧前后突起,成1个槽面,接纳胫节,胫节狭长,外缘弓曲,有1列瘤齿,有端距,向外侧弯曲,跗节纤细,第3跗节圆柱状,第4跗节极小。雌虫:眼面较平;触角柄节较短;鞭节5节,直向延伸;锤状部三角形,较雄虫短阔;额面平隆,无额周棱角;口上片不向下延伸,上颚裸露;有额面毛,无额缘毛;前胸背板侧面观平直,背面观近于方形;背板中部常有1个背孔;鞘翅翅坡的变化不如雄虫强烈,颗粒瘤齿等结构微弱;前胸腹板平坦,无腹突;前足基节前方延伸成片,转节扁窄,成为腿节的基部,腿节扁平,端部内侧前面突起,成1个宽大的板片,近似方形;胫节外缘较雄虫宽阔,胫节后面有均匀散布的瘤齿,形如锉刀。

分布:古北区已知18种,中国已知9种,秦岭地区发现3种。

分种检索表

1. 前胸背板基部两侧向外突出呈三角形,端部锐尖 ……………………………………………… 2
   前胸背板基部两侧不强烈向外突出,端部近直角形 ………………… 扎氏锉小蠹 *S. zahradniki*
2. 雄虫鞘翅斜面上方,第1、3、5、7行间的脊刺疏生2~3枚短毛 ………… 大和锉小蠹 *S. mikado*
   雄虫鞘翅斜面上方,第1、3、5、7行间的脊刺密生6~9枚长毛,约长于2倍大和锉小蠹的短毛 ……
   ………………………………………………………………………………… 毛刺锉小蠹 *S. raja*

(104)大和锉小蠹 *Scolytoplatypus mikado* **Blandford,1893**

Scolytoplatypus mikado Blandford,1893:437.
Scolytoplatypus sinensis Tsai *et* Hwang,1965:121,123.

鉴别特征:雄虫只有额面毛,无额缘毛;前胸背板底面印有粒状密纹,背板上的刻点浅大稠密,刻点间距远小于刻点直径;雌虫背板上有背孔;鞘翅刻点沟起自翅基,止于翅端;雄虫鞘翅斜面上缘基数沟间部中有强大的脊刺,它们连成一道弧线形的斜面上界。

分布:陕西(秦岭)、福建、台湾、海南、广西、四川;朝鲜,韩国,日本,东洋区。

寄主:猴高铁(*Machilus velutina*),润楠(*M. microcarpa*),山桃(*Prunus davidiana*),山茶(*Camellia japonica*)。

(105)毛刺锉小蠹 *Scolytoplatypus raja* **Blandford,1893**

Scolytoplatypus raja Blandford,1893:440.
Scolytoplatypus himalayensis Stebbing,1914:604.

鉴别特征:雄虫只有额面毛,无额缘毛;前胸背板底面有粒状密纹,表面刻点浅大稠密,刻点间距远小于刻点直径;雌虫有背孔;鞘翅基半部有显著的行纹和行间,雄虫鞘翅翅坡上方,第1、3、5、7行间的脊刺密生6~9根长毛,约为大和锉小蠹短毛长的2

倍。前足腿节上方无齿。

分布:陕西(秦岭)、湖南、台湾、四川、云南、西藏;越南,泰国,印度,尼泊尔,巴基斯坦,东洋区。

寄主:洋槐,杨,柳,楠,栎,漆树,华山松,油松。

(106)扎氏锉小蠹 *Scolytoplatypus zahradniki* Knížek,2008

Scolytoplatypus zahradniki Knížek,2008:120.

鉴别特征:深褐色,如果羽化完全则为黑色且鞘翅基部1/4处具褐色斑点,略具光泽,触角和足浅褐色;前胸背板表面粗糙具细小的颗粒,鞘翅基部较光滑,体表被覆物短而稀疏。雄虫额部不具长毛组成的细毛刷;前胸背板宽度大于长度,基部两侧不强烈向外凸隆,端部近直角,雌虫前胸背板不具背中孔;前胸腹板中间具1个三角形的隆起,锐突分别指向前后,形成1个指向前后的纵脊,前端具2个对称的、半透明的叉状三角形突起;鞘翅翅坡逐渐弧形下弯,所有行间从基部1/3起至端部具尖锐的脊状颗粒,行间1在近端部处具1个明显的瘤突;前足腿节近端部不具齿。

采集记录:1♂(正模),西安秦岭鸡窝子,1800m,2007.Ⅶ.01,M. Knížek 采;1♀(配模),同正模。

分布:陕西(西安)、北京、四川。

寄主:不详。

Ⅵ.材小蠹族 Xyleborini LeConte,1876

55.粗胸小蠹属 *Ambrosiodmus* Hopkins,1915

Ambrosiodmus Hopkins,1915a:55. **Type species**:*Xyleborus tachygraphus* Zimmermann,1868.
Phloeotrogus Motschulsky,1863:512. **Type species**:*Phloeotrogus obliquecauda* Motschulsky,1863.
Brownia Nunberg,1963:37. **Type species**:*Pityophthorus obliquus* LeCone,1878.

属征:体长1.90~4.20mm。前胸背板粗糙面一直扩展到基部,占据背板大部分,前胸背板前缘从无锯齿状的瘤;前足胫节侧缘有7~8枚齿;后足胫节有8~11枚齿。

分布:古北区已知10种,中国已知6种,秦岭地区发现1种。

(107)瘤细粗胸小蠹 *Ambrosiodmus rubricollis*(**Eichhoff,1876**)

Xyleborus rubricollis Eichhoff,1876:202.

Xyleborus strohmeyeri Schedl, 1975: 475.

Xyleborus taboensis Schedl, 1952: 65.

鉴别特征:体长 2.50mm。前胸背板红褐色,鞘翅黑褐色。有中度光泽,体表绒毛比较稠密。额面略隆起,中部有 1 条横向凹陷,底面细网状,额面刻点粗大稠密,常常汇合成粗浅的纵沟,额毛较多,前胸背板长度略小于宽,长宽比为 0:9,背面观前缘和前侧宽阔,后侧和后缘纵横直交,侧面观背板的最高点在背板长的 2/3 处,顶部之前呈圆弧形弯曲上升,顶部以后略下倾,背板表面全部布满颗瘤。前半部颗瘤较大,相距略疏,后半部颗瘤较小,紧密相连,前半部毛短粗挺拔,后半部毛较细弱,小盾片狭长,呈三角形,鞘翅长度为前胸背板长度的 1.50 倍,背面观基缘横直,两侧大部分平行而略向外侧扩展,尾端收成钝弧形,侧面观背板的 2/3 水平,后 1/3 逐渐向下方弯曲。鞘翅刻点略凹陷,沟中刻点圆大,点底凹陷沟间部狭窄,其中各有 1 列细小刻点,斜面部分均匀弯曲,各沟间部高低一致,沟间部中的刻点变成大小均匀的小粒,鞘翅沟间部上的毛列起自翅基止于翅端。排列规整。

分布:陕西(秦岭)、黑龙江、北京、河北、山西、山东、安徽、浙江、湖南、福建、台湾、四川、贵州、云南、西藏;朝鲜,韩国,日本,欧洲,澳洲,北美洲,东洋区。

寄主:冷杉,杉木,侧柏,杨,核桃,水冬瓜,樟,桢楠等。

56. 毛胸材小蠹属 *Anisandrus* Ferrari, 1867

Anisandrus Ferrari, 1867: 24. **Type species:** *Apate dispar* Fabricius, 1792.

属征:通常体型粗壮,触角锤状部短截,前胸背板前缘有数个齿状突起,前胸背板后缘有 1 簇绒毛。毛胸材小蠹属和足距小蠹属十分近似,但足距小蠹属前足基节分开,毛胸材小蠹属前足基节相接。

分布:古北区已知 6 种,中国已知 5 种,秦岭地区发现 1 种。

(108) 北方材小蠹 *Anisandrus dispar*(Fabricius, 1792)

Apate dispar Fabricius, 1792: 363.

Bostrichus brevis Panzer, 1796: 20.

Bostrichus thoracicus Panzer, 1796: 18.

Scolytus pyri Peck, 1817: 207.

Bostrichus tachygraphus C. R. Sahlberg, 1836: 152.

Bostrichus ratzeburgii Kolenati, 1846: 39.

Anisandrus aequalis Reitter, 1913b: 81.

Anisandrus swainei Drake, 1921: 203.

Xyleborus rugulosus Eggers, 1922a: 17.

Xyleborus cerasi Eggers, 1937: 335.

Xyleborus khinganensis Murayama, 1943: 100.

鉴别特征: 雌虫: 圆柱形, 粗壮, 黑褐色; 鞘翅翅坡颜色较浅, 红褐色, 体表遍布绒毛。前胸背板前部的颗瘤大而疏散, 空隙之间散布着小颗粒; 背板前缘中部前突, 上面有 5~6 枚颗瘤; 背板刻点区中的刻点甚多, 越近基缘分布越密; 鞘翅行纹的刻点圆大深陷, 行间的刻点甚小, 突成微粒; 鞘翅翅坡弓曲下倾, 各行间高低一致, 没有特殊结构。雄虫: 全体弓突, 黄褐色; 前胸背板端平直延伸, 背面观近等腰三角形, 侧面观近直线形; 鞘翅强烈弓曲下倾; 体表绒毛有长短两种, 短毛平铺在体背上, 长毛竖立在体侧边缘上。

分布: 陕西(秦岭)、黑龙江; 蒙古, 俄罗斯, 朝鲜, 韩国, 日本, 伊朗, 哈萨克斯坦, 土耳其, 欧洲, 北美洲, 东洋区。

寄主: 胡桃, 鹅耳枥, 榛, 栎属, 苹果, 梨, 水榆花楸, 李, 槭, 水曲柳。

57. 缘胸小蠹属 *Cnestus* Sampson, 1911

Cnestus Sampson, 1911: 383. **Type species**: *Cnestus magnus* Sampson, 1911.

Tosaxyleborus Murayama, 1950: 49. **Type species**: *Cnestus murayamai* Schedl, 1962.

属征: 体长 2~4mm; 前胸背板侧缘(也常见于基缘)有锐利凸起的脊边; 触角鞭节 4 节, 少数种类也可能有 5 节, 触角锤状部角质区纵中线处的长度不及锤状部长度的 1/4; 眼的前缘如果有缺刻, 也十分微弱; 前足胫节侧缘有 6~8 枚穴齿。

分布: 古北区已知 9 种, 中国已知 8 种, 秦岭地区发现 1 种。

(109) 削尾缘胸小蠹 *Cnestus mutilatus* (Blandford, 1894)

Xyleborus mutilatus Blandford, 1894: 103.

Xyleborus sampsoni Eggers, 1930: 184.

Xyleborus banjoewangi Schedl, 1939a: 41.

Xyleborus taitonus Eggers, 1939: 118.

鉴别特征: 体黑色, 只有触角和足黄褐色, 无光泽, 形状粗阔。眼肾形, 眼前缘中部的缺刻甚小。触角锤状部基节甚短, 占锤状部长度的 1/4。前胸背板长度略小于或等于宽, 背面观整个轮廓呈盾形, 侧面观背板前部的 2/3 强烈弓突上升, 后部的 1/3 平直下倾, 背顶部比较突出; 前胸背板瘤区的颗瘤宽阔, 空隙之间伴生小颗粒; 前胸背板前缘中部前突成角, 角缘上横排着 4~6 枚颗瘤, 以当中的 2 枚为最大。小盾片甚大, 为圆钝的三角形, 平滑光亮。鞘翅前背方极短, 仅占鞘翅长度的 1/5, 端部 4/5 斜线下倾; 鞘翅截面隆起, 各行间高低平匀, 行间中遍布颗粒, 不分行列, 并遍布微毛, 贴伏在翅面上。

分布：陕西(秦岭)、安徽、浙江、福建、台湾、海南、四川、贵州、云南；韩国，日本，北美洲，东洋区。

寄主：板栗，红豆树，木樨，山茶。

58. 绒盾小蠹属 *Xyleborinus* Reitter, 1913

Xyleborinus Reitter, 1913b：83. **Type species**：*Bostrichus saxesenii* Ratzeburg, 1837.

属征：体长 1～4mm，身体细长，雄性较雌性小且不能飞，形态上差别很大；眼前缘微凹或弯曲，触角棒基部加粗，鞭节 5 节；前胸背板长度大于宽，近圆形，前胸背板表面相当粗糙，前缘具 1 列中等大小的齿；小盾片圆锥状；鞘翅至少为前胸背板的 1.50 倍，鞘翅前缘直，不具齿；鞘翅翅坡凸隆，翅坡上缘边界不清晰，翅坡近腹面从行间 7 起具 1 列尖瘤突，靠近鞘翅缝的瘤突最大，位于行间 2 端部；后胸前侧片直到后端均可见；前足基节彼此相连；前足胫节端部最粗，侧缘具齿，中足、后足腿节相当粗，在腿节中部之后向端部渐细，且具许多形状大小几乎相等的齿，齿很密集。

分布：古北区已知 11 种，中国已知 6 种，秦岭地区发现 1 种。

(110) 小粒绒盾小蠹 *Xyleborinus saxesenii* (**Ratzeburg, 1837**)

Bostrichus saxesenii Ratzeburg, 1837：167.

Tomicus dohrnii Wollaston, 1854：290.

Tomicus decolor Boiedieu, 1859：473.

Xyleborus aesculi Ferrari, 1867：22.

Xyleborus sobrinus Eichhoff, 1876：202.

Xyleborus subdepressus Rey, 1883：142.

Xyleborus frigidus Blackburn, 1885：193.

Xyleborus pecanis Hopkins, 1915a：63.

Xyleborus floridensis Hopkins, 1915a：63.

Xyleborus quercus Hopkins, 1915a：63.

Xyleborus arbuti Hopkins, 1915a：64.

Xyleborus subspinosus Eggers, 1930：203.

Xyleborinus tsugae Swaine, 1934：204.

Xyleborinus librocedri Swaine, 1934：205.

Xyleborus pseudogracilis Schedl, 1937：169.

Xyleborus retrusus Schedl, 1940：208.

Xyleborus peregrinus Eggers, 1944：142.

Xyleborus pseudoangustatus Schedl, 1948：28.

Xyleborus paraguayensis Shedl, 1949：276.

Xyleborus opimulus Schedl, 1976: 77.

Xyleborus cinctipennis Schedl, 1980: 186.

鉴别特征:体小,长圆柱形,深褐色,触角黄色。额部平,额面有中隆线,刻点浅大疏散,分布不均匀,额毛细长舒展,全面散布。前胸背板长度大于宽,背面观整个轮廓呈长盾形,最大宽度在背板前部的1/3处;侧面观背板前2/5弓曲上升,后3/5平直下倾,上升部分为瘤区,平直部分为刻点区。瘤区中的颗瘤圆小疏散,即便在背顶部也不连成弧形列。刻点区平坦,底面有微弱印纹,无光泽,刻点圆小微弱,均匀散布,无背中线,背板的绒毛发生在瘤区,刻点区无毛。鞘翅长度为前胸背板长度的1.70倍,为两翅合宽的1.80倍;鞘翅行纹不凹陷,行间宽度适中,当中有1列刻点,鞘翅的刻点在行纹和行间大小相等,行纹刻点稠密,两者略有区别;翅坡处行间各有1列颗粒,行间具2个凹陷,颗粒与绒毛消失。

分布:陕西(秦岭)、黑龙江、吉林、河北、山西、宁夏、江苏、安徽、浙江、江西、湖南、福建、台湾、广西、四川、贵州、云南、西藏;蒙古,俄罗斯,朝鲜,韩国,日本,印度,伊朗,塔吉克斯坦,土库曼斯坦,吉尔吉斯斯坦,哈萨克斯坦,土耳其,叙利亚,以色列,欧洲,非洲(地区),澳洲区,北美洲,新热带区,东洋区。

寄主:铁杉,云杉,红松,华山松,杨,栎,无花果,桢楠,苹果,漆树属,椴树。

59. 材小蠹属 *Xyleborus* **Eichhoff, 1864**

Xyleborus Eichhoff, 1864: 37. **Type species**: *Bostrichus monographus* Fabricius, 1792.

Anaeretus Duges, 1887: 141. **Type species**: *Bostrichus volvulus* Fabricius, 1794.

Progenius Blandford, 1896a: 20. **Type species**: *Xyleborus subcostatus* Eichhoff, 1869.

Mesoscolytus Broun, 1904: 125. **Type species**: *Apate inurbana* Broun, 1880.

Heteroborips Reitter, 1913b: 82. **Type species**: *Bostrichus cryptographus* Ratzeburg, 1837.

Boroxylon Hopkins, 1915a: 58. **Type species**: *Phloeotrogus bidentatus* Motschulsky, 1863.

Notoxyleborus Schedl, 1934: 84. **Type species**: *Notoxyleborus kalshoveni* Schedl, 1934.

属征:体长1.70~5.90mm。体形一般较狭长,多数种类的体长为体宽的2倍;体表绒毛疏少,一般没有鳞片。眼肾形,眼前缘中部有角形缺刻,深浅不定。触角柄节正常,鞭节5节,锤状部侧面扁平,正面近于圆形,分3节。额部平隆,底面有圆粒状或线条状印纹,印纹之间散布着刻点和绒毛。前胸背板背面观轮廓呈长盾形、短盾形或方形;侧面观自前向后弓曲上升,在背顶部有时形成折角,后半部平直而略下倾;背板表面前半部为鳞状瘤区,后半部为刻点区。前足基节相连,其基节间隔前片纵行尖角形;其基节间隔后片膨大,且上面时有瘤齿。

分布:古北区已知64种,中国已知23种,秦岭地区发现2种。

分种检索表

鞘翅行纹细浅,行纹与行间的刻点大小相等;鞘翅尾端有半圆形缺刻;斜面两侧平浅而宽阔的凹陷,构成桃形凹面,凹面两侧边缘上各有 3 枚尖齿 ·············· **凹缘材小蠹** *X. emarginatus*

鞘翅行纹较深,行纹中刻点稍大于行间刻点;鞘翅斜面没有明显的颗粒状突起;鞘翅行纹和行间中分别有倒伏和竖立的绒毛纵列 ·············· **毛列材小蠹** *X. seriatus*

(111) 凹缘材小蠹 *Xyleborus emarginatus* Eichhoff, 1878

Xyleborus emarginatus Eichhoff, 1878a: 392 [= 1878b: 510].

Xyleborus exesus Blandford, 1894: 119.

Tomicus cinchonae Veen, 1897: 135.

Xyleborus cordatus Hagedorn, 1910: 12.

Coptoborus terminaliae Hopkins, 1915a: 54.

Coptoborus palmeri Hopkins, 1915b: 54.

Xyleborus semicircularis Schedl, 1973: 92.

鉴别特征:雌虫体长约 3.40mm。体狭长,黑褐色,光亮少毛;鞘翅刻点沟和沟间部各有 1 列刻点,大小相等,疏密略有差异;鞘翅尾端翅缝两侧有 1 个半圆形的大缺刻;鞘翅斜面呈桃形平浅凹陷,桃尖在前,桃底在后;鞘翅后半部有成对的颗粒和尖齿,4~6 对不等,由小渐大,由密渐疏,排在翅缝两侧及桃形凹面边缘上,最后的 3 对尖齿,以倒数第 2 对最为强大。

分布:陕西(秦岭)、山西、湖北、湖南、福建、台湾、四川、贵州、云南、西藏;日本,东洋区。

寄主:冷杉(*Abiesfabri*),油松(*Pinus tabulaeformis*),云南松(*P. yunnanensisi*),杨(*Populus* sp.),栲(*Castanopsis* sp.),栎(*Quercus* sp.),无花果属(*Ficus*)。

(112) 毛列材小蠹 *Xyleborus seriatus* Blandford, 1894

Xyleborus seriatus Blandford, 1894: 111.

Xyleborus orientalis Eggers, 1933b: 54.

Xyleborus aceris Kurentsov, 1941: 188.

Xyleborus kalopanacis Kurentsov, 1941: 187.

Xyleborus perorientalis Schedl, 1957: 85.

鉴别特征:雌虫体长约 2.50mm。圆柱形,褐色,前胸背板较鞘翅色深,有光泽,体表有规则的绒毛。眼较宽阔,前缘有角形缺刻。额面平隆,底面有粒状密纹,刻点较少,大小与疏密不均;额面有光滑凸起的中隆线。额毛短小疏散。前胸背板长度大于宽,长宽比为 1:3;背面观背板基缘横直,两侧缘基部的 1/2 直向前伸,端部的 1/2 与前缘一起,前突为半圆,背板的最大宽度靠近基部;侧面观背板前 1/2 自前向后弓曲上升,后 1/2 平直下倾,背顶部比较突出。背板表面瘤区和刻点区各占背板长度的 1/2;瘤区的颗瘤横向扁长,形大分散,期间有平坦的空隙,接近背顶部的颗瘤小而稠密,连成横向弧线,逐渐减弱。刻点区底面有细粒状印纹,刻点凹陷显著,大小不匀,它们以背顶为中心,排成同心圆弧,向背板后半部扩散,刻点区有无点的背中线;背板的绒毛疏散,在瘤区的前部有几枚长毛,挺直竖立,其余大多是绒毛且短小,前后齐向背中部倾伏。鞘翅长度为前胸背板长度的 1.50 倍,为两翅合宽的 1.80 倍;背面观鞘翅基缘横直而略宽于背板基缘,两侧缘直向后伸,中部外突,尾端弧线形;侧面观鞘翅前 2/3 直向后伸,同时下倾,后 1/3 显著倾斜,不弓曲。小盾片长椭圆形,颜色深黑,两侧翅面边缘上有凹沟,将它围绕起来。刻点沟不凹陷,由 1 列径直的刻点组成,距离略疏;沟间部宽度适中,有 1 列较小的刻点。鞘翅斜面第 1 沟间部略隆起,第 2 沟间部低平,末端向翅缝弯曲;斜面沟间部的刻点全部变成颗粒,极其细小;鞘翅的绒毛起自刻点中心,沟中的绒毛短小,贴伏在翅面上;沟间的绒毛挺立,长短整齐,两种绒毛纵列,起伏交错,规则的分布在翅面上。

分布:陕西(秦岭)、山西、四川;俄罗斯(远东地区),朝鲜,韩国,日本,北美洲。

寄主:华山松(*Pinus armandii*),油松(*P. tabulaeformis*),栲(*Castanopsis* sp.),栎(*Quercus* sp.),木荷(*Schima* sp.)。

60. 足距小蠹属 *Xylosandrus* Reitter, 1913

Xylosandrus Reitter, 1913b: 83. **Type species**: *Xyleborus morigerus* Blandford, 1894.

Apoxyleborus Wood, 1980:90. **Type species**: *Xyleborus mancus* Blandford, 1898.

属征:体长 1.30~5.00mm;触角鞭节 5 节,锤状部角质区在纵中线上的长度占锤状部长度的 1/3;眼前缘中部缺刻口的长度占眼长的 1/3;前胸背板侧缘圆弧状;前足胫节侧缘有 4~6 枚穴齿。

分布:古北区已知 14 种,中国已知 10 种,秦岭地区发现 2 种。

分种检索表

鞘翅前后光亮一致;鞘翅绒毛仅发生于行间上方 ·················· 光滑足距小蠹 *X. germanus*

鞘翅前后光亮不同,前半部亮,后半部暗;斜面上散布大小相间的颗粒状突起,粗糙而稠密 ········

··· 暗翅足距小蠹 *X. crassiusculus*

(113) 暗翅足距小蠹 *Xylosandrus crassiusculus*(**Motschulsky, 1866**)

Phloeotrogus crassiusculus Motschulsky, 1866: 403.

Xyleborus semiopacus Eichhoff, 1878b: 334.

Xyleborus semigranosus Blandford, 1896b: 211.

Dryocoeles bengalensis Stebbing, 1908: 12.

Xyleborus mascarenus Hagedorn, 1908: 379.

Xyleborus ebriosus Niisima, 1909: 154.

Xyleborus okoumeensis Schedl, 1935: 271.

Xyleborus declivigranulatus Schedl, 1936: 30.

　　鉴别特征:体长2.60mm。鞘翅前后部光亮不同,前半部光亮,后半部晦暗;鞘翅翅坡开放式,翅坡上方与鞘翅前部相通,翅坡不呈截面状;翅坡上全面散布大小相同的颗粒,粗糙而稠密。

　　分布:陕西(秦岭)、河北、山东、安徽、浙江、湖北、湖南、台湾、广东、海南、香港、四川、贵州、云南、西藏;朝鲜,韩国,日本,印度,尼泊尔,不丹,欧洲,非洲(热带区),澳洲,北美洲,新热带区,东洋区。

(114)光滑足距小蠹 *Xylosandrus germanus*(**Blandford**, **1894**)

Xyleborus germanus Blandford, 1894: 106.

　　鉴别特征:体长2.30mm。鞘翅翅坡开放式,翅坡上方与鞘翅前部相通,翅坡不呈截面状;翅坡陡峭坡下,鞘翅背面长度与翅坡长度之比约为2/3,鞘翅后侧的缘边高强,鞘翅茸毛仅发生在行间上方。

　　分布:陕西(秦岭)、山西、河南、安徽、浙江、湖北、湖南、福建、台湾、广东、海南、广西、四川、贵州、云南、西藏;俄罗斯(远东地区),朝鲜,韩国,日本,土耳其,欧洲,北美洲,东洋区。

Ⅶ. 木小蠹族 Xyloterini LeConte, 1876

61. 木小蠹属 *Trypodendron* Stephens,1830

Trypodendron Stephens, 1830: 353. **Type species**: *Dermestes domesticus* Linnaeus, 1758.

Xyloterus Erichson, 1836: 60. **Type species**: *Bostrichus lineatus* Olivier, 1795.

Trypodendrum Agassiz, 1846: 380. **Type species**: *Dermestes domesticus* Linnaeus, 1758.

Xylotrophus Gistel, 1848: 4. **Type species**: *Dermestes domesticus* Linnaeus, 1758.

Trypodendrum Gistel, 1856: 368. **Type species**: *Dermestes domesticus* Linnaeus, 1758.

属征：中型种类，圆柱形，有光泽，光秃少毛，没有鳞片。复眼完全分作两半，间隔宽阔，只有一线缘边将上下两半的后缘连接起来。触角柄节粗长，鞭节4节，锤状部叶片状，没有节间，遍覆微毛。额部两性不同：雄虫额面强烈凹陷，底面光亮，生颗粒和绒毛，额心毛短小竖立，额缘毛粗长弓曲；雌虫额面隆起，底面有细密印纹，光泽晦暗，颗粒和绒毛较雄虫稠密，口上部有中隆线。前胸背板两性不同：雄虫背面观长度小于宽，轮廓呈横矩形；侧面观从前向后均匀突起，中部平直；背面表面大部分为瘤区，近基缘处为刻点区；瘤区中的颗瘤低平，有如横向条脊和印痕。雌虫背面观后方前圆，轮廓呈盾形；侧面观自前向后强烈突起，呈弓形；背板表面瘤区和刻点区的比例与雄虫相同，但颗瘤甚大，挺直尖利，由前缘至背顶，逐渐减弱。鞘翅两性相同，底面褐色，有5条黑带纵穿翅面，其中翅侧和翅中左右各1条，翅缝左右共1条。行纹不凹陷，由凹陷的刻点串联而成；行间平滑；鞘翅翅坡平滑弓曲，没有特殊结构；翅面大部分光秃，只在翅坡上行间中偶有短毛。

分布：古北区已知10种，中国已知5种，秦岭地区发现1种。

（115）黑条木小蠹 *Trypodendron lineatum*（Olivier，1795）

Bostrichus lineatum Olivier，1795：18.
Apate bivittatum Kirby，1837：192.
Bostrichus cavifrons Mannerheim，1843：297.
Trypodendron vittiger Eichhoff，1881：298.
Trypodendron boreale Swaine，1917：21.
Trypodendron meridionale Eggers，1940：38.

鉴别特征：体长2.70～3.50mm。圆柱形，头部和前胸背板黑色，鞘翅底面褐色，有5条黑带，对称的纵贯翅面，体表光泽较弱，少毛。触角锤状部基狭顶阔，扇状，两侧对称。额面的颗粒数量较少，雌虫的颗粒均匀。鞘翅的黑色条带长而宽阔；鞘翅行纹不显著，由微弱的刻点组成。

分布：陕西（秦岭）、黑龙江、吉林、内蒙古、山东、甘肃、青海、新疆、四川；蒙古，俄罗斯，朝鲜，韩国，日本，哈萨克斯坦，土耳其，以色列，欧洲，非洲（北部），北美洲。

寄主：臭冷杉，红皮云杉，天山云杉，落叶松。

（二）象甲亚科 Curculioninae

鉴别特征：体长1～12mm。体形较小，宽卵形至球形或长卵形，体表被覆物浅黄色、红色、褐色至黑色，被覆毛状至圆形鳞片。喙通常细长而弯，侧面观从基部向端部渐细。眼较大，圆形至卵圆形，扁平至较凸隆，有的种类眼在背面或者腹面彼此接近。触角通常着生于喙的中部略偏后，有的种类雌性的触角着生点较雄性的更靠近喙基部。索节 5~7 节,通常索节 1 和 2 明显长于其他各节。前胸较凸隆,基部窄于鞘翅基部,两侧多少略曲,通常在中间之后最宽,极少数种类具隆脊或眼叶。小盾片通常可见,少数类群不明显。鞘翅行间通常宽于行纹,行间扁平或较凸隆,行纹通常由深刻点组成,明显,后翅通常较发达。腿节棒状,通常具齿,前足、中足胫节端部内侧通常具端刺或钩。腹板 2~4 后缘直或略凹,有时候两侧向后略弯曲。

分类:中国已知 15 族 53 属 269 种,陕西秦岭地区发现 3 属 7 种。

Ⅰ.象虫族 Curculionini Latreille,1802

62. 象虫属 *Curculio* Linnaeus,1758

Curculio Linnaeus,1758:377. **Type species**:*Curculio nucum* Linnaeus,1758.

Balaninus Germar,1817:340. **Type species**:*Curculio nucum* Linnaeus,1758.

Pelecinus Wiedemann,1823:163. **Type species**:*Rhynchaenus melaleucus* Wiedemann,1821.

Carponinophilus Voss,1962:10. **Type species**:*Curculio distinctissimus* Voss,1958.

属征:大多数种类的雌雄差别显著。雌虫的喙一般较长较弯,花纹较细,触角近于喙的中间,身体较大,腹部 1、2 节较隆,末节略洼,端部圆,臀板几乎不露出,具短毛。雄虫的喙较短而粗,触角近于喙的端部,腹部 1、2 节洼,末节较洼,端部往往光滑。

分布:古北区已知 158 种,中国已知 108 种,秦岭地区发现 5 种。

分属检索表

1. 体黑色 ··· 2
   体非黑色 ·· 3
2. 小盾片被黄褐色鳞片 ·· 榛象 *C. dieckmanni*
   小盾片被黑色或灰黑色鳞片 ··· 栗象 *C. davidis*
3. 小盾片被黄褐色鳞片 ··· 三纹象 *C. dentipes*
   小盾片被白色鳞片 ·· 4
4. 鞘翅翅坡前有 1 条暗褐色横带 ································ 锡金象 *C. sikkimensis*
   鞘翅翅坡前无暗褐色横带 ·· 查氏栎象 *C. challeti*

(116) 查氏栎象 *Curculio challeti* Pelsue *et* Zhang,2002

Curculio challeti Pelsue *et* Zhang,2002:25.

鉴别特征：头中等大小，刻点小，被覆小而细长的白色鳞片；喙基部宽于端部，背面从额至触角着生处具 5 条隆脊，隆脊之间具椭圆形的深刻点，从基部至触角着生处直，之后至端部下弯；触角沟位于腹面；触角柄节为索节长度的 0.81 倍，索节 1 和 2 等长，索节 2 略长于 3，索节 4 ~ 6 等长，均短于索节 3，索节 7 长度与索节 3 相等，索节被覆白色细长的鳞片；前胸背板宽大于长，侧面观背面略凸隆，刻点小而密集，被覆细长的白色和黄褐色鳞片；小盾片大，长大于宽，密被细长的白色鳞片；中胸后侧片密被细棒状的赭色鳞片；中胸前侧片、后胸前侧片被覆细长的白色鳞片，鳞片稀疏；鞘翅行纹窄而深，肩圆，行间窄、扁平，被覆黄褐色和白色鳞片，具不规则的白色鳞片形成的斑点。

分布：陕西（秦岭）、云南。

寄主：栎属。

（117）栗象 *Curculio davidis*（Fairmaire，1878）

Balaninus davidis Fairmaire，1878：126.

鉴别特征：体长 5 ~ 9mm。雄虫身体粗壮，前后呈椭圆形，深黑色，不发光，被覆黑褐或灰色鳞片，唯下列部分被覆白色鳞片：前胸背板的后角，鞘翅基部，鞘翅外缘和鞘翅中间以后的带；鞘翅缝后端大部分有 1 排近于直立的白毛；腹面被覆白色鳞片，两边的鳞片较密；足散布灰色毛。喙略长于体长（80：78），端部 1/8 弯，触角着生在喙基部的 1/3，柄节等于索节头 5 节之和，索节 1 的长等于索节 2，索节 7 远长于棒的第 1 节，其他节多少较短。前胸背板宽度略大于长（28：25），密布刻点。鞘翅的肩角圆，向后缩得很窄，端部圆。足相当细长，腿节各有 1 枚宽而尖的齿。雄虫的喙短于体长（45：72）；触角着生于喙中间以前，柄节长等于索节全部之和，索节 2 略短于索节 1（6：5）。

分布：陕西（秦岭）、内蒙古、河北、河南、甘肃、江苏、安徽、浙江、湖北、江西、湖南、福建、广东、贵州。

寄主：板栗，茅栗。

（118）三纹象 *Curculio dentipes*（Roelofs，1875）

Balaninus dentipes Roelofs，1875a：156.

Balaninus arakawai Matsumura *et* Kôno，1928：171.

Balaninus quercivorus Kôno，1928：172.

Balaninus shigizo Kôno，1928：171.

鉴别特征：体长 7.70mm。前胸背板背面中间和两侧具白色鳞片形成的条带，其余部分被覆棒状的黄褐色鳞片；小盾片中等大小，长度大于宽，被覆黄褐色鳞片；鞘翅被覆黄褐色和白色鳞片，鳞片在鞘翅形成边界不清的斑点；后足腿节具 1 枚大齿；臀板被覆很长的刚毛状黄褐色鳞片。

分布：陕西（秦岭）、黑龙江、吉林、辽宁、内蒙古、北京、河北、山西、山东、河南、江苏、安徽、浙江、湖北、江西、广西、四川；俄罗斯（远东地区），朝鲜，韩国，日本。

寄主：栎属。

（119）榛象 *Curculio dieckmanni*（Faust，1887）

Balaninus dieckmanni Faust，1887b：178.

鉴别特征：体长 7.50～8.00mm。身体卵形，黑色，被覆褐色细毛和较长而粗的黄褐色毛状鳞片，鞘翅的鳞片组成波状纹。下列部分密被黄褐色鳞片：前胸背板基部中间，小盾片，前胸腹板，中胸突起，后胸腹板端部，后胸后侧片两端，前足、中足基节，腹板 1～4 两侧。鞘翅缝后半端散布近于直立的毛。雌虫头部密布刻点，喙长为前胸的 3 倍，端部很弯，基部放粗，有隆线，隆线间有成行的刻点。触角着生于喙的中间以前，柄节略短于索节 5 节之和，索节 1 长于索节 2；额中间有小窝。前胸宽度大于长，密布刻点。小盾片舌状。鞘翅具钝圆的肩，向后逐渐缩窄，行纹明显，有很细的毛 1 行。后足较长，腿节各有 1 枚齿。臀板有深窝。雄虫喙长为前胸的 2 倍；触角着生于喙中间靠前，柄节长等于索节头 6 节之和，索节 1 长于索节 2，臀板无窝。

分布：陕西（秦岭）、黑龙江、吉林、辽宁、河北、青海；俄罗斯，朝鲜，韩国，日本。

寄主：榛子，胡榛子。

（120）锡金象 *Curculio sikkimensis*（Heller，1927）

Balaninus sikkimensis Heller，1927：185.

鉴别特征：体型较大，体壁暗褐色；雄虫喙长为体长的 1/2，雌虫喙几乎与体长相等；触角柄节短于索节 1～4 之和，触角棒长度与索节 5～7 等长；后足腿节的齿中等大小；小盾片长度大于宽，中等大小，被覆白色鳞片；鞘翅行纹被覆细长的棒状黄褐色鳞片，翅坡前各具 1 个暗褐色的横向宽条带，其余鳞片灰色。

分布：陕西（秦岭）、吉林、辽宁、内蒙古、北京、河北、山西、河南、甘肃、云南；俄罗斯（远东地区），朝鲜，韩国，日本，印度，东洋区。

寄主：栗属。

63. 角突象属 *Labaninus* Morimoto，1981

Labaninus Morimoto，1981：110. **Type species**：*Carponinus plicatulus* Heller，1925.

属征：前胸背板基部最宽，后角变薄，呈三角形突起，背面观指向两侧后方，侧面观近长方形;鞘翅心形,鞘翅缝在基部 1/2 处略洼,端部 1/2 被覆近乎直立的刚毛;前胸腹板前缘深凹陷,短于前足基节的直径,扁平或略凹;后胸前侧片宽,两侧平行,前端在背腹面略扩大,后端宽圆;前足腿节基部 1/3 明显弯曲;腿节具齿,棒状;雄虫后足胫节背面端部跗窝向外突起形成 1 个较大的钩,其余胫节和雌虫的所有胫节均具简单的端刺;爪具齿;腹板 1 在后足基节之后长于腹板 2,腹板 3 略短于腹板 2,且与腹板 4 等长。

分布:古北区已知 11 种,中国已知 9 种,秦岭地区发现 1 种。

(121)梅氏角突象 *Labaninus meregallii* Pelsue,2004

Labaninus meregallii Pelsue,2004:432.

鉴别特征:头部光滑无毛,颊具小刻点,被覆小而窄的白色鳞片。眼大。额宽为眼间距的 0.19 倍。喙长为体长的 0.46 倍,喙从基部向端部均匀倾斜,端部与额等宽,刻点小,光滑。触角柄节着生处位于中间之后靠近基部一侧,触角窝与腹侧边缘几乎平行。触角索节 1 和索节 2 等长,索节 3 和索节 4 长度相等,索节 5 和索节 6 短于索节 4、7,索节 7 长于棒节 1,触角棒长度与索节 5~7 的长度之和相等。前胸宽度大于长,背面具小刻点,被覆少量小而窄的白色鳞片。前胸侧面观较凸隆,中胸腹板基节间的突起侧面观不可见。小盾片较大,长度大于宽,被覆小而窄的白色鳞片。中胸后侧片被覆大、窄而长的白色鳞片,中胸前侧片被覆少量的长而窄的白色鳞片,后胸前侧片散布白色鳞片。鞘翅黑褐色,行纹深,具小刻点;鞘翅肩部明显,圆;行间窄,散布细长的白色鳞片。前足、中足、后足腿节的齿小,所有腿节均为棒状,凸隆程度一样。胫节略弯曲,前足和中足胫节端部的刺大,长于爪。腹板被覆细长的白色鳞片。臀板中等大小,被覆长的刚毛状鳞片。此种是 *Labaninus* 中最大的 1 个种,比较容易与其他种类区分开。

分布:陕西(秦岭)。

Ⅱ.籽象族 Tychiini C. G. Thomson,1859

64.绒象属 *Demimaea* Pascoe,1870 陕西新纪录

Demimaea Pascoe,1870a:440. **Type species:** *Demimaea luctuosa* Pascoe,1870.
Lychnuchus Roelofs,1875a:169. **Type species:** *Lychnuchus tricolor* Roelofs,1875.

属征:喙短粗;眼不凸隆,未超出头部的轮廓线;前胸背板强烈凸隆;前胸腹板在基节前具沟;腹板 2 的后缘两侧不向后弯曲,未延伸至与腹板 4 接触。

分布：古北区已知 10 种，中国已知 6 种，秦岭地区发现 1 种。

（122）毛簇绒象 *Demimaea fascicularis*（**Roelofs，1874**）　陕西新纪录

Lychnuchus fascicularis Roelofs，1874：148.

鉴别特征：体壁黑色；前胸背板较凸隆；鞘翅行间 3 和 5 从基部至基部 1/3 处具小而黑的毛簇，沿鞘翅缝在中部之后具一大簇黑色刚毛。

采集记录：1♀，宁陕广贸街保护站，1211m，2014.Ⅶ.26，姜春燕采；1♂，旬阳白柳镇前坪村，580m，2014.Ⅷ.03，姜春燕采；1♂，柞水县营盘镇营盘村，1081m，2014.Ⅶ.30，姜春燕采；1♀，山阳城关镇小西沟，750m，2014.Ⅶ.30，姜春燕采；2♂，山阳城关镇小东沟，893m，2014.Ⅶ.30，姜春燕采；1♀，山阳县城关镇伍竹园村，793.74m，2014.Ⅷ.09，张梦蕾采；1♀，山阳城关镇下沟村，835m，2014.Ⅷ.08，姜春燕采。

分布：陕西（宁陕、旬阳、柞水、山阳）、浙江、福建、台湾、广东；韩国，日本。

（三）龟象亚科 Ceutorhynchinae

鉴别特征：龟象体型小，长 1.50～6.00mm，多数长 1.50～3.00mm，宽卵形。喙圆柱形，触角自喙中部伸出，膝状，索节 5～7 节，棒节椭圆形；前胸宽度大于长，两侧多隆起，具眼叶；小盾片区洼，极小或看不见；鞘翅宽卵形，基部宽于前胸背板；臀板暴露；腹面多有胸沟，喙隐藏于胸沟内；后足基节与后胸前侧片间，后胸腹板与第 1 腹节相连，后胸前侧片平行状；胫节或有 1 根小端刺，胫窝开放，爪常有齿。

分类：中国目前已知 7 族 43 属 103 种，陕西秦岭地区发现 1 属 1 种。

65.龟象属 *Ceutorhynchus* **Germar，1824** 陕西新纪录

Falciger Dejean，1821：84. **Type species**：*Curculio assimilis* Paykull，1792［suppressed］.

Ceutorhynchus Germar，1824：217. **Type species**：*Curculio assimilis* Paykull，1792.

Ceuthorhynchus Schoenherr，1837：475［unjustified emendation］.

Ceuthorhynchus Agassiz，1846：75［unjustified emendation］.

Ceuthorhynchidius Jacquelin du Val，1855：60. **Type species**：*Curculio typhae* Herbst，1795.

Ceuthorrhynchidius Gemminger，1871：2611［unjustified emendation］.

Ceuthorrhynchus Gemminger，1871：2603［unjustified emendation］.

Marklissus Reitter，1916：153. **Type species**：*Ceutorhynchus leucorhamma* Rosenhauer，1856.

Heterosirocalus H. Wagner，1944：132. **Type species**：*Ceutorhynchus hampei* C. N. F. Brisout de Barneville，1869.

Neosirocalus Neresheimer *et* H. Wagner, 1944：132. **Type species**：*Curculio typhae* Herbst, 1795.

Persirocalus H. Wagner, 1944：133. **Type species**：*Ceutorhynchus pulvinatus* Gyllenhal, 1837.

Suboxyonyx Hoffmann, 1956：221. **Type species**：*Oxyonyx priesneri* Hustache, 1934.

Ceuthamiocolus Colonnelli, 1983：56. **Type species**：*Ceutorhynchus scolopax* Schultze, 1899.

Heorhynchus Korotyaev, 1999：11. **Type species**：*Ceutorhynchus ibukianus* Hustache, 1916.

属征：喙通常比前足胫节细,略弯曲;触角索节7节,若索节为6节,则前胸背板前缘向上隆起且两侧通常具小而清晰的瘤突;前胸背板通常具中沟,有时不完整或略浅;鞘翅行纹很宽;足通常颜色浅,腿节通常具齿,爪简单或具齿。

分布：古北区已知326种,中国已知15种,秦岭地区发现1种。

(123) 白纹龟象 *Ceutorhynchus albosuturalis* (**Roelofs, 1875**) 陕西新纪录

Ceuthorhynchidius albosuturalis Roelofs, 1875b：178.

鉴别特征：体卵形,体壁黑色或黑褐色,喙、触角、足、前胸背板前缘褐色;头密被刻点,头顶具较弱的纵隆脊;额上鳞片指向身体后方,其余部分鳞片指向头顶;喙细长,略弯,略长于头和前胸背板长度之和,休止时达到后胸腹板前缘;触角着生于喙中部之前,柄节达到眼,索节6节,索节1长于索节2,索节3略短于索节2,触角棒3节,棒节1长于其余各节之和;前胸背板中部之前最宽,向端部强烈狭缩,向基部逐渐略狭缩,前胸背板基部略二曲状,前胸背板背面中部近两侧各具1对瘤突,背面具中沟;小盾片小,有光泽;鞘翅宽于前胸背板,肩部之后最宽,鞘翅行纹深,每一刻点具1枚细长的白色羽毛状鳞片,行间扁平,行间1和2在基部具椭圆形的白色羽毛状鳞片形成的斑纹,椭圆形白色羽毛状鳞片在行间1形成1条纵细线,其余行间被覆2~3列细长的黑色毛状鳞片;腹面密布白色羽毛状鳞片。

采集记录：1♂,武功县,2200m。

分布：中国广布;俄罗斯(远东地区),朝鲜,韩国,日本。

（四）锥胸象亚科 Conoderinae

鉴别特征：锥胸象体型较小,1~29mm,多数3~5mm。身体形态变化较大,从瘦长到宽卵形不等。眼大,彼此接近,有的甚至在背面几乎连在一起。触角膝状,着生于喙中间之前,触角沟线状,位于喙两侧,触角索节通常为7节。前胸前缘两侧通常直,眼叶不明显,前胸腹板如果有胸沟则有时候会达到后胸腹板前缘,有些种类在前足基节之间具角状突。鞘翅宽卵形至心形,通常具10个行纹,后翅通常发达。腿节简单,或腹面具齿或沟槽,多数种类胫节明显,具端刺。臀板暴露或被鞘翅末端遮盖。

分类：中国目前已知7族15属41种,陕西秦岭地区发现1属1种。

Ⅰ. 盔肩象族 Coryssomerini C. G. Thomson, 1859

66. 角胸象属 *Metialma* Pascoe, 1871

Metialma Pascoe, 1871b: 216. **Type species**: *Metialma scenica* Pascoe, 1871.
Permetialma Voss, 1941: 111. **Type species**: *Metialma pusilla* Roelofs, 1875.

属征: 体近菱形; 喙细长, 基部圆锥状, 被覆鳞片; 触角着生于中部; 触角柄节未达到眼, 索节7节, 索节1粗, 索节2长, 其余索节短且逐渐变粗, 触角棒卵形; 眼极大, 两眼之间极窄; 前胸背板宽度大于长, 近圆锥状, 基部中间向后呈三角形突出; 鞘翅心形, 表面平坦, 端部宽圆; 臀板露出; 腿节粗, 胫节弯, 中胸后侧片扩大, 向上升到前胸与鞘翅之间。

分布: 古北区已知11种, 中国已知9种, 秦岭地区发现1种。

(124) 心形角胸象 *Metialma cordata* Marshall, 1948

Metialma cordata Marshall, 1948: 451.

鉴别特征: 喙长于前胸背板; 鞘翅较宽, 长度略大于宽, 鞘翅行间1端部具1个近方形的白色斑点; 腹板3和4具黑色斑纹, 雄虫腹板5后缘在臀板两侧的位置具三角形突起; 触角全部为红色, 着生于喙中部之前, 索节1略长于索节2; 前胸背板宽度大于长, 基部最宽; 腿节具齿, 前足胫节强烈弯曲。

分类: 陕西（秦岭）、福建、台湾; 韩国, 日本, 印度, 东洋区。

（五）隐喙象亚科 Cryptorhynchinae

鉴别特征: 体型大而隆, 多呈卵形。被覆黑色、暗褐色、淡褐色或白色鳞片, 前胸背板和鞘翅往往具鳞片束或毛束。喙长或短而弯, 或扁而直。胸部腹面有或长或短的胸沟, 当休止时, 喙向后折, 纳入胸沟内; 眼叶发达, 休止时, 眼叶多少会遮蔽眼。胫节端刺起源于胫窝的隆线, 向里弯, 爪简单, 稀有齿。成虫迟钝, 假死性强。

生物学: 多发生于树皮下, 有的发生于果实内, 有很多重要害虫。

分类: 中国目前已知5族20属42种, 陕西秦岭地区发现3属6种。

分属检索表

1. 腹板 2 长于 3;在眼的上面,眼眶具带毛的深沟;额两侧不注 ⋯⋯ **沟眶象属 *Eucryptorrhynchus***
　腹板 2 约等于 3 ⋯⋯⋯⋯⋯⋯⋯⋯⋯⋯⋯⋯⋯⋯⋯⋯⋯⋯⋯⋯⋯⋯⋯⋯⋯⋯⋯⋯⋯⋯⋯⋯ 2
2. 腿节具齿 2 个 ⋯⋯⋯⋯⋯⋯⋯⋯⋯⋯⋯⋯⋯⋯⋯⋯⋯⋯ **隐喙象属 *Cryptorhynchus***
　腿节具齿 1 个;胫节基部外缘缩成锐角,前胸背板和鞘翅具固定的白斑 ⋯⋯⋯⋯⋯⋯⋯⋯⋯
　⋯⋯⋯⋯⋯⋯⋯⋯⋯⋯⋯⋯⋯⋯⋯⋯⋯⋯⋯⋯⋯⋯⋯⋯⋯⋯ **角胫象属 *Shirahoshizo***

67. 隐喙象属 *Cryptorhynchus* Illiger, 1807

Cryptorhynchus Illiger, 1807: 330. **Type species:** *Curculio lapathi* Linnaeus, 1758.

Arachnipes A. Villa *et* G. B. Villa, 1833: 22. **Type species:** *Curculio lapathi* Linnaeus, 1758.

Cryptorhynchidius Pierce, 1919: 25. **Type species:** *Curculio lapathi* Linnaeus, 1758.

Cryptorrhynchobius Voss, 1965: 90. **Type species:** *Curculio lapathi* Linnaeus, 1758.

属征:腿节中间最宽,下面有齿 2 个,相离较远。前胸背板宽度大于长,具细的中隆线。小盾片具黑色绵毛。鞘翅短,端部缩成喙状,具金色鳞片束,在鞘翅上,黑色鳞片束排列成行。

分布:古北区已知 8 种,中国已知 1 种,秦岭地区发现 1 种。

(125) 杨干隐喙象 *Cryptorhynchus lapathi*(Linnaeus, 1758)

Curculio lapathi Linnaeus, 1758: 379.

Curculio albicaudis de Geer, 1775: 223.

Curculio albicans Goeze, 1777: 387.

Curculio lapadi Goeze, 1777: 345[unjustified RN].

Curculio albicans Gmelin, 1790: 1771(nec Goeze, 1777).

Curculio trimaculatus Panzer, 1798: 67.

Cryptorhynchus verticalis Faust, 1887b: 174.

Cryptorhynchus alpines Fügner, 1891: 201.

Cryptorhynchus alpines Stierlin, 1894: 121(nec Fügner, 1891).

鉴别特征:体长 5~8mm。身体长椭圆形,高凸,体壁黑色,被覆瓦状圆形黑色鳞片,唯下列部分被覆白或黄色鳞片:前胸两侧和腹面,鞘翅肩部的 1 个斜带和端部1/3。前胸中间以前具排成 1 列的 3 个黑色直立鳞片束。腿节黑色,中间具白色环,跗节红褐色,触角暗褐色。头部球形,密布刻点,头顶中间具略明显的隆线;喙弯,略长于前胸,触角基部以后密布互相连合的纵列刻点,具中隆线,触角基部以前散布分离的小而稀的刻点;触角柄节未达到眼,索节 1、2 长约相等,索节 3 长于宽,其他节长与宽约相等,棒倒长卵形,密布绵毛;眼梨形,略突出。前胸背板宽度大于长,中间最宽,向后略缩窄,向前猛缩窄,散布大刻点,中隆线细。小盾片圆。鞘翅前端2/3平行,端部1/3逐渐缩窄,肩胝明显,行纹刻点大,各具1枚鳞片,行间扁平,宽于行纹。腿节具齿2个,胫节直,外缘具隆线。雄虫腹板1中间具沟。

采集记录:1♂,宝鸡林科所,1985.Ⅵ.19,白伟采;1♀,宁陕平河梁管护站,2055m,2013.Ⅷ.13,姜春燕采;1♂,宁陕旬阳坝,1335m,2013.Ⅷ.12,姜春燕采。

分布:陕西(宝鸡、宁陕、旬阳)、黑龙江、吉林、辽宁、内蒙古、河北、新疆、台湾、四川;俄罗斯,朝鲜,韩国,日本,欧洲,北美洲。

寄主:东北杨柳。

68. 沟眶象属 *Eucryptorrhynchus* Heller, 1937

Eucryptorrhynchus Heller, 1937:71. **Type species**:*Cryptorhychus scrobiculatus* Motschulsky, 1854.
Cryptorhychus Motschulsky, 1854a:48. **Type species**:*Cryptorhychus scrobiculatus* Motschulsky, 1854.

属征:眼的上缘有深沟,沟内散布鳞片,胸沟长达中足基节之间,喙的接受器长度小于宽,两侧和端部一样宽。

分布:古北区已知2种,中国已知2种,秦岭地区发现2种。

分种检索表

喙的中隆线两侧无明显的沟,额比喙基部窄得多,前胸几乎全部、鞘翅的肩及其端部1/4(除翅瘤以后的部分)密被雪白鳞片,仅掺杂少数赭色鳞片,鳞片叶状 ···················· **臭椿沟眶象 *E. brandti***
喙的中隆线两侧各有明显的沟2个,额略窄于喙基部之宽,前胸和鞘翅基部的大部分以及鞘翅端部1/3的全部被覆乳白色和赭色鳞片,鳞片细长 ······························ **沟眶象 *E. scrobiculatus***

(126) 臭椿沟眶象 *Eucryptorrhynchus brandti*(Harold, 1880)

Cryptorhynchus brandti Harold, 1880:165.

鉴别特征:体长11.50mm。身体稍发光,几乎前胸全部、鞘翅的肩及其端部1/4(除翅瘤以后的部分)密被雪白鳞片,仅掺杂少数赭色鳞片,鳞片叶状。额比喙基部窄很多。喙的中隆线两侧无明显的沟。

采集记录:1♂,武功,1986.Ⅴ.09,周静若采;1♀,武功,1965.Ⅹ,赵淑英采;1♀,武功,1965.Ⅹ,李兴华采;1♂,宁陕火地沟,1430m,2007.Ⅷ.19,史宏亮、杨干燕采。

分布:陕西(武功、宁陕)、黑龙江、辽宁、北京、河北、山西、山东、河南、甘肃、江苏、上海、安徽、湖北、四川;俄罗斯(远东地区),朝鲜,韩国,日本,东洋区。

寄主:臭椿。

(127) 沟眶象 *Eucryptorrhynchus scrobiculatus*(Motschulsky,1854)

Cryptorhychus scrobiculatus Motschulsky, 1854a: 48.

Curculio chinensis Oliver, 1791: 507.

鉴别特征:体长 18.50mm。体长卵形,凸隆,体壁黑色,略发光。触角暗褐色,鞘翅被覆乳白、黑色和赭色细长鳞片。头部散布互相连合的大而深的大刻点;喙长于前胸,触角基部以后的部分圆筒形,触角基部以前的部分较窄而扁,较发光,端部放宽,被覆暗褐色鳞片状毛,散布互相连合的纵刻点,触角沟基部以后的部分具中隆线,其两侧后端具短沟,短沟和触角沟之间具较长的沟;胸沟长达中足基节之间;触角柄节未达到眼,索节 2 长于索节 1,索节 3~7 逐渐缩短,索节 7 宽大于长,棒长卵形,长 2 倍于宽;额略窄于喙的基部,散布较小的刻点,中间具很深而大的窝,眼略突出,眶沟深,散布白色鳞片。前胸背板宽度大于长(5.20:4.60),中间以前最宽,向后逐渐略缩窄,向前猛缩窄,前缘后缢缩,基部浅二凹形,中间向小盾片略突出,钝圆形,前缘向前相当突出;眼叶发达,主要被覆赭色鳞片,后角被覆白色鳞片,散布粗刻点,中间前两侧各有一胝,被覆赭色鳞片;中隆线纵贯全长。小盾片略呈圆形,被覆鳞片状直立黑毛。鞘翅长 1.45倍于宽,肩部最宽,向后逐渐紧缩,肩斜,很突出,翅坡以后降低成窝,端部钝圆,肩部被覆白色鳞片,基部中间被覆赭色鳞片,端部约 1/3 主要被覆白色鳞片,沿鞘翅缝散布的赭色鳞片形成间断的长短不一的斑点,其他部分散布零星白色鳞片;行纹宽,刻点大,多呈方形,行间窄得多,奇数行间较隆。前胸两侧和腹板、中后胸腹板主要被覆白色鳞片,腹部鳞片赭色并掺杂白和黑色鳞片。足被覆白和黑色鳞片,腿节棒状,有齿 1 个。

采集记录:1♀,周至楼观台,680m,2008.Ⅵ.24,李文柱采;1♂,周至厚畛子,1271m,2007.Ⅴ.26,林美英采;1♂,武功,1962.Ⅶ.12,吴阳民采;1♀,武功,1963.Ⅵ.1♀,宁陕广贸街保护站,1211m,2014.Ⅶ.27,姜春燕采。

分布:陕西(周至、武功、宁陕)、辽宁、北京、天津、河北、山西、山东、河南、甘肃、青海、江苏、上海、安徽、浙江、湖北、湖南、福建、四川、贵州;朝鲜,韩国。

寄主:臭椿。

69. 角胫象属 *Shirahoshizo* Morimoto,1962

Shirahoshizo Morimoto, 1962: 36. **Type species:** *Cryptorhynchus rufescens* Roelofs, 1875.

Coniferocryptus Zherikhin, 1991: 100. **Type species:** *Coelosternus tamanukii* Kôno, 1938.

属征:额区洼,略低于头顶;眼的上面无沟,近于梨形;喙弯,在触角基部以后密布刻点,具中隆线,在触角基部之前向前略缩细,刻点退化,中隆线消失;触角位于喙的 3/5 处。前胸背板前缘仅为基部宽的 1/2,具细的中隆线。中胸腹板在中足基节间呈截断形,腹板 2~4 等长。腿节棒形,具 1 齿,腹面全部具沟;胫节扁,直或几乎直,背面和腹面都具纵脊,前缘具隆线,基部外缘缩成尖锐的角。本属的胫节基部呈角状,前胸背板和鞘翅有固定的白斑。成虫鳞片花纹很相似,前胸背板有白斑 1 对或 2 对,鞘翅有白斑 3 对,行间 4、5 中间前各 1 对,行间 3 中间后 1 对,头部、前胸和鞘翅散布直立黑褐色鳞片。

分布:古北区已知 18 种,中国已知 8 种,秦岭地区发现 3 种。

分种检索表

1. 前胸背板无中隆线或仅呈痕迹状,鞘翅散布许多不固定的白斑和单个的白色鳞片,鞘翅行间 3、5、7 各有 1 列直立的鳞列,偶数行间直立鳞片稀少 ……………………… **球果角胫象 S. coniferae**
   前胸背板中隆线明显 ……………………………………………………………………… 2
2. 小盾片有中隆线;白色鳞片在前胸背板小盾片前有 2 行,在中隆线两侧各集成 2 个斑点;鞘翅中间前行间 4、5 各集成 1 个斑点,在中间后行间 3 集成 1 个斑点 … **长角角胫象 S. flavonotatus**
   小盾片无中隆线;前胸背板前缘散布黑色直立鳞片,并在中部集成 4 个鳞片束;鞘翅除行间 1 外,各行间有瘤突状直立鳞片簇,行间 4~6 在中间之前各有 1 个白色鳞片 …………………… ……………………………………………………………………… **多瘤角胫象 S. tuberosus**

(128) 球果角胫象 *Shirahoshizo coniferae* Chao, 1980

Shirahoshizo coniferae Chao, 1980a: 155.

鉴别特征:体长 5.20~5.60mm。体长椭圆形,体壁黑褐色或红褐色,被覆红褐色鳞片,前胸背板和鞘翅还散布白色和黑褐色直立或半直立的鳞片,白色鳞片在前胸背板中间集成 4 个斑点,在鞘翅行间 4、5 中间前和行间 3 中间后各集成 1 斑点,但行间 5 的斑点往往不明显,此外,在鞘翅还星散一些由白色鳞片集成的小斑点和一些单一的白色鳞片,在前胸背板也星散一些白斑或单一的白色鳞片。黑褐色鳞片集中于额区、前胸背板前端,中线两侧和外缘附近以及鞘翅行间。头部球形,喙近于圆筒形,弯成弓状,在触角着生点之后略粗放,中隆线明显,中隆线两侧还各有 1 条隆线,隆线间有 2 行排列规则的刻点,触角着生点之前刻点退化,光滑;触角细长,着生于喙的基部 3/5 处,柄节细,端部棒状,长达眼,索节 1~4 长于索节 5~7;索节 1 特别粗,短于索节 2,长于索节 3,棒椭圆形,长 2 倍于宽;额窄于喙的基部,中间有小窝。前胸背板宽大于长(21:16),基部两侧 2/5 平行,从此向前缩窄,前缘宽仅为后缘的 1/2,后缘浅二凹形,中间向小盾片突出,中隆线细,背面密布刻点。小盾片四角形,中隆线明显,被覆绵毛。鞘翅长为宽的 1.50 倍,两侧平行,2/3 以后缩窄,翅坡后突然缩窄;行纹细,行纹刻点稀,刻点各有1枚细长鳞片,行间扁平,比行纹宽得多。前足腿节的齿不明显,中后足腿节具明显的齿,后足腿节细。后足基节突起钝圆,顶端稍尖,腹板2~4各有刻点2排,两侧各有1撮毛。雌虫的喙在触角着生点之后,其中隆线及两侧的隆线不太明显,在触角着生点之前,刻点退化,较发光。

分布:陕西(秦岭)、四川;日本。

寄主:华山松。

(129)长角角胫象 *Shirahoshizo flavonotatus*(Voss,1937)

Cryptorhynchidius flavonotatus Voss,1937:267.

Cryptorhynchidius patruelis Voss,1937:268.

鉴别特征:体长6.50~8.00mm。体壁黑色,喙和触角红褐色,被覆锈褐色、黑褐色和白色鳞片;黑褐色鳞片在前胸背板和鞘翅集成许多点片;白色鳞片在前胸背板小盾片前有2行,在中隆线两侧各集成2个斑点;在鞘翅中间前行间4、5各集成1个斑点,在中间后行间3集成1个斑点。此外,在行间3的斑点附近集成一些小斑点。此外,在行间3的斑点附近集成一些小斑点。头部半球形,密布相当深的刻点;喙弯,长约等于前胸背板,基部3/5密布深刻点,具隆线,前端2/5发光,散布较稀而小的刻点,触角细长,位于喙的3/5处,柄节长达眼,索节2略长于索节1,索节3、4长大于宽,其他节长略大于宽或宽大于长,棒长椭圆形,长约为宽的2.30倍;额略窄于喙基部之宽,中间具小窝;眼梨形,略突出。前胸背板宽大于长,两侧相当圆,基部最宽,向前缩圆,然后缩为短凹,前缘仅为基部宽的1/2,基部略呈二凹形,中间非常突出,刻点显著,呈很深的坑状,前缘刻点小而密,中间具细隆线。小盾片圆,具中隆线,被覆灰色小鳞片。鞘翅长是宽的1.50倍,直到中间两侧平行,翅瘤宽圆;行纹显著,刻点长方形,长2倍于宽,刻点间具明显的横纹;行间宽于行纹,散布相当明显而很密的刻点。腿节具齿,胫节略弯,具细纵纹。

采集记录:1♀,柞水县,1984.Ⅶ.16。

分布:陕西(柞水)、江苏、上海、浙江、湖北、江西、湖南、福建、台湾、广东、广西、四川、贵州、云南;朝鲜,日本。

(130)多瘤角胫象 *Shirahoshizo tuberosus* Chen,1991

Shirahoshizo tuberosus Chen,1991a:214.

鉴别特征:体长5.90~6.20mm。长椭圆形,体壁黑色,被覆黑褐色和黑色鳞片,前胸背板前缘散布黑色直立鳞片,并在中部集成4个鳞片束;在鞘翅2~7行间散布若干黑色直立鳞片簇;白色直立鳞片在前胸中部形成并排的4个小白斑,在行间4~6中间之前集成白斑,行间3无白斑,鞘翅上还散布一些单个直立白色鳞片,腿节基部和近端部被白色鳞片。头部半球形，喙向后弯，从触角着生点向前和向后略放宽，中隆线明显，触角沟上缘为侧隆线，中隆线与侧隆线之间有背侧隆线，各隆线之间有 2 列刻点，刻点内有直立小鳞片，触角窝之前刻点略少，较光滑；触角细长，柄节端部呈棒状，索节 1 粗，长约等于索节 2，索节 1～4 长于索节 5～7，棒椭圆形；额窄于喙基部，中央有小窝。前胸背板宽大于长（5:4），中间最宽，向后两侧平行，后缘浅二凹形，中间向小盾片突出，中隆线明显。小盾片较圆，无隆线，有刻点和绵毛，鞘翅形状同上，行纹明显，刻点长方形，内有 1 根细长鳞毛，行间略隆。腿节粗长，明显长过胫节，各有 1 枚小齿。本种以鞘翅行间的黑色直立鳞片簇区别于本属其他种。

采集记录: 2♀，勉县，1957.Ⅴ.05，中国科学院动物研究所采；1♀，勉县，1958 年采。

分布: 陕西（勉县）。

（六）粗喙象亚科 Entiminae

鉴别特征: 成虫喙短而宽，喙的横断面近方形；触角着生于喙的近端部；前颏扩大，几乎完全遮盖住口腔，后颏不具柄或仅具极短的柄；上颚通常具刚毛，多数种类上颚具 1 个可脱落的颚尖，颚尖在成虫羽化出土的时候具有辅助作用，羽化后不久颚尖自行脱落，并在上颚的端部留下 1 个边界明显的颚疤；喙没有雌雄二型现象，雌性的喙没有辅助产卵的功能；后足胫节端部内角通常仅具 1 根短而小的端刺。

生物学: 许多种类危害农作物，具有重要的经济意义。

分类: 广泛分布于全世界，其中大多数分布于热带地区。目前全世界已记载 1340 属近 12000 种，中国已知 108 属 621 种，陕西秦岭地区发现 20 属 43 种。

分族检索表

1. 触角沟细而深，位于喙的两侧，在眼以前下弯，触角沟的基部外缘不扩大；触角柄节不超过眼 …
……………………………………………………………………………………………… 2
　触角沟宽而浅，位于喙的背面，指向眼触角沟基部外缘扩大，呈耳状；触角柄节超过眼的后缘；
　体型大或小 ……………………………………………………………………………… 7
2. 上颚外侧有颚疤或颚尖，如果没有颚疤则前胸两侧前缘具纤毛；触角沟极少为"T"形，如果触角
　沟在眼前下弯的角度为直角则前胸两侧具纤毛或前足基节彼此接近且具两爪 ……………… 3
　上颚外侧没有颚疤或颚尖，被覆鳞片或柔毛；前胸两侧前缘无纤毛；爪离生，每个爪的基部生出
　1 个与其长度近相等的副爪，前足基节彼此接近 …………………… **根瘤象族 Sitonini**
3. 前胸前缘两侧不具纤毛 ……………………………………………………………………… 4
　前胸前缘两侧具纤毛 …………………………………………… **纤毛象族 Tanymecini**
4. 爪离生 …………………………………………………………… **拿巴象族 Naupactini**
　爪合生或仅具 1 爪 …………………………………………………………………………… 5
5. 胫窝开放或半关闭，鞘翅肩发达，额与喙之间不被沟分开，头在眼后不狭缩 ………………
…………………………………………………………………… **多露象族 Polydrusini**

胫窝关闭,具 2 行鬃毛,如果鞘翅肩发达同时喙和额之间未被沟或者洼陷分开,则前足腿节不大于中后足腿节 ……………………………………………………………… 6

6. 鞘翅不具肩 ……………………………………………… **锉象族 Celeuthetini**
　　鞘翅肩发达 ……………………………………………… **瘤象族 Dermatodini**
7. 爪离生,前胸两侧前缘有眼叶 ……………………… **眼叶象族 Cyphicerini**
　　爪合生 ……………………………………………………………………… 8
8. 鞘翅的肩发达,向外突出;胫窝开放;口上片界限不明显 ………… **树叶象族 Phyllobiini**
　　鞘翅无肩,或有肩,但不突出为直角;胫窝关闭;口上片界限明显 ……… 9
9. 眼很突出;触角沟位于喙的背面,从上面看完全能看见;前胸无眼叶;鞘翅有肩或无肩 ………
　　……………………………………………………………… **癞象族 Episomini**
　　眼扁平;触角沟靠近喙的侧面,从上面隐约可见;前胸有眼叶;鞘翅无肩 ………
　　……………………………………………………… **糙皮象族 Trachyphloeini**

Ⅰ. 锉象族 Celeuthetini Lacordaire, 1863

70. 遮眼象属 *Callirhopalus* Hochhuth, 1851

Callirhopalus Hochhuth, 1851: 54. **Type species**: *Callirhopalus sedakowii* Hochhuth, 1851.

Heydenia Tournier, 1875: cliii. **Type species**: *Callirhopalus sedakowii* Hochhuth, 1851.

Heydenia Tournier, 1876: 158(nec Tournier, 1875). **Type species**: *Callirhopalus sedakowii* Hochhuth, 1851.

　　属征:喙倾斜,短粗,端部扩大,两侧隆,中间呈沟状,喙与头之间无明显的沟。触角沟窄而深,明显位于侧面,相当弯,指向眼的下面。触角短而粗,柄节直,长过眼的中间,逐渐向端部放宽,索节紧密相连,索节 1 略粗而长于索节 2,索节 2 长于索节 3,索节 3~7 宽大于长,棒卵形,端部相当尖。眼近于圆形,略凸。前胸宽大于长,前端窄于后端,两侧略圆,前缘弯成弓形,后缘几乎直,背面颇拱。小盾片三角形。鞘翅近于球形,基部宽小于前胸基部,无肩。足粗,腿节棒状,胫节直,内缘波形,端部内缘放宽,胫窝关闭,跗节宽,腹面海绵状,爪合生。本属的主要特征是触角索节紧密相连,头与喙之间无明显的沟。
　　分布:古北区已知 1 种,中国已知 1 种,秦岭地区发现 1 种。

(131) 亥象 *Callirhopalus sedakowii* Hochhuth, 1851

Callirhopalus sedakowii Hochhuth, 1851: 56.

Heydenia crassicornis Tournier, 1875: 153.

Heydenia crassicornis Tournier, 1876：159(nec Tournier, 1875).

鉴别特征:体长 3.50~4.50mm。体卵状球形,体壁黑色,触角、足黄褐色,发红,被覆石灰色圆形鳞片,前胸有褐色纹 3 条,鞘翅行间 4 之间有褐斑 1 个,其后缘为弧形,长达鞘翅中间,这个斑的后边、外边形成 1 个较淡的斑点,两斑之间显出 1 条灰色"U"形条纹,触角和足散布较长的毛,鞘翅行间有 1 行很短而倒伏的毛,头部和前胸的毛很稀。头部和前胸往往有 1 条很细的中沟,鞘翅行纹也很细。雄虫较小,腹部较瘦,末一腹节较短而呈钝圆形。

采集记录:2♀,定边县,1987.Ⅵ.17。

分布:陕西(秦岭、定边)、内蒙古、河北、山西、甘肃、青海;蒙古,俄罗斯(东西伯利亚)。

寄主:甜菜,土豆,茵陈蒿。

Ⅱ. 眼叶象族 Cyphicerini Lacordaire, 1863

71. 卵象属 *Calomycterus* Roelofs, 1873

Calomycterus Roelofs, 1873：175. **Type species**：*Calomycterus setarius* Roelofs, 1873.
Synolobus Faust, 1886：144. **Type species**：*Synolobus periteloides* Faust, 1886.

属征:头和喙的背面和喙的两侧有细刻线;喙端部略放宽,端部背面有光滑三角形口上片,喙耳稍突出,触角沟短而深,位于喙的背面;触角柄节短,长仅略超过前胸前缘;额宽约为眼宽的 2 倍;眼位于头的两侧,从上面只看得见一部分,几乎不突出,和头的表面一样高,颏有毛 2 根。前胸宽大于长,圆柱形,唯两侧前端突出成眼叶。小盾片小而明显。鞘翅卵形或宽卵形,肩退化,但有肩胝,基部截断形,端部钝圆,后翅缺如。足长而细,腿节各有 1 齿,胫节直,胫窝开放,爪离生。后胸腹板短,基节间突起截断形,腹板 2 长等于腹板 3、4 之和,腹板 1、2 之间的缝呈弓形。本属的肩退化,但有眼叶,颏有毛 2 根。

分布:古北区已知 9 种,中国已知 6 种,秦岭地区发现 1 种。

(132)棉小卵象 *Calomycterus obconicus* Chao, 1974

Calomycterus obconicus Chao, 1974：483.

鉴别特征:体长 3.30~3.90mm。体壁红褐色,被覆 1 枚灰色而略发光的鳞片,触角柄节被覆同样的鳞片,小盾片的鳞片白色,鞘翅有时散布褐色横纹。全身散布灰褐色,除腹部以外,还掺杂褐色毛。鞘翅行间的毛最长,半直立,但短于行间宽,头部和前胸背板的毛较短,前胸背板两侧的毛更短,而且倒伏,触角和足的毛较细。头宽大于长,额宽略大于眼宽的 2 倍,而略小于喙宽的 2 倍;喙从基部至喙耳缩窄(25:20),背面端部洼,两侧有明显的背侧隆线,中间有明显的中隆线,背侧隆线和中隆线之间纵贯细刻线,并延续至头部,喙两侧纵贯同样刻线;喙端部和口上片以尖而高的"V"形隆线为界,之后,纵贯短而低的中隆线,与"V"形隆线形成"Y"形,纵隆线之后横贯钝隆线,这条隆线一方面与前端的触角内缘连接,另一方面与喙的背侧隆线连接;触角短而粗,柄节几乎直,长略超过前胸前缘,索节 1、2 长约相等,索节 1 粗于索节 2,索节 3~7 呈倒圆锥形,且宽大于长,但索节 3 略长,而索节 7 略宽,棒长卵形,长小于宽的 2 倍,端部尖;眼几乎不突出,位于头的两侧,从背面只能看见一部分。前胸宽略大于长(雄虫10:8、雌虫 11:8),前后缘截断形,后缘略宽于前缘(10:9),有略隆而窄的边,前缘之后稍洼,表面粗糙,满布刻点,两侧的鳞片在刻点周围形成刻点孔;背面中间纵贯短隆线,突出于鳞片之外。小盾片长度略大于宽,后缘钝圆。鞘翅卵形,肩部缩圆,基部截断形,无龙骨样边,端部钝圆,无锐突,长约为宽的 1.30 倍,中间前最宽;行间细,刻点密,间距近于刻点的直径,行间平。雄虫腹板 1 中间凹,前胸、鞘翅较窄;雌虫腹板 1 中间凸,前胸、鞘翅较宽。

分布:陕西(秦岭)、河北、山西、河南、江苏、浙江、湖北、广东、四川。

寄主:桑树,棉花,大豆,油菜,榨菜(秧)。

72. 斜脊象属 *Phrixopogon* Marshall,1941

Phrixopogon Marshall,1941:366. **Type species**:*Corigetus filicornis* Faust,1894.
Platymycteropsis Voss,1958:26. **Type species**:*Corigetus excisangulus* Reitter,1900.

属征:头和喙的两侧互不完全相连,但形成 1 个很宽的角;喙宽大于长,有时长与宽几乎相等,窄于头,几乎等于头宽(基部),端部不放宽或仅略放宽,背面具隆线 3 条,背侧隆线未延长到额,端部略向外弯,稀笔直而平行;触角沟的一部分以 1 条斜纹为界,斜纹从沟的内缘延伸到眼的前缘中间,触角沟很短而深,位于喙的背面;触角柄节短,长仅略超过前胸前缘;额宽于眼,约为眼宽的 2 倍;眼位于头的两侧,从上面只看得见一部分,几乎不突出,和头的表面一样高,颏有毛 2 根。前胸宽大于长,圆柱形,唯两侧前端突出成眼叶。小盾片小而明显。鞘翅卵形或宽卵形,肩退化,但有肩胝,基部截断形,端部钝圆,后翅缺如。足长而细,腿节各有 1 枚齿,胫节直,胫窝开放,爪离生。后胸腹板短,基节间突起截断形,腹板 2 长等于腹板 3、4 的长度之和,腹板 1、2 之间的缝呈弓形。本属的肩退化,但有眼叶,颏有毛 2 根。

分布:古北区已知 14 种,中国已知 11 种,秦岭地区发现 1 种。

(133)柑橘斜脊象 *Phrixopogon mandarinus*(Fairmaire,1889)

Corigetus mandarinus Fairmaire,1889a：367.

鉴别特征：体长 5.00～5.70mm。体长椭圆形,凸隆,密被淡绿或黄褐发绿的鳞片,触角、足红褐色。头、喙刻点稀少,喙较细,中间和两侧具细隆线,端部放宽;触角略细,沥青色,散布白色毛,柄节较细而弯,长过前胸前缘,索节头2节细长,索节2较长,棒颇尖。前胸梯形,略窄于鞘翅基部,基部呈深而宽的二凹形,中叶三角形,尖,后角略钝,背面两侧略洼,刻点相当密。小盾片很小。鞘翅卵形,肩倾斜,后端不扩大,顶端分别缩成角,背面密布细而短的白毛,具颇细行纹,端部行纹较深,行间平,刻点小而稀,腹部和足的被覆物相似,密布刻点。腿节颇粗,具很小的齿。

分布：陕西(秦岭)、河南、湖北、江西、湖南、福建、广东、香港、广西;东洋区。
寄主：柑橘,板栗,油桐,桃,花生,大豆,棉花,黄檀。

73. 草象属 *Chloebius* Schoenherr,1826

Chloebius Schoenherr,1826：211. **Type species**：*Phytoscaphus immeritus* Schoenherr,1826.

属征：体长椭圆形,较小。喙较倾斜,略长于头,明显较窄而厚,平行而几乎直,喙耳放宽,背面具中沟,长达额,背侧隆线、中隆线都不明显,喙与额之间降落成浅横沟;触角沟近于端部,坑状,向后延续为浅洼;触角细长,柄节长达前胸前缘,索节前2节略长,索节1较长而粗,索节3～7短,约相等,略呈圆形或倒圆锥形,棒尖,长椭圆形;眼大而扁,卵形;颏毛2根。前胸宽略大于长,圆筒形,近前缘略缩窄,后端具1个横槽,前缘截断形,后缘仅略呈二凹形或明显呈二凹形,两侧圆,眼叶明显。小盾片长椭圆形。鞘翅颇长,前端2/3平行,宽于前胸,基部略弯,呈浅弧形,肩钝圆。胫节端部各具1枚明显的端刺。本属的喙较倾斜,且略长于头,前胸前端略缩窄,腿节无齿。

分布：古北区已知17种,中国已知9种,秦岭地区发现2种。

分种检索表

前胸和鞘翅的毛很短;身体背面被覆不同色的2种鳞片,无金光,头顶、前胸背板和鞘翅的中区被覆较暗的褐色鳞片,两侧被覆白色鳞片;触角细长,索节1长远大于宽;体长3.40～4.00mm ············
·· 鹿斑草象 *C. aksuanus*
前胸和鞘翅的毛较长,近于直立,较淡,从背面明显看得见;体被覆单纯绿或白色鳞片,略有金光;触角短粗,索节1近三角形;体长3.40～4.40mm ································ **长毛草象 *C. immeritus***

(134)鹿斑草象 *Chloebius aksuanus* Reitter,1915

Chloebius aksuanus Reitter,1915a：106.

　　鉴别特征:体长3.40~4.00mm。体背面被覆不同色泽的2种鳞片,无金光。头顶,前胸背板和鞘翅的中间被覆褐色鳞片,两侧被覆白色鳞片,鞘翅中区散布鹿斑状白斑,白斑集中于外缘,近内缘较稀。前胸背板通常有1条淡的细纵纹。小盾片被覆白色鳞片。足、触角沟褐色或红褐色。触角细长,索节1、2较长,索节2比索节1短得多,但长仍大于宽的2倍或更多;额宽于眼长。前胸背板基部几乎直,鞘翅行间各散布1行细而很短的半直立毛,但侧面能看得见。

　　分布:陕西(秦岭)、新疆;蒙古,哈萨克斯坦。

(135) 长毛草象 *Chloebius immeritus*(**Schoenherr,1826**)

Phytoscaphus immeritus Schoenherr, 1826:212.

Phyllobius glycyrrhizae Stierlin, 1864:495.

Chloebius immeritus Boheman, 1834:645(nec Schoenherr, 1826).

Chloebius psittacinus Boheman, 1842:416.

Chloebius turkestanicus Schilsky, 1912:72.

　　鉴别特征:体长3.40~4.40mm。喙与额之间的横沟深而宽,喙的中沟较宽而浅,向上、向外明显隆。触角较粗,散布较短的细毛,索节1略呈三角形,索节3~7不呈倒圆锥形,端部明显粗于基部。额沟较宽而深。前胸两侧较隆,中部之后最宽。前胸和鞘翅行间的毛较长,半直立,色较淡,从背面容易看见。

　　分布:陕西(秦岭)、内蒙古、河北、宁夏、甘肃、新疆;蒙古,俄罗斯(西西伯利亚),塔吉克斯坦,乌兹别克斯坦,哈萨克斯坦,土耳其,欧洲。

74. 尖象属 *Phytoscaphus* Schoenherr, 1826

Phytoscaphus Schoenherr, 1826:210. **Type species:** *Curculio lanatus* Fabricius, 1801.

Pseudphytoscaphus Pajni, 1990:281. **Type species:** *Phytoscaphus nubilus* Faust, 1894.

Rhypochromus Motschulsky, 1858:83. **Type species:** *Phytoscaphus cruciger* Motschulsky, 1858.

　　属征:喙长远大于宽,与头形成锐角;触角至少部分被覆鳞片,柄节长过前胸前缘;额宽略等于喙,仅基部略宽于喙;眼不突出,几乎和头的表面一样高,近于头的背面,彼此接近。前胸有眼叶,端部比基部窄得多。鞘翅有肩。腿节有齿,爪离生。

　　分布:古北区已知16种,中国已知7种,秦岭地区发现1种。

(136) 棉尖象 *Phytoscaphus gossypii* Chao, 1974

Phytoscaphus gossypii Chao, 1974:482.

鉴别特征:体长 3.90~4.70mm。体长椭圆形,体壁红褐色,被覆淡褐色而略发金光的鳞片。两侧和腹面的鳞片色泽更加鲜艳;触角的鳞片更加鲜艳;触角的鳞片细长;小盾片的鳞片颜色较淡但较光亮。前胸背板具模糊的暗褐色纵纹 3 条,鞘翅遍布暗褐色云斑,触角棒褐色。鞘翅行间散布半直立鳞片状毛,其长小于行间宽,头部和前胸的毛较短,触角、足和腹部的毛细而短。头宽大于长;喙细长,长 2 倍于宽(触角沟间),从基部至喙耳后两侧平行,喙耳颇突出,喙的背面宽约为整个宽的 1/2,两侧具背侧隆线,中间具深沟;触角沟洼,中具短隆线,隆线前具"V"形隆线;喙的腹面基部前中间有 1 小齿,触角沟内缘有 1 枚小钝的齿;触角柄节细长,略短于索节于棒之和,索节 1 长于索节 2(12:9),索节 3~6 长约相等,索节 7 略长于索节 6,棒长卵形,长等于索节 5、6、7 三节之和;额略窄于眼和喙宽(触角沟间),具明显的中沟,唯被鳞片遮蔽;眼几乎不突出,从背面完全看得见。前胸宽略大于长(雄虫 11:10、雌虫 11:9),略呈梯形,后缘宽于前缘(5:4),基部前最宽,后缘中间略突出,中间两侧略凹,两侧前缘突出成眼叶,眼叶前缘有纤毛 1 排,背面密布刻点。小盾片长宽略相等。鞘翅长为宽的 1.70 倍(雄虫)或 1.60 倍(雌虫),从肩至翅坡逐渐略放宽,翅坡以后逐渐缩圆,基部无龙骨样边;行纹细,刻点长,行间略隆。腿节基部 1/3 有 1 枚尖齿,胫节端部内侧有 1 个尖刺。雄虫腹板中间略凹,前胸、鞘翅略窄。雌虫腹板中间略凹,前胸、鞘翅较宽。

采集记录:2♂、3♀,武功,1963-1965. Ⅵ. 10-Ⅷ. 31。

分布:陕西(武功)、辽宁、内蒙古、北京、河北、山东、河南、甘肃、江苏、安徽、江西。

寄主:棉花,玉米,大豆,野生植物酸枣。

Ⅲ. 瘤象族 Dermatodini Emden, 1936

75. 瘤象属 *Dermatoxenus* Marshall, 1916 陕西新纪录

Dermatoxenus Marshall, 1916: 50. **Type species**: *Dermatodes vermiculatus* Gyllenhal, 1840.

属征:喙细长,基部不宽于额;喙耳长而相当突出,触角沟位于喙的两侧,触角沟的外缘从背面完全看得见;触角柄节不超过眼的前缘;喙有中沟;眼颇大,和前胸前缘的距离大于眼的最大直径的 1/2,比头短得多。

分布:古北区已知 8 种,中国已知 4 种,秦岭地区发现 1 种。

(137) 淡灰瘤象 *Dermatoxenus caesicollis*(Gyllenhal, 1833) 陕西新纪录

Lagostomus caesicollis Gyllenhal, 1833: 619.

Cneorhinus nodosus Motschulsky，1860a：21.

鉴别特征：体长 9.90～12.00mm。体卵形，黑色，密被淡灰色鳞片，散布倒伏鳞片状毛。喙耳放宽，喙基部两侧有横沟；触角沟能从上面看得见，中沟深，长达头顶；口上片三角形；触角柄节达到眼的前缘，索节 1 短于索节 2，索节 3 略长于索节 4，索节 4～6 长略相等，末节略粗且长，棒长卵形，稍尖；眼很突出，长大于宽，从眼后缘到前胸前缘不被覆鳞片。前胸宽大于长，前缘截断形，仅中间略突出，两侧从基部至中间之前平行，其余部分向前缩窄；中沟深，中沟两侧前后各有 1 个深的弯沟，两侧较暗，后端黑。小盾片看不见。鞘翅基部略宽于前胸基部，向后逐渐放宽，翅坡最宽，翅坡以后突然缩窄，基部中间黑，和前胸基部的黑斑连成 1 个三角形黑斑，行纹 1、2 基部粗于其他行纹，行间 3、5、7 特别隆，而且有瘤，行间 3、5 各有瘤 3 个，行间 3 的第 3 个瘤位于翅坡，特别大，它的第 1 个瘤和行间 5 的第 1 个瘤相连，行间 7 仅基部有 1 个明显的瘤。足、腹部被覆和背面一样的鳞片和毛，只是毛较长。雄虫腹板末节端部尖，鞘翅端部缩成一短尖；雌虫腹板末节端部钝圆。

采集记录：2♂，周至厚畛子，2021m，2008.Ⅴ.27，崔俊芝采；1♂，周至厚畛子，2021m，2007.Ⅴ.27，史宏亮采；1♀，宁陕甘沟卫生服务区，1759m，2014.Ⅶ.28，姜春燕采；1♀，宁陕平河梁，2106～2448m，2007.Ⅵ.01，林美英采；1♂，宁陕县火地沟，1430～1714m，2007.Ⅷ.19，史宏亮、杨干燕采；1♂，石泉云雾山，1981.Ⅷ.14，陈半采；1♀，镇巴，1981.Ⅵ.14。

分布：陕西(周至、宁陕、石泉、镇巴)、江苏、安徽、浙江、江西、福建、台湾、四川、云南；韩国，日本，东洋区。

Ⅳ．癞象族 Episomini Lacordaire，1863

76．癞象属 Episomus Schoenherr，1823

Episomus Schoenherr，1823：1143. **Type species**：*Curculio lacerta* Fabricius，1781.
Simallus Pascoe，1865：420. **Type species**：*Simallus sulcicollis* Pascoe，1865.

属征：体型大，长达 10mm 以上。体高度隆，褐至深褐色，两侧白色。喙基部两侧，在眼的前方各有 1 条横沟，把喙和额分开；触角沟位于头的背面，前端很深，向后逐渐变浅；触角柄节长达眼的后缘，索节 1、2、7 长于其他节。前胸有中沟和许多纵横交错的粗皱纹，前缘截断形，后缘二凹形或截断形。小盾片发达，有时看不见或被鞘翅包围。鞘翅有肩或无肩，肩有胝或无胝，基部向前突出，把前胸基部略加掩盖，背面很隆，翅坡陡峭，在翅坡前，行间 3 有或无瘤。雄虫腹部末节几乎呈截断形；雌虫末节细长而端部尖。

　　分布:古北区已知22种,中国已知19种,秦岭地区发现2种。

分种检索表

翅坡前行间3的瘤明显,翅坡端部颇突出;侧面看,鞘翅背面略突出,翅坡倾斜,并且在末端前缩成锐突,锐突较长,水平状;行纹刻点较大而深,奇数行间高于偶数行间 ………… **中国癞象 *E. chinensis***
翅坡前行间无瘤,行间3、5、7高于其他行间;身体短卵形,肩胝锐突状 ………………………………………………………………………………………… **卵形癞象 *E. truncatirostris***

(138) 中国癞象 *Episomus chinensis* Faust, 1897

Episomus chinensis Faust, 1897a: 124.
Episomus tristiculus Voss, 1958: 29.

　　鉴别特征:雄虫体长13～16mm,体宽7.50～9.00mm;雌虫体长13～15mm,体宽6.80～8.30mm。体型大而高度隆,体两侧、前胸中间、行间1,以及行纹1、2的基部1/3、翅坡均白色。前胸两侧的纵纹及其延长至头部和鞘翅基部的条纹、中后足的大部分以及触角索节7的大部分和棒均暗褐色或红褐色,鞘翅其余部分为褐色至红褐色。头和喙有深而宽的中沟,喙长大于宽,中沟两侧各有1条亚边沟,喙和额在眼前被深的横沟分开。触角索节2略长于索节1(7:6),索节3长于索节4,索节4～6长宽相等,索节7圆锥形,略短于棒(7:8),棒卵形,端部略尖;眼很突出,头在眼以后缩窄。前胸长宽略相等,后缘二凹形,两侧突出为背侧隆线,其余部分散布显著纵横交错的皱纹。鞘翅高度隆,翅坡较倾斜,肩胝扁,往往向外突出为小瘤,奇数行间高于偶数行间,行间3、5、7在中间前各有1个瘤,行间7的瘤最大,行间3的瘤次之,行间5的瘤最小或不明显,特别是雌虫,这3个瘤之后各有1排小突起;行纹宽近于行间宽,刻点大而深;翅坡端部缩成水平的锐突。雄虫鞘翅锐突短得多,鞘翅的瘤较小,翅坡欠陡;雌虫锐突较长,鞘翅的瘤较发达,翅坡陡峭。

　　采集记录:1♂,西安南五台,1951.Ⅶ.23,周尧采;1♂2♀,周至楼观台森林公园,564m,2007.Ⅴ.24,史洪亮采。

　　分布:陕西(西安、周至)、安徽、浙江、湖北、江西、湖南、福建、广东、香港、广西、四川、贵州、云南。

(139) 卵形癞象 *Episomus truncatirostris* Fairmaire, 1889 陕西新纪录

Episomus truncatirostris Fairmaire, 1889b: 51.

　　鉴别特征:体长9～12mm。体短卵形,肩胝锐角状;鞘翅行间3、5、7高于其他行

间,翅坡前无瘤,其他行间也无瘤。

　　采集记录:1♂,周至楼观台,1951.Ⅴ.24,周尧采;1♀,周至楼观台,1951.Ⅴ.25,周尧采;1♀,周至楼观台,1951.Ⅶ.04,田家瑶采;1♂,户县涝峪,1951.Ⅸ.16,周尧采;1♂,武功,1951.Ⅷ.04,余俊采;1♂,武功,1951.Ⅵ.03;1♀,宝丰林场,1980.Ⅷ.20;1♂,山阳县,893m,2014.Ⅷ.07,姜春燕采。

　　分布:陕西(周至、户县、武功、宝鸡、山阳)、贵州。

Ⅴ. 拿巴象族 Naupactini Gistel, 1848

77. 长柄象属 *Mesagroicus* Schoenherr, 1840

Mesagroicus Schoenherr, 1840b: 281. **Type species**: *Thylacites piliferus* Boheman, 1833.

Mesagroecus Agassiz, 1846: 231 [unjustified emendation].

Lepidocricus Pierce, 1910: 362. **Type species**: *Lepidocricus herricki* Pierce, 1910.

　　属征:体型小,体长约3~6mm。眼靠近头部两侧,额宽于或窄于喙,触角柄节长过眼,额毛2根。前胸两侧前缘无纤毛。前胸背板散布颗粒或无颗粒,肩宽而圆,前胸背板基部和鞘翅无隆线。爪分离,胫窝开放。

　　分布:古北区已知29种,中国已知3种,秦岭地区发现1种。

(140) 暗褐长柄象 *Mesagroicus fuscus* Chen, 1991

Mesagroicus fuscus Chen, 1991b: 468.

　　鉴别特征:体长4.00~4.60mm。长椭圆形,体壁褐色至暗褐色,被覆暗褐色和发闪光的银灰色圆形鳞片,前胸背板的鳞片脱落后,露出1个小刻点,前胸两侧和鞘翅的银灰色鳞片形成短纵纹。毛被灰色至褐色。前胸背板的毛短,发自鳞片间的刻点内;鞘翅的半卧毛长,端部尖;腹面为卧毛。喙长小于其基部宽,额宽略小于眼直径的2倍,喙向前缩窄,喙耳扩大,中沟细,长达眼中间或头顶,喙背面中间较洼陷。触角柄节长几乎到达前胸前缘,索节1长于索节2,比索节2粗得多,索节3~4约相等,索节5~6扁宽,索节7更宽,棒长卵形。眼较凸隆。当胸宽略大于长(雄虫12:11、雌虫13:11),中间之前最宽,向前后缩窄,前后缘均无隆线,背面平滑,完全无颗粒,中沟缺。小盾片三角形,背覆鳞片。鞘翅颇宽于前胸(17:11),基部弧形,无隆线,向前倾斜;肩宽圆;行纹显著,刻点密,行间宽,各有1行半直立长毛。胫节外喙直,内缘略呈浅"S"形,端部向内弯,有端齿;前中胫节内缘有若干很小的齿。雄虫瘦小,腹部基部略洼陷;

雌虫较肥大,腹部基部较凸隆,末节腹板中间有 1 个小圆窝。

　　采集记录:3♂2♀,武功,1963,陕西农科院采;1♀,甘泉,1971. V.05,杨集昆采。

　　分布:陕西(武功、甘泉)、山西。

　　寄主:油菜,苜蓿。

VI. 树叶象族 Phyllobiini Schoenherr, 1826

78. 树叶象属 *Phyllobius* Germar, 1824

Phyllobius Germar, 1824: 447. **Type species**: *Curculio pyri* Linnaeus, 1758.

Alsus Motschulsky, 1845a: 104. **Type species**: *Phyllobius brevis* Gyllenhal, 1834.

Diallobius Sharp, 1896: 104. **Type species**: *Phyllobius incomptus* Sharp, 1896.

Subphyllobius Schilsky, 1911: C. **Type species**: *Curculio virideaeris* Laicharting, 1781.

Mylacomias Reitter, 1913a: 16. **Type species**: *Mylacomias eques* Reitter, 1913.

Platycnemidius Apfelbeck, 1915: 226. **Type species**: *Phyllobius dispar* Redtenbacher, 1847.

Platycnemidius Apfelbeck, 1916: 403. **Type species**: *Phyllobius dispar* Redtenbacher, 1847.

Udanellus Reitter, 1916: 41. **Type species**: *Phyllobius brevis* Gyllenhal, 1834,.

Neripletenus Reitter, 1916: 41. **Type species**: *Phyllobius kuldzhanus* Suvorov, 1915.

Ustavenus Reitter, 1916: 40. **Type species**: *Curculio pyri* Linnaeus, 1758.

Phyllobiomorphus Hajóss, 1938: 657. **Type species**: *Phyllobius bulgaricus* Apfelbeck, 1915.

Otophyllobius Pesarini, 1968: 38. **Type species**: *Phyllobius rotundicollis* Roelofs, 1873.

Trichorrhinus Pesarini, 1969: 58. **Type species**: *Phyllobius solskyi* Faust, 1885.

Ceratophyllobius Pesarini, 1969: 58. **Type species**: *Phyllobius incomptus* Sharp, 1896.

Phyllobidius Pesarini, 1969: 60. **Type species**: *Curculio arborator*, Herbst, 1797.

Angarophyllobius Korotyaev et Egorov, 1977: 395. **Type species**: *Phyllobius fumigatus* Boheman, 1842.

Dolichophyllobius Pesarini, 1981: 209. **Type species**: *Phyllobius solskyi* Faust, 1885.

　　属征:体长椭圆形。口上片的界限模糊,触角沟位于喙的背面,眼小而突出,位于头的两侧,后颊长大于眼长。前胸宽大于长。小盾片三角形。鞘翅有明显的肩。爪合生。胫窝开放。

　　分布:古北区已知 170 种,中国已知 10 种,秦岭地区发现 1 种。

(141) 金绿树叶象 *Phyllobius* (*Subphyllobius*) *virideaeris virideaeris* (Laicharting, 1781)

　　Curculio virideaeris virideaeris Laicharting, 1781: 211.

Curculio uniformis Marsham, 1802: 311.

Curculio pomonae Oliver, 1807: 380.

Phyllobius albidus Stephens, 1831: 150.

Phyllobius minutes Stephens, 1831: 150.

Phyllobius brevicollis Boheman, 1842: 34.

Phyllobius chloris Boheman, 1842: 21.

Phyllobius chlorizans Boheman, 1842: 33.

Phyllobius impressirostris Schoenherr, 1842: 35.

Phyllobius carinicollis Motschulsky, 1859: 573.

Phyllobius pacificus Motschulsky, 1860b: 163.

Phyllobius latithorax Desbrochers des Loges, 1872: 672.

Phyllobius narynensis Reitter, 1902: 216.

Phyllobius pseudpomonae Reitter, 1902: 216.

Phyllobius muchei Voss, 1967: 266.

Phyllobius padanus Pesarini, 1975: 46.

鉴别特征:体长3.50～6.00mm。体长椭圆形,略隆。体壁黑色,密被卵形略发金光的绿色鳞片。鞘翅行间鳞片间散布很短而细的淡褐色倒伏毛(从侧面几乎看不见)。喙长略大于宽,两侧近乎平行,背面略洼;触角间的宽略小于额宽的1/2;触角沟开放;触角短,柄节弯,长略过前胸前缘,索节头2节相当短,索节1略长于索节2,索节3、4圆锥形,长大于宽,索节5～7圆珠形,长宽几乎相等,棒卵形;额宽为眼宽的2.5倍;眼小,突出,位于头的侧面;后颊长于眼的直径。前胸宽大于长(4:3),前后端宽约相等,两侧相当凸,前后缘近于截断形,背面沿中线略突出。小盾片长大于宽,端部钝。鞘翅两侧平行(雌性)或后端略放宽(雄性),肩明显,行纹细,行间近于扁平。腿节略呈棒状,无齿。雄虫腹板末节扁平;雌虫腹板末节洼。

分布:陕西(秦岭)、黑龙江、吉林、内蒙古、河北、山西、甘肃、新疆、湖北、四川;蒙古,俄罗斯,塔吉克斯坦,乌兹别克斯坦,吉尔吉斯斯坦,哈萨克斯坦,土耳其,欧洲,非洲(北部)。

寄主:杨树,李子树。

Ⅶ. 多露象族 Polydrusini Schoenherr, 1823

79. 飞象属 *Pachyrhinus* Schoenherr, 1823

Pachyrhinus Schoenherr, 1823: 1141. **Type species**: *Curculio squamulosus* Herbst, 1795.

Scythropus Schoenherr, 1826: 140. **Type species**: *Curculio mustela* Herbst, 1797.

Carpomanes Gistel, 1856: 373. **Type species**: *Curculio mustela* Herbst, 1797.

Diachelus Desbrochers des Loges, 1902b: 137. **Type species**: *Polydrusus grandiceps* Desbrochers des Loges, 1894.

Eustolomorphus Desbrochers des Loges, 1902a: 122. **Type species**: *Polydrusus phoeniceus* Fairmaire, 1883.

Parisodrosus Voss, 1936: 57. **Type species**: *Polydrusus balearicus* Voss, 1936.

　　属征:喙特别短而粗,口上片光滑,后缘半圆形或"V"形;下颚不完全被颏遮蔽;触角、足较短,体也短;鞘翅有明显的肩;爪合生。

　　分布:古北区已知29种,中国已知1种,秦岭地区发现1种。

(142) 枣飞象 *Pachyrhinus yasumatsui*(**Kôno** *et* **Morimoto, 1960**)

Scythropus yasumatsui Kôno *et* Morimoto, 1960: 77.

　　鉴别特征:体长4.00～4.70mm。体壁褐色,头黑色,触角、足红褐色,密被卵形白色和褐色鳞片。头部(除后端以外)、喙的背面、前胸两侧均被覆相当稀的直立的暗褐色的鳞片状毛,毛的端部扩大,顶端略凹;前胸中部、鞘翅行间被覆倒伏鳞片状毛。在鞘翅端部1/4处往往有1条以褐色鳞片形成的模糊的带。腹部和足被覆灰色略发铜色的鳞片。头宽大于长,后端略窄;喙宽略大于长,背面扁平,中沟缩短或不明显;触角柄节达到眼后端1/3,索节1棒形,长2倍于宽,索节2长为索节1的1/2,略呈圆锥形,索节3～7球形,棒梭形,长2倍于宽;口上片后缘"V"形;额扁,宽为眼长的1.50倍,略宽于喙的背面。前胸宽大于长(3:2),两侧略圆,前后缘宽略相等,均为截断形,前缘略隆起。小盾片后缘截断形。鞘翅长2倍于宽,中间之后最宽,端部钝圆,行纹细,刻点分离,各带毛1根,行间扁。腿节无齿,前足胫节外缘直,端部内缘弯,爪合生。雌雄难于区别,我们初步确定:雄虫肛门小而扁,雌虫肛门大而圆。

　　采集记录:1♂,武功,1960,周尧采。

　　分布:陕西(武功)、辽宁、河北、山西、山东、河南、江苏。

　　寄主:枣,苹果,梨,杨树,泡桐。

Ⅷ. 根瘤象族 Sitonini Gistel, 1848

80. 根瘤象属 *Sitona* Germar, 1817

Sitona Germar, 1817: 341. **Type species**: *Curculio lineatus* Linnaeus, 1758.

Sitones Schoenherr, 1840b：253［unjustified emendation］.

Parasitones Sharp, 1896：113. **Type species**：*Sitona aberrans* Faust, 1887.

属征：体细小而长,近于筒形。头宽大于长；或较短而窄,两侧平行或向前略缩窄,扁平或具沟,端部有缺刻,触角沟在眼前突然弯；触角柄节棒状,至多达到眼的后缘,索节头 2 节长,索节 2 较短,索节 3~7 更短,念珠状,棒卵形；额平或洼；眼卵形,隆度变异大,通常上面具睫毛。前胸长大于宽,或宽略大于长,近于圆筒形,两侧极少放宽。小盾片明显。鞘翅长椭圆形或卵状长椭圆形,宽于前胸,基部弯成弓形,肩胝明显。胫节直线形,跗节腹面海绵状,爪离生。有翅,稀无翅或短翅。

分布：古北区已知 116 种,中国已知 14 种, 秦岭地区发现 4 种。

分种检索表

1. 头窄,头加眼窄于前胸背板前缘之宽,眼很扁；额扁或略隆,有沟,不呈屋顶状；前胸背板刻点大而密 ·· **黑龙江根瘤象 S. amurensis**
   头宽正常,头加眼略窄于前胸背板前缘之宽 ·· 2
2. 鞘翅行间具长毛 ·· 3
   鞘翅行间的毛很短而细,几乎不长于行间鳞片之长 ········· **卵圆根瘤象 S. ovipennis**
3. 鞘翅行间的毛很长,长于行间之宽 ··································· **长毛根瘤象 S. hispidulus**
   鞘翅行间的毛倾斜,较短,短于行间之宽,仅后端的毛明显 ········· **细纹根瘤象 S. lineelus**

(143) 黑龙江根瘤象 *Sitona amurensis* **Faust, 1882**

Sitona amurensis Faust, 1882：263.

Sitona preambulus Faust, 1890b：445.

鉴别特征：体长 3.50~4.50mm。额扁或略隆,有沟,不呈屋顶状；眼很扁；头窄,头加眼窄于前胸背板前缘之宽；前胸背板刻点大而密；前足基节前区宽,宽约等于前足基节后区。

采集记录：1♀,凤县东河桥六,1563m,2013.Ⅷ.21,姜春燕采。

分布：陕西(凤县)、黑龙江、辽宁、北京、内蒙古、河北、山西、宁夏、甘肃、青海、新疆、上海；俄罗斯,朝鲜,日本。

(144) 长毛根瘤象 *Sitona hispidulus* **(Fabricius, 1777)**

Curculio hispidulus Fabricius, 1777：226.

Curculio griseus Goeze, 1777：410.

Curculio nitidulus Schrank, 1781：108.

Curculio modestus Geoffroy, 1785：120.

Curculio geoffroaei Gmelin，1790：1804.

Curculio hirtus Gmelin，1790：1807.

Curculio humilis Olivier，1791：553.

Curculio pilosellus Gravenhorst，1807：213.

Sitona pallipes Stephens，1831：135.

Sitona foedus Gyllenhal，1834：120.

Sitona haemorrhoidalis Gyllenhal，1834：115.

Sitona tibiellus Gyllenhal，1834：121.

Sitona trisulacatus Gyllenhal，1840：276.

鉴别特征：体长 3.00～4.50mm。体长椭圆形，黑色，头部短而宽，散布相当明显的刻点和白色鳞片。喙扁平，具沟，前端具缺刻；触角黄褐色，棒黑色，额扁；眼略突出。前胸宽等于头，长约等于宽或长略大于宽，比鞘翅窄得多，前端向前缩窄，两侧略放宽，散布相当深的刻点，有 3 条密被白色鳞片的条纹，中间条纹窄，有时不清楚。小盾片被覆白色鳞片。鞘翅宽于前胸，肩很明显，两侧不放宽，端部连成圆形，行纹明显，行间略隆，黑色，奇数行间被覆白色鳞片，散布褐色斑点和近于直立的长毛。腹面被覆灰色鳞片。足散布较细的毛，胫节、跗节黄褐色。

分布：陕西（秦岭）、内蒙古、北京、河北、甘肃、青海；蒙古，俄罗斯，韩国，日本，伊朗，塔吉克斯坦，哈萨克斯坦，土耳其，黎巴嫩，塞浦路斯，叙利亚，伊拉克，以色列，约旦，埃及，欧洲，非洲（北部），北美洲，新热带区。

（145）细纹根瘤象 *Sitona lineelus*（**Bonsdorff，1785**）

Curculio lineelus Bonsdorff，1785：30.

Sitona occator Herbst，1795：219.

Sitona indifferens Say，1831：10.

Sitona scissifrons Say，1831：10.

Grypidius vittatus Couper，1865：63.

Sitona staudingeri Desbrochers des Loges，1900：7.

Sitona decipiens Håk. Lindberg，1933：111.

鉴别特征：体长 3～4mm。喙前端具细长发金光的鳞片，前胸背板被覆褐色鳞片，具白色条纹 3 个，中间的较细，往往不清楚，鞘翅从肩以后开始（即行间 5）具 1 个白色条纹，行间 1、3 往往也具淡的条纹，鳞片不发金光，奇数行间，特别是行间 3、5 具细长而暗的斑点，斑点的数目和大小多变异。喙短而宽，两侧平行，背面通常扁平，喙的背面、额和头顶都具深、圆而分离的刻点，有球形，索节各节之宽变异相当大；额宽而扁，雄虫则陷落为略深的沟，并且延长到喙；眼略突出。前胸背板通常略宽于长，两侧略圆，稀很圆，前缘略突出，前缘后缢缩为领状，头加眼略窄于前胸背板中间。前胸背板具深而圆的明显分离的刻点，有时连成纵行，其间散布小刻点。小盾片白色，鞘翅两侧平行,或向后略放宽,而端部缩得很窄。雄虫臀板从腹面能看见,雌虫末 1 腹板后端中间具深洼。本种和金光根瘤象一样,鞘翅行间各具 1 行倾斜较短的毛,但本种的身体平均窄于金光根瘤象,前胸较窄,两侧略圆,眼略突出,鞘翅瘦,向后略放宽,行间的毛近于直立,鳞片不发金光。

分布:陕西(秦岭)、黑龙江、北京、内蒙古、河北、山西、甘肃、青海、新疆、湖北、西藏;蒙古,俄罗斯,韩国,日本,阿富汗,乌兹别克斯坦,吉尔吉斯斯坦,哈萨克斯坦,土耳其,欧洲,北美洲。

(146) 卵圆根瘤象 *Sitona ovipennis ovipennis* Hochhuth, 1851

Sitona ovipennis ovipennis Hochhuth, 1851: 23.

Sitona audax Allard, 1864: 345.

Sitona serpentarius Allard, 1865: 381.

鉴别特征:体长 6.30~8.00mm;头宽正常,头加眼略窄于前胸背板前缘之宽;鞘翅行间的毛短而细,几乎不长于行间鳞片之长;前足基节前区宽,宽约等于前足基节后区。

分布:陕西(秦岭)、甘肃;蒙古,俄罗斯,朝鲜,哈萨克斯坦。

Ⅸ. 纤毛象族 Tanymecini Lacordaire, 1863

81. 喜马象属 *Leptomias* Faust, 1886

Leptomias Faust, 1886: 132. **Type species**: *Pachynotus angustatus* Redtenbacher, 1844.

Heteromias Faust, 1888: 285. **Type species**: *Piazomias schoenherri* Faust, 1881.

Parisomias Faust, 1897b: 342. **Type species**: *Parisomias costatus* Faust, 1897.

Formanekia Fleischer, 1923: 15. **Type species**: *Piazomias humilis* Faust, 1882.

Neoleptomias Voss, 1961: 183. **Type species**: *Leptomias clavicrus* Marshall, 1955.

属征:体小型到大型;体壁黑色、黑褐色或红褐色,被覆珍珠白、浅褐色至深褐色、蓝绿色或铜色具红绿色金属光泽的鳞片,部分种类腹面被覆羽毛状鳞片;前胸和鞘翅被覆的刚毛细或粗、短或长,刚毛疏密程度变化较大。眼位于头两侧,宽卵形,凸隆或扁平,正常或后角悬离头表面,形成 1 个向后的尖角。喙背面略洼、扁平或凸隆,背面通常具 1 条宽或窄的中纵沟,中纵沟有时向后延伸至额中部或头顶,背面中沟两侧有时具不规则的细纵皱纹或浅纵凹陷;触角沟通常很深,近乎完全为线状,但是少数种类触角沟后端略变浅、变宽;上颚疤突出。触角柄节棒状,直或略弯曲,长度变化很多;索节 1 远长于索节 2,索节 3 或 4 至索节 6 近相等,且呈念珠状或短棒状,索节 7 较长且近圆锥形;触角棒较长,4 节。前胸基部和端部平截形,多数种类两侧强烈或略凸圆,基部具或不具隆脊;背面中沟有或无,背面光滑,具颗粒或呈褶皱状;前胸前缘两侧眼叶发达或不明显;前足基节距外咽区很近,外咽区呈浅波状。小盾片明显或不可见,光滑或被覆鳞片,多为三角形、舌状或心形。鞘翅长卵形或宽卵形,基部具或不具隆脊,行间凸隆或扁平,部分种类行间隆起形成瘤突,鞘翅端部成钝圆或具锐突。后胸腹板与后胸前侧片完全分离,两者之间的缝完整。腹板 2 与腹板 1 之间以 1 条深度相等的弧状缝分开,腹部的刚毛稀疏或密集。腿节棒状,前足腿节较粗,通常粗于中足和后足腿节;前足胫节直或端部向内弯折,内缘通常具齿,个别种类不具齿,端部内角通常具端刺,外角向外扩展或不扩展,雌雄个体的前足胫节内缘齿和外角形态略有差异;中足和后足胫节内缘具或不具齿,端部端刺有或无;后足胫窝关闭或开放;跗节 3 宽二叶状,跗节 4 可见,爪基部合生。

　　分布:古北区已知 159 种,中国已知 89 种,秦岭地区发现 2 种。

分种检索表

体型较小;前胸背板具小而圆的瘤突,瘤突密集彼此靠近,但未形成褶皱,每个瘤突顶端中心具 1 根较长而粗的刚毛,刚毛倒伏;鞘翅行间略凸隆,奇数偶数行间一样高,鞘翅刚毛细而短,半直立 ……
……………………………………………………………………… **淡褐喜马象 L. humilis**
体型较大;前胸背板平坦,仅具极小而扁平的圆颗粒,每个颗粒被覆 1 枚鳞片,没有明显的瘤突,颗粒之间散布细而短的刚毛,刚毛倒伏;鞘翅行间扁平,宽,仅行间 3、5、7 略凸隆,鞘翅刚毛细而短,倒伏
……………………………………………………………………… **二窝喜马象 L. schoenherri**

(147) 淡褐喜马象 *Leptomias humilis*(**Faust,1882**)

　　Piazomias humilis Faust,1882:264.

　　鉴别特征:体型极小,被覆较粗且短的刚毛。喙背面中沟较宽而深,向后渐细。喙背面中间浅凹陷,中沟两侧具朝向中沟方向倾斜的半直立刚毛。眼很大,凸隆。前胸背板的中沟仅中部部分可见,前胸背板具小而圆的颗粒,密集,但是未形成褶皱。小盾片小,三角形,被覆羽毛状鳞片。鞘翅行间较凸隆,每个行间具 1 列较粗而弯曲的半直立刚毛,行纹细,线状,奇偶数行间一样高。后足胫节端部内侧向内凸隆成较钝的凸起,雌性尤其明显。前足胫节端部略向内弯曲,内侧齿较小而锐。

　　分布:陕西(秦岭)、甘肃;俄罗斯(远东地区),朝鲜,韩国。

(148) 二窝喜马象 *Leptomias schoenherri*(**Faust,1881**)

　　Piazomias schoenherri Faust,1881:296.

Sympiezomias amplicollis Nakane, 1963：36.

鉴别特征：体长 7~8mm。身体细长, 黑色。背面被覆金黄色鳞片, 两侧、腹面和腿节散布金绿色鳞片。前胸两侧和肩白色。触角红褐色, 被覆灰色和暗褐色鳞片。喙略窄于头, 两侧平行, 两眼之间洼, 紧靠三角形尖之后半圆形窝, 中沟深, 延长至额；触角索节 1 长于索节 2, 索节 3 长于索节 4~7, 索节 4 略长于索节 5、6, 索节 5、6 略相等, 索节 7 倒圆锥形。前胸长, 雄性呈球形, 雌性向后缩窄, 中间之后明显。鞘翅隆, 端部缩圆, 基部有隆线, 行纹细, 行间扁, 有成行的毛, 行间 3、5、7 较隆, 行间 3 较宽。前足胫节端部很弯, 前足、中足胫节内缘有齿。雄虫细长, 头、喙、前胸、鞘翅窄于雌虫, 前胸宽略大于长, 后端略宽于前端, 球形, 鞘翅在中间之后最宽, 但不宽于前胸。雌虫短而粗, 前胸几乎宽大于长, 后端较宽, 两侧向前缩圆, 鞘翅在中间之后扩大, 腹板末节基部近两侧各有 1 条沟纹。

采集记录：1♀, 西安, 1916.Ⅷ.04, 采集人不详。

分布：陕西(西安)、黑龙江、吉林、辽宁、山西、甘肃；俄罗斯(远东地区), 韩国, 日本。

寄主：蚕豆, 当归, 榛子, 柞树。

82. 土象属 *Meteutinopus* Zumpt, 1931

Meteutinopus Zumpt, 1931：125. **Type species**：*Xylinophorus mongolicus* Faust, 1881.

属征：鞘翅基部无龙骨状边, 至多内侧几个行间的基部略隆起, 身体背面密被相互衔接的圆形鳞片, 后胸前侧片与后胸腹板完全分离, 无小盾片, 无后翅, 胫窝关闭, 喙两侧在眼之前无深槽。

分布：古北区已知 6 种, 中国已知 4 种, 秦岭地区发现 1 种。

(149) 蒙古土象 *Meteutinopus mongolicus* (Faust, 1881)

Thylacites mongolicus Faust, 1881：290.

鉴别特征：体长 4.40~5.80mm。身体被褐色和白色鳞片, 头和前胸, 尤其是头部发铜光；前胸、鞘翅两侧被覆白色鳞片, 鳞片之间散布细长的毛；触角和足红褐色, 肩也往往有白斑。头和喙密被发铜光的鳞片, 鳞片间散布细长鳞片状的毛；喙扁平, 基部较宽, 中沟细, 长达头顶；触角索节 1 的长度几乎是索节 2 长度的 2 倍, 索节 3 的长度略等于宽, 其他节宽大于长, 棒长卵形, 长略大于宽的 2 倍(15:7), 端部尖；额宽于喙。前胸宽大于长, 两侧凸圆, 前端略缢缩, 后缘有明显的边, 背面中间和两侧被覆发铜光的褐色鳞片, 中间和两侧之间被覆白色鳞片, 从而形成 3 条深纵纹和 2 条浅纵纹。小盾片三角形,有时不明显。鞘翅宽于前胸,雌虫特别宽,行间 3、4 基部被覆白色鳞片,形成白斑,肩也有 1 个白斑,其余部分被覆褐色鳞片,并掺杂少数白色鳞片;行纹细而深,线形,行间扁,散布成行细长的毛,毛的端部截断形,端部的毛端部尖。足被覆鳞片和毛,前足胫节内缘有钝齿 1 排,端部向内外放粗,但不向内弯。雄虫较小,前胸宽略大于长(14∶12),腹部末节端部钝圆;雌虫较粗壮,前胸宽大于长(17∶13),腹板末节端部尖,基部两侧有沟纹。

分布:陕西(秦岭)、黑龙江、吉林、辽宁、内蒙古、北京、河北、山西、山东、河南、甘肃、青海、四川;蒙古,俄罗斯(远东地区),朝鲜,韩国。

寄主:玉米,棉花,花生,甜菜,豌豆,柞栎,洋槐,杏树,核桃,板栗等。

83. 球胸象属 *Piazomias* Schoenherr, 1840

Piazomias Schoenherr, 1840a: 936. **Type species**: *Piazomias virescens* Boheman, 1840.
Pseudohadronotus Voss, 1931: 37. **Type species**: *Pseudohadronotus hauseri* Voss, 1931.

属征:后胸前侧片除基部以外与后胸腹板愈合;胫窝开放。触角柄节长达或未达眼的中部,索节 1 长于索节 2;喙平行或向前略缩窄,两侧有或无隆线,有时隆线内有沟,沟内另有 1 条隆线,中沟缩短,或长达额顶。前胸宽度大于长,等于或近于长,拱隆或不拱隆,前后缘均为截断形,后缘有边,两侧颇或略拱圆,中沟缩短或不明显。小盾片明显或不明显。鞘翅基部较窄,宽等于或大于前胸,前缘有边,稀无边;无后翅。前足基节互相靠拢,前胫内缘有齿 1 排。雄虫身体细长,腹板末节端部钝圆,雌虫身体较肥胖,腹板末节端部尖,基部两侧有 1 条沟纹。

分布:古北区已知 57 种,中国已知 42 种,秦岭地区发现 11 种。

(150) 褐纹球胸象 *Piazomias bruneolineatus* Chao, 1980

Piazomias bruneolineatus Chao, 1980b: 282.

鉴别特征:体长 4.50～5.30mm。鞘翅的褐色条纹位于行间 1、4、7,前胫内缘近基部不弯成角状,同时,内缘无隆线,体壁被覆金绿色圆形鳞片,前胸中间和两侧、鞘翅行间 1、4、6 被覆金光的暗褐色条纹,全部行间散布长毛。

采集记录:4♂2♀,周至、户县、太白山、眉县、宝鸡、秦岭,1946-1971. Ⅴ.24-Ⅸ.06,韩寅恒、李炳谦、周尧采。

分布:陕西(周至、户县、宝鸡、太白、眉县)、北京、河北、山西。

(151) 半球形球胸象 *Piazomias dilaticollis* Chao, 1980

Piazomias dilaticollis Chao, 1980b: 284.

　　鉴别特征:体长6.30～8.30mm。前胸后缘隆线细,后角扩展,把隆线两端遮蔽,中沟明显,体长为宽的2.00～2.20倍。

　　采集记录:1♂3♀,武功、眉县、宝鸡、终南山,1916-1974.Ⅳ.31-X.23,周尧采。

　　分布:陕西(武功、眉县、宝鸡,终南山)、山西、浙江、江西、湖南。

(152) 长球胸象 *Piazomias elongatus* Chao, 1980

Piazomias elongatus Chao, 1980b: 283.

　　鉴别特征:体长4.90～6.00mm。体壁的鳞片淡绿色或灰色,毛被较短;喙端部较倾斜;体型较长,长为宽的2.70倍。

　　采集记录:1♂,华阴,1972.Ⅵ.06。

　　分布:陕西(华阴)、河北、山西、山东。

(153) 短毛球胸象 *Piazomias faldermanni* Faust, 1890

Piazomias faldermanni Faust, 1890b: 435.

　　鉴别特征:体长5.20～7.00mm。前胸扩张,宽度仅略大于长,高度拱隆,略窄于鞘翅,体型细长。鞘翅行间1、2、4、6被覆较小而稀、色泽不同的鳞片,行间9～11形成边纹,毛被很短;鳞毛金黄色和灰白色;喙略隆。

　　分布:陕西(秦岭)、宁夏、甘肃。

(154) 隆胸球胸象 *Piazomias globulicollis*(Faldermann, 1835) 陕西新纪录

Naupactus globulicollis Faldermann, 1835: 422.

　　鉴别特征:体长5.50～7.60mm。体壁黑色,被覆淡绿、银灰、金黄等色鳞片并散布带白色长毛的刻点,雄虫前胸显著,呈球形。头部和喙散布刻点,刻点带白色长毛,部分刻点镶嵌银灰色、金黄色或淡绿色鳞片;喙扁平,向前端略倾斜,两侧平行,雌虫向前缩窄,中沟延长至额顶;触角细长,达到眼的中部,索节1长于索节2,索节3～5逐渐缩短,索节6、7倒圆锥形,棒纺锤形,长是宽的2.50倍;眼很凸,长大于宽。前胸向两侧和背面扩张成球形,宽近于长(20:18雄虫),中间最宽,前后缘等宽,略呈球形(雄虫);或不呈球形,宽大于长(22:15雌虫),中间最宽,后缘宽于前缘(雌虫);中沟缩短,或不明显;表面密布高凸颗粒,颗粒有脐状点,每点有毛1根,颗粒间被覆金黄色或银白色缘片,两侧鳞片密得多。鞘翅基部宽几乎等于(雄虫)或略大于(雌虫)前胸基部,最宽处几乎等于(雄虫)或略大于(雌虫)前胸最宽处,行间7～11密被淡绿色至银

灰色、金黄色发闪光的鳞片,行间 3 往往被覆同样鳞片,其余行间的鳞片大部分退化为很小的鳞片;刻点行宽,线形,行间扁,散布带毛的颗粒。足部覆较长的白毛,并稀被和背面同样的鳞片,腹部密被和背面同样的鳞片。雄虫细长,前胸球形,腹部末节端部钝圆;雌虫短而粗,前胸不呈球形,腹部末节尖,前段两侧各有 1 条沟纹。

采集记录: 1♀,华阴。

分布: 陕西(华阴)、黑龙江、吉林、辽宁、内蒙古、北京、河北、山东、河南、甘肃、江苏、安徽、江西、四川。

寄主: 荆条,棉,榆。

(155)灯罩球胸象 *Piazomias lampoglobus* Chao, 1980

Piazomias lampoglobus Chao, 1980b: 283.

鉴别特征: 体长 5.30~6.00mm。前胸中间后最宽,近基部缩窄,呈灯罩形。体壁背覆均为 1 枚金绿色圆形鳞片,眼仅略突出。

采集记录: 3♂1♀,武功、太白山、眉县、汉中,1974.Ⅵ.04-Ⅸ.06,周尧采。

分布: 陕西(武功、太白、眉县、汉中)、北京、河北、山西、山东、河南、宁夏。

(156)三纹球胸象 *Piazomias lineicollis* Kôno *et* Morimoto, 1960

Piazomias lineicollis Kôno *et* Morimoto, 1960: 74.

鉴别特征: 体长 4.30~4.70mm。体短粗,黑色;鳞片圆形或卵形,灰褐色,略发光。前胸中间和两侧的鳞片暗褐色,形成 3 个条纹,鞘翅行间 7 之间的鳞片几乎全部为暗褐色,或形成淡褐或暗褐的斑块。毛被短,倒伏,鞘翅的毛较宽,端部截断形。头部密布刻点,刻点连成皱纹,喙长等于宽,中沟长,未达到额中间,触角短粗,索节 4~6 长几乎相等,索节 7 略长,棒长卵形;眼很突出。前胸宽大于长(9:7),两侧均为 1 个凸圆,后缘的边较宽。鞘翅长仅为宽 1.50 倍,中间最宽,行纹镰形,行间略凸,行间8~11 形成边纹。前胫直,端部向里弯,内缘有齿 1 排。

分布: 陕西(秦岭)、内蒙古、河北、山西、河南。

(157)长胸球胸象 *Piazomias longicollis* Chao, 1980

Piazomias longicollis Chao, 1980b: 282.

鉴别特征: 体长 4.90~5.40mm。体壁背覆淡蓝色和灰褐色鳞片,无光泽,前胸中间和两侧及鞘翅行间 1、2、4~6 的鳞片灰褐色,形成条纹,使之区别于本种团的其他种。鞘翅行间散布宽而倒伏的毛,喙的背面扁平,中沟短。

采集记录:1♂2♀,周至,1959。

分布:陕西(周至)。

(158)肥胖球胸象 *Piazomias robustus* Chao,1980

Piazomias robustus Chao,1980b:284.

鉴别特征:体长7.80~8.40mm。前胸和鞘翅较宽和隆,身体很肥胖;前胸两侧中后部几乎平行,前端较缩窄;喙的背面扁平,触角索节端部略扩大;鞘翅边纹位于行间8~11。

采集记录:1♂,武功,1959.Ⅳ,周尧采。

分布:陕西(武功)。

(159)陕西球胸象 *Piazomias shaanxiensis* Chao,1980

Piazomias shaanxiensis Chao,1980b:281.

鉴别特征:体长3.50~4.20mm。前胸的3个条纹和鞘翅的斑纹色泽较淡,鞘翅行间的毛细而长,端部不膨胀;触角短粗,索节1内缘端部扩大;小盾片明显。鞘翅基部隆线几乎不明显;前胫内缘无明显的齿。

采集记录:2♂,眉县、宝鸡,1957.Ⅵ.23-Ⅷ.05,周尧等采。

分布:陕西(宝鸡、眉县)。

寄主:花生,大豆。

(160)大球胸象 *Piazomias validus* Motschulsky,1854 陕西新纪录

Piazomias validus Motschulsky,1854a:49.

鉴别特征:体长8.80~11.00mm。体比一般种类大得多,黑色,略发光,被覆淡绿色或石灰色鳞片,并夹杂部分的金黄色鳞片,鳞片互相分离,头部、胸部和足的鳞片较稀薄。头部略凸,稀布刻点,喙端部向前猛弯;触角柄节几乎长达眼的中部,索节1比索节2长得多,索节3长大于宽,索节5最短,索节6、7长宽略相等;眼相当凸。雄性前胸呈球形,雌性仅略膨胀,中间最宽,宽大于长,表面密布颗拉,中沟仅中部明显。雄性鞘翅卵形,雌性宽卵形,基部宽略小于前胸基部,雄性两侧略凸,雌性较凸,表面被覆较密鳞片,行间8~11更密,形成明显的边纹,除淡绿或石灰色鳞片外,近鞘翅缝的行间和刻点周围还被覆金黄色鳞片;行纹宽,线形,行间扁,鳞片间散布带毛的颗粒。足被覆较长的毛,胫节内缘的齿粗壮,腹板3~5密布白毛,几乎不被鳞片。雄虫细而长,前胸宽略大于长(3.10:3.20),腹部基部中间洼,腹部末节端部钝圆;雌虫短而粗,前胸宽

比长大得多（2.80:2.10），腹部末节端部尖，基部两侧各有 1 条沟纹。

　　采集记录：1♂，武功，周尧采；1♂，太白山，1956.Ⅶ.27，周尧采。

　　分布：陕西（武功、太白）、北京、河北、山西、山东、河南、安徽。

　　寄主：枣，苹果，泡桐，桑，榆，杨，柠条，荆条，大豆，甘薯，马铃薯等。

84. 灰象属 *Sympiezomias* Faust, 1887

Sympiezomias Faust, 1887a: 29. **Type species**: *Brachyaspistes velatus* Chevrolat, 1845.

　　属征：喙长于头，长宽约相等，中沟深而宽，长达头顶，从端部向上逐渐缩窄，中沟两侧各有 1 条傍中沟，傍中沟内缘隆，形成隆线。喙端部有明显的口上片，其两侧各有 1 条深沟。眼以前洼成三角窝。触角柄节长达眼的中间，索节 1 略长于索节 2，稀等于索节 2，索节 1~5 逐渐缩短，索节 5~7 逐渐延长，索节 6、7 圆锥形，棒长卵形，端部尖。颏有毛 4~6 根。前胸宽大于或等于长，两侧凸圆，前后缘均为截断形，后缘镶边，中沟明显或被鳞片遮蔽，表面散布颗粒，各附鳞片状毛 1 根。小盾片不存在。鞘翅无肩胝，基部有隆线，端部往往缩成锐突。后胸前侧片与后胸腹板分离，后足基间突起圆形或略呈截断形。腹板 1、2 之间的缝全部分离，腹板 2 中间之长比腹板 3、4 之和长得多。前足胫节内缘有齿 1 排，中足、后足的齿不发达，后足胫窝关闭。雄虫较瘦小，前胸中间最宽，鞘翅卵形，腹板 5 宽大于长，端部钝圆；雌虫较大而胖，前胸中间之后或基部最宽，鞘翅椭圆形，腹板 5 较长，端部中间膨胀，末端尖，基部两侧各有 1 条弧形沟纹。有明显的后胸前侧片缝，触角柄节长仅达眼的中间。

　　分布：古北区已知 17 种，中国已知 15 种，秦岭地区发现 3 种。

分种检索表

1. 前胸中沟深而宽，中纹黑褐色，不发光，中区颗粒大而隆；身体灰色或淡褐色，鞘翅行间的毛短而倒伏，从侧门不容易看见；体长 8.00~10.50mm ·················· **柑橘灰象 *S. citri***
　　前胸中沟细，中纹褐色，发铜光，中区颗粒小而扁，中沟两侧各有 1 条暗的纹 ·················· 2
2. 身体瘦小，石灰色；口上片的鳞片白色，发强光；前胸中纹被覆均为 1 枚淡灰色鳞片；体长 6.70~8.80mm ·················· **北京灰象 *S. herzi***
　　身体庞大，金黄色；口上片鳞片金黄色，发强光，前胸中纹金黄色；体长 7.30~12.10mm ·················· **大灰象 *S. velatus***

(161) 柑橘灰象 *Sympiezomias citri* Chao, 1977

Sympiezomias citri Chao, 1977: 225.

鉴别特征：体长 7.90～10.50mm。雄虫鞘翅端部较长,灰色或褐色,背面几乎不发光。前胸宽大于长(28:25),后缘宽于前缘(22:19),中沟深而宽,中纹褐色,顶区散布粗大颗粒。鞘翅背面密被白色和淡褐至褐色略发光的鳞片,两侧被覆和背部同样的鳞片,中带明显,有时因褐色鳞片占优势而中带变模糊,行纹较粗,刻点始终都清楚,行间扁平,各有1行较短而近于倒伏的毛,从侧面不容易看见。

分布：陕西(秦岭)、江苏、安徽、浙江、湖北、江西、湖南、福建、广东、广西。

寄主：柑橘,茶。

(162) 北京灰象 *Sympiezomias herzi* Faust, 1887

Sympiezomias herzi Faust, 1887a: 30.

鉴别特征：体长 6.70～8.80mm。体较细小,均为石灰色,略发光。头和喙中间被覆较暗发光鳞片;喙端被覆白色发光小鳞片;触角索节1～5逐渐缩短,索节6略长于索节5,索节7长大于宽。前胸宽大于长(22:19 雄性,25:21 雌性)。两侧稍凸圆,雄性最宽处位于中间,雌性最宽处位于基部1/2,后端宽大于前端(20:17 雄性,23:19 雌性),中沟窄,往往被鳞片遮蔽,但仍然能看得见;中纹略明显,被覆较暗发光的鳞片,两侧有略明显的纵纹,颗粒较凸。鞘翅较瘦,卵形(雄性),椭圆形(雌性),背面略发光,两侧较发光,前胸中纹延长至中间,形成略明显的长方形斑,行间2～4中间前后各有褐色云斑1个,1个紧靠中间前方,另1个位于中间之后,行间4的外侧还有几个云斑;刻点行较细,行间扁,端部略分裂。腿节被覆白色发光鳞片,稍凸,腹面白色,发铜色光。本种近于大灰象,但身体较瘦小,雄虫更瘦小,均一石灰色,发光鳞片略暗,前胸中纹略明显,鞘翅行纹较窄。

分布：陕西(秦岭)、黑龙江、吉林、北京、河北、山西、山东、河南、台湾、香港;朝鲜,韩国,日本。

寄主：马铃薯,大豆。

(163) 大灰象 *Sympiezomias velatus* (**Chevrolat, 1845**)

Brachyaspistes velatus Chevrolat, 1845: 98.

鉴别特征：体长 7.30～12.10mm。身体胖,雌虫特别胖,雄虫宽卵形,雌虫椭圆形;淡黄色,发光鳞片金黄色。头部和喙密被金黄色发光鳞片,喙端部被覆发光金黄色小鳞片,触角索节7长大于宽,眼较大。前胸显然宽大于长(24:20 雄性,29:24 雌性),两侧略凸,最宽处位于中间(雄性),基部1/3(雌性);后端宽显著大于前端(22:19 雄性,27:24 雌性),中沟细,未被鳞片遮蔽或部分被遮蔽,中纹明显,颗粒也明显,被覆金黄色鳞片,两侧有淡的纵纹,雄性鳞片宽卵形,雌性鳞片椭圆形,前胸中纹延长至中间,形成长方形斑纹,中部前后及两侧各散布褐色云斑,中带或多或少明显,刻点行宽而深,刻点完全明显,行间较凸,端部缩尖。腿节鳞片一般大而扁。

分布:陕西(秦岭)、黑龙江、吉林、辽宁、内蒙古、北京、河北、山西、山东、河南、甘肃、安徽、湖北、香港、澳门、广西、四川、贵州。

寄主:棉花,甘薯,榆树,核桃,洋槐,紫穗槐,桑,大豆,甜菜。

85. 绿象属 *Chlorophanus* C. R. Sahlberg, 1823

Chlorophanus C. R. Sahlberg, 1823:24. **Type species**:*Curculio excisus* Fabricius, 1801.

Chlorima Germar, 1817:341 [rejected ICZN]. **Type species**:*Curculio viridis* Linnaeus, 1758.

Chlorophanus Schoenherr, 1823:1136(nec C. R. Sahlberg, 1823). **Type species**:*Curculio viridis* Linnaeus, 1758.

Chlorophanus Germar, 1824:440(nec C. R. Sahlberg, 1823; nec Schoenherr, 1823). **Type species**:*Curculio excisus* Fabricius, 1801.

Parix Gistel, 1848:134 [unjustified RN]. **Type species**:*Curculio viridis* Linnaeus, 1758.

Phaenodes Schoenherr, 1826:54. **Type species**:*Curculio excisus* Fabricius, 1801.

Phoenodus Schoenherr, 1834:69. **Type species**:*Chlorophanus rufomarginatus* Gebler, 1830.

属征:体被覆绿色或蓝绿色鳞片,触角略呈膝状,柄节颇短,约等于索节头 3 节之和,长仅达到眼的前缘。喙颇长,有 1 条中隆线和两条边隆线,有时还有 2 条亚边隆线,前缘有 1 个三角形深缺刻。前胸圆锥形,基部最宽,后缘二凹形。鞘翅端部缩成长或短的锐突。雌雄次性征都很显著,雄虫前胸腹板前缘突出成领状,向下弯,两侧突出成角,名曰前胸腹板领,腹板 1 中间洼成浅槽,有些种类腹板 5 后缘凹。喙、前胸较长,鞘翅锐突较长。雌虫中足胫节端刺特别长,腹板末节端部光滑,突出成驼背状隆起,中间有隆线。

分布:古北区已知 41 种,中国已知 17 种,秦岭地区发现 4 种。

分种检索表

1. 鞘翅奇数行间高而宽于其他行间;体长 11.40 ~ 13.00mm ·················· **隆脊绿象 *C. lineolus***
   鞘翅行间一样高,奇数行间不高于其他行间 ··· 2
2. 鞘翅均一绿色,两侧无淡色条纹;触角索节各节粗而短,触角棒呈钝梭形,触角沟直,指向眼 ···
   ··· **红足绿象 *C. roseipes roseipes***
   鞘翅顶区绿色,两侧有淡色条纹 ··· 3
3. 鞘翅两侧淡色条纹不靠近鞘翅外缘,行间 8 被覆较淡而密的鳞片,从此到外缘有 3 个行间无淡而密的鳞片;喙两侧平行,边隆线明显,雄虫的喙端部不上翘;前胸背板散布横皱纹 ···········
   ··· **西伯利亚绿象 *C. sibiricus***
   鞘翅两侧淡色条纹紧靠鞘翅外缘,占据行间 7 ~ 11,两侧淡色条纹之内被覆砖红色鳞片,足绿色,身体扁而后端钝圆;体长 9.60 ~ 10.50mm ·························· **红背绿象 *C. solarii***

(164) 隆脊绿象 *Chlorophanus lineolus* Motschulsky, 1854

Chlorophanus lineolus Motschulsky, 1854b: 64.

　　鉴别特征:体长 11.40 ~ 13.00mm。体型大,是我国所记载的种类中最大的种,黑色,背覆均一淡绿色(有时蓝绿色)闪光的鳞片,有时前胸和鞘翅两侧硫黄色,鳞片间散布鳞片状短毛,腿节后半部、胫节、跗节红色,发金光。喙的中隆线、前胸的中沟和横皱纹、鞘翅的间隔行间,行纹都很明显,小盾片也与其他种迥然不同。喙长大于宽,两侧平行,中隆线延长至额,特别突出,边隆线较钝,延长至眼,其内侧有略明显的亚边隆线;触角沟达到眼,不向下弯;索节 1 短于索节 2,其他节均长大于宽;眼小而颇凸隆。前胸宽大于长,基部最宽,基部至中部前近乎平行,中部前逐渐缩窄,后缘二凹较深而宽,背面散布很深的横皱纹,中沟深而宽,但中间往往被横皱纹切断。小盾片细长,三角形,淡绿色。奇数行间高而宽于其他行间,鳞片往往较淡,行纹刻点很深,从始到终都明显,刻点间距约等于刻点之长,锐突长而尖。雄虫前胸腹板领发达,腹板 1、2 中间洼成浅槽。

　　分布:陕西(秦岭)、辽宁、北京、河北、山东、河南、甘肃、江苏、安徽、湖北、江西、湖南、福建、台湾、广东、广西、四川、贵州、云南。

　　寄主:毛白杨。

(165) 红足绿象 *Chlorophanus roseipes roseipes* Heller, 1930

Chlorophanus roseipes roseipes Heller, 1930: 106.

　　鉴别特征:体长 10.20 ~ 11.20mm。触角(包括触角棒)发红,索节 1 明显锥形,至少和索节 3 一样长,索节 7 长略大于宽(7:6),触角棒较粗,钝梭形。前胸较短,雄虫前胸呈圆锥形,背面的洼很深,两侧具不明显的斜皱纹。

　　分布:陕西(秦岭)、甘肃、四川、云南、西藏。

　　寄主:青冈,核桃。

(166) 西伯利亚绿象 *Chlorophanus sibiricus* Gyllenhal, 1834

Chlorophanus sibiricus Gyllenhal, 1834: 65.

Chlorophanus circumcinctus Gyllenhal, 1834: 64.

Chlorophanus submarginalis Fåhraeus, 1840: 427.

Chlorophanus distinguendus Hochhuth, 1851: 29.

Chlorophanus bidens Motschulsky, 1860c: 496.

Chlorophanus brachythorax Motschulsky，1860c：496.

Chlorophanus foveolatus Motschulsky，1860c：496.

Chlorophanus parallelocollis Motschulsky，1860c：496.

Chlorophanus scabricollis Motschulsky，1860b：166.

Chlorophanus aurifemoratus Reitter，1915b：175.

Chlorophanus peregrines Reitter，1915b：176.

Chlorophanus plicatirostris Reitter，1915b：175.

鉴别特征：体长9.30~10.70mm。体黑色，密被淡绿色鳞片，前胸两侧和鞘翅行间8的鳞片黄色，胫节和腿节较发光，胫节还发红。喙长大于宽，两侧平行，中隆线很明显，延长到头顶，边隆线较钝，尤其是雌虫；触角沟指向眼，不向下弯；柄节长仅达到眼的前缘，索节1短于索节2，索节3长约等于索节1，索节3~7长大于宽。前胸宽大于长，基部最宽，后角尖，从基部至中间近于平行，中间前逐渐缩窄，背面扁平，散布横皱纹，有时皱纹不很明显，近两侧鳞片较稀，外侧被覆黄色鳞片，形成纵纹。小盾片三角形，色较淡。行纹刻点深，中间以后不明显，行间8被覆黄色鳞片，其余被覆均一绿色鳞片，雄虫锐突较长。雌虫的喙在边隆线之内洼成浅沟，浅沟向内突出成亚边隆线，喙与前胸短于雄虫，鞘翅锐突较短。

采集记录：3头，周至厚畛子，1350m，1999.Ⅵ.24-25.

分布：陕西(周至)、黑龙江、吉林、辽宁、内蒙古、北京、河北、山西、宁夏、甘肃、青海、新疆、浙江、湖北、湖南、四川；蒙古，俄罗斯，朝鲜，塔吉克斯坦，哈萨克斯坦。

寄主：柳。

(167) 红背绿象 *Chlorophanus solarii* Zumpt，1937

Chlorophanus solarii Zumpt，1937：23.

鉴别特征：体长9.60~10.50mm。体扁而小，黑色。头、前胸、鞘翅大部分被覆砖红色发金光的鳞片，鳞片相连而不相覆盖，鳞片间散布细长的毛。前胸、鞘翅两侧被覆淡绿色鳞片。标本新鲜时，前胸和鞘翅两侧以至腹部具硫黄色粉末，触角、跗节红褐色，足被覆草绿发金光的鳞片。头和喙被覆发闪光的砖红色或草绿色鳞片，鳞片间密布细长白毛，喙端部常常被覆绿色小鳞片。喙长略大于基部之宽，从基部向前缩窄，有隆线5条，中隆线长达额，边隆线、亚边隆线达到或超过眼的前缘，近于边隆线；触角沟短，离眼很远，基部从上面看得见；触角细，密被灰色长毛，柄节还有一些绿色鳞片，索节1短于索节2，索节3、4长略相等，长不到宽的2倍，索节5~7长1.50倍于宽，触角棒长卵形，长略大于宽的2倍，端部尖；额往往洼成窝；眼略突出，前后端略尖。前胸短于基部之宽，钟形，在后角之前略突出，背面鳞片砖红色，两侧淡绿色。小盾片三角形，淡绿色。鞘翅扁平，长2倍于宽，肩部有略呈角状的突起；被覆更多的绿鳞片。雄虫前胸腹板领明显，腹板1、2中间洼成浅槽。雌虫略胖，前胸和鞘翅背部暗褐色，非砖红色,腹板末节中间驼背状。

分布:陕西(秦岭)、吉林、辽宁、河北、内蒙古、山西、青海、新疆。

寄主:柳,枸杞。

86. 叶喙象属 *Diglossotrox* Lacordaire, 1863

Diglossotrox Lacordaire, 1863：86. **Type species**：*Diglossotrox mannerheimii* Lacordaire, 1863.

属征:喙的端部两侧特别扩大成叶状。前足胫节两侧扩大;触角沟不猛烈向下弯。

分布:古北区已知 6 种,中国已知 4 种,秦岭地区发现 2 种。

分种检索表

前胸中间最宽,鞘翅条纹多;体长 11.50 ~ 14.00mm ····················· 多纹叶喙象 *D. alashanicus*
前胸中间以前最宽,鞘翅条纹少;雄虫鞘翅端部散布长毛,行间较宽;体长 9.60 ~ 11.80mm ········
·· 黄柳叶喙象 *D. mannerheimii*

(168) 多纹叶喙象 *Diglossotrox alashanicus* Suvorov, 1912

Diglossotrox alashanicus Suvorov, 1912：481.

鉴别特征:体长 11.50 ~ 14.00mm。体背面被覆圆形鳞片;前胸中间最宽,鞘翅条纹多。

分布:陕西(秦岭)、内蒙古、宁夏。

(169) 黄柳叶喙象 *Diglossotrox mannerheimii* Lacordaire, 1863

Diglossotrox mannerheimii Lacordaire, 1863：87.

鉴别特征:体长 9.60 ~ 11.80mm。身体壮大,宽卵形,黑色,被覆大小、形状和色泽不同的两种鳞片。小鳞片圆形,褐色,略发光,互相接近而不相覆盖;大鳞片石灰色,短批针形,互相覆盖,几乎不发光或发乳白光或磁光,2 倍于小鳞片之大,其数量少得多,鳞片间散布褐色短毛。头、喙被覆圆形发乳白或磁光的白色鳞片,散布较长的褐色毛;喙向前略缩窄,前端两侧的叶状体向上向前突出,背面中沟宽而深,长达额顶;触角柄节长达眼中部,端部粗 2 倍于基部,索节 1 长是宽的 2 倍,索节 1 长于索节 2,索节 2 长大于宽,其他节长小于宽,索节 7 接近棒,棒长卵圆形,端部相当尖,宽于索节,各节界限分明;眼近于圆形,颇扁。前胸宽略大于长,中部前最宽,两侧均一圆形,前后缘略有边,表面散布刻点,有 3 条明显的暗纹,暗纹刻点镶嵌小而圆的褐色鳞片,由于刻点间距较大,遂使基部露出,色较暗,中纹和边纹之间被覆大型石灰色几乎不发光的鳞片,从而形成 2 条淡纹,淡纹的前后端互相接近,中间向外突出,呈弓形,边纹之外也被覆较密而长的不发光的石灰色鳞片。小盾片三角形,石灰色。鞘翅无肩,宽卵形,宽近于前胸的 2 倍,两侧边缘略洼,端部钝圆,有时缩成向上突出的短锐突,背面高高突出,主要被覆褐色小鳞片,仅两侧端部和沿行纹的一些斑点被覆石灰色大鳞片,行纹宽而深,刻点稀,行间扁平。足密被扁圆石灰色发乳白光泽的鳞片和相当的长毛。雄虫翅坡的毛长,腹部末节基部两侧无沟纹,端部钝圆;雌虫翅坡的毛较短,腹板末节基部两侧有沟纹,端部尖。

分布:陕西(秦岭)、吉林、辽宁、内蒙古、北京、甘肃;蒙古,俄罗斯(东西伯利亚)。

寄主:黄柳。

87. 纤毛象属 *Megamecus* Reitter, 1903

Megamecus Reitter, 1903: 5. **Type species**: *Tanymecus cinctus* Faust, 1887.

Acercomecus Reitter, 1903: 18. **Type species**: *Tanymecus argentatus* Gyllenhal, 1840.

Hypesamus Reitter, 1903: 18. **Type species**: *Tanymecus viridans* Ménétriès, 1849.

Pseudasemus Voss, 1933a: 32. **Type species**: *Chlorophanus dubius* Voss, 1933.

Gnathomecus Reitter, 1903: 17. **Type species**: *Megamecus cervulus* Reitter, 1903.

属征:喙和头在腹面被 1 条浅的刻痕分开;触角柄节长达眼的中部或超过其后缘,索节 1 长于或不长于索节 2;前足基节近于前胸腹板前缘;鞘翅有明显的肩,鞘翅边缘密被鳞片;爪离生。

分布:古北区已知 17 种,中国已知 6 种,秦岭地区发现 1 种。

(170) 黄褐纤毛象 *Megamecus urbanus*(Gyllenhal, 1834)

Tanymecus urbanus Gyllenhal, 1834: 81.

鉴别特征:体长 10 ~ 15mm。体型大,不发光,背面瓦状,覆盖黄褐至黑褐色椭圆形鳞片,鳞片间的鳞片状毛紧贴于鳞片上,长远超过鳞片,色深于鳞片,前胸、鞘翅两侧的鳞片和毛较淡。喙的背隆线在眼前消失,中隆线延长至额;触角柄节几乎长达眼的后缘,索节 1 比索节 2 长得多,索节 3 ~ 7 宽大于长,索节 7 接近棒,棒细长而尖,长为宽的 2.50 倍;额略宽于喙,眼颇突出。前胸长宽约相等,略向后突出,前缘近于截断形,近前缘缢缩,洼,唯中间往往仅略洼。小盾片三角形,后端钝圆。鞘翅外缘直至端部镶着 1 行鳞片和一些毛,表面均匀被覆瓦状排列的鳞片,行纹深,线形,行间扁平,每行间被覆 2 ~ 3 行倒伏鳞片状毛,端部缩成短锐突,雌虫锐突较长。足和腹部密被和背面同样的鳞片和毛。雄虫腹板末节较长,端部钝圆;雌虫腹板末节较短,端部尖,基部两侧有纵沟。

　　分布:陕西(秦岭)、内蒙古、河北、河南、宁夏、甘肃、青海、新疆、四川;蒙古,俄罗斯,伊朗,塔吉克斯坦,乌兹别克斯坦,土库曼斯坦,吉尔吉斯斯坦,哈萨克斯坦,欧洲。

　　寄主:甜菜,榆,杨,柳。

88．毛足象属 *Phacephorus* Schoenherr，1840

Phacephorus Schoenherr，1840b：244．**Type species**：*Phacephorus vilis* Fåhraeus，1840．

　　属征:跗节 3 不宽或略宽于跗节 1、2,跗节腹面散布毛,不呈海绵状;喙端部坡形,被覆较小而发光的互相衔接的鳞片。

　　分布:古北区已知 17 种,中国已知 5 种,秦岭地区发现 1 种。

(171) 甜菜毛足象 *Phacephorus umbratus*(Faldermann，1835)

Tanymecus umbratus Faldermann，1835：421．

　　鉴别特征:体长 6.70～7.60mm。体细长而扁,黑褐色。被覆不发光的灰色、褐色鳞片,鳞片覆瓦状排列,散布发闪光的银灰色至褐色或黑色的毛。触角红褐色,喙端部的鳞片灰白色,发光,小盾片近于白色。头部和喙密布皱纹刻点,喙基部宽大于长,中沟缩短,宽而深,两侧散布较暗而短的倒伏毛;触角柄节弯,长达前胸前缘,索节 1 长大于索节 2,索节 3 略长于 4,索节 4～6 宽略大于长,触角棒细长而尖;额扁平,比喙宽得多,鳞片间散布向后倒伏的银灰色毛;眼突出,背面有 1 排近于直立的毛。前胸长宽约相等(雌虫较短),中部前最宽,背面散布颗粒,但透过鳞片才看得见。鞘翅扁平,两侧平行,但后端逐渐向后缩窄,表面被覆灰褐色而不发光的鳞片,鳞片覆瓦状排列,鳞片间散布银灰、褐色至黑色毛;行纹细而明显,行间扁平,鞘翅奇数行间散布较多的斑点,斑点密布黑褐色毛,行间 5 端部形成翅瘤;鞘翅端部钝圆,末端缩成锐突。足和腹部被覆和背面一样的鳞片,但仅散布银灰色毛。雌虫较长而胖,前胸略短,腹板末节基部两侧无沟纹。

　　分布:陕西(秦岭)、内蒙古、北京、河北、山西、宁夏、甘肃、青海、新疆;蒙古,俄罗斯,哈萨克斯坦。

　　寄主:甜菜。

X. 糙皮象族 Trachyphloeini Gistel, 1848

89. 伪锉象属 *Pseudocneorhinus* Roelofs, 1873

Pseudocneorhinus Roelofs, 1873: 177. **Type species**: *Pseudocneorhinus obesus* Roelofs, 1873.

属征: 头球形, 眼扁, 有时几乎被触角柄节遮蔽; 喙基部有 1 条横沟, 触角沟指向眼, 从上面隐约可辨; 触角柄节端部很粗, 被覆鳞片。前胸有眼叶, 基部略呈二凹形, 宽等于鞘翅基部。鞘翅无肩, 略呈卵形, 无后翅。爪合生, 胫窝关闭。

分布: 古北区已知 11 种, 中国已知 10 种, 秦岭地区发现 2 种。

分种检索表

直立刚毛在鞘翅的奇数行间和偶数行间一样, 没有区别; 奇数行间一样平或略拱隆; 索节 4 和 5 宽大于长; 鞘翅中间最宽; 前胸前缘两侧眼叶略明显; 体长 3.00~3.30mm ········ **小伪锉象 *P. minimus***
直立刚毛仅分布在鞘翅的奇数行间, 或者在奇数行间更明显, 长且密集; 奇数行间更隆, 鞘翅行间 3 和 5 在翅坡处有明显的纵长瘤突; 触角索节 3 和 4 长大于宽; 体长 5.00~5.60mm ······················
··· **瘤状伪锉象 *P. subcallosus***

(172) 小伪锉象 *Pseudocneorhinus minimus* Roelofs, 1879

Pseudocneorhinus minimus Roelofs, 1879: liii.

鉴别特征: 体长 3.50~4.00mm。体型在本属中最小, 卵形, 被覆土色鳞片。鞘翅端部 1/3 有 1 条暗褐色带, 行间 7 中间有 1 枚发金光的白斑。触角和足黄褐色, 发红。头、前胸被覆倒伏或直立的短毛。喙端部洼, 口上片的隆线高而尖, 隆线后的区域窄而散布少数鳞片; 触角柄节长几乎达到眼的后缘, 索节 1 几乎等于索节 2、3 之和。前胸宽大于长(19:12), 两侧略圆, 基部中间略突出, 直到中间以前向前降低, 眼叶小。鞘翅卵形, 凸隆, 基部略洼, 顶端钝, 中间最宽, 行纹深, 行间宽, 各有 1 行向后略倾斜而略密的刺状直立毛。

分布: 陕西(秦岭)、吉林、北京、河北、江苏、安徽、江西、四川; 韩国, 日本。

寄主: 木荷, 枫香, 白栎, 苦槠, 板栗。

（173）瘤状伪锉象 *Pseudocneorhinus subcallosus*（Voss，1956） 陕西新纪录

Callirhopalus subcallosus Voss，1956：23.

鉴别特征：体长 5.00~5.60mm。喙长略大于宽；鞘翅行间 1、3、5、7 较隆，端部 1/3 最高点呈瘤状；鞘翅刚毛不明显，倒伏，从侧面几乎不可见；胫节内缘无明显的 1 列小齿。

采集记录：1♀，留坝韦驮沟，1359m，2013.Ⅷ.20，姜春燕采。

分布：陕西（留坝）、福建。

（七）方喙象亚科 Lixinae

鉴别特征：体型大，长椭圆形、圆筒形或卵形；多土灰色或黑色；被覆针形或羽状鳞片；喙粗，但通常长大于宽，端部通常放宽，或呈筒状，端部不放宽；触角沟位于喙的两侧，在离眼很远之处便向下弯，不指向眼，端部通常达到喙的端部，从上面看得见，或未达到喙的端部，从上面看不见；触角柄节短，通常不超过眼的前缘，仅略呈膝状；后胸后侧片明显，后足基节未达到鞘翅；胫节端刺发生于内角或胫窝的隆线；爪通常合生，稀离生。

分类：中国已知 34 属 139 种，陕西秦岭地区发现 8 属 10 种。

分族检索表

喙短而粗，其横切面略呈方形，稀圆筒形，触角沟达到喙的端部，从上面能看得见，通常有隆线或沟
·· **方喙象族 Cleonini**
喙圆筒形，触角沟未达到喙的端部，从上面看不见，通常无清楚的隆线或沟 ········· **筒喙象族 Lixini**

Ⅰ．方喙象族 Cleonini Schoenherr，1826

90．阿斯象属 *Asproparthenis* Gozis，1886

Asproparthenis Gozis，1886：30. **Type species**：*Lixus punctiventris* Germar，1824.

属征：身体长椭圆形，被覆分裂成 2 叉或 3~4 叉的鳞片。喙粗，长且直，背面有 3 条隆线，中隆线两侧各有 1 条沟，触角沟从背面观前端可见。眼扁平。前胸两侧和鞘

翅基部无颗粒，前胸宽大于长，向前缩窄，基部二凹形，中间洼，眼叶明显，中隆线明显或不明显。鞘翅长椭圆形，基部不向前突出，未将前胸基部遮盖。

分布：古北区已知 22 种，中国已知 7 种，秦岭地区发现 1 种。

（174）甜菜阿斯象 *Asproparthenis punctiventris*（Germar，1824）

> *Lixus punctiventris* Germar，1824：397.
>
> *Cleonus nubeculosa* Boheman，1829：131.
>
> *Cleonus tenebrosa* Boheman，1829：132.
>
> *Cleonus carinifer* Fåhraeus，1842：92.
>
> *Cleonus farinose* Fåhraeus，1842：93.
>
> *Cleonus lymphata* Fåhraeus，1842：88.
>
> *Bothynoderes nigrocincta* Chevrolat，1873：8.
>
> *Bothynoderes sareptensis* Chevrolat，1873：8.
>
> *Bothnoderes betavora* Chevrolat，1873：9.
>
> *Bothynoderes menetriesi* Chevrolat，1873：9.
>
> *Bothynoderes uniformis* Chevrolat，1873：12.
>
> *Bothynoderes duplicarina* Chevrolat，1876：cxlvii.
>
> *Bothynoderes lineiventris* Chevrolat，1876：cxlvii.
>
> *Stephanocleonus obliquivittis* Chevrolat，1884：lxvii.
>
> *Bothynoderes austriaca* Reitter，1905：200.
>
> *Bothynoderes stigma* Reitter，1905：205.
>
> *Bothynoderes remaudierei* Hoffmann，1962：654.

鉴别特征：体长 12～14mm。体长椭圆形，体壁黑色，密被分裂为 2～4 叉的灰色至褐色鳞片，唯喙端部被覆线形鳞片。前胸和鞘翅两侧以及足和身体腹面的鳞片之间散布灰白色毛。喙长而直，端部略向下弯，并略放粗，中隆线细而隆，长达额，两侧有相当深的沟，背面隆线明显，在中间以后分成两叉；索节 2 远长于索节 1，索节 7 粗得多，与棒连成一体；额隆，中间有小窝；眼半圆形，扁平。前胸宽大于长（3.8:3.2），向前猛缩窄，基部最宽，前端仅约为基部的 2/3，两侧缢缩，前缘中间较突出，呈深二凹形，后缘中间略向后突出，两侧前端有明显的眼叶，背面后端中间洼，中隆线明显，散布小刻点，小刻点间散布大刻点；背面的鳞片形成 5 个条纹，中纹最宽，较暗，向前猛缩窄，其余 4 个纹较淡，里面的两纹细而弯曲，延长到鞘翅行间 4 基部，外面的两纹宽。小盾片三角形，往往被周围的鳞片遮蔽。鞘翅长小于宽的 2 倍（103:57），中间后最宽，肩和翅瘤明显，中间有 1 条暗褐色短斜带，行间 4 基部两侧和翅瘤外侧较暗。行纹细，不太明显，散布较细的二叉形鳞片，行间扁平，唯 3、5、7 基部较隆。足和腹部散布黑色雀斑。雌雄区别很明显，雄虫较瘦，腹部基部有 1 个扁而宽的窝，前足跗节 3 长于 2 跗节，跗节 1、2 腹面的一部分为海绵状，跗节 3 腹面全部为海绵状。雌虫较胖，腹部基部隆，前足跗节 3 长等于 2，跗节 3 腹面有象雄虫跗节 1、2 那样的海绵体，跗节 2 腹面仅有 1 个很小的海绵体。

　　分布:陕西(秦岭)、黑龙江、吉林、辽宁、内蒙古、河北、山西、山东、河南、宁夏、甘肃、新疆;俄罗斯,巴基斯坦,阿富汗,伊朗,土库曼斯坦,哈萨克斯坦,土耳其,叙利亚,以色列,俄罗斯(中欧地区),欧洲,非洲北部地区。

　　寄主:甜菜,藜科,苋科。

91. 方喙象属 *Cleonis* Dejean, 1821

Cleonis Dejean, 1821: 96. **Type species**: *Curculio piger* Scopoli, 1763.

Cleonus Schoenherr, 1826: 145 [unjustified RN].

Geomorus Schoenherr, 1823: 1141. **Type species**: *Curculio sulcirostris* Linnaeus, 1767.

Xerobia Gistel, 1856: 373. **Type species**: *Curculio sulcirostris* Linnaeus, 1767

　　属征:喙有隆线4条,沟5条。触角沟前端从上面看得见;触角柄节相当长,端部粗,索节2略短于索节1,其他节宽大于长,索节7较宽,近于棒,棒长椭圆形。眼扁。前胸近于圆锥形,前端1/3缩窄,基部中间角状。小盾片明显,被覆绵毛。鞘翅长椭圆形,肩很斜,基部宽于前胸。后足跗节1相当长,2、3节两侧略窄。

　　分布:古北区已知6种,中国已知3种,秦岭地区发现2种。

分种检索表

前胸背板和鞘翅的颗粒比较小;鞘翅的带比较窄,斜度大;身体较小,体长10.40mm ··················
·················· **中国方喙象 *C. freyi***

前胸背板和鞘翅基部的颗粒明显,大而发亮;鞘翅背面的斜带略明显;身体较大,体长12~17mm ······
·················· **欧洲方喙象 *C. pigra***

(175)中国方喙象 *Cleonis freyi* Zumpt, 1936

Cleonis freyi Zumpt, 1936: 15.

　　鉴别特征:体长10.40mm。本种和欧洲方喙象近缘,二者的区别:本种前胸背板和鞘翅的颗粒比较小,鞘翅的带比较窄而斜度大,体型较小。

　　分布:陕西(秦岭)、黑龙江、内蒙古、北京、河北、山西、甘肃。

(176)欧洲方喙象 *Cleonis pigra*(Scopoli, 1763)

Curculio pigra Scopoli, 1763: 23.

Curculio centaureae Allioni, 1766: 187.

Curculio sulcirostris Linnaeus, 1767：617.

Curculio transversofasciata Goeze, 1777：409.

Curculio nebulosa Geoffroy, 1785：116.

Curculio fasciata Villers, 1789：216.

Curculio fuscata Gmelin, 1790：1804.

Cleonus scutellata Boheman, 1829：130.

Cleonus indica Fåhraeus, 1842：55.

Cleonus impexa Motschulsky, 1860d：540.

Bothynoderes caucasica Chevrolat, 1873：10.

Cleonus iranensis Voss, 1971：3.

鉴别特征：体长 12～17mm。体椭圆形,体壁黑色。密被灰白色毛状鳞片。前胸有一中纹,两侧各有一斜纹,中纹中间放宽。鞘翅各有 2 条明显的斜带。喙长 2 倍于宽;有隆线 4 条,各有 2 条明显的斜带;有沟纹 5 条,3 条在背面,2 条在侧面。前胸中线明显,中线前、后沟状,中间龙骨状,龙骨的中部通常放宽,顶区散布发亮的不规则颗粒。鞘翅两侧近于平行,肩不太明显,后端略扩大,端部分别扩圆,基部散布和前胸一样发亮的颗粒;行纹细,刻点略明显,行间平,散布小颗粒。腹部散布雀斑。

分布：陕西（秦岭）、黑龙江、辽宁、内蒙古、北京、河北、山西、河南、甘肃、青海、新疆、四川;蒙古,俄罗斯,韩国,孟加拉,巴基斯坦,阿富汗,伊朗,塔吉克斯坦,乌兹别克斯坦,土库曼斯坦,吉尔吉斯斯坦,哈萨克斯坦,土耳其,伊拉克,欧洲,非洲（北部）,东洋区。

寄主：甜菜,飞廉属 *Carduus*,蓟属 *Cirsium* 植物。

92. 锥喙象属 *Conorhynchus* Motschulsky, 1860

Conorhynchus Motschulsky, 1860d：540. **Type species**：*Cleonis pulverulenta* Zoubkoff, 1829.

属征：喙多少呈圆柱形,向端部缩窄;触角短粗,柄节棍棒状,索节 2 长于索节 1,等于索节 3、4 两节长度之和;眼扁平,下端尖;前胸背板在小盾片前呈角状,眼叶明显;鞘翅长,有时圆筒形,无后翅;跗节细长,爪长。

分布：古北区已知 17 种,中国已知 8 种,秦岭地区发现 1 种。

(177) 粉红锥喙象 *Conorhynchus pulverulentus*（Zoubkoff, 1829）

Cleonis pulverulentus Zoubkoff, 1829：167.

Cleonus bartelsii Fåhraeus, 1842：108.

Cleonus conirostris Gebler, 1830：156.

鉴别特征:体长 14.50mm。体肥大,黑色。被覆白色圆形鳞片,掺杂淡至暗褐色鳞片。下列部位具黄褐色发红的粉末,形成鲜艳华丽的花纹:头顶、前胸两侧的带和基部中间的窝、鞘翅行间 1、部分其他行间和行纹,特别是行间 7、8 的中部、中后胸两侧。前胸两侧白色,中区暗褐色,二者之间两侧各有 1 条灰暗至暗褐发光的带,并延长至头部,在眼前形成 1 个三角形斑。鞘翅两侧白色,边缘有暗褐色点 1 行,行间 2、4、6 基部各有 1 个白点,中区散布暗褐色点片。喙向前缩成圆锥形,喙、额有明显的中隆线。前胸向前缩窄,两侧近前端稍降落,后缘中间向后突出,中间两侧斜切成截断形;中沟稀明显,或仅后端略明显,基部中间洼成窝。鞘翅两侧几乎平行,肩明显,端部向后逐渐降扁。腹部末 4 节基部中间各有 1 个光滑黑点。雄虫后足跗节 3 腹面端部海绵状,腹部中间洼。雌虫后足跗节 3 腹面完全非海绵状,腹部中间不洼。

分布:陕西(秦岭)、内蒙古、宁夏、甘肃、青海、新疆;蒙古,俄罗斯,阿富汗,伊朗,乌兹别克斯坦,土库曼斯坦,吉尔吉斯斯坦,哈萨克斯坦,土耳其,欧洲。

寄主:甜菜。

93. 白筒象属 *Liocleonus* Motschulsky, 1860

Liocleonus Motschulsky, 1860d: 540. **Type species**: *Lixus clathratus* Olivier, 1807.

属征:喙圆筒形,中沟深。前胸背板有白色绵毛纵沟 3 条,中沟中间隆起。鞘翅肩突出,两侧平行,具大的白色绵毛坑状刻点,部分互相联合。身体黑色,发光,腹面白色。

分布:古北区已知 2 种,中国已知 1 种,秦岭地区发现 1 种。

(178) 柽柳白筒象 *Liocleonus clathratus* (Olivier, 1807)

Lixus clathratus Olivier, 1807: 256.
Cleonus leucomelas Fåhraeus, 1842: 52.
Liocleonus amoenus Chevrolat, 1876: cxlviii.

鉴别特征:体长 19mm。体型大,圆筒形,密被白色鳞片。前胸背板的 5 条黑纹光滑,鞘翅缝、顶区和两侧的 3 条黑带,除刻点所在部分以外,也光滑。腹部和足部密被白色鳞片。喙短而粗,背面黑色,两侧和腹面白色,中沟两侧粗糙,散布皱刻点;触角短,白色,索节 1、2 长大于宽,约相等,其他节宽大于长;额中间有窝;眼小,长椭圆形。前胸背板宽等于长,基部最宽,向前逐渐缩窄,端部镒缩,后缘二凹形,中间向小盾片突出成钝尖,钝尖背面有深窝;眼叶明显;背面有黑纹 5 条,中纹细而隆,两端尖,完全被白色鳞片包围,黑纹散布零星刻点,刻点各有 1 短毛,两侧中间各有 1 个光滑黑点。鞘翅分别缩成钝圆的短尖,鞘翅缝端部开裂,鞘翅黑色,唯行间 1 有 1 条白色细边,行间 4 及其两侧的一部分,行间 9、10 及行纹刻点被覆白毛;行纹细,刻点或稀或密,大小不等,末一行纹有黑点 1 行,行间扁,散布极细皱纹。足短,腿节无齿,胫节端部有刺。

分布:陕西(秦岭)、内蒙古、甘肃、新疆、西藏;蒙古,巴基斯坦,阿富汗,伊朗,塔吉克斯坦,乌兹别克斯坦,土库曼斯坦,吉尔吉斯斯坦,哈萨克斯坦,土耳其,叙利亚,伊拉克,以色列,埃及(西奈半岛),欧洲,非洲(北部),东洋区。

寄主:柽柳。

94. 二脊象属 *Pleurocleonus* Motschulsky, 1860

Pleurocleonus Motschulsky, 1860d: 540. **Type species**: *Cleonis quadrivittata* Zoubkoff, 1829.

属征:喙有隆线 2 条,触角索节 2 短于索节 1,前胸眼叶不明显,鞘翅较短而宽,几乎呈卵形,腹部具雀斑,爪离生。

分布:古北区已知 3 种,中国已知 2 种,秦岭地区发现 1 种。

(179) 二脊象 *Pleurocleonus sollicitus* (Gyllenhal, 1834)

Cleonus sollicitus Gyllenhal, 1834: 211.

Cleonus squalidus Gyllenhal, 1834: 210.

Cleonus obliteratus Fåhraeus, 1842: 64.

Pleurocleonus variegatus Chevrolat, 1873: 39.

鉴别特征:体长 9.40mm。体短粗,卵形。体壁漆黑,背面被覆灰白色针状鳞片,腹部有小部分被覆分裂的鳞片。前胸两侧各有 1 条光滑黑纹,中间鳞片较稀而且往往脱落,但中沟的鳞片常常存在,头喙中沟的鳞片也常常存在。鞘翅散布多变的光滑斑点,但下列几个斑点经常存在:行间 6 中间前和翅瘤后各有 1 个,行间 4 中间前 1 个,肩部 1 个。喙背面中间有隆线 2 条,沟槽 3 个;触角几乎不呈膝状,索节 1 长于索节 2。前胸圆锥形,中间向后突出,后缘二凹形;表面散布深而大的刻点,刻点间散布小刻点。小盾片小,三角形。鞘翅长不到宽的 1.50 倍,中间后最宽,基部向前突出;行间明显,刻点大而深,行间 1、3、5 较隆,翅瘤明显。足和腹部密布雀斑,跗节腹面无海绵体。雄虫腹部前 2 节中间洼,雌虫腹部前 2 节中间隆。

分布:陕西(秦岭)、新疆、云南、西藏;蒙古,俄罗斯,吉尔吉斯斯坦,哈萨克斯坦。

Ⅱ. 筒喙象族 Lixini Schoenherr, 1823

95. 光洼象属 *Gasteroclisus* Desbrochers des Loges, 1904 陕西新纪录

Gasteroclisus Desbrochers des Loges, 1904：103. **Type species**：*Lixus augurius* Boheman, 1835.

Hypolixus Petri, 1904：188. **Type species**：*Lixus augurius* Boheman, 1835.

Hypsocleonus Aurivillius, 1921：93 [=1926：28]. **Type species**：*Hypsocleonus cardui* Aurivillius, 1921.

Eugasteroclisus Voss, 1958：36. **Type species**：*Gasteroclisus klapperichi* Voss, 1956.

属征：体细长,楔形或圆筒形,眼肾形,下端尖,不或略突出,有时圆形或卵形。前胸圆锥形,两侧中间洼,发光或略发光。鞘翅长椭圆形或略呈圆筒形,端部圆或尖,或有锐突。腹部末端通常隆。足不大细长,腿节无齿,稀有齿,胫节端部内侧有刺,跗节长而宽,腹面有海绵体,爪合生。雄虫的喙较粗而短,花纹较明显,触角较近于其端部,腹板1、2中间常有深洼。

分布：古北区已知 11 种,中国已知 4 种,秦岭地区发现 1 种。

(180) 二结光洼象 *Gasteroclisus binodulus*(Boheman, 1835) 陕西新纪录

Lixus binodulus Boheman, 1835：52.

Gasteroclisus fukienensis Voss, 1958：36.

鉴别特征：体长 7～13mm。喙圆锥形,短而粗,略弯,稍短于前胸背板的 1/2,基部通常有 1 个横洼,触角着生点之间往往有 1 条深的细纹,基部往往还有 1 条细而不明显的中隆线,散布小刻点,基部两侧的刻点却较大,发光。前胸背板圆锥形,长略大于宽;眼叶发达;背面有沟,两侧的洼光滑发光,通常有 1 个窝,两侧密布灰色,形成斜纹。鞘翅基部略宽于前胸背板,向肩扩圆,然后向后放宽,中间以后最宽,端部几乎连成圆形,行纹明显,基部的刻点较大,端部的较小,而且特别深,行间隆,密布白毛,白毛形成 3 条带,第 1 条从行间 3 的基部延伸到中间前的外缘,第 2 条从小盾片后端延伸到中间,第 3 条在翅瘤之上,延伸到外缘。

采集记录：2♀,周至楼观台,1951. Ⅴ.24,周尧采;秦岭田峪,1951. Ⅸ.19,周尧采;2♂,宝鸡,1951. Ⅴ.24;1♂,武功,1951. Ⅴ.29;3♂2♀,华阴华山,1200m,1972. Ⅷ.10。

分布：陕西(周至、宝鸡、武功、华阴)、辽宁、甘肃、江苏、浙江、福建、广东、广西、四川、云南;日本,马来西亚,印度尼西亚,巴基斯坦,东洋区。

96. 菊花象属 *Larinus* Dejean, 1821

Larinus Dejean, 1821: 97. **Type species**: *Curculio cynarae* Fabricius, 1787.

Rhinobatus Germar, 1817: 341. **Type species**: *Larinus rusticanus* Gyllenhal, 1835.

Larinus Germar, 1824: 379(nec Dejean, 1821). **Type species**: *Curculio sturnus* Schaller, 1783.

Phyllonomeus Gistel, 1856: 372. **Type species**: *Curculio iaceae* Fabricius, 1775.

Cryphopus Petri, 1907: 53. **Type species**: *Larimus ferrugatus* Gyllenhal, 1835.

Larinomesius Reitter, 1924: 62. **Type species**: *Lixus scolymi* Olivier, 1807.

Larinorhynchus Reitter, 1924: 62. **Type species**: *Larimus afer* Gyllenhal, 1835.

Rungsonymus Hoffmann, 1950: 89. **Type species**: *Larinus subverrucosus* Petri, 1907.

属征: 身体呈卵形、长卵形或椭圆形;被覆毛,有些种类被覆粉末。据说粉末是交配中产生的一种分泌物,但在日光下交配时不会发生。粉末很容易脱落,脱落以后还可以再生。喙多变异,相当长或很短,有时有棱角,粗而略弯,有时圆筒形,细而弯;触角粗壮,约位于喙的中间,索节头2节较长,彼此近于相等,其他节宽大于长,前胸宽大与长向前缩窄,基部中间向后突出为叶状;眼叶小,有纤毛。小盾片三角形。鞘翅长卵形或近于圆形腿节棒形,胫节端部有刺,跗节相当宽,腹面有海绵体。腹部第2节短于以后两节之和,1、2两节之间的缝细而略弯。雄虫的喙较短粗,略弯,腹部基部中间洼。

分布: 古北区已知109种,中国已知12种,秦岭地区发现2种。

分种检索表

喙细而长,长于前胸背板;触角柄节细而长,至少等于索节,前足胫节端部不向外扩大;身体长卵形,喙直,散布很小的刻点,发光;前胸两侧略圆,刻点较大而密;体长9.20~10.00mm ……………………………………………………………… 三角菊花象 *L.*(*P.*)*griseopilosus*

喙略短于前胸背板;触角柄节短而粗,短于索节;前足胫节端部向外扩大,体长7.50mm ……………………………………………………………… 漏芦菊花象 *L.*(*P.*)*scabrirostris*

(181) 三角菊花象 *Larinus*(*Phyllonomeus*)*griseopilosus* Roelofs, 1873

Larinus griseopilosus Roelofs, 1873: 182.

Larinus potanini Faust, 1890b: 467.

Larinus formosus Petri, 1907: 86.

Larinus niasanus Petri, 1914: 48.

Larinus assamensis Marshall, 1924: 289.

Larinus kishidai Kôno, 1935: 4.

鉴别特征: 体长9.20~10.00mm。身体长卵形,黑色,被覆多变的灰毛。喙较粗而长,近于直,长略大于前胸两侧,而粗等于前足腿节,散布很小的刻点,其间散布较大的刻点,无皱纹,中隆线略明显,触角索节 1 长约等于索节 2;额散布象喙上那样的刻点,中间有椭圆形小窝,前胸背板宽是长的 1/3,两侧略凸,后缘宽约 2 倍于前缘,前缘后缢缩;眼叶几乎不明显,背面有短中沟,密布刻点,刻点间散布小刻点,顶区中间两侧有时各有 1 个仅散布小刻点的斑点,顶区还散布很稀而短的毛,两侧密面长毛,鞘翅从肩向后均一缩窄,端部钝圆;行纹明显,行间扁平,刻着细皱纹,整个背面散布密而长和短而稀的 2 种灰毛,从而形成斑点,足发达。雄虫的触角沟下面有 1 条明显的沟,腹部前端中间洼。

采集记录:1 头,留坝红崖沟,1500 ~ 1650m,1998. Ⅶ. 22;2 头,留坝闸口石,1800 ~ 1900m,1998. Ⅶ. 20;74 头,佛坪凉风垭,1750 ~ 2150m,1999. Ⅵ. 28;9 头,宁陕火地塘,1580 ~ 1650m,1998. Ⅶ. 27-29,1999. Ⅵ. 25;7 头,宁陕平河梁,2020m,1998. Ⅶ. 29。

分布:陕西(留坝、佛坪、宁陕)、黑龙江、吉林、河北、山西、甘肃;俄罗斯(远东地区),日本,印度,东洋区。

(182) 漏芦菊花象 *Larinus*(*Phyllonomeus*)*scabrirostris* **Faldermann,1835** 陕西新纪录

Larinus scabrirostris Faldermann,1835:429.

Larinus scrobicollis Gyllenhal,1835:127.

Larinus pumilio Petri,1907:130.

鉴别特征:体长 7.50mm。体椭圆形,有时覆硫黄色粉末。喙椭圆形,密布皱刻点,不发光,几乎不弯,长略短于前胸,粗略等于腿节,无或有很细的中隆线。前胸背板宽大于长,两侧直到中间以前略缩窄,其后突然扩圆,前缘以后缢缩;有明显的眼叶,背面相当隆,无中隆线,表面散布很大而深的略密的刻点,刻点间散布小刻点,被覆很稀而短的几乎不明显的灰毛,两侧散布略密而长的灰毛。鞘翅长方形,宽于前胸背板,两侧平行,端部分别缩得钝圆,基部以后有深而长的洼;行纹明显,基部的行纹深而宽,近端部行纹刻点不明显,散布很短而稀的并且聚集成斑点的灰毛。前足胫节端部向外放宽。因此,外缘中间向里弯。

采集记录:1 ♀,柞水,1984. Ⅳ. 20。

分布:陕西(柞水);蒙古,俄罗斯,朝鲜,韩国。

寄主:漏芦 *Rhaponticum uniflorum*(L.)。

97. 筒喙象属 *Lixus* **Fabricius,1801**

Lixus Fabricius,1801:498. **Type species:** *Curculio paraplecticus* Linnaeus,1758.

Epimeces Billberg,1820:45. **Type species:** *Curculio filiformis* Fabricius,1781.

Eutulomatus Desbrochers des Loges, 1893：12. **Type species**：*Lixus lateripictus* Fairmaire, 1883.

Prionolixus Desbrochers des Loges, 1904：80. **Type species**：*Bothynoderes soricinus* Marseul, 1868.

Phillixus Petri, 1904：186. **Type species**：*Lixus biskrensis* Capiomont, 1876.

Broconius Desbrochers des Loges, 1904：92. **Type species**：*Lixus rectirostris* Faust, 1890.

Compsolixus Reitter, 1916：93. **Type species**：*Lixus juncii* Boheman, 1835.

Dilixellus Reitter, 1916：91. **Type species**：*Curculio pulverulentus* Scopoli, 1763.

Eulixus Reitter, 1916：90. **Type species**：*Lixus iridis* Olivier, 1807.

Ortholixus Reitter, 1916：90. **Type species**：*Curculio angustus* Herbst, 1795.

Hapalixus Reitter, 1916：91. **Type species**：*Lixus noctuinus* Petri, 1904.

Callistolixus Reitter, 1916：90. **Type species**：*Lixus cylindrus* Fabricius, 1781.

Lixochelus Reitter, 1916：91. **Type species**：*Lixus cardui* Olivier, 1807.

Parileomus Voss, 1939：60. **Type species**：*Ileomus humerosus* Voss, 1939.

Promecaspis Hoffmann, 1958：1743. **Type species**：*Lixus myagri* Olivier, 1807.

　　属征：喙通常呈圆筒形,有时略扁;触角沟位于喙的中间或中间前,稀位于中间后,在喙的腹面未连接;触角有变异,索节头2节长于其他节;眼长椭圆形,稀圆形。前胸有或无眼叶,两侧前缘的纤毛位于下面。鞘翅细长,略呈圆筒形,身体背面被覆细毛和黄色、锈赤色、灰色或红色粉末,粉末在生活期间可以更换。雄虫的喙较短而粗,花纹较明显。

　　分布：古北区已知170种,中国已知24种,秦岭地区发现1种。

(183) 斜纹筒喙象 *Lixus* (*Dilixellus*) *obliquivittis* Voss, 1937

　　Lixus obliquivittis Voss, 1937：262.

　　鉴别特征：体长10.50~11.50mm。体黑色。前胸背板细斜纹向前指向前缘中间,向后指向后角;鞘翅有斜带2条,前一条从肩以后至鞘翅缝,后一条位于鞘翅后端,与前一条平行,小盾片之后还有1条不清楚的带,这些带之间散布一些白毛。头圆锥形,喙粗等于前足腿节,稍弯,长是粗的2.50倍,散布纵纹刻点;触角位于喙端部之前,柄节未达到眼的前缘,索节1长1.50倍于粗,索节2长于索节1,其他节宽大于长,额窄于喙基部之宽,散布小而很密的略皱的刻点;眼几乎不突出。前胸长略大于宽,两侧几乎笔直,圆锥形,全部密布小刻点,其间散布大而扁的坑;眼叶不大明显。鞘翅宽于前胸背板,长恰为宽的2倍,直到中间两侧平行,端部每一鞘翅由行间2延长成1个瘤状凸起;行纹略发达,未形成深沟,刻点分离,行间扁而宽于行纹,散布小而很密的排列不规则的刻点。腿节发达,呈棒形。

　　采集记录：1头,留坝庙台子,1350m,1998.Ⅷ.22;1♀2♂,柞水牛背梁药王堂,1240m,2013.Ⅷ.11,姜春燕采。

　　分布：陕西(留坝、柞水)、辽宁、上海、浙江、福建、广西、四川、云南。

（八）魔喙象亚科 Molytinae

鉴别特征：和象虫亚科的种类类似，该亚科昆虫形态变化多样。该亚科昆虫后足胫节端部都具 1 枚较大的钩状端齿，不同种类之间端齿形态有差异。身体小至中等大小，个别种类体型较大，体色以褐色至黑色居多，体壁粗糙，前胸和鞘翅通常具瘤突或隆脊。大部分种类都以木本植物为寄主，幼虫通常取食枯木或植物其他干枯腐烂的部分。

分类：中国已知 14 族 30 属 132 种，陕西秦岭地区发现 10 属 15 种。

Ⅰ．横鬃象族 Aminyopini Voss，1956

98．雪片象属 *Niphades* Pascoe，1871

Niphades Pascoe，1871a：174．**Type species**：*Niphades pardalotus* Pascoe，1871.
Scaphostethus Roelofs，1873：191．**Type species**：*Scaphostethus variegatus* Roelofs，1873.
Pseudoconotrachelus Voss，1932：65．**Type species**：*Niphades tubericollis* Faust，1890.

属征：爪的内缘各具 1 个齿，前胸腹板凹，中后足近端部放宽，具波纹状的缘缨，缘缨的外缘端部突出成齿。额等于或宽于喙的基部，眼位于头的两侧，靠近下端，棒 3 节。前胸基部浅二凹形，后胸腹板明显长于中足基节，后胸前侧片前端宽于后端露出的部分。胫节无端刺。两个鞘翅的前缘连成弧形，肩凹。腹板 2 长于腹板 3、4 之和。

分布：本属古北区已知 5 种，中国已知 3 种，秦岭地区发现 1 种。

(184) 栗雪片象 *Niphades castanea* Chao，1980

Niphades castanea Chao，1980a：141.

鉴别特征：体长 7～9mm。体暗褐色，触角、足红褐色，鞘翅色往往较淡。鳞片针状，黄褐色，头部和前胸的鳞片很稀薄，鞘翅的鳞片密得多，鞘翅端部前的鳞片密集成宽带，而且宽得多，在这个带之前，部分鳞片较细，从行间的瘤发出的鳞片宽得多，而且直立，足散布长毛，腿节端部 1/3 的鳞片密集成环。腹面鳞片稀薄。头部和喙散布粗刻点，喙略宽，端部扁，略放宽。触角柄节长达眼，索节 1 很粗，长于索节 2，索节 2 长大于宽，索节 3～7 宽大于长，棒卵形，长 2 倍于宽。前胸宽略大于长，两侧拱圆，中间最宽，前后喙略突出，后喙有边，眼发达，表面密布规则的珠状瘤，从端部各发出鳞片状毛,中间前半端有明显的隆线。小盾片圆形,密布鳞片。鞘翅长为宽的 1.75 倍,两侧平行,鞘翅翅坡后猛缩窄,端部钝圆,翅瘤不明显,行纹窄而浅,刻点圆形,相当密,行间宽得多,行间 3、5、7 较隆,各有 1 行较大的瘤,行间 3、5 的瘤特别明显。腿节后端1/3有 1 个钝齿。雄虫腹板 1 后端中间有 1 条宽而深的沟,沟的顶端后端突出成钝齿,雌虫腹板 1 后端中间略凹。

采集记录:3 头,佛坪,890 ~ 900m,1999. Ⅵ. 26 – 27。

分布:陕西(佛坪)、河南、甘肃、江西、湖南。

寄主:板栗。

Ⅱ. 树皮象族 Hylobiini W. Kirby, 1837

99. 二节象属 *Aclees* Schoenherr, 1835

Aclees Schoenherr, 1835: 238. **Type species**: *Aclees cribratus* Gyllenhal, 1835.

属征:触角棒细长,2 节,节间缝光滑;喙长大于宽,不与头连成一体,彼此容易区分,背面无沟;前胸基部最宽;鞘翅基部不向前突出;后胸前侧片有 1 条纵沟,后胸腹板前端和两侧有 1 条相连的沟;前胸腹板不洼;中后足近端部有 1 个缘缨和端部的缘缨平行;爪简单,跗节末节端部腹面无齿。

分布:古北区已知 7 种,中国已知 5 种,秦岭地区发现 1 种。

(185) 筛孔二节象 *Aclees cribratus* Gyllenhal, 1835

Aclees cribratus Gyllenhal, 1835: 239.

鉴别特征:体长 13.00 ~ 17.50mm。体黑色,发光,背面零散被覆很细的黄毛,腹面的毛略密。头部散布很小而不密的刻点;喙两侧平行;端部略放宽并且弯,触角基部之间具不明显的沟,基部以后具稀疏大刻点,两侧各具深沟;索节明显短于柄节,索节 2 长于索节 1,索节 3 略短于长,其他节更短,索节 7 近于棒,棒 2 节,索节 7 和棒密被灰色绵毛;额中间具小窝。前胸背板宽大于长(50:45),后端 2/3 平行,基部二凹形;眼叶不明显,散布明显的皱而大的刻点,前段散布零散的小刻点。小盾片三角形,具少数小刻点。鞘翅宽于前胸背板,肩胝明显;行纹刻点坑伏,行间隆,具很稀的横皱刻点,行间 5 端部具明显的瘤。腹部发光,刻点小而稀,仅末 1 腹板具皱而大的刻点。腿节具相当明显的齿。

采集记录:1♂,佛坪县城,867m,2007.Ⅷ.16,史宏亮、杨干燕采;1♀,旬阳白柳镇下毛塔,386m,2014.Ⅷ.02,姜春燕采。

分布:陕西(佛坪、旬阳)、浙江、湖北、江西、湖南、福建、广西、四川、贵州、云南、西藏;欧洲,东洋区。

100. 树皮象属 *Hylobius* Germar, 1817

Hylobius Germar, 1817: 340. **Type species**: *Curculio excavatus* Laicharting, 1781.

Callirus Dejean, 1821: 88. **Type species**: *Curculio abietis* Linnaeus, 1758.

Hypomolyx LeConte, 1876: 139. **Type species**: *Hylobius pinicola* Couper, 1864.

Hylobitelus Reitter, 1923: 24. **Type species**: *Hylobius verrucipennis* Boheman, 1834.

Poiyaunbus Kôno, 1934: 241. **Type species**: *Hylobius gebleri* Boheman, 1834.

属征:体长椭圆形,近于平行。喙的背面无沟;索节7近于棒,几乎构成棒的一部分,眼位于头的两侧而向背面扩张。肩明显,眼叶发达,在中足基节之后,后胸腹板无横沟。后足基节间的突起宽而凸。雄虫腹部基节凹,腹部末节后端具光滑的洼。

分布:古北区已知32种,中国已知15种,秦岭地区发现3种。

分种检索表

1. 鞘翅行间扁,不隆,触角索节短而粗,前胸背板刻点大而密 ···················· 2
   鞘翅行间3凸隆,高于其他行间;喙散布成行的稀而大的刻点;鞘翅被覆较长而细的相当密的倒伏灰色毛,在鞘翅中间集成"V"形带;胫节端部被覆红黄色纤毛 ·· 拟长树皮象 *H.*(*C.*)*elongatoides*

2. 前胸、中胸腹板被覆很密的毛;后胸腹板后端的三角形窝为披针形;体长8~14mm ·· 欧洲松树皮象 *H.*(*C.*)*abietis*
   前胸、中胸腹板突起被覆零散的毛;后胸腹板后端的光滑三角形窝较宽;体长6.30~11.70mm ·· 松树皮象 *H.*(*C.*)*haroldi*

(186)欧洲松树皮象 *Hylobius*(*Callirus*)*abietis*(Linnaeus, 1758)

Curculio abietis Linnaeus, 1758: 383.

Curculio tigris Goeze, 1777: 395.

Curculio juniper Strøm, 1783: 56.

Curculio tigrinus Geoffroy, 1785: 126.

Curculio tigris Gmelin, 1790: 1778 (nec Goeze, 1777).

Callirus rugulosus Boheman, 1834: 336.

Callirus semirufescen Pic, 1924: 26.

Callirus albonotatus Pic, 1924: 26.

Callirus zaslavskii Kostin, 1963: 149.

　　鉴别特征:体长 8 ~ 14mm。与松树皮象近似,区别在于前胸、中胸腹板被覆很密的毛;后胸腹板后端的三角形窝为披针形。

　　采集记录:1 头,佛坪,900m, 1999. Ⅵ. 27。

　　分布:陕西(佛坪)、黑龙江、吉林、辽宁、河北、甘肃、青海、新疆、江苏、安徽、湖北、湖南、福建、四川、贵州、云南;俄罗斯,日本,哈萨克斯坦,欧洲。

(187) 拟长树皮象 *Hylobius* (*Callirus*) *elongatoides* **Voss, 1956**

Hylobius elongatoides Voss, 1956: 28.

　　鉴别特征:体长 7mm。体黑褐色,略发光,仅被覆零散倒伏灰色细毛,鞘翅中间的毛密集成"V"形带。这条带位于肩的下面,从稍后于鞘翅中间开始,斜着指向鞘翅缝。雄虫头部散布很密的小刻点;喙略短于前胸背板,稍弯,相当粗,背面散布成行的明显成坑状的刻点;触角沟斜着通到喙的两侧;触角极近于喙的端部,柄节细,棒状,索节 1 长恰为宽的 1.50 倍,索节 2 较短,其他节宽大于长,棒长卵形,长几乎 2 倍于粗;额为喙基部的1/2。前胸背板略宽于长,中间散布分离的小颗粒,前胸背板前端散布较小的皱刻点,中间有隆线,隆线前端 1/2 明显,在前喙前模糊,基部浅二凹形。小盾片宽大于长,鞘翅长 1.75 倍于宽,肩以后略收缩,直到中间两侧平行,到翅瘤处略缩圆,翅瘤明显,呈钝角,顶端缩成短喙状,沿鞘翅缝略切成三角形;行纹发达,刻点方形,略分离,行间很细,行间 3 较隆于其他行间,从行间 3 至鞘翅缝较洼。腿节的齿比较小而尖,胫节外缘直,端部之前略向内弯,中间内缘相当扩圆。

　　分布:陕西(秦岭)、浙江、福建、四川、云南。

(188) 松树皮象 *Hylobius* (*Callirus*) *haroldi* **Faust, 1882**

Hylobius haroldi Faust, 1882: 273.

　　鉴别特征:体长 6.30 ~ 11.70mm。体长椭圆形,略隆,体壁褐至黑褐色,略发光。前胸背板两侧中间以后各有 2 个斑点,小盾片前有 1 个斑点,鞘翅中间前后各有 1 条横带,横带之间通常具"X"形条纹,端部具 2 ~ 3 个斑点,眼的上面各有 1 个小斑,这些斑点和带都由或深或浅的黄色针状鳞片构成。喙通常具细的中隆线,两侧各具略明显的隆线和相当深的沟,散布和头一样的皱刻点;触角柄节长达眼,索节 1 长约 2 倍于宽,索节 2 短于索节 1,索节 3 长等于宽,其他节宽大于长,倒圆锥形,末节接近棒,棒尖,卵形,额中间具小窝。前胸宽等于长,两侧相当凸圆,后缘浅二凹形,前缘略缩窄,后角几乎三角形,眼叶明显,中隆线明显,但在小盾片前面的洼之前消失,刻点皱。小盾片近乎三角形,端部钝圆,散布刻点和毛。鞘翅行纹显著,刻点长方形,互相接近,行间扁平,散布颗粒和毛。腿节具齿,胫节的内缘被覆毛。身体腹面刻点粗,发光,毛稀,腹板两侧的毛密得多,前足、中足基节间突起的毛略密。雄虫腹部基部洼,末 1 腹板中间具椭圆洼。

分布:陕西(秦岭)、黑龙江、吉林、辽宁、河北、山西、湖北、福建、四川、云南;俄罗斯,朝鲜,韩国,日本。

寄主:落叶松,红松,油松,云杉,云南松。

101. 棒横沟象属 *Pagiophloeus* Faust, 1892

Pagiophloeus Faust, 1892: 195. **Type species**: *Rhynchaenus pacca* Fabricius, 1801.

Dysceroides Kôno, 1933: 187. **Type species**: *Dysceroides bipustulatus* Kôno, 1933.

属征:喙在端部中间具 1 个小的凸起;触角棒第 1 节和第 2 节的端部边缘与触角棒的纵轴成 1 个斜角;两眼间的距离窄于喙的基部宽度;前胸具眼叶,前胸腹板前缘深凹形;鞘翅具肩胝;前足胫节基部强烈弯曲,端部外角直,基部 1/3 处向内强烈扩张;跗窝外缘的刚毛与胫节的纵轴成斜角。

分布:古北区已知 10 种,中国已知 2 种,秦岭地区发现 1 种。

(189)长棒横沟象 *Pagiophloeus longiclavis*(Marshall, 1924)

Dyscerus longiclavis Marshall, 1924: 291.

鉴别特征:体长 12.00 ~ 14.50mm。体壁黑色,不发光,散布很稀而不均一的锈赤色针状鳞片,翅坡以后的鳞片最多,在中间以前行间 2、6、10 的鳞片集成斑点,腹部末 4 节两侧各有一撮类似的鳞片。头顶密布小刻点;喙长约等于前胸,略弯,端部稍放宽,雄虫有隆线 5 条,分成 6 个有粗刻点的浅沟,中隆线较窄而规则;雌虫背面的隆线和沟在中间以后消失;索节 2 长为索节 1 的索节 1/2,长等于宽,索节 3 ~ 7 约相等,宽大于长,索节 7 几乎不宽于索节 6;棒很长,略长于索节(6:5),从基部至 2/3 最宽;额的刻点较粗,中间的窝深而圆,围绕眼的上缘有 1 条浅沟。前胸略宽于长,从基部至中间两侧平行,中间以前缩圆,近端部不缢缩,前缘背面略弯;眼叶相当发达,基部浅二凹形,背面散布坑状刻点,其间有小瘤,小瘤合成不规则的皱纹,中隆线不规则,弯曲,光滑,缩短。小盾片盾状,散布很小而浅的刻点。鞘翅宽于前胸 1/4,肩钝,直角形,直到中间以后两侧平行,端部分别缩尖;行纹浅,包含椭圆形大窝,顶区的行间窄于行纹,不规则地散布少数扁而发光的颗粒,在行间 3 的基部 1/4 的颗粒形成 1 条低的隆脊,在行间 5 的基部形成一较低而短的隆脊;翅瘤很发达。腿节各有 1 枚小齿,端部有粗皱纹,放宽部分几乎无刻点;中足基节间的突起有些隆,后胸腹板两侧的刻点很粗,但中间仅有少数浅刻点。腹板有少数很浅的刻点。雄虫腹部基部洼,末一腹板后端略洼;雌虫腹部基部不洼,末一腹板后端通常有 2 个略隆的突起。

分布:陕西(秦岭)、河南、湖南、广东、广西、云南;印度,东洋区。

寄主:麻楝(*Chukrasia tubularis*),大叶桃花心木(*Swietenia macrophylla*)。

102. 横沟象属 *Pimelocerus* Lacordaire，1863

Pimelocerus Lacordaire，1863：455. **Type species**：*Hylobius macilentus* Boheman，1834.

Dyscerus Faust，1892：198. **Type species**：*Hylobius macilentus* Boheman，1834.

Hypohylobius Voss，1934：78. **Type species**：*Hylobius subinflatus* Voss，1934.

Okikuruminus Kôno，1934：241. **Type species**：*Heilipus orientalis* Motschulsky，1866.

属征：触角棒密被均一灰色短绵毛，节间无毛，触角棒为 3 节。身体不发光或略发光，被覆均一的疏散的毛状鳞片。鞘翅行间散布疏散的发光的小颗粒。

分布：古北区已知 28 种，中国已知 15 种，秦岭地区发现 1 种。

(190) 核桃横沟象 *Pimelocerus juglans*（Chao，1980）

Dyscerus juglans Chao，1980a：137.

鉴别特征：体长 11～15mm。体黑色，不发光，鳞片针形，黄褐色，很稀薄，鞘翅前端 1/3 通过外缘至行间 5 的部分和通过翅坡的部分，其鳞片各集成窄带 1 条，或分散成斑点 1 排，翅瘤后有鳞片一撮，中足基节间突起也有鳞片一撮，喙、足、鞘翅外缘和腹面的鳞片大部分或全部为白色。头部密布小刻点，额中间有深窝；喙长大于前胸，基部略宽，端部展宽并变扁，背面中间洼，触角沟之上有沟，沟内有刻点 1 行，两侧有隆线，中隆线不明显，表面散布大小不同的刻点，端部刻点小得多。触角索节 1 长大于宽，而且长于索节 2，索节 3～7 宽大于长，珠形，棒卵形，长为宽的 2 倍。前胸宽略大于长，基部最宽，向前逐渐缩窄，两侧略呈弧形，前端缢缩，基部浅二凹形，后缘有边，中隆线明显，表面散布坑状刻点，部分刻点连成皱纹。鞘翅宽大于前胸，长为宽的 1.70 倍，基部最宽，向后逐渐缩窄，肩瘤明显；行纹宽于行间，唯端部缩窄，散布长方形坑状刻点，行间扁平，向外缩窄，翅瘤明显，腿节棒状，端部 1/3 有齿；胫节外缘直，内缘二波形。雄虫腹部末节洼，雌虫末节后端有小窝。

分布：陕西（秦岭）、河南、湖北、福建、四川、云南。

寄主：核桃。

Ⅲ. 直孔象族 Ithyporini Lacordaire，1865

103. 宽肩象属 *Ectatorhinus* Lacordaire，1865

Ectatorhinus Lacordaire，1865：53. **Type species**：*Ectatorhinuswallacei* Lacordaire，1865.

Marmarochelus Desbrochers des Loges，1890：217. **Type species**：*Sipalus porosus* Walker，1859.

属征：喙细而特别长，达到后胸腹板前端，弯成弧形，在触角沟起点之前方形，其余部分扁；胸沟长仅达前足基节以后；触角沟起源于喙的基部 1/3 处。

分布：古北区已知 2 种，中国已知 2 种，秦岭地区发现 1 种。

（191）宽肩象 *Ectatorhinus adamsii* Pascoe，1872

Ectatorhinus adamsii Pascoe，1872：478.

Mecocorynus humerosus Fairmaire，1889b：53.

Mecocorynus tuberosus Fairmaire，1900：634.

鉴别特征：体长 14.50～16.00mm。体卵形，黑色，被覆黄褐色、白色和黑色鳞片。头部密被黄褐色鳞片；喙长达后胸腹板，弯，在触角着生点以前缩得又窄又扁，发光，散布成行刻点，触角基部以前的刻点较小，中隆线明显，前端达到触角基部，后端达到额窝；触角索节比柄节长得多，索节 3 长于 2，索节 2 长于 1，索节 4 略短于1，索节 5～7 长约等于宽，棒长卵形；眼不突出，下端尖。前胸背板长等于宽，中间最宽，向前端较缩窄，向小盾片突出，从中间向两侧几乎呈截断形，基部散布很深而大的皱刻点；中隆线到基部前消失。小盾片长大于宽，向后缩窄，端部钝圆，被覆灰毛，具中隆线。鞘翅顶端沿鞘翅缝略开裂，肩瘤非常突出，密被和头部同样的鳞片，行纹深，刻点方形，密被黄褐至赭色鳞片，行纹 4 基部被覆黑色鳞片；行间窄于行纹，行间 3 具瘤 3 个，基部的 1 个放长，其他 2 个位于翅坡以前，互相接近，行间 5 也具瘤 3 个，前 2 个位于中间以前，第 3 个位于端部，行间 7 中间以后有瘤 1 个，所有这些瘤都被覆赭色鳞片，顶端有时被覆白色鳞片。身体腹面散布大刻点，腿节棒状，端部具赭色和黄褐色环纹，有齿，胫节直。雄虫的后胸腹板两侧被覆丝状长毛；雌虫的后胸腹板两侧被覆细长鳞片。

采集记录：1 ♂，周至厚畛子，1343m，2007. V.28，史宏亮采。

分布：陕西（周至）、山东、河南、江苏、安徽、浙江、湖北、江西、湖南、福建、台湾、广西、四川、贵州、云南、西藏；韩国，日本，东洋区。

寄主：青麸杨 *Rhus potanini* Maxim。

104. 斜纹象属 *Lepyrus* Germar，1817

Lepyrus Germar，1817：340. **Type species**：*Curculio palustris* Scopoli，1763.

Dirus Dejean，1821：88. **Type species**：*Curculio capucinus* Schaller，1783.

属征：前胸背板圆锥形，向前缩窄，前缘直，无明显眼叶，两侧各具 1 条白色鳞片斜纹，中间一般具很细的隆线。

分布：古北区已知 31 种，中国已知 9 种，秦岭地区发现 2 种。

分种检索表

前足腿节具小而尖的齿,鞘翅各具白色波纹,体长9~13mm …………… **波纹斜纹象 *L. japonicus***
前足腿节不具齿,鞘翅无波纹 ……………………………………………… **云斑斜纹象 *L. nebulosus***

(192) 波纹斜纹象 *Lepyrus japonicus* Roelofs, 1873

Lepyrus japonicus Roelofs, 1873: 186.

鉴别特征: 体长9~13mm。体黑褐色,密被土褐色细鳞片,其间散布白色鳞片。前胸背板两侧具延续到肩的窄而淡的斜纹。鞘翅中间具被覆白色鳞片的波状带。喙密被鳞片,中隆线很细,两侧具微弱的隆线;触角沟达到眼的下面,触角柄节直,向端部放宽,索节1短于索节2,其他节宽大于长,棒卵形,眼扁。前胸背板宽略大于长,向前缩窄,背板散布皱刻点,中隆线限于前端。鞘翅具明显向前突出的肩,两侧平行,或向后缩放宽,中间以后缩窄,背面略隆。小盾片周围凹。肩以后具不明显的横凹;行纹明显,行间扁,翅瘤明显。腹板1~4两侧各有1个密被土色鳞片的斑点。足短而粗,腿节而小而尖的齿,前足胫节内缘几乎直,具明显的突起、短刺和直立的毛。本种根据腿节有齿、鞘翅具白色波状带这两点很容易辨识。

采集记录: 1♂,武功,1983. Ⅶ. 22;1♀,宝鸡,1981. Ⅺ. 16;1♂,1981. Ⅵ. 16,史委采;1♂,留坝庙台子,1350m,1998. Ⅶ. 22;1♂,柞水红庙河村,1110m,2007. Ⅵ. 03,崔俊之采;1♂,柞水红庙河,2007. Ⅵ. 03,张丽杰采。

分布: 陕西(武功、宝鸡、留坝、柞水)、黑龙江、吉林、辽宁、内蒙古、北京、天津、河北、山西、山东、河南、甘肃、江苏、安徽、浙江、湖北、江西、湖南、福建、四川、贵州、云南;俄罗斯(远东地区)、朝鲜,韩国,日本。

寄主: 杨,柳。

(193) 云斑斜纹象 *Lepyrus nebulosus* Motschulsky, 1860

Lepyrus nebulosus Motschulsky, 1860b: 165.

鉴别特征: 体长10~12mm。体背面黑褐色,密被交错排列的细小鳞片,形成模糊的云斑。鞘翅无明显的点状斑,至多有1个模糊的斑点。前胸背板两侧具1条密被鳞片的淡纹。喙散布皱刻点,略宽;索节1明显短于索节2;前胸背板两侧略圆,前端明显窄于后端,散布皱刻点,具细而发光的中隆线。鞘翅具发达的肩,两侧平行,端部缩尖,翅瘤扁。腹部腹面两侧皱,中间散布零星刻点,略发光,散布相当密的毛。足发达,腿节显著呈棒状,前足胫节内缘二波形,内缘具突起,端部具暗的刺。

分布:陕西(秦岭)、黑龙江、吉林、辽宁、山西、山东、香港、四川;俄罗斯(远东地区),韩国,日本。

Ⅳ. 凸叶象族 Mecysolobini Reitter, 1913

105. 胸骨象属 *Sternuchopsis* Heller, 1918

Sternuchopsis Heller, 1918: 212. **Type species**: *Alcides pectoralis* Boheman, 1836.

Pseudmesalcidodes Pajni *et* Dhir, 1987: 33. **Type species**: *Alcides waltoni* Boheman, 1844.

Mesalcidodes Voss, 1958: 41. **Type species**: *Alcides trifidus* Pascoe, 1870.

属征:体型大,被覆分裂成毛状的鳞片。喙长约等于或长于前胸,圆筒状;触角位于喙的中间或中间以前,柄节长不及眼,索节 7 长大于粗,接近棒。前胸宽大于长,圆锥形,眼叶明显,后缘深二凹形,后角向后下方突出,表面散布大小、隆度、密度不同的颗粒。小盾片前端往往被鞘翅包围。鞘翅基部特别向前突出,形成叶状,把前胸基部遮盖;行纹等于或宽于行间,刻点大而深。前足长而粗,腿节各具 1 枚齿,齿的前缘往往有钝齿;胫窝开放,爪各有 1 枚齿。

分布:古北区已知 12 种,中国已知 6 种,秦岭地区发现 3 种。

分种检索表

1. 后胸短,多少隆,或突出于后足基节之上;前足近于前胸前缘 ······ 短胸长足象 S.(*M.*) *trifida*
   后胸长,平坦,前足离前胸前缘较远 ·· 2
2. 鞘翅行间不规则,部分行间较隆,行间 3、5 的前半端和行间 4、7 的基部较隆;鞘翅无带,身体黑色;触角索节 1 长 1.50 倍于索节 2;体长 9.50~11.00mm ········ 核桃长足象 S.(*S.*) *juglans*
   鞘翅行间规则,一样高低;鞘翅背面鳞片密集成条纹,行间 3、行间 5、行间 8 全部密被鳞片,前胸两侧和中间无花斑;触角索节 1 短于索节 2;体长 7.50~9.00mm ·································
   ··· 甘薯长足象 S.(*S.*) *waltoni*

(194) 短胸长足象 *Sternuchopsis*(*Mesalcidodes*)*trifida*(**Pascoe, 1870**)

Alcides trifida Pascoe, 1870b: 460.

Alcides taiwana Kôno, 1930b: 139.

鉴别特征:体长 8~9mm。体卵形,黑色。前胸背板两侧、鞘翅后端、中胸两侧和后胸密被白色鳞片,腹部和足的鳞片颇稀,鳞片分成五六叉。前胸和鞘翅有 1 个分成三叉的黑斑。头、喙黑色,密布刻点。喙略弯,前端刻点稀而小,光滑;触角短粗,索节1比索节2长得多,索节7近于棒,端部扩大;两眼间有深沟;眼扁平。前胸近于圆锥形,两侧相当圆,中叶很突出,背面的颗粒各有分叉的鳞片。小盾片心脏形。鞘翅宽,基部向前突出成叶状,肩很突出,比前胸基部宽得多,基部光滑,端部逐渐缩圆;行纹宽,刻点长方形,大而深,行间比行纹窄得多,散布刻点。腿节各具1枚弯齿,胫节近端部也各具1枚齿,端刺发达。

分布:陕西(秦岭)、山东、河南、江苏、安徽、浙江、湖北、江西、湖南、福建、台湾、广东、广西、四川、贵州、云南;朝鲜,韩国,日本。

寄主:葛藤茎,在日本为害一种胡枝子 *Lespedeza* sp.。

(195)核桃长足象 *Sternuchopsis*(*Sternuchopsis*)*juglans*(Chao,1980)

Alcidodes juglans Chao,1980a:168.

鉴别特征:体长9.50~11.00mm。体壁黑色,略发光,被覆十分稀薄的分裂成2~5叉的白色鳞片,但翅被覆较密的鳞片,行间3的中间前和2/3的部分有时各有一撮密集的鳞片。喙粗而长,长于前胸背板,端部略粗而弯,密布刻点,触角基部以前的刻点较小而稀;触角位于喙的中间以前,柄节短而粗,长不及眼,索节1长1.50倍于索节2,索节2略长于索节3,索节3~4相等,索节5最短,索节6较长而粗,索节7向前逐渐放宽,略短于棒而接近棒,密布灰白色长绵毛,棒卵形,长1.50倍于宽;额略注;头部密布刻点,头顶刻点小而稀。前胸宽大于长,圆锥形,前端缩成领状,散布小颗粒或皱纹状颗粒,基部深二凹形,中叶尖,背面密布相当大的珠状颗粒。小盾片近于方形,或三角形,中间有沟,光滑,有时被鞘翅包围。鞘翅基部宽于前胸背板,肩突出,两侧向后稍缩窄,端部钝圆;背面呈弓形,行纹散布方刻点,但向后缩小,行间3、5(除后端以外)和行间4、7的基部较宽而隆,行间7的基部特别突出,形成肩,行间散布或多或少的颗粒。后胸腹板散布相当密的颗粒。腿节各有1枚齿,前端有小齿2个。胫节端部内缘有毛两束,端刺长而粗,端部钝。雄虫的喙较短,触角位于喙的前端1/3,腹板1中间注;雌虫的喙较长,触角极近于喙的中间,腹板1中间略隆。

分布:陕西(秦岭)、广西、四川、贵州、云南。

寄主:核桃。

(196)甘薯长足象 *Sternuchopsis*(*Sternuchopsis*)*waltoni*(Boheman,1844)

Alcides waltoni Boheman,1844:58.

Alcides albolineata Roelofs,1875b:152.

Alcides roelofsi Lewis,1879:23.

Alcides sexvittata Faust,1894:258.

鉴别特征:体长 7.50~9.00mm。体狭长,鞘翅基部略宽,向后缩窄,黑色发光,被覆分裂成毛状的鳞片,背面鳞片黄色,腹面鳞片白色。头部散布刻点和长洼,喙略弯,长等于前胸,散布粗糙刻点,在触角基部前刻点互相连合,端部刻点较小;触角相当粗,被覆白毛,索节 2 长于索节 1,索节 3~6 略呈球形,索节 7 近于棒,漏斗状,特别长,构成棒的一部分,棒宽卵形;额中间具沟。前胸宽大于长,向前缩窄,两侧略圆,前端缢缩,后缘深二凹形,中叶细长,中间有 1 条由鳞片构成的纵纹,表面散布相当密的颗粒。小盾片四边形,宽大于长,向前略缩窄。鞘翅狭长,基部宽于前胸,向后逐渐缩窄,向前突出为叶状,基部以后洼,端部圆;肩明显;行间窄而隆,光滑,行间 2、3、4 基部更隆,行纹宽,刻点方形,坑状;行间 3、行间 5、行间 8 各有 1 条白色鳞片条纹,行间 3、8 的鳞片扩充到行间 3、8 两侧的行纹。后胸腹板散布颗粒,腹部粗糙,腿节各有 1 枚弯齿,其前端无小齿;前足胫节内缘中间略突出,端刺短而尖。雄虫腹部基部中间洼,端部中间两侧各有 1 撮长毛;雌虫腹部基部无洼,端部后缘散布长毛。

分布:陕西(秦岭)、浙江、湖北、江西、湖南、福建、台湾、广东、香港、广西、四川、云南;日本,伊朗,东洋区。

寄主:甘薯,旋花科植物。

V. 木蠹象族 Pissodini Gistel, 1848

106. 木蠹象属 *Pissodes* Germar, 1817

Pissodes Germar, 1817: 340. **Type species**: *Curculio pini* Linnaeus, 1758.
Piniphilus Dejean, 1821: 87. **Type species**: *Curculio piniphilus* Herbst, 1797.

属征:体长 4~10mm。体红褐色至黑色,被覆或稀或密、或宽或窄的鳞片,宽的鳞片在前胸、鞘翅或腿节上通常形成斑点。头部在眼后呈球形,宽约等于前胸,光滑,散布刻点,两眼之间略洼。眼扁,圆形,两眼之间距离大。喙细长,圆柱形,弯,等于或者长于前胸。触角着生于喙的中间或中间之后,触角沟与喙的下缘近平行;柄节短于索节,触角索节 7 节,索节 1 长约为索节 2、3 之和,索节 3~7 长近相等。鞘翅基部等于或略宽于前胸,两侧平行,至翅坡处略狭缩,行纹散布刻点,行间 5 端部隆。腿节无齿,前足胫节端部内角有齿。

分布:分布于北半球。目前世界已知 48 种,其中古北区已知 19 种,新北区已知 29 种,中国已知 8 种, 秦岭地区发现 1 种。

(197) 红木蠹象 *Pissodes nitidus* Roelofs, 1873

Pissodes nitidus Roelofs, 1873: 121.

鉴别特征:体长 8～9mm。体细长,淡红色,略发光,触角、跗节和喙的端部色较暗,身体腹面和足被覆白色鳞片,腿节近端部的鳞片形成环状,头和喙散布刻点,两眼之间洼。前胸长大于宽,散布相当深而密的刻点,中隆线略隆,被覆白色鳞片,沿中间的横线有白点 4 个。小盾片密布白色鳞片。鞘翅细长,两侧近乎平行,肩略明显,直角形,翅瘤相当明显,行纹清楚,行间 3、5 较隆,鞘翅有带 2 条,中间以前的带为橙色,后端的带主要为白色,但行间 6 为淡红色。本种区别于其他种的特征是身体淡红色,略发光。

分布:陕西(秦岭)、黑龙江、吉林、辽宁、河北、河南、甘肃、湖北;俄罗斯(远东地区),朝鲜,韩国,日本。

寄主:红松。

VI. 长棒象族 Typoderini Voss, 1965

107. 雪象属 *Niphadomimus* Zherikhin, 1987

Niphadomimus Zherikhin, 1987: 15. **Type species**: *Niphadomimus nigriventris* Zherikhin, 1987.

属征:体型小,后翅退化,鞘翅愈合。体壁红褐色至黑色,足和鞘翅呈红色,无金属光泽。喙长大于宽,触角索节 7 节。前足基节窝相连,前胸腹板前缘中央在前足基节之前具 1 个宽而浅的凹陷,凹陷边缘常具隆脊。前胸腹面和腹板常具刻点。所有腿节在端部 1/3 处均具齿,齿的发达程度不同。小盾片极小。鞘翅具 9 条行纹,奇数行间瘤突有或无,有些种类瘤突异常发达。

分布:中国;尼泊尔。目前世界已知 8 种,中国已知 6 种,秦岭地区发现 1 种。

(198) 墨洛珀雪象 *Niphadomimus merope* Grebennikov, 2014

Niphadomimus merope Grebennikov, 2014: 160.

鉴别特征:体型较小。体壁黑色;前胸腹板凹陷两侧边缘具纵隆脊;腿节齿的高度不大于其基部的宽度,较发达;鞘翅行间瘤突大小均匀,较小。

采集记录:1♀,秦岭南坡,2000～2600m,2011. V. 15, V. Grebennikov 采。

分布:陕西(秦岭)。

参考文献

Agassiz L. 1846. Nomenclatoris zoologici index universalis continens nomina systematica classium, ordinum, familiarum et generum animalium omnium, tam viventium quam fossilium, secundum ordinem alphabeticum unicum disposita, adjectis homonymiis plantarum, nec non variis adnotationibus et emendationibus. *In* Agassiz L. *Nomenclator Zoologicus, continens nomina systematica generum animalium tam viventium quam fossilium, secundum ordinem alphabeticum disposita, adjectis auctoribus, libris, in quibus reperiuntur, anno editionis, etymologia et familiis, ad quas pertinent, in singulis classibus.* Fasc. 12. Soloduri:Jent et Gassmann, viii + 393 pp.

Allard E. 1864. Notes pour servir à la classification des coléoptères du genre Sitones. *Annales de la Société Entomologique de France*, (4)4: 329-356.

Allard E. 1865. Notes pour servir à la classification des coléoptères du genre Sitones. *Annales de la Société Entomologique de France*, (4)4: 357-382.

Allioni C. 1766. Manipulus insectorum Taurinensium a Carolo Allionio editus. *Mélanges de Philosophie et de Mathématique de la Société Royale de Turin*, 3: 185-198.

Alonso-Zarazaga M A. 1986. Taxonomic and nomenclatural notes on Apionidae (Coleoptera). *Giornale Italianodi Entomologia*, 3: 197-204.

Alonso-Zarazaga M A. 1989. Pseudopiezotrachelus frieseri, nouvelle espèce d'Apionidae (Coleoptera) du Nepal. *Bulletin de la Société Entomologique de France*, 93: 167-173.

Alonso-Zarazaga M A. 1999. [new name]. *In*:Alonso-Zarazaga M A & Lyal C H C. 1999. *A world catalogue of families and genera of Curculionoidea (Insecta: Coleoptera) (Excepting Scolytidae and Platypodidae).* Barcelona:Entomopraxis S. C. P. , 315 pp.

Alonso-Zarazaga M A. 2002. Lista preliminar de los Coleoptera Curculionoidea del área Ibero-Balear, con description de *Melicius* gen. nov. y nuevas citas. *Boletín de la Sociedad Entomológica Aragonesa*, 31: 9-33.

Apfelbeck V. 1915. Fauna insectorum balcanica. Revizija vrsta Phyllobius (Col.). *Glasnik Zemaljskog Muzeja u Bosni i Hercegovini*, 27: 219-252.

Apfelbeck V. 1916. Fauna insectorum balcanica. VI. 3. Revision der Phyllobius-Arten von der Balkanhalbinsel (Col.). *Wissenschaftliche Mitteilungen aus Bosnien und der Hercegovina*, 13: 395-432.

Aurivillius C. 1891. Collection d'insectes formée dans l'Indo-Chine par M. Pavie consul de France au Cambodge (Suite). *Nouvelles Archives du Muséum d'Histoire Naturelle*, (3) 3: 205-224.

Aurlvillius C. 1921. Tre nya skalbaggsarten Iran Elgons topp tagna 28-30 juni 1920. *In*: Lovén S A. *Kring Mount Elgon med vita vänner och svaria. Stockholm*:Svenska Teknologföreningens Förlag, 195 pp.

Balachowsky A. 1949. *Faune de France 50 Coléoptères Scolytides.* Paris:Centre National de la Recherche Scientifique, 320 pp.

Bechstein J M. 1818. *Forstinsektologie oder Naturgeschichte der für den Wald schädlichen und nützlichen Insecten nebst Einleitung in die Insectenkunde überhaupt, für angehende und ausübende Forstmänner und Cameralisten. Die Forst- und Jagdwissenschaft nach allen ihren Theilen für angehende und ausübende Forstmänner und Jäger. 4. Theil, Forstschutz, 2. Band. Beschreibung der schädlichen*

Forstinsekten nebstihrer Verhütungs-und Vertilgungsmitteln. Gotha: Hennings, xii + 552 + [8] pp. , 4 pls.

Bedel L. 1888. Faune des coléoptères du Bassin de la Seine. Vol. VI. Rhynchophora (Cont.). *Annales de la Société Entomologique de France* (6)7, Publication Hors Série: 385-444.

Berger V M. 1917. Koroedy Yuzhno-Ussuriiskago Kraya [Les Scolytiens de la province d'Oussourie du Sud]. *Revue Russe d'Entomologie*, 16: 226-248.

Billberg G J. 1820. *Enumeratio insectorum in museo Gust. Joh. Billberg.* Stockholm: Typus Gadelianus, [2] + 138 pp.

Blackburn T. 1885. [new taxa]. *In*: Blackburn T & Sharp D. Memoirs on the Coleoptera of the Hawaiian Islands. *The Scientific Transactions of the Royal Dublin Society* (2) 3 (6): 119-289, 300, pls. IV-V.

Blandford W F H. 1893. The Scolyto-platypini, a new subfamily of Scolytidae. *Transactions of the Entomological Society of London*, 1893: 425-442, 2 pls.

Blandford W F H. 1894. The rhynchophorous Coleoptera of Japan. Part 3. Scolytidae. *Transactions of the Entomological Society of London*, 1894: 53-141.

Blandford W F H. 1896a. Scolytidae. 16e Mémoire. *In*: Fleutiaux E J B. Contributions à la faune indochinoise. [1889-1897]. *Annales de la Société Entomologique de France*, 65: 19-22.

Blandford W F H. 1896b. Descriptions of new Scolytidae from the Indo-Malayan and Austro-Malayan regions. *Transactions of the Entomological Society of London*, 1896: 191-228.

Blatchley W S. 1916. [new taxa]. *In* Blatchley W S & Leng C W. *Rhynchophora or weevils of Northeastern America.* Indianapolis: The Nature Publishing Company, 682 pp.

Boerner I C H. 1766. Beschreibung eines neuen Insects, des *Dermestes sexdentatus*. *Ökonomische Nachrichtender Patriotischen Gesellschaft in Schlesien*, 4: 78-80.

Boheman C H. 1829. Novae Coleopterorum species. Nouvelles Mémoires de la Société Impériale des Naturalistes de Moscou 1. *Mémories de la Société Impériale des Naturalistes de Moscou*, 7: 101-133.

Boheman C H. 1834. [new taxa]. *In* Schoenherr C J (ed.). *Genera et species curculionidum, cum synonymia hujus familiae. Species novae aut hactenus minus cognitae, descriptionibus a Dom. Leonardo Gyllenhal, C. H. Boheman, et entomologis aliis illustratae. Tomus secundus. - Pars secunda.* Parisiis: Roret; Lipsiae: Fleischer, pp. 329-673.

Boheman C H. 1835. [new taxa]. *In* Schoenherr C J. *Genera et species Curculionidum, cum synoymia hujus familiae. Species novae aut hactenus minus cognitae, descriptionibus a Dom. Leonardo Gyllenhal, C. H. Boheman, et entomologis aliis illustratae. Tomus tertius. - Pars prima.* [1836] Parisiis: Roret; Lipsiae: Fleischer, pp. [6] + 505.

Boheman C H. 1842. [new taxa]. *In* Schoenherr C J. *Genera et species curculionidum, cum synonymia hujus familiae. Species novae aut hactenus minus cognitae, descriptionibus a Dom. Leonardo Gyllenhal, C. H. Boheman, O. J. Fåhraeus et entomologis aliis illustratae. Tomus septimus. - Pars prima.* [1843]. Parisiis: Roret; Lipsiae: Fleischer, 479 pp.

Boheman C H. 1844. [new taxa]. *In* Schoenherr C J. *Genera et species Curculionidum, cum synonymia hujus familiae. Species novae aut hactenus minus cognitae, descriptionibus a Dom. L. Gyllenhal, C. H. Boheman, O. J. Fåhraeus et entomologis aliis illustratae. Tomus octavus. - Pars prima. Supplementum continens.* Parisiis: Roret; Lipsiae: Flescher, 442 pp.

Bonelli F A. 1812. Specimen faunae subalpinae sistens Insecta Pedemontii huc usque inedita, aut rariora, aut ea quae commodi damnive gratia quod inferunt, prudentis agricolae magis interest cognoscere. Fasciculus 2. Coleoptera plerumque inedita comprehendens. *Memorie della Reale Accademia della Scienza di Torino*, 9:149-183, 6pls.

Bonsdorff G. 1785. *Historia Naturalis Curculionum Sveciae. Cujus partem secundam, consent. experient. facult. med. examini offerunt auctor Gabriel Bonsdorff, Philos. Magist. & Medic. Doctor. et respondens Petrus Ant. Norlin, stockholmensis.* Upsaliae: Johan Edman, pp. 19-42, 1 pl.

Broun T. 1904. Descriptions of new genera and species of New Zealand Coleoptera. [Concluded]. *The Annals & Magazine of Natural History*, (7)14: 105-127.

Browne F G. 1973. Some Scolytidae (Coleoptera) from tropical Africa. *Revue de Zoologie et de Botanique Africaines*, 87: 279-297.

Butovitsch V von. 1929. Studien über die Morphologie und Systematik der paläarktischen Splintkäfer. *Stettiner Entomogische Zeitung*, 90: 1-72, 8pls.

Champion G C. 1903. Insecta. Coleoptera. Rhynchophora. Curculionidae. Curculioninae (part). pp 145-176. *In Biologia Centrali-Americana*. Vol 4. Part 4: viii + 750 pp. + 35 pl.

Chao Y Ch. 1977. A study of the weevil genus *Sympiezomias* Faust from China. *Acta Entomologica Sinica*, 20(2): 217-220.[赵养昌. 1997. 中国灰象属的研究. 昆虫学报, 20(2):217-220.]

Chao Y Ch. 1980a. [new taxa]. *In* Chao Y Ch, Chen Y Q (ed.). Coleoptera Curculionidae (I). *Economic Insect Fauna of China* 20. Beijing: Fauna Editorial Committee, Academia Sinica, xi + 184 pp., 14 pls.[赵养昌. 1980a. 新物种. 见赵养昌和陈元清主编,中国昆虫志. 第二十册鞘翅目象虫科(一). 北京:科学出版社, xi + 184pp., 14pls.]

Chao Y Ch. 1980b. Chinese *Piazomias* Schoenherr (Coleoptera: Curculionidae). *Acta Zootaxonomica Sinica*, 5(3): 279-288.[赵养昌. 1980b. 中国的球胸象属(鞘翅目:象虫科). 动物分类学报, 5(3):279-288.]

Chapuis F. 1869. *Synopsis des scolytides. (Prodrome d'un travail monographique).* Liège: J. Desoer, 61 pp.

Chapuis F. 1875. [new taxa]. *In* Chapuis F, Eichhoff W J. *Scolytides recueillis au Japon par M. C. Lewis.* Annales de la Société Entomologique de Belgique, 18(2): 195-196 [Signatures 19-24, issued August 25].

Chapuis F. 1876. [new taxa]. *In* Chapuis F, Eichhoff W J. *Scolytides recueillis au Japon par M. C. Lewis.* Annales de la Société Entomologique de Belgique, 18 (3) [1875]: 197-203 + [1] [Signatures 25-31, issued February 1876.]

Chen Y Q. 1991a. A study of the weevil genus *Shirahoshizo* Morimoto (Coleoptera: Curculionidae) from China. *Entomotaxonomia*, 13(3): 211-217.[陈元清. 1991a. 中国角胫象属(鞘翅目:象虫科). 昆虫分类学报, 13(3):211-217.]

Chen Y Q. 1991b. The Chinese *Mesagroicus* Schoenherr (Coleoptera: Curculionidae: Naupactini). *Acta Entomologica Sinica*, 34(4): 468-469.[陈元清. 1991b. 中国的长柄象属(鞘翅目:象虫科,短喙象亚科). 昆虫学报, 34(4):468-469.]

Chevrolat L A A. 1845. Description de dix coléoptères de Chine, des environs de Macao, et provenant d'une acquisition faite chez M. Parsudaki, marchand naturaliste à Paris. *Révue Zoologique par la Société Cuvierienne*, 8: 95-99.

Chevrolat L A A. 1867. ［Orchestes quinquemaculatus］. *In Descriptions d'espèces nouvelles*. L'Abeille, Mémoires d'Entomologie, 4: lxvi-lxviii.

Chevrolat L A A. 1871. Description de six coléoptères exotiques éclos à Paris. *Annales de la Société Entomologique de Belgique*, 14［1870-1871］: 5-8.

Chevrolat L A A. 1873. *Mémoire sur les cléonides*. Mémoires de la Société Royale des Sciences de Liège, (2)5: i-viii + 1-118.

Chevrolat L A A. 1876. ［new taxa］. *Bulletin de la Société Entomologique de France*, 1876: cxlvi-cl.

Chevrolat L A A. 1884. ［new taxa］. Bulletin de la Société Entomologique de *France*, 1884: lxvii-lxix.

Cobos A. 1954. Dos especies nuevas de *Tropideres* Schönh. (Col. Anthribidae) de España. *Archivos del Instituto de Aclimatación (Almería)*, 3: 41-44.

Cognato A I, Sun J H. 2007. DNA based cladograms augment the discovery of a new *Ips* species from China (Coleoptera: Curculionidae: Scolytinae). *Cladistics*, 23: 1-13.

Colonnelli E. 1983. Osservazioni sistematiche su alcuni Ceutorhynchinae, con descrizione di un nuovo genere e di una nuova specie (Coleoptera: Curculionidae). *Bollettino dell'Associazione Romana di Entomologia*, 36［1981］: 49-59.

Couper W. 1865. Descriptions of new species of Canadian Coleoptera. *The Canadian Naturalist and Geologist* (N.S.), 2: 60-63.

De Geer C. 1775. *Mémoires pour servir à l'histoire des insectes. Tome cinquième*. Stockholm: Pierre Hesselberg, vii + ［1］ + 448 pp., 16 pls.

Dejean P F M A. 1821. *Catalogue de la collection de coléoptères de M. le Baron Dejean*. Paris: Crevot, vi-ii + 136 + ［2］ pp.

Dejean P F M A. 1834. *Catalogue des coléoptères de la collection de M. le Compte Dejean. Deuxième edition. 3è livraison*. Paris: Méquignon-Marvis Père et Fils, 177-256.

Della Beffa G. 1912: Una nuova varietà di Apoderus coryli L. *Bollettino dei Musei di Zoologia ed Anatomia Comparata della R. Università di Torino*, 27(650): 1.

Desberger A F A. 1835. ［new taxa］. *In*: Bechstein J M. *Die Forst-und Jagdwissenschaft nach allen ihren Theilen für angehende und ausübende Forstmänner und Jäger. Theil 2. Beschreibende Forst- und Insektenkunde nebst ihrer Verhütungs- und Vertilgungsmittel. 2. Auflage*. Gotha: Hennig, 400 pp., 3 pls.

Desbrochers J. 1872. Monographie des Phyllobiides d'Europe et des confins de la Méditerranée en Afrique et en Asie. *L'Abeille, Mémoires d'Entomologie*, 1: 659-692.

Desbrochers J. 1890. Descriptions de curculionides et de brenthides inédits faisant partie des collections du Musée Indien de Calcutta. *Journal of the Asiatic Society of Bengal*, 59(2)(3): 211-224.

Desbrochers J. 1893. Révision des espèces de curculionides appartenantes à la tribu des Gymnetridae d'Europe et circa. *Le Frélon*, 2(11, 12)［1892-1893］: 1-36［pag. spec.］.

Desbrochers J. 1900. Espèces inédites de curculionides de l'Ancien Monde VI. *Le Frélon*, 8(5)［1899-1900］: 1-16.

Desbrochers J. 1902a. Révision des curculionides appartenant aux genres Eudipnus et Conocoetus et genres voisins et au groupe des Scythropidae, suivie de rectifications synonymiques observations diverses. *Le Frélon*, 10［1901-1902］: 113-136.

Desbrochers J. 1902b. Révision des curculionides de la faune européenne et circa-meditérranéenne en Afrique et en Asie, appartenant au groupe des Scythropidae. *Le Frélon*, 10［1901-1902］: 137-153.

Desbrochers J. 1904. Études sur les curculionides de la fauna européene et des bassins de la Méditerranée, en Afrique et en Asia, suivies de tableaux synoptiques. *Le Frélon*, 12[1903-1904]: 65-104.

Desbrochers J. 1908. Espèces nouvelles de curculionides appartenant à la tribu des Sibinidae (et faisant partie de sa collection). *Le Frélon*, 16(4, 5) [1908/1909]: 37-59.

Drake C J. 1921. A new ambrosia beetle from the Adirondacks; notes on the work of *Xyloterinus politus* Say. *The Ohio Journal of Science*, 21: 201-205.

Duftschmid C E. 1825: *Fauna Austriae. Oder Beschreibung derösterreichischen Insecten, für angehende Freunde der Entomologie. Drittel Theil.* Linz: Priv. K. K. Akademischen Kunst-, Muster-und Buchhandlung, 290 pp.

Dugès E. 1887. Métamorphoses de quelques coléoptères du Mexique. *Annales de la Société Entomologique de Belgique*, 31: 137-147, pls 1-2.

Eggers H. 1910. Seltene und neue paläarktische Borkenkäfer. *Entomologische Blätter*, 6: 35-39.

Eggers H. 1911. Beiträge zur Kenntnis der Borkenkäfer. *Entomologische Blätter*, 7: 73-76.

Eggers H. 1920. 60 neue Borkenkäfer (Ipidae) aus Afrika, nebst zehn neuen Gattungen, zwei Abarten. *Entomologische Blätter*, 15: 229-243.

Eggers H. 1922a. Seltene und neue paläarktische Borkenkäfer, 3. *Entomologische Blätter*, 18: 12-18.

Eggers H. 1922b. Seltene und neue paläarktische Borkenkäfer, 4. *Entomologische Blätter*, 18: 116-121.

Eggers H. 1922c. Neue Borkenkäfer (Ipidae) aus Afrika. (Nachtrag 1.). *Entomologische Blätter*, 18: 163-174.

Eggers H. 1923a. Neue indomalayische Borkenkäfer. (Ipidae). *Zoologische Mededeelingen*, 7: 129-220.

Eggers H. 1923b. Seltene und neue paläarktische Borkenkäfer, 5. *Entomologische* Blätter, 19: 133-139.

Eggers H. 1926. Japanische Borkenkäfer, I. Entomologische Blätter, 22: 145-148.

Eggers H. 1930. Neue Xyleborus-Arten (Col. Scolytidae) aus Indien. *Indian Forest Records, Entomology Series*, 14: 177-208.

Eggers H. 1933a. Zur paläarktischen Borkenkäferfauna. *Entomologische Blätter*, 29: 1-9.

Eggers H. 1933b. Zur paläarktischen Borkenkäferfauna. *Entomologische Bläter*, 29: 49-56.

Eggers H. 1933c. Borkenkäfer (Ipidae Col.) aus China. *Entomologische Nachrichtenblatt*, 7: 97-102.

Eggers H. 1937. Zur paläarktischen Borkenkäferfauna. IV. *Entomologische Blätter*, 33: 334-335.

Eggers H. 1939. Japanische Borkenkäfer 2. *Arbeiten über Morphologische und Taxonomische Entomologie*, 6:114-123.

Eggers H. 1940. Zur paläarktischen Borkenkäferfauna. 7. *Fünf neue Arten aus Anatolien. Centralblatt für das Gesamte Forstwesen*, 66: 36-39.

Eggers H. 1941. Zur paläarktischen Borkenkäferfauna. 6. *Stettiner Entomologische Zeitung*, 102: 119-124.

Eggers H. 1942. Zur palaearktischen Borkenkäferfauna. (Coleoptera: Ipidae). 8. Borkenkäfer aus dem asiatischen Russland. *Arbeiten über Morphologische und Taxonomische Entomologie*, 9: 27-36.

Eggers H. 1943. Ein neuer Blastophagus aus Ostasien (Col. Scolytidae). *Entomologische Blätter*, 39: 50-51.

Eggers H. 1944. Zur paläarktischen Borkenkäferfauna (Coleoptera: Ipidae) 10. *Entomologische Blätter*, 40: 140-143.

Egorov A B. 1986. Obzor roda *Ozotomerus* Perroud, 1853 (Coleoptera: Anthribidae) s opisaniem novogo podvida s yuga Dal'nego Vostoka. pp. 14-22. *In* Ler P A (ed.). *Sistematika i ekologia nasekomykh Dal'nego Vostoka* [1985]. Vladivostok: Akademiya Nauk SSSR, Dal'nevostochnyy Nauchnyy Centr, 155 pp.

Egorov A B. 1977. Novyy vid zhukov-dolgonosikov roda *Alcidodes* Mshl. (Coleoptera: Curculionidae) s yuga Dal'nego Vostoka. *Trudy Zoologicheskogo Instituta Akademii Nauk SSSR*, 67: 39-42.

Eichhoff W J. 1864. Ueber die Mundtheile und die Fühlerbildung der europäischen Xylophagi sens. strict. *Berliner Entomologische Zeitschrift*, 8: 17-46, pl. 1.

Eichhoff W J. 1876. [new taxa]. *In* Chapuis F, Eichhoff W J. Scolytides recueillis au Japan par M. C. Lewis. *Annales de la Société Entomologique de Belgique*, 18 (3) [1875]: 197-203 + [1] [Signatures 25-31, issued February 1876].

Eichhoff W J. 1878a. Neue oder noch unbeschriebene Tomicinen. *Entomogische Zeitung* (Stettin), 39: 383-392.

Eichhoff W J. 1878b. Ratio, descriptio, emendatio eorum Tomicinorum qui sunt in Dr. medic. Chapuisii et autoris ipsius collectionibus et quos praeterea recognovit. *Mémoires de la Société Royale des Sciences de Liége*, (2) 8: 1 + iv + 531 pp., pls. Ⅳ.

Erichson W F. 1836. Systematische Auseinandersetzung der Familie der Borkenkäfer (Bostrichidae). *Archiv für Naturgeschichte*, 2: 45-65.

Fabricius J C. 1775. *Systema entomologiae, sistens insectorum classes, ordines, genera, species adiectis synonymis, locis, descriptionibus, observationibus.* Flensburgi et Lipsiae: Kortii. xxxii + 832 pp.

Fabricius J C. 1777. *Genera insectorum eorumque characteres naturales secundum numerum, figuram, situm et proportionem omnium partium oris adjecta mantissa specierum nuper detectarum.* Chilonii: Fried. Bartschii, xiv + 310 pp.

Fabricius J C. 1781. *Species insectorum exhibentes eorum differentias specificas, synonyma, auctorum, locanatalia, metamorphosin adiectis observationibus, descriptionibus. Tomus 1.* Hamburgi et Kilonii: C. E. Bohnii, viii + 552 pp.

Fabricius J C. 1792. *Entomologia systematica emendata et aucta. Secundum classes, ordines, genera, species adjectis synonimis, locis, observationibus, descriptionibus. Tomus 1. Pars II.* Hafniae: C. G. Proft, xx + 538 pp.

Fabricius J C. 1798. *Supplementum entomologiae systematicae.* Hafniae: C. G. Proft et Storch, [ii] + 572 pp.

Fabricius J C. 1801. *Systema eleutheratorum secundum ordines, genera, species: adiectis synonimis, locis, observationibus, descriptionibus. Tomus 2.* Kiliae: Bibliopoli Academici Novi, 687 pp.

Fåhraeus O I. 1840. [new taxa]. *In*: Schoenherr C J. *Genera et species curculionidum, cum synonymia hujus familiae; species novae aut hactenus minus cognitae, descriptionibus a Dom. L. Gyllenhal, C. H. Boheman, O. J. Fåhraeus et entomologis aliis illustratae. Tomus sextus. - Pars prima.* Parisiis: Roret; Lipsiae: Fleischer, 474 pp.

Fairmaire L. 1878. [new taxa]. *In*: Deyrolle H & Fairmaire L. Descriptions de coléoptères recueillis par M. l'abbé David dans la Chine centrale. *Annales de la Société Entomologique de France*, (5) 8: 113-140.

Fairmaire L. 1888. Notes sur les coléoptères des environs de Pékin(2e Partie). (Cont.). *Revue d'Entomologie*, 7: 117-148.

Fairmaire L. 1889a. Descriptions de Coléoptères de l'Indo-Chine. *Annales de la Société entomologique de France*, (6)8[1888]: 333-378.

Fairmaire L. 1889b. Coléoptères de l'intérieur de la Chine (5e partie). *Annales de la Société Entomologique de France*, (6)9: 5-84.

Fairmaire L. 1900. Descriptions de coléoptères nouveaux recueillis en Chine par M. de la Touche. *Annales de la Société Entomologique de France*, 68 [1899]: 616-643.

Fairmaire L. 1903. Matériaux pour la faune coléoptérique malgache (15e note). *Revue d'Entomologie*, 22: 13-46.

Faldermann F. 1835. Coleopterorum ab Illustrissimo Bungio in China boreali, Mongolia, et montibus Altaicis collectorum, nec non ab Ill. Turczaninoffio et Stchukino e provincia Irkutzk missorum illustrationes. *Mémoires présentés à l'Académie Impériale des Sciences de St.-Pétersbourg par divers savants et lus dansses assemblées*, 2 (4-5): 337-464, pls i-V.

Fall H C, Cockerell T D A. 1907. The Coleoptera of New Mexico. *Transactions of the American Entomological Society*, 33: 145-272.

Faust J. 1881. Beiträge zur Kenntniss der Käfer des europäischen und asiatischen Russlands mit Einschluss der Küsten des Kaspischen Meeres. (3. Fortsetzung). *Horae Societatis Entomologicae Rossiae*, 16: 285-333.

Faust J. 1882. RüsselKäfer aus dem Amurgebiet. *Deutsche Entomologische Zeitschrift*, 26: 257-295.

Faust J. 1886. Verzeichniss auf einer Reise nach Kashgar gesammelter Curculioniden. *Entomologische Zeitung* (Stettin), 47: 129-157.

Faust J. 1887a. Verzeichnis der von Herrn Herz in Peking, auf der Insel Hainan und auf der Halbinsel Korea gesammelten RüsselKäfer. *Horae Societatis Entomologicae Rossicae*, 21: 26-40.

Faust J. 1887b. Curculioniden aus dem Amur-Gebiet. *Deutsche Entomologische Zeitschrift*, 31: 161-180.

Faust J. 1888. Neue RüsselKäfer aller Länder. *Entomologische Zeitung* (Stettin), 49: 284-311.

Faust J. 1890a. Beschreibung neuer RüsselKäfer aus China. *Deutsche Entomologische Zeitschrift*, 1890: 257-263.

Faust J. 1890b. Insecta a cl. G. N. Potanin in China et in Mongolia novissime lecta. 5. Curculionidae. *Horae Societatis Entomologicae Rossicae*, 24 [1889-1890]: 421-476.

Faust J. 1892. Curculioniden aus dem Malayischen Archipel. *Entomologische Zeitung* (Stettin), 53: 184-228.

Faust J. 1894. Viaggia di Leonardo Fea in Birmania e regioni vicine. 6. Curculionidae. *Annali del Museo Civico di Storia Naturale di Genova*, 34[1894-1896]: 153-370.

Faust J. 1897a: Revision der Gattung *Episomus* Schönherr. *Horae Societatis Entomologicae Rossicae*, 31: 90-201.

Faust J. 1897b: Beschreibung neuer Coleopteren von Vorder-und Hinterindien aus der Sammlung des Hm. Andrewes in London. Curculionidae. *Deutsche Entomologische Zeitschrift*, 1897: 337-388.

Ferrari J A. 1867. *Die Forst-und Baumzuchtschädlichen Borkenkäfer (Tomicides Lac.) aus der Familie der Holzverderber (Scolytides Lac.), mit besonderer Berücksichtigung vorzüglich der europäischen Formen, und der Sammlung des k. k. zoologischen Kabinetes in Wien*. Wien: Carl Gerold's Sohn,. 2 + 96 pp.

Ferrari J A. 1869. Nachträge, Berichtigungen und Aufklärungen über zweifelhaft gebliebene Arten in: *die forst-und baumzuchtschädlichen Borkenkäfer (Tomicides Lac.) etc. Berliner Entomologische Zeitschrift*,

12: 251-258.

Fleischer A. 1923. Formanekia, ein neues Genus der Brachyderini (Col. Curcul.). *Wiener Entomologische Zeitung*, 40: 15-16.

Formánek R. 1911. Beschreibung von sechs neuen Curculioniden nebst Bemerkungen über bekannte Arten. *Wiener Entomologische Zeitung*, 30:203-217.

Fügner K. 1891. Zum Verzeichnis der deutschen Käfer. *Deutsche Entomologische Zeitschrift*, 1891: 199-203.

Gebler F A von. 1830. Bemerkungen über die Insekten Sibiriens, vorzüglich des Altai. Allgemeine Bemerkungen über die im Kolywan-Woskresenskischen Hüttenbezirke vorkommenden Insekten. pp. 1-228. *In* Ledebour C F. *Reise durch das Altai-Gebirge und die soongorische Kirgisen-Steppe. Auf Kosten der Kaiserlichen Universität Dorpat unternommen im Jahre 1826 in Begleitung der Herren D. Carl Anton Meyer und D. Alexander von Bunge R. K. Collegien-Assessors. Zweiter Theil.* Berlin: G. Reimer, iv + 522 + [2] pp.

Gemminger M. 1871. Curculionidae. *In* Gemminger M, Harold E de. *Catalogus Coleopterorum hucusque descriptorum synonymicus et systematicus. Tom. 8.* Monachii: E. H. Gummi (G. Beck), pp. 2183-2668 + [11].

Gemminger M, Harold E von. 1872, *Catalogus Coleopterorum hucusque descriptorum synonymicus et systematicus. Tom. 9. Scolytidae, Brenthidae, Anthotribidae, Cerambycidae.* Monachii: E. H. Gummi, 2669-2988 + [11] pp.

Geoffroy E L. 1762: *Histoire abregée des insectes qui se trouvent aux environs de Paris; dans laquelle ces animaux sont rangés suivant un ordre méthodique. Tome premier.* Durand, Paris, xxviii + 523 pp. , 10 pls.

Geoffroy E L. 1785. [new taxa]. *In* Fourcroy A F. *Entomologia Parisiensis; sive catalogus insectorum quae in agro Parisiensi reperiuntur; secundum methodum Geoffroeanam in sectiones, genera & species distributus: cui addita sunt nomina trivialia & fere trecentae novae species. Pars Prima.* Parisiis: Via et Aedibus Serpentineis. viii + [1] +231 pp.

Germar E F. 1817. Miscellen und Correspondenz-Nachrichten. *Magazin der Entomologie*, 2: 339-341.

Germar E F. 1824. *Insectorum species novae aut minus cognitae, descriptionibus illustratae. Volumen primum. Coleoptera.* Halae: Impensis J. C. Hendelii et filii, xxiv + 624 pp. , 2 pls.

Germar E F. 1829. Curculionides. *In* Ersch J S, Gruber J G. *Allgemeine Encyclopädie der Wissenschaften und Künste*, 22: 356-359.

Gerstaecker C E A. 1854. Beschreibung neuer Arten der Gattung Apion Herbst (Schluss). *Entomologische Zeitung* (Stettin), 15: 267-280.

Gistel J. 1848. *Naturgeschichte des Thierreichs. Für höhere Schulen bearbeitet durch Johannes Gistel. Mit einem Atlas von 32 Tafeln (darstellend 617 illuminirte Figuren) und mehreren dem Texte eingedruckten Xylographien.* Stuttgart: Hoffmann'sche Verlags-Buchhandlung, xvi + 216 + [4] pp. , 32 pls.

Gistel J. 1856. *Die Mysterien der europäischen Insectenwelt. Ein geheimer Schlüssel für Sammler aller Insecten-Ordnungen und Stände, behufs des Fangs, des Aufenhalts-Orts, der Wohnung, Tag- und Jahreszeit u. s. w. , oder autoptische Darstellung des Insectenstaats in seinem Zusammenhange zum Bestehen des Naturhaushaltes überhaupt und insbesondere in seinem Einflusse auf die phanerogamische und cryptogamische Pflanzenberöltzerrung Europa's. Zum ersten Male nach 25jährigen eigenen Erfahrungen zusam-*

mengestellt und herausgegeben. Kempten：T. Dannheimer. xii ＋ 532 pp.

Gmelin J F. 1790. *Caroli a Linné, Systema Naturae per regna tria naturae, secundum classes, ordines, genera, species, cum characteribus, differentiis, synonymis, locis. Editio decima tertia, aucta, reformata. Tom.* 1. *Pars* 4. *Classis* 5. *Insecta.* Lipsiae：Georg Emanuel Beer, pp. 1517-2224.

Goeze J A E. 1777. *Entomologische Beyträge zu des Ritter Linné zwölften Ausgabe des Natursystems. Erster Teil.* Leipzig：Weidmanns Erben und Reich, xvi ＋ 736 pp.

Gortani M, Grandi G. 1904. Le forme italiane del genere *Attelabus*, Linné. *Rivista Coleotterologica Italiana*, 2：165-171.

Gozis M des. 1886. *Recherche de l'espèce typique de quelques anciens genres. Rectifications synonymiques et notes diverses.* Montluçon：Imprimerie Herbin, 36 pp.

Gravenhorst J L C. 1807. *Vergleichende Uebersicht des Linneischen und einiger neuern zoologischen Systeme nebst dem eingeschalteten Verzeichnisse der zoologischen Sammlung des Verfassers und den Beschreibungen neuer Thierarten, die in derselben vorhanden sind.* Göttingen：Bey Heinrich Dieterich, xx ＋ 476 pp.

Grebennikov V V. 2014. DNA barcode and phylogeography of six new high altitude wingless *Niphadomimus* (Coleoptera：Curculionidae：Molytinae) from Southwest China. *Zootaxa*, 3838 (2)：151-173.

Gredler V M. 1866. *Die Käfer von Tirol nach ihrer horizontalen und vertikalen Verbreitung. II. Hälfte：Dascillidae-Schluss. Mit mehren diagnosirten Novitäten.* Bozen：G. Ferrari (vorm. Eberle), [2] ＋ 235-491 pp.

Gyllenhal L. 1813. *Insecta Svecica descripta a Leonardo Gyllenhal. Classis I. Coleoptera sive Eleuterata. Tomi* 1, *Pars* 3. Scaris：F. J. Leverentz, [4] ＋ 730 ＋ [2] pp.

Gyllenhal L. 1827. *Insecta Svecica descripta a Leonardo Gyllenhal. Classis I. Coleoptera sive Eleuterata. Tomi I. Pars IV.* Lipsiae：Friedericum Fleischer. viii ＋ [2] ＋ 761 ＋ [1] pp.

Gyllenhal L. 1833. [new taxa]. *In* Schoenherr C J. *Genera et species Curculionidum, cum synonymia hujus familiae. Species novaae aut hactenus minus cognitae, descriptionibus a Dom. Leonardo Gyllenhal, C. H. Boheman, et entomologis aliis illustratae. Tomus primus. - Pars secunda.* Parisiis：Roret；Lipsiae：Fleischer, pp. 383-681.

Gyllenhal L. 1834. [new taxa]. *In* Schoenherr C J. *Genera et species Curculionidum, cum synonymia hujus familiae. Species novae aut hactenus minus cognitae, descriptionibus a Dom. Leonardo Gyllenhal, C. H. Boheman, et entomologis aliis illustratae. Tomus secundus. - Pars prima.* Parisiis：Roret；Lipsiae：Fleischer, 326 pp.

Gyllenhal L. 1835. [new taxa]. *In* Schoenherr C J. *Genera et species curculionidum, cum synonymia hujus familiae. Species novae aut hactenus minus cognitae, descriptionibus a Dom. Leonardo Gyllenhal, C. H. Boheman, et entomologis aliis illustratae. Tomus tertius. - Pars prima.* [1836]. Parisiis：Roret；Lipsiae：Fleischer, [6] ＋ 505 pp.

Gyllenhal L. 1840. [new taxa]. *In* Schoenherr C J. *Genera et species curculionidum, cum synonymia hujus familiae；species novae aut hactenus minus cognitae, descriptionibus a Dom. L. Gyllenhal, C. H. Boheman, O. J. Fåhraeus et entomologis aliis illustratae. Tomus sextus. - Pars prima.* Parisiis：Roret；Lipsiae：Fleischer, 474 pp.

Hagedorn J M. 1908. Diagnosen bisher unbeschriebener Borkenkäfer. *Deutsche Entomologische Zeitschrift*, 1908：369-382.

Hagedorn J M. 1909. Diagnosen bisher unbeschriebener Borkenkäfer (Col.). *Deutsche Entomologische Zeitschrift*, 1909: 733-746.

Hagedorn J M. 1910. Diagnosen bisher unbeschriebener Borkenkäfer (Col.). *Deutsche Entomologische Zeitschrift*, 1910: 1-13.

Hagedorn J M. 1912. Neue Borkenkäfergattungen und Arten aus Africa (Col.). *Deutsche Entomologische Zeitschrift*, 1912: 351-356, pl. vi-vii.

Hajóss J. 1938. Neue Beiträge aus Käferfauna des geschichtlichen Ungarn. *Festschricht für Embrik Strand* (*Riga*), 4: 652-660.

Hartig T. 1834. [new taxa]. *In* Hartig G L, Hartig T. *Forstliches und forstnaturwissenschaftliches Conversations-Lexikon. Ein Handbuch für Jeden, der sich für das Forstwesen und die dazu gehörigen Naturwissenschaften interessiert*. Berlin: Nauckschen Buchhandlung, xiv + 1034 pp.

Heller K M. 1918. Die philippinischen Arten der RüsselKäfergattung Alcides Schönh. *Stettiner Entomologische Zeitung*, 78 [1917]: 209-245.

Heller K M. 1927. Studien zur Systematik der altweltlichen Balaninini 2. *Stettiner Entomologische Zeitung*, 88: 175-287.

Heller K M. 1930. Vier neue Tanymecini (Col. Curculionidae) der palaearktischen Region. *Wiener Entomologische Zeitung*, 47: 105-109.

Hellwig J C L. 1792. Dritte Nachricht von neuen Gattungen im entomologischen System. *Neuestes Magazin für die Liebhaber der Entomologie*, 1 (4): 385-408.

Herbst J F W. 1795. Natursystem aller bekannten in- und ausländischen Insekten, als eine Fortsetzung der von Büffonschen Naturgeschichte. *Der Käfer, sechster Theil*. Berlin: Joachim Pauli, xxiv + 520 pp., pls LX-xcv.

Herbst J F W. 1797. *Natursystem aller bekannten in- und ausländischen Insekten, als eine Fortsetzung der von Büffonschen Naturgeschichte. Der Käfer siebenter Theil*. Berlin: Joachim Pauli, xi + 346 pp., pls. 96-116.

Hochhuth I H. 1851. Beitraege zur näheren Kenntniss der RüsselKäfer Russlands, enthaltend Beschreibung neuer Genera und Arten, nebst Erläuterungen noch nicht hinlänglich bekannter Curculionen des russischen Reichs. *Bulletin de la Société Impériale des Naturalistes de Moscou*, 24 (1): 3-102.

Hoffmann A. 1950. Curculionides marocains inédits ou peu connus. *Bulletin de la Société Entomologique de France*, 55: 82-93.

Hoffmann A. 1956. Curculionides nouveaux rapportés par la mission G. Remaudière en Iran. *Revue de Pathologie Végétale et d'Entomologie Agricole de France*, 35: 241-249.

Hoffmann A. 1958. *Faune de France 62 Coléoptères curculionides (Troisième partie)*. Paris: Lechevalier, pp. 1209-1839.

Hoffmann A. 1959. Description de deux anthribides nouveaux nuisibles au caféier. *Journal d'Agriculture Tropicale et de Botanique Appliquée (Paris)*, 6: 340-343.

Hoffmann A. 1962. Contribution à la connaissance de la faune du Moyen-Orient (Missions G. Remaudière 1955 et 1959). 1. Coléoptères curculionides (1). *Vie et Milieu*, 12[1961]: 643-666.

Hopkins A D. 1915a. *Classification of the Cryphalinae, with descriptions of new genera and species. United States Department of Agriculture, Report No. 99*. Washington: Government Printing Office, 75 pp., 4 pls.

Hopkins A D. 1915b. *Contributions toward a monograph of the scolytid beetles. II Preliminary classification of the superfamily Scolytoidea. United States Department of Agriculture*, Technical Series, No. 17. Washington: Government Printing Office, vi + 165-232, pls. IX-XV.

illiger J C W. 1794. Beschreibung einiger neuen Käferarten aus der Sammlung des Herrn Professors Hellwig in Braunschweig. *Neuestes Magazin für die Liebhaber der Entomologie*, 1 (5): 593-620.

illiger J C W. 1807. Vorschlag zur Aufnahme im Fabricischen Systeme fehlender Käfergattungen. *Magazin für Insektenkunde*, 6: 318-349.

Jekel H. 1860. Coleoptera, Curculionides. *In* Saunders W W. *Insecta Saundersiana: or characters of undescribed insects in the collection of William Wilson Saunders*, Esq., F. R. S., F. L. S., &c. Part 2: [4] + 155-244 pp. +1 table + [1] + 1 pl.

Jordan K. 1928. Further records of Anthribidae from French Indo-China, with the addition of the descriptions of two new species from other countries. *Novitates Zoologicae*, 34: 77-94.

Kiesenwetter H von. 1864. Beitrag zur Käferfauna Griechenlands. Neuntes Stück. Curculionidae. *Berliner Entomologische Zeitschrift*, 8: 239-293, pls III, IV.

Kirby W. 1837. Part the fourth and last. The insects. *In* Richardson J. *Fauna Boreali-Americana; or the zoology of the northern parts of British America: containing descriptions of the objects of natural history collected on the late Northern land Expeditions, under command of Captain Sir John Franklin, R. N.* Norwich: Josian Fletcher, xxxix + 325 + [1] pp., 8 pls.

Knižek M. 2008. A new species of *Scotoplatypus* (Coleoptera: Scolytidae) from China. *Studies and Reports of District Museum Prague-East*, Taxonomical Series, 4: 119-123.

Kolbe H J. 1886. Beiträge zur Kenntniss der Coleopteren-Fauna Koreas, bearbeitet auf Grund der von Herrn Dr. C. Gottsche während der Jahre 1883 und 1884 in Korea veranstalteten Sammlung; nebst Bemerkungen über die zoogeographischen Verhältnisse dieses Faunengebietes und Untersuchungen über einen Sinnesapparat in Gaumen von Misolampidius morio. *Archiv für Naturgeschichte*, 52(1): 139-240, pls X-XI.

Kolbe H J. 1895. Coleopteren aus Afrika. 2. *Entomologische Zeitung* (Stettin), 55 [1894-1895]: 361-397.

Kolenati F A. 1846. *Meletemata Entomologica. Fascicule 3. Brachelytra Caucasi cum distrubutione geographica adnexis Pselaphinis*, Scydmaenis, Notoxidibus et Xylophagis. Petropoli: Typis Imperialis Academiae Scientarum, [6] + 44 pp., pls 12-14.

Kôno H. 1926. Einige Coleopteren aus Korea, mit Beschreibung auf [sic!] eine neue Art. *Transactions of the Natural History Society of Formosa*, 16 (84): 87-91.

Kôno H. 1927. Beitrag zur Kenntnis der Attelabinen-Fauna Japans. *Insecta Matsumurana*, 2: 34-45.

Kôno H. 1928. Einige Curculioniden Japans (Col.). *Insecta Matsumurana*, 2: 163-177.

Kôno H. 1929. Ueber 2 neue Gattungen von Rhynchitinen und ihre Lebensweisen (Col., Curc.). *Transactions of the Sapporo Natural History Society*, 10(2): 122-137.

Kôno H. 1930a. Die Apoderinen aus dem Japanischen Reich. *Journal of the Faculty of Agriculture*, Hokkaido Imperial University (Sapporo), 29(2): 37-83, pls V-VI.

Kôno H. 1930b. Langrüssler aus dem japanischen Reich. *Insecta Matsumurana*, 4: 137-143, 145-162.

Kôno H. 1933. Die Hylobiinen aus Formosa (Col. Curc.). *Insecta Matsumurana*, 7: 182-189.

Kôno H. 1934. Die japanische Hylobiinen (Col. Curc.). *Journal of the Faculty of Agriculture Hokkaido*

Imperial University, 33(3): 223-249.

Kôno H. 1935. Insects of Jehol [Ⅶ] -Orders: Coleoptera (Ⅱ) & Hymenoptera (Ⅰ), Family Curculion-idae. *Report of the first scientific expedition to Manchoukuo*, Section Ⅴ, Division 1, Part Ⅺ, Article, 53: 1-7, lpl.

Kôno H. and Morimoto, K. 1960. Curculionidae from Shanshi, North China. (Coleoptera). *Mushi*, 34: 71-87.

Korotyaev B A. 1999. [new taxa]. *In* Alonso-Zarazaga M A, Lyal C H C. *A world catalogue of families and genera of Curculionoidea (Insecta: Coleoptera) (Excepting Scolytidae and Platypodidae)*. Barce-lona: Entomopraxis, 315 pp.

Kostin I A. 1963. Novyy vid roda Hylobius Schonh. (Coleoptera: Curculionidae). *Trudy Instituta Zoologii Akademii Nauk Kazakhskoy SSR 21*, Materialy po izucheniya nasekomykh Kazahstana: 149-151.

Krivolutskaya G O. 1958. *Koroedy ostrova Sakhalina.* [*Bark beetles of Sakhalin Island*]. Moskva, Lenin-grad: Akademiya Nauk SSSR, 195 pp.

Kurentsov A I. 1941. *Koroedy Dalnego Vostoka SSSR* [Bark-beetles of the Far East, USSR]. Moskva, Leningrad: Izdatelstvo Akademii Nauk SSSR, 234 pp.

Kurentsov A I, Kononov D G. 1966. *Novye vidy koroedov (Ipidae Coleoptera). pp. 29-33. In Cherepanov A. I., Novye vidy fauny Sibiri i prilegayushchikh stran.* Novosibirsk: Nauka, 155 pp.

Lacordaire J T. 1865. *Histoire naturelle des insectes. Genera des coléopères ou exposé méthodique et critique de tous les genres proposés jusqu'ici dans cet ordre d'insectes. Tome septième contenant les familles des curculionides (suite), scolytides, brenthides, anthribides et bruchides.* [1866]. Paris: Librairie Ro-ret, 620 pp.

Lacordaire T. 1863. *Histoire naturelle des insectes. Genera des coléoptères ou exposé méthodique et critique de tous les genres proposés jusqu'ici dans cet ordre d'insectes. Tome sixième.* Paris: Roret, 637 pp.

Laicharting J N E von. 1781. *Verzeichniss und Beschreibung der Tyroler-Insecten. I. Theil. Käferartige In-secten. I. Band.* Zürich: Johann Casper Fuessly, [4] + xii + [1] + 248 pp.

Latreille P A. 1802. *Histoire naturelle, générale et particulière, des crustacés et des insectes. Ouvrage fai-sant suite aux oeuvres de Leclerc de Buffon, et partie du cours complet d'histoire naturelle rédigé par C. S. Sonnini, membre de plusieurs Sociétés savantes. Tome troisième.* Paris: F. Dufart, x + 467 + [1] pp.

Latreille P A. 1804. *Histoire naturelle, générale et particulière, des crustacés et des insectes. Ouvrage faisant suite aux oeuvres de Leclerc de Bujfon, et partie du cours complet d'histoire naturelle rédigé par C. S. Son-nini, membre de plusieurs Sociétés savantes. Tome onzième.* Paris: F. Dufart, 422 pp., pls 91-93.

Laxmann E. 1770. *Novae insectorum species. Novi Commentarii Academiae Scientiarum Imperialis Petropoli-tanae*, 14 (1): 593-604, plsⅩⅪV-ⅩⅩⅤ.

LeConte J L. 1857. Report upon insects collected on the Survey. *Reports of explorations and surveys for a railroad route from the Mississippi to the Pacific Ocean*, 12 (3): 1-72.

LeConte J L. 1876. [new taxa, pp. 1-12, 112-455]. *In*: LeConte, J. L. and Horn, G. H., The *Rhyn-chophora* of America North of Mexico. *Proceedings of the American Philosophical Society*, 15 (96): i-xvi + 1-455. [note: G. H. Horn author of pp. 13-111].

Legalov A A. 2003a. Novye taksony Rhynchitidae (Coleoptera) iz Zapadnoy Palearktiki. New taxa of Rhynchitidae (Coleoptera) from West Palaearctic. *Euroasian Entomological Journal*, 2: 69-73.

Legalov A A. 2003b. *Taksonomiya, klassifikaciya i filogeniya rinkhitid i trubkovertov* (*Coleoptera*: *Rhynchitidae*: *Attelabidae*) *mirovoy fauny. - Taxanomy* [sic!], *classification and phylogeny of the leaf-rolling weevils* (*Coleoptera*: *Rhynchitidae*: *Attelabidae*) *of the World fauna.* CD-ROM. Novosibirsk: Institut sistematiki i ekologii zhivotnykh SO RAN, 733 pp.

Legalov A A. 2004. New data of the leaf-rolling weevils (Coleoptera: Rhynchitidae: Attelabidae) of the world fauna with description of 35 new taxons. *Baltic Journal of Coleopterology*, 4: 63-88.

Legalov A A. 2005. [new taxa]. *In* Legalov A A, Liu N. New leaf-rolling weevils (Coleoptera: Rhynchitidae: Attelabidae) from China. *Baltic Journal of Coleopterology*, 5: 99-132.

Legalov A A. 2007. *Leaf-rolling weevils* (*Coleoptera*: *Rhynchitidae*: *Attelabidae*) *of the world fauna.* Novosibirsk: Agro-Siberia, 523 pp.

Legalov A A. 2009. New species and new records of the rhynchitid beetles (Coleoptera: Rhynchitidae) from Asia. *Amurskii Zoologicheskii Zhurnal*, 1(1): 30-36.

Legalov A A, Liu N. 2005. New leaf-rolling weevils (Coleoptera: Rhynchitidae: Attelabidae) from China. *Baltic Journal of Coleopterology*, 5: 99-132.

Linnaeus C. 1758. *Systema Naturae per regna tria naturae, secundum classes, ordines, genera, species, cum caracteribus, differentiis, synonymis. Tomus 1. Edition decima, reformata.* Holmiae: Laurentii Salvii, vi + 824 + [1] pp.

Linnaeus C. 1760. *Fauna suecica sistens animalia Sueciae regni*: *Mammalia, Aves, Amphibia, Pisces, Insecta, Vermes. Distributa per classes et ordines, genera et species, cum differentiis specierum, synonymis auctorum, nominibus incolarum, locis natalium, descriptionibus insectorum. Edition altera, auctior.* Stockholmiae: Laurentii Salvii, [48] + 578 pp., 2 pls.

Linnaeus C. 1767. Systema Naturae per regna tria naturae, secundum classes, ordines, genera, species, cum charakteribus, differentiis, synonymis, locis. Editio decima, reformata. Tomus 1. Pars 2. Holmiae: L. Salvii, [2] + 533-1327 + [37] pp.

Mannerheim C G. von. 1843. Beitrag zur Kaefer-Fauna der Aleutischen Inseln, der Insel Sitkha und Neu-Californiens. *Bulletin de la Société Impériale des Naturalistes de Moscou*, 16(2): 175-314. [138].

Marshall G A K. 1916. Coleoptera: Rhynchophora: Curculionidae. *In* Shipley A E. *Fauna of British India, including Ceylon and Burma. Published under the authority of the Secretary of State for India in Council.* London: Taylor and Francis, xv + 367 pp.

Marshall G A K. 1924. On new Curculionidae from India (Coleoptera). *The Annals and Magazine of Natural History*, (9)13: 282-296.

Marshall G A K. 1941. On Curculionidae (Col.) from Burma. *The Annals and Magazine of Natural History*, (11)8: 345-379.

Marshall G A K. 1948. Entomological results from the Swedish expedition 1934 to Burma and British India. Coleoptera: Curculionidae. *Novitates Zoologicae*, 42: 397-473.

Marshall G A K. 1902. Description d'un anthribide nouveau de la Corse (Col.). *Bulletin de la Société Entomologique de France*, 1902: 210-212.

Marsham T. 1802. *Entomologia Britannica, sistens insecta Britanniae indigena, secundum methodum linnaeanam disposita. Tomus I. Coleoptera.* London, J. White: xxxi + 548 pp., 30 pls.

Matsumura S; Kôno H. 1928. [new taxa]. *In* Kôno H. Einige Curculioniden Japans (Col.). *Insecta Matsumurana* 2: 163-177.

Megerle J C. 1826. [new taxa]. *In* Schoenherr C J. Curculionidum dispositio methodica cum generum character ibus, descriptionibus atque observationibus variis seu prodromus ad synonymiae insectorum, partem Ⅳ. Lipsiae: Fleischer, x + 338 pp.

Montrouzier X. 1855. Essaisur la faune de l'île de Woodlark ou Moiou. *Annales des Sciences Physiques et Naturelles, d'Agriculture et d'Industrie* (Lyon), (2)7: 1-114.

Morimoto K. 1962. Taxonomic revision of weevils injurious to forestry in Japan. I. *Bulletin of the Government Forest Experiment Station*, 135: 35-46, pls. 1-2.

Morimoto K. 1972. A key to the genera of oriental Anthribidae. *Bulletin of the Government Forest Experiment Station, Tokyo*, 246: 35-54.

Morimoto K. 1981. On some Japanese Curculioninae (Coleoptera: Curculionidae). *Esakia*, 17: 109-130.

Morimoto K, Miyakawa S. 1985. Weevil fauna of the Izu Islands, Japan. *Mushi*, 50(3): 19-85.

Motschulsky V de. 1845a. Remarques sur la collection de coléoptères russes de Victor de Motschulsky. *Bulletin de la Société Impériale des Naturalistes de Moscou*, 18(1): 3-127, pls Ⅰ-Ⅲ.

Motschulsky V de. 1845b. Observations sur le Musée Entomologique de l'Université Impériale de Moscou. *Bulletin de la Société Impériale des Naturalistes de Moscou*, 18(4): 332-388, pls 5-7.

Motschulsky V de. 1854a. Diagnoses de coléoptères nouveaux, trouvés par M. M. Tatarinoff et Gaschkéwitsch aux environs de Pékin. *Études Entomologiques*, 2: 44-51.

Motschulsky V de. 1854b. Coléoptères du nord de la Chine (Chingai). *Études Entomologiques*, 3[1853]: 63-65.

Motschulsky V de. 1855. Notices. *Études Entomologiques*, 4: 77-78.

Motschulsky V de. 1858. Insectes des Indes orientales. 1; ière Série. *Études Entomologiques*, 7: 20-122, 2 pls.

Motschulsky V de. 1859. Coléoptères du Gouvernement de Iakoutsk, recueillis par M. Pavlofski. (Fin). *Bulletin de la Classe Physico-Mathématique de l'Académie Impériale des Sciences de St. -Pétersbourg*, 17 (35-36): 567-574.

Motschulsky V de. 1860a. Insectes du Japon. *Études Entomologiques*, 9: 4-41.

Motschulsky V de. 1860b. Coléoptères rapportés de la Sibérie orientale et notamment des pays situés sur le bords du fleuve Amour par MM. Schrenck, Maack, Ditmar, Voznessenski etc. pp. 80-257 + [1], pls. Ⅵ-Ⅺ, 1 map. *In* Schrenck P L. *Reisen und Forschungen im Amur-Lande in den Jahren 1854-1856 im Auftrage der Kaiserlichen Akademie der Wissenschaften zu St. Petersburg ausgeführt und in Verbindung mit mehreren Gelehrten herausgegeben. Band 2. Zweite Lieferung. Coleopteren.* St. Petersburg: Kaiserliche Akademie der Wissenschaften, 976 pp.

Motschulsky V de. 1860c. Catalogue des insectes rapportes des environs du fl. Amour, depuis la Schilka jusqu'a Nikolaevsk. *Bulletin de la Société Impériale des Naturalistes de Moscou*, 32 (4) [1859]: 487-507.

Motschulsky V de. 1860d. Coléoptères rapportés en 1859 par M. Sévertsef des Steppes méridionales des Kirghises. *Bulletin de la Classe Physico-Mathématique de l'Académie Impériale des Sciences de St. Pétersbourg*, 2 [1860-1861] (8): cols. 513-544, 2 pls.

Motschulsky V de. 1861. Insectes du Japon. *Études Entomologiques*, 9[1860]: 4-39.

Motschulsky V de. 1863. Essai d'un catalogue des insectes de l'île Ceylan. (Suite). *Bulletin de la Société Impériale des Naturalistes de Moscou*, 36(2): 421-532.

Motschulsky V de. 1866. Catalogue des insectes recus du Japon. *Bulletin de la Société Impériale des Naturalistes de Moscou*, 39: 163-200.

Murayama J J. 1929. Révision des coléoptères des ipides avec la description d'une nouvelle espèce. *Journal of the Chosen Natural History Society*, 9: 22-30, 1 pl.

Murayama J J. 1940. Nouvelle note sur les scolytides du Manchoukuo. *Annotationes Zoologicae Japonenses*, 19: 229-237.

Murayama J J. 1943. Nouvelles espèces des scolytides (Coleopteres) du Manchoukuo. *Annotationes Zoologicae Japonenses*, 22: 96-100.

Murayama J J. 1950. A new genus and some new species of Scolytidae from Japan (Coleoptera). *Transactions of the Shikoku Entomological Society*, 1: 49-53.

Murayama J J. 1958. Studies in the scolytid-fauna of the northern half of the Far East, 4, new genera and new species. *Bulletin of the Faculty of Agriculture*, *Yamaguti University*, 9: 927-936.

Nakane T. 1963. New or little-known Coleoptera from Japan and its adjacent regions. 20. Curculionoidea. *Fragmenta Coleopterologica*, 8-10: 31-40.

Neresheimer J, Wagner H. 1944. [new taxa]. *In* Wagner H. Über das Sammeln von Ceuthorrhynchinen. *Koleopterologische Rundschau*, 30: 125-142.

Niisima Y. 1909. Die Scolytiden Hokkaidos unter Berücksichtigung ihrer Bedeutung für Forstschäden. *The Journal of the College of Agriculture*, *Tohoku Imperial University*, 3(2): 109-179, pl. III -IX.

Nobuchi A. 1974. Studies on Scolytidae VII. The bark beetles of the tribe Ipini in Japan (Coleoptera). *Bulletin of the Government Forest Experiment Station*, 266: 33-60, 4 pls.

Nobuchi A. 1981. Studies on Scolytidae (Coleoptera). 21. Three new genera and species from Japan. *Kontyû*, 49: 12-18.

Nunberg M. 1963. Die Gattung *Xyleborus* Eichhoff (Coleoptera: Scolytidae). Ergänzungen, Berichtigungen und Erweiterung der Diagnosen (2. Teil). *Annales du Musée Royal du Congo Belge*, *Ser. 8*, *Sciences Zoologiques*, 115: 127 pp.

Nunberg M. 1964. Neue Scolytiden (Coleoptera) aus der Sammlung des Ungarischen Naturwissenschaftlichen Museums in Budapest. *Annales Historico-Naturales Musei Nationalis Hungarici*, 56: 431-437.

Oda A. 1979. A revisional study of two genera of Anthribidae, *Tropideres* and *Gonotropis*, of Japan (Coleoptera). *Transactions of the Shikoku Entomological Society*, 14: 109-126.

Oke C. 1934. On some Australian Curculionoidea. Part 2. *Proceedings of the Royal Society of Victoria*, 46: 250-263.

Olivier A G. 1789. *Encyclopédie méthodique, ou par ordre des matières; par une société de gens de lettres, de savans et d'artistes. Precédée d'un vocabulaire universel, servant de table pour l'Ouvrage, ornée des Portraits de MM. Diderot et d'Alembert, premiers Éditeurs de l'Encyclopédie. Histoire Naturelle. Insectes. Tome quatrième. Part 2.* Paris: Panckoucke, 331 pp.

Olivier A G. 1791. *Encyclopédie méthodique, ou par ordre des matières; par une société de gens de lettres, de savans et d'artistes. Precédée d'un vocabulaire universel, servant de table pour l'Ouvrage, ornée des Portraits de MM. Diderot et d'Alembert, premiers Éditeurs de l'Encyclopédie. Histoire Naturelle. Insectes. Tome cinquième. Part 2.* Paris: Panckoucke, pp. 369-793.

Olivier A G. 1795. *Entomologie, ou histoire naturelle des Insectes, avec leurs caractères génériques et spécifiques, leur description, leur synonymie, et leur figure enluminée. Coléoptères. Tome quatrième.*

Paris: de Lanneau, 519 pp., 72 pls. [note: each genus with separat pagination].

Olivier A G. 1807. *Entomologie, ou histoire naturelle des insectes, avec leurs caractères génériques et spécifiques, leur description, leur synonymie, et leur figure enluminée. Coléoptères. Tome cinquième.* Paris: Desray, 612 pp., 59 pls.

Pajni H R. 1990. *Fauna of India and adjacent countries. Coleoptera Curculionidae subfamily Eremninae tribe Cyphicerini.* Calcutta: Zoological Survey of India, 568 pp.

Panzer G W F. 1796. *Faunae insectorum Germanicae initia oder Deutschlands Insecten. Heft 34.* Nürnberg: Felsecker, 24 pp., 24 pls.

Panzer G W F. 1798. *Johann Euseb Voets Beschreibungen und Abbildungen hartsschaaligter Insekten, Coleoptera Linn.: aus dem Original getreu übersetzt, mit der in selbigem fehlenden Synonymie und beständigen Commentar versehen.* Erlangen: J. J. Palm, xiv + 120 pp. [p. 120 printed as 112], pls XXV-XVIII.

Panzer G W F. 1799. *Faunae insectorum Germanicae initia oder Deutschlands Insecten. Heft 66.* Nürnberg: Felsecker, 24 pp., 24pls.

Park S W, Hong K J, Woo K S and Kwon Y J. 2001. A review of the Anthribidae (Coleoptera) from the Korean Peninsula. *Insecta Koreana*, 18: 171-200.

Pascoe F P. 1859a. On some new Anthribidae. *The Annals and Magazine of Natural History*, (3)4: 327-333.

Pascoe F P. 1859b. On some new Anthribidae. *The Annals and Magazine of Natural History*, (3)4: 431-439.

Pascoe F P. 1870a. Contributions toward a knowledge of the Curculionidae. Part 1. *Journal of the Linnean Society of London*, 10(47): 434-458, pl. XVVI.

Pascoe F P. 1870b. Contributions toward a knowledge of the Curculionidae. Part 1. (Continued). *Journal of the Linnean Society of London*, 10(48): 459-493, pls. XVVIII, VIX.

Pascoe F P. 1871a. Contributions towards a knowledge of the Curculionidae. Part II. *Journal of the Linnean Society of London*, 11(51): 154-218.

Pascoe F P. 1871b. Catalogue of Zygopinae, a subfamily of Curculionidae, found by Mr. Wallace in the Eastern Archipelago. *The Annals and Magazine of Natural History*, 7(4): 198-222.

Pascoe F P. 1872. Contributions towards a knowledge of the Curculionidae. Part III. *Journal of the Linnean Society of London, Zoology*, 11(55): 440-492, pls. X-VIII.

Peck W D. 1817. On the insects which destroy the young branches of the pear-tree, and the leading shoot of the weymouth-pine. *Massachusetts Agricultural Repository and Journal 4*: 205-211, pls I-II.

Pelsue F W Jr. 2004. Revision of the genus *Labaninus* Morimoto of the world. Part 1: the L. confluens Kwon & Lee group with descriptions of six new taxa (Coleoptera: Curculionidae). *Koleopterologische Rundschau*, 74: 423-434.

Pelsue F W Jr, O'Brien C W. 2011. A redefinition of the Curculionini of the world, with a key to subtribes and genera, and two new genera: *Pseudoculio and Megaoculis* (Coleoptera: Curculionidae: Curculioninae). *Zootaxa*, 3102: 27-49.

Pelsue F W Jr, Zhang R. 2002. A review of the genus *Curculio* from China with descriptions of new taxa. Part 3. The Curculio subfenestratus Voss group (Curculionidae: Curculioninae: Curculionini). *The Coleopterists Bulletin*, 56: 1-39.

Perris E. 1855. ［new taxa］. *Bulletin de la Société Entomologique de France*, 1855: lxxvii-lxxx.

Perris E. 1874. Description de quelques insectes jugés nouveaux. *L'Abeille, Journal d'Entomologie*, 13 ［1873-1875］: 1-14.

Perroud B P. 1853. Descriptions de quelques coléoptères nouveaux ou peu connus. *Annales de la Société Linnéenne de Lyon*, (2)1: 389-528.

Pesarini C. 1968. Due nuovi sottogeneri di *Phyllobius* Schoenherr (Ⅲ Contributo alla conoscenza dei coleotteri curculionidi). *Bollettino della Società Entomologica Italiana*, 98: 38-40.

Pesarini C. 1969. I sottogeneri di *Phyllobius* Schoenherr. *Bollettino della Società Entomologica Italiana*, 99-101: 53-62.

Pesarini C. 1975. Su alcuni curculionidi paleartici noovi o poco conosciuti (X Ⅶ Contributo alla conoscenza dei coleotteri curculionidi). *Memorie della Società Entomologica Italiana*, 53 ［1974］: 39-55.

Pesarini C. 1981. Le specie paleartiche occidentali della tribu Phyllobiini (Coleoptera: Curculionidae). *Bollettino di Zoologia Agraria e di Bachicoltura* (ser. n.), 15 ［1979-80］: 49-230.

Petri K. 1904. Bestimmungs-Tabelle der mir bekannt gewordenen Arten der Gattung Lixus Fab. aus Europa und den angrenzenden Gebieten. *Wiener Entomologische Zeitung*, 23: 183-198.

Petri K. 1907. Bestimmungs-Tabelle der Gattungen *Larinus* Germ. (incl. Stolatus Muls.), *Microlarinus* Hochhuth, *Rhinocyllus* Germar und *Bangasternus* Gozis aus dem europäischen, mediterran, west- und nordasiatischen Faunengebiete. *Verhandlungen des Naturforschendes Vereines in Brünn*, 45 ［1906］: 51-146.

Petri K. 1914. Einige neue Rüssler und Bemerkungen zu bereits beschriebenen RüsselKäfern. *Entomologische Blätter*, 10: 46-49, 99-105.

Philippi R A, Philippi F. 1864. Beschreibung einiger neuen chilenischen Käfer. *Entomologische Zeitung* (Stettin), 25: 266-284.

Pic M. 1924. Nouveautés diverses. *Mélanges Exotico-Entomologiques*, 41: 1-32.

Pierce W D. 1910. Some new species of weevils of economic importance. *Journal of Economic Entomology*, 3: 356-366.

Ratzeburg J T C. 1837. *Die Forst-Insecten oder Abbildung und Beschreibung der in den Wäldern Preussens und der Nachbarstaaten als schädlich oder nützlich bekannt gewordenen Insecten.* Erster Theil. Die Käfer. Berlin: Nicolai, x + 4 + 202 pp. ,21pls.

Redtenbacher L. 1868. Zoologischer Teil. Zweiter Band. I. Abtheilung A2. Coleopteren. *In Reise der Oesterreichischen Fregatte Novara um die Erde in den Jahren 1857, 1858, 1859 unter dem Befehlen des Commodore B. von Wüllerstorf-Urbair.* ［1867］. Wien: Karl Gerold's Sohn, iv + 249 pp. , 5 pls.

Reitter E. 1895. Neue Curculioniden aus der asiatisch-palaearctischen Fauna. *Wiener Entomologische Zeitung*, 14: 21-31.

Reitter E. 1900. Beitrag zur Coleopteren-Fauna des russischen Reiches. *Deutsche Entomologische Zeitschrift*, 1900: 49-59.

Reitter E. 1902. Coleopterologische Studien. 1. *Wiener Entomologische Zeitung*, 21: 203-217.

Reitter E. 1903. Curculionidae. 8. *Theil. Tanymecini. 1. Hälfte. Bestimmungs-Tabellender europäischen Coleopteren.* 48 *Heft.* Paskau: Edmund Reitter, 21 pp.

Reitter E. 1905. Die Arten der Gattung Bothynoderes Schoenherr. Coleoptera. Ein Nachtrag zur Revision der Gruppe Cléonides vrais von J. Faust. *Deutsche Entomologische Zeitschrift*, 1905: 193-205.

Reitter E. 1913a. Bestimmungs-Schlüssel der mir bekannten europäischen Gattungen der Curculionidae, mit Einschluss der mir bekannten Gattungen aus dem palaearktischen Gebiete. *Verhandlungen des Naturforschenden Vereines in Brünn*, 51 [1912]: 1-90.

Reitter E. 1913b. Bestimmungstabellen der *Otiorrhynchus*-Arten mit ungezähnten Schenkeln aus der palaearktischen Fauna. *Wiener Entomologische Zeitung*, 32: 25-118.

Reitter E. 1915a. Neue Übersicht der bekannten paläarktischen Arten der Coleoptera-Gattung *Chloebius* Schönh. Wiener Entomologische Zeitung, 34: 105-108.

Reitter E. 1915b. Bestimmungstabelle der RüsselKäfergattung *Chlorophanus* Germ. *Wiener Entomologische Zeitung*, 34: 171-184.

Reitter E. 1916. *Fauna Germanica. Die Käfer des Deutschen Reiches. Nach der analytischen Methode bearbeitet. 5. Band.* Stuttgart: K. G. Lutz, 343 pp., pls. 153-168.

Reitter E. 1923. Die Hylobius-Arten aus Europa und den angrenzenden Gebieten. (Col. Curcul.). *Wiener Entomologische Zeitung*, 40: 21-24.

Rey C. 1883. [new taxa]. *In*: Eichhoff W J. Les Xylophages d'Europe. Avec des notes et additions concernant la faune gallo-rhénane. (Suite et fin.). *Revue d'Entomologie*, 2: 121-145, pls Ⅱ. Ⅲ.

Ritsema C. 1891. A new genus of Calandrinae. *Notes from the Leyden Museum*, 13: 147-150.

Roelofs W. 1873. Curculionides recueillis au Japon par M. G. Lewis. Première partie. *Annales de la Société Entomologique de Belgique*, 16: 154-193, pls. Ⅱ, Ⅲ.

Roelofs W. 1874. Curculionides recueillis au Japon par M. G. Lewis. Deuxième partie. *Annales de la Société Entomologique de Belgique*, 17: 121-148.

Roelofs W. 1875a. Curculionides recueillis au Japon par M. G. Lewis. Deuxième partie. *Annales de la Société Entomologique de Belgique*, 17 [1874]: 149-176.

Roelofs W. 1875b. Curculionides recueillis au Japon par M. G. Lewis. Troisième et dernière partie. *Annales de la Société Entomologique duBelgique*, 18: 149-194, 3 pls.

Roelofs W. 1879. Diagnoses de nouvelles espèces de curculionides, brenthides, anthribides et bruchides du Japon. *Comptes-rendus des Séances de la Société Entomologique de Belgique*, 22: liii-lv.

Sahlberg C R. 1823. *Periculi Entomographici, species Insectorum nondum descriptas proposituri, fasciculus. Pars 2.* Aboae: Typis Frenckelliorum, pp. 17-32.

Sahlberg C R. 1836. *Dissertatio entomologica insecta Fennica enumerans. Cujus particulam decinam partis secundae. Tomus 2, pars 10.* Helsingforsiae: Frenckelliorum, pp. 145-160.

Samouelle G. 1819. *The Entomologist's Useful Compendium; or an introduction to the knowledge of British insects, comprising the best means of obtaining and preserving them, and a description of the apparatus generally used; together with the genera of Linné, and the Modern Method of arranging the Classes Crustacea, Myriapoda, Spiders, Mites and Insects, from their affinities and structure, according to the views of Dr. Leach. Also an explanation of the terms used in Entomology; a calendar of the times of appearance and usual situations of near 3,000 species of British Insects; with instructions for collecting and fitting up objects for the microscope.* London: Thomas Boys. 496 pp., 12 pls.

Sampson W F. 1911. On two new wood-boring beetles (Ipidae). *The Annals and Magazine of Natural History*, (8) 8:381-384.

Sampson W F. 1921. Further notes on Platypodidae and Scolytidae collected by Mr. G. E. Bryant and others. *The Annals and Magazine of Natural History*, (9) 7: 25-37.

Sawada Y. 1993. A systematic study of the family Rhynchitidae of Japan (Coleoptera: Curculionoidea). *Humans and Nature*, 2: 1-93.

Say T. 1831. *Descriptions of new species of curculionites of North America with observations on some of thespecies already known.* New Harmony, 24 pp.

Schaufuss C F C. 1891. Beitrag zur Käferfauna Madagascars 2. *Tijdschrift voor Entomologie*, 34: 1-36, 1 pls.

Schedl K E. 1934. Neue indomalayische Scolytidae. 2. Beitrag. *Entomologische Berichten*, 9: 84-92.

Schedl K E. 1935. New bark-beetles and ambrosia-beetles (Col.). *Stylops*, 4: 270-276.

Schedl K E. 1936. Some new Scolytidae and Platypodidae from the Malay Peninsula. *Journal of the Federated Malay States Museums*, 18: 19-35.

Schedl K E. 1937. Scolytidae und Platypodidae - Zentral und südamerikanische Arten. *Archivos do Instituto de Biologia Vegetal*, 3: 155-170.

Schedl K E. 1939a. Scolytidae und Platypodidae. 47 Beitrag. *Tijdschrift voor Entomologie*, 82: 30-53.

Schedl K E. 1939b. Malaysian Scolytidae and Platypodidae (IV). (57th Contribution). *Journal of the Federated Malay States Museums*, 18: 327-364.

Schedl K E. 1940. Scolytidae und Platypodidae (Coleoptera). 51. Beitrag. *Arbeiten über Morphologische und Taxonomische Entomologie aus Berlin-Dahlem*, 7: 203-208.

Schedl K E. 1948. Scolytidae and Platypodidae. Contribution 86. New species and new records of Australian Scolytidae. *Proceedings of the Royal Society of Queensland*, 60: 25-29.

Schedl K E. 1949. Neotropical Scolytoidea. 1. 97th Contribution to the morphology and taxonomy of the Scolytoidea (Col.). *Revista Brasileira de Biologia*, 9: 261-284.

Schedl K E. 1952. Formosan Scolytoidea, 1.3. Contribution to the morphology and taxonomy of the Scolytoidea. *The Philippine Journal of Science*, 81: 61-65.

Schedl K E. 1953. Fauna Sinensis I. 120. Beitrag zur Morphologie und Systematik der Scolytoidea. *Entomologische Blätter*, 49: 22-30.

Schedl K E. 1957. Scolytoidea nouveaux du Congo Belge II. Mission R. Mayné - K. E. Schedl 1952. (153e Contribution à la systématique et la morphologie des coléoptères Scolytoidea). *Annales du Musée Royal du Congo Belge Tervuren (Belgique)*, Ser. 8, *Sciences Zoologiques*, 56: 1-162.

Schedl K E. 1958. Zur Synonymie der Borkenkäfer II. 159 Beitrag zur Morphologie und Systematik der Scolytoidea. *Tijdschrift voor Entomologie*, 101: 141-155.

Schedl K E. 1964. Scolytoidea from Borneo III. 185. Contribution to the morphology and taxonomy of the Scolytoidea. *Reichenbachia*, 4: 241-254.

Schedl K E. 1969. Scolytidae und Platypodidae aus Neu-Guinea (Coleoptera). 263. Beitrag zur Morphologie und Systematik der Scolytoidea. *Opuscula Zoologica*, 9: 155-158.

Schedl K E. 1973. New Scolytidae and Platypodidae from the Papuan subregion. 299. *Contribution to the morphology and taxonomy of the Scolytoidea. Papua New Guinea Agricultural Journal*, 24: 87-97.

Schedl K E. 1975. Indian bark and timber beetles VI. 312. Contribution to the morphology and taxonomy of the Scolytoidea. *Revue Suisse Zoologie*, 82: 445-458.

Schedl K E. 1976. Neotropische Scolytoidea VIII. (Coleoptera). 323. Beitrag zur Morphologie und Systematik der Scolytoidea. *Entomologische Abhandlungen (Dresden)*, 41: 49-92.

Schedl K E. 1980. Scolytoidea from Queensland (Australia). (Coleoptera). 336th Contribution to the morphology and taxonomy of the Scolytoidea. *Faunistische Abhandlungen (Dresden)*, 7: 183-189.

Schilsky J. 1902. *Die Käfer Europa's. Nach der Natur beschrieben.* Heft 39. Nürnberg: Bauer und Raspe (E. Küster), iv pp. + 100 nr. [each on 1 or 2 sheets].

Schilsky J. 1903. *Die Käfer Europa's. Nach der Natur beschrieben.* Heft 40. Nürnberg: von Bauer und Raspe (E. Küster), viii pp. + 100 nr. [each on 1 or 2 sheets] + A-PP pp.

Schilsky J. 1906. *Die Käfer Europa's. Nach der Natur beschrieben.* Heft 42. Nürnberg: Bauer und Raspe (E. Küster), vi pp. + 119 nr. [each on 1 or 2 sheets].

Schilsky J. 1907. *Die Käfer Europa's. nach der Natur beschrieben von Dr. H. C. Küster und Dr. G. Kraatz.* Heft 44. Nürnberg: Bauer und Raspe, iv + A-2 + 100 nr. + [2 Nachträge und Berichtigungen].

Schilsky J. 1911. *Die Käfer Europa's. Nach der Natur beschrieben von Dr. H. C. Küster und Dr. G. Kraatz.* Heft 47. Nürnberg: Bauer und Raspe (E. Küster), iv + A-SS pp. + 100 nrs. + [1 p.].

Schilsky J. 1912. *Die Käfer Europa's. Nach der Natur beschrieben von Dr. H. C. Küster und Dr. G. Kraatz. Heft.* Nürnberg: Bauer und Raspe (E. Küster), v + A-B pp. + 100 nrs.

Schneider D H. 1791. Nachrichten von neu angenommenen Gattungen (Generibus) im entomologischen System. *Neuestes Magazin für die Liebhaber der Entomologie*, 1(1):11-89.

Schoenherr C J. 1823. Curculionides. [Tabula synoptica familiae Curculionidum]. *Isis von Oken*, 13 (10): cols. 1132-1146.

Schoenherr C J. 1825. Continuatio tabulae synopticae familiae curculionidum. *Isis von Oken*, 17 (5): cols. 581-588.

Schoenherr C J. 1826. *Curculionidum dispositio methodica cum generum characteribus, descriptionibus atque observationibus variis, seu Prodromus ad Synonymiae Insectorum, partem* 4. Lipsiae: Fleischer, x + [2] + 338 pp.

Schoenherr C J. 1833. *Genera et species curculionidum, cum synonymia hujus familiae; a C. J. Schoenherr. Species novae aut hactenus minus cognitae, descriptionibus a Dom. Leonardo Gyllenhal, C. H. Boheman, et entomologis aliis illustratae. Tomus primus. - Pars prima.* Parisiis: Roret, pp. i-xvi + 1-381.

Schoenherr C J. 1834. *Genera et species curculionidum, cum synonymia hujus familiae. Species novae aut hactenus minus cognitae, descriptionibus a Dom. Leonardo Gyllenhal, C. H. Boheman, et entomologis aliis illustratae. Tomus secundus. - Pars prima.* Parisiis: Roret, 1-326 pp.

Schoenherr C J. 1835. *Genera et species curculionidum, cum synonymia hujus familiae. Species novae aut hactenus minus cognitae, descriptionibus a Dom. Leonardo Gyllenhal, C. H. Boheman, et entomologis aliis illustratae. Tomus tertius. - Pars prima* [1836]. Parisiis: Roret; Lipsiae: Fleischer, [6] + 1-505 pp.

Schoenherr C J. 1837. *Genera et species curculionidum, cum synonymia hujus familiae. Species novae aut hactenus minus cognitae, descriptionibus a Dom. Leonardo Gyllenhal, C. H. Boheman, et entomologiis aliis illustratae. Tomus quartus. - Pars prima.* Parisiis: Roret; Lipsiae: Fleischer, iv + 1-600 pp.

Schoenherr C J. 1838. *Genera et species curculionidum, cum synonymia hujus familiae. Species novae aut hactenus minus cognitae, descriptionibus a Dom. Leonardo Gyllenhal, C. H. Boheman, et entomologiis aliis illustratae. Tomus quartus. - Pars secunda.* Parisiis: Roret; Lipsiae: Fleischer, 601-1124 pp.

Schoenherr C J. 1839. *Genera et species curculionidum, cum synonymia hujus familiae. Species novae aut hactenus minus cognitae, descriptionibus Dom. L. Gyllenhal, C. H. Boheman, O. J. Fahraeus et entomologis aliis illustratae. Tomus quintus. - Pars prima.* Parisiis：Roret；Lipsiae：Fleischer, 1-456pp.

Schoenherr C J. 1840a. *Genera et species curculionidum, cum synonymia hujus familiae. Species novae aut hactenus minus cognitae, descriptionibus a Dom. L. Gyllenhal, C. H. Boheman, O. J. Fåhraeus, et entomologiis aliis illustratae. Tomus quintus. - Pars secunda. Supplementum continens.* Parisiis：Roret；Lipsiae：Fleischer, pp. v-viii + 465-970 + [4].

Schoenherr C J. 1840b. Genera et species curculionidum, cum synonymia hujus familiae, species novae aut hactenus minus cognitae, descriptionibus dom. L. Gyllenhal, C. H. Boheman, O. J. Fåhraeus et entomologis aliis ilustratae. Tomus sextus. - Pars prima. Parisiis：Roret；Lipsiae：Fleischer, 474 pp.

Schoenherr C J. 1842. *Genera et species curculionidum, cum synonymia hujus familiae. Species novae aut hactenus minus cognitae, descriptionibus a Dom. L. Gyllenhal, C. H. Boheman, O. J. Fåhraeus, et entomologiis aliis illustratae. Tomus septimus. - Pars prima.* [1843]. Parisiis：Roret；Lipsiae：Fleischer, [ii] + 479 pp.

Schrank F von Paula. 1781. *Enumeratio insectorum Austriae indigenorum.* Augustae Vindelicorum：Viduam Eberhardi Klett et Franck, [22] + 548 + [2] pp., 4 pls.

Schrank F von Paula. 1789. Entomologische Beobachtungen. *Der Naturforscher*, 24：60-90.

Schrank F von Paula. 1798. *Fauna Boica. Durchgedachte Geschichte der in Baiern einheimischen und zahmen Tiere. Erster Band, zweite Abteilung.* Nürnberg：Stein'sche Buchhandlung, pp. 293-720.

Scopoli I A. 1763. *Entomologia carniolica exhibens insecta Carnioliae indigena et distributa in ordines, genera, species, varietates. Methodo linnaeana.* Vindobona：Ioannis Thomae Trattner, xxxiv + 420 + [4] pp., 3 pls.

Scopoli I A. 1763. *Entomologia Carniolica; exhibens insecta Carnioliae indigena et distributa in ordines, genera, species, varietates; methodo linnaeana.* Vindobonae：1. T. Trattner, xxxiv + 420 pp.

Seitner M. 1911. Bemerkungen zur Gattung Polygraphus und Aufstellung der Gattung Pseudopolygraphus n. gen. *Centralblatt für das Gesamte Forstwesen*, 37：99-109.

Semenov A P. 1902. Novye koroedy (Coleoptera：Scolytidae) iz fauny Rossii ili Sredney Azii. *Russkoe Entomologicheskoe Obozrenie*, 2：265-273.

Semenov A P. 1903. Dva novykh koroeda (Coleoptera：Scolytidae) russkoy fauny. *Russkoe Entomologicheskoe Obozrenie*, 3：79-80.

Sharp D. 1889. The rhynchophorous Coleoptera of Japan. Part 1. Attelabidae and Rhynchitidae. *Transactions of the Entomological Society of London*, 1889：41-74.

Sharp D. 1891. The rhynchophorous Coleoptera of Japan. Part 2. Apionidae and Anthribidae. *Transactions of the Entomological Society of London*, 1891：293-328.

Sharp D. 1896. The Rhynchophorous Coleoptera of Japan. Part 4. Otiorhynchidae and Sitonides, and a genus of doubtful position from the Kurile Islands. *Transactions of the Entomological Society of London*, 1896 (1)：81-115.

Sokanovskiy B V. 1959. K faune koroedov (Col. Ipidae) Kitaiskoy Narodnoy Respubliki (in Chinese and Russian). *Acta Entomologica Sinica*, 9：93-95.

Spessivtsev P. 1919. New bark-beetles from the neighbourhood of Vladivostok (East Siberia). *The Entomologist's Monthly Magazine*, 55：246-251, pls. xv-xvi.

Spessivtsev P. 1926. Eine neue Borkenkäferart aus Russland (Orthotomicus starki n. sp.). *Entomologisk*

Tidskrift, 47: 217-220.

Stark V N. 1936. Novye vidy koroedov iz Aziatskoi chasti SSSR [Neue Borkenkäferarten aus dem asiatischen Teile der USSR]. *Bulletin of the Far Eastern Branch of the Academy of Science of the USSR*, 18: 141-154.

Stebbing E P. 1906. *Departmental notes on insects that affect forestry*. No. 3. Calcutta: Office of the Superintendent of Government Printing, vii-viii + 335 pp. [138]

Stebbing E P. 1908. On some undescribed Scolytidae of economic importance from the Indian region. 1. *The Indian Forest Memoirs*, 1: 1-12.

Stebbing E P. 1914. *Indian forest insects of economic importance. Coleoptera*. London: Eyre & Spottiswoode, Ltd., xvi + 648 p., 63 pls.

Stephens J F. 1829. *The Nomenclature of British insects being a compendious list of such species as are contained in the Systematic Catalogue of British Insects*. London: Baldwin & Cradock, [2] + 68 columns.

Stephens J F. 1830. pp. 247-374 + [4]. *InIllustrations of British entomology; or, a synopsis of indigenous insects: containing their generic and specific distinctions; with an account of their metamorphoses, times of appearance, localities, food, and economy, as far as practicable. Mandibulata. Volume 3.* London: Baldwin and Cradock, 447 + [4] pp., pls. XVI-XIX [note: issued in parts; this part (signature S-BB) dated 30-12-1830].

Stephens J F. 1831. pp. 1-14, 79-94, 143-222 + pl. XXIII. *InIllustrations of British entomology; or, a synopsis of indigenous insects: containing their generic and specific distinctions; with an account of their metamorphoses, times of appearance, localities, food, and economy, as far as practicable. Mandibulata. Volume 4.* London: Baldwin & Cradock, 413 + [1] pp., pls XX-XXIII [note: issued in parts, pp. 1-14 (signature B) dated 31-I-1831; pp. 79-94 (signature G) dated 30-IV-1831; pp. 143-222 (signature L-P) dated 31-10-1831. pp. 367-413 issued in 1832].

Stierlin W G. 1864. *Ueber einige neue oder wenig bekannte Insekten der Gegend von Sarepta. Bulletin de la Société Impériale des Naturalistes de Moscou*, 36 (4) [1863]: 489-502.

Stierlin W G. 1894. *Beschreibung einiger neuen RüsselKäfer. Mitteilungen der Schweizerischen Entomologischen Gesellschaft*, 9 [1893-1897]: 109-124.

Strohmeyer H. 1910. Neue Borkenkäfer aus Abessynien, Madagaskar, Indien und Tasmania. *Entomologische Blätter*, 6: 126-132.

Strom H. 1783. *Norske insecters beskrivelse med anmaerkinger. Nye Samling af det Kongelige Danske Videnskabers Selskabs Skrifter*, 2: 49-93.

Suvorov G. 1912. Neue Genera und Arten der Curculionidae (Coleoptera) aus dem Palaearktischen Faunengebiete [Novye palearkticheskie rody i vidy sem. Curculionidae (Coleoptera)]. *Russkoe Entomologicheskoe Obozrenie*, 12 [1912-1913]: 468-490.

Suvorov G L. 1915. Novye rody i vidy zhestkokrylykh' (Coleoptera: Curculionidae: Cerambycidae) palearkticheskoy oblasti. *Russkoe Entomologicheskoe Obozrenie*, 15: 327-346.

Swaine J M. 1917. Canadian bark-beetles, Part 1. *Descriptions of new species. Dominion of Canada Department of Agriculture, Entomological Branch, Technical Bulletin*, 14: 1-32.

Swaine J M. 1934. Three new species of Scolytidae (Coleoptera). *Canadian Entomologist*, 66: 204-206.

Ter-Minasian M E. 1936. Obzor slonikov tsvetoedov rodov *Anthonomus* Germ. i Furcipes Desbr. fauny

SSSR（Coleoptera：Curculionidae）. *Trudy Zoologicheskogo Instituta Akademii Nauk SSSR*, 3：165-182.

Ter-Minasian M E. 1971. 216. Attelabidae. Ergebnisse der zoologischen Forschungen von Dr. Z. Kaszab in der Mongolei（Coleoptera）. *Reichenbachia*, 13：263-267.

Thatcher T O. 1954. A new species of *Dendroctonus* from Guatemala（Scolytidae）. The *Coleopterists* Bulletin, 8：3-6.

Thomson C G. 1859. *Skandinaviens Coleoptera, synoptiskt bearbetade*. 1. *Tom*. Lund：Berlingska Bocktryckeriet, 394 pp.

Thomson J. 1858. Voyage au Gabon. Histoire Naturelle des Insectes et des Arachnides recueillis pendant un voyage fait au Gabon en 1856 et en 1857 par M. Henry C. Deyrolle sous les auspices de M. M. Le Comte de Mniszech et James Thomson précédée de l'histoire du voyage；Arachnides par H. Lucas. *Archives Entomologiques*, 2：1-469.

Thunberg C P. 1815. De Coleopteris rostratis commentatio. *Nova Acta Regiae Societatis Scientiarum Upsaliensis*, 7：104-125.

Tournier H. 1875. ［Descriptions d'espèces nouvelles de Cneorhinus］. *Comptes-rendus des Séances de la Société Entomologique de Belgique*, 1875：clii-cliii.

Tournier H. 1876. Études des espèces européennes et circumeuropéennes du genre *Cneorhinus* Schoenh. de la tribu des brachydérides, curculionides adélognathes cyclophthalmes. *Annales de la Société Entomologique de Belgique*, 19：125-160 ［note：pp. 161-163 appeared in Fasc. 3, dated 20-2-1877］.

Tsai P H. 1962. ［new taxon］. *In* Tsai P H, Yin H F and Hwang F S. A systematic revision of the Chinese Scolytidae（s. str.）with description of two new species. *Acta Entomologica Sinica*, 11：1-17, 5 pls.（in Chinese and English）. ［蔡邦华. 1962. 新物种. 见：蔡邦华，殷惠芬和黄复生，小蠹科（狭义）Scolytidae s. str. 分类系统的修订和我国产两新种的记述（小蠹研究之一）. 昆虫学报，11（增刊）：1-17, 5 pls.］

Tsai P H, Hwang F S. 1964. Notes on Chinese bark beetles of the genus *Hylurgops* LeC. *Acta Zootaxonomica Sinica*, 1（2）：235-241, 4 pls.（in Chinese, part in English）. ［蔡邦华，黄复生. 1964. 中国绒根小蠹属记述（小蠹研究之五）. 动物分类学报，1（2）：235-241, 4 pls.］

Tsai P H, Hwang F S. 1965. Two new species of the genus *Scolytoplatypus* Schauf. from China. *Acta Zootaxonomica Sinica*, 2（2）：121-124, 1 pl.（in Chinese and English）. ［蔡邦华，黄复生. 1965. 中国到小蠹属的二新种（小蠹研究之六）. 动物分类学报，2（2）：121-124, 1 pl.］

Tsai P H, Li C L. 1959. ［First report of Scolytidae in northern China］. *Collected Papers in* Entomology, Science Press, 1959：73-117（in Chinese）. ［蔡邦华，李兆麟. 1959. ［中国北部小蠹虫区系初志］. 昆虫学集刊，73-117.］

Tsai P H, Li C L. 1963. Research on the Chinese bark-beetles of the genus *Cryphalus* Er. with descriptions of new species. *Acta Entomologica Sinica*, 12（5-6）：597-624, 6 pls.（in Chinese and English）. ［蔡邦华，李兆麟. 1963. 中国梢小蠹属（*Cryphalus* Er.）的研究及新种记述. 昆虫学报，12（5-6）：597-624, 6 pls.］

Tsai P H, Yin H F. 1964. A study of Chinese *Phloeosinus* Chap.（Coleoptera：Ipidae），with descriptions of new species *Acta Zootaxonomica Sinica*, 1（1）：84-99（in Chinese and English）. ［蔡邦华，殷惠芬. 1964. 中国肤小蠹属（*Phloeosinus* Chap.）研究及新种描述（小蠹研究之三）. 动物分类学报，1（1）：84-99.］

Tsai P H, Yin H F. 1966. A study of Chinese *Sphaerotrypes* Blandf.（Ipidae），with descriptions of new species. *Acta Zootaxonomica Sinica*, 3(3)：233-241, pls. Ⅰ-Ⅱ. [蔡邦华, 殷惠芬. 1966. 中国球小蠹属的研究及新种记述(小蠹研究之八). 动物分类学报, 3(3)：233-241, pls. Ⅰ-Ⅱ.]

Villa A, Villa G B. 1835. Coleopterorum species novae in supplemento salutatae. Diagnosibus, adumbrationibus atque observationibus illustratae. pp. 47-50. *In Supplementum Coleopterorum Europae dupletorum catalogo collectionis Villa id est species aliae, quae nunc pro mutua commutatione itidem offerri possunt; nec non emendationes aliquarum specierum in catalogo anni 1833 extantium*. Mediolani：Villa, 37-50 pp.

Villers C J de. 1789. *Caroli Linnaei entomologia, faunae suecicae descriptionibus aucta; DD. Scopoli, Geoffroy, de Geer, Fabricii, Schrank, &c. speciebus vel in Systemate non enumeratis, vel nuperrime detectis, vel speciebus Galliae Australis locupletata, generum specierumque rariorum iconibus ornata. Tomus primus*. Lugduni：Piestre et Delamolliere, xvi + 765 + [1] pp., 3 pls.

Voss E. 1920. Neue Curculioniden aus dem östlichen Asien nebts Bemerkungen zu einigen anderen Arten. (3. Beitrag zur Kenntniss der Curculioniden). *Deutsche Entomologische Zeitschrift*, 1920：161-174.

Voss E. 1923. Indo-Malayische Rhynchitinen (Curculionidae). 2. Zehnter Beitrag zur Kenntniss der Curculioniden. *Philippine Journal of Science*, 22 (5)：489-514.

Voss E. 1924. Einige bisher unbeschriebene Attelabiden aus dem tropischen Asien und Indomalayischen Archipel. (15. Beitrag zur Kenntnis der Curculioniden.) *Entomologische Blätter*, 20：34-46.

Voss E. 1925. Die Unterfamilien Attelabinae und Apoderinae (Col. Curc.). (18. Beitrag zur Kenntnis der Curculioniden.) (Fortsetzung). *Stettiner Entomologische Zeitung*, 85 [1924]：191-304.

Voss E. 1926. Die Unterfamilien Attelabinae und Apoderinae (Col. Curc.). (18. Beitrag zur Kenntnis derCurculioniden.). (Cont.). *Stettiner Entomologische Zeitung*, 87：1-89, pls Ⅳ-Ⅵ.

Voss E. 1927. Die Unterfamilien Attelabinae und Apoderinae (Col. Curc.). (18. Beitrag zur Kenntnis der Curculioniden.). (Cont.). *Stettiner Entomologische Zeitung*, 88：1-98.

Voss E. 1929a. Einige bisher unbeschriebene Rhynchitinen der palaearktischen Region (Col. Curc.). (27. Beitrag zur Kenntnis der Curculioniden.). *Entomologische Blätter*, 25：24-29.

Voss E. 1929b. Die Unterfamilien Attelabinae u. Apoderinae (Col. Curc.). (18. Beitrag zur Kenntnis der Curculioniden.) (Fortsetzung). *Stettiner Entomologische Zeitung*, 90：90-159.

Voss E. 1930a. Die Attelabiden der Hauserschen Sammlung (Col. Curc.). *Wiener Entomologische Zeitung*, 47：65-88.

Voss E. 1930b. Monographie der Rhynchitinen-Tribus Byctiscini. 6. Teil der Monographie der Rhynchitinae Pterocolinae. (31. Beitrag zur Kenntnis der Curculioniden.). *Koleopterologische Rundschau*, 16：191-208.

Voss E. 1931. Einige unbeschriebene Curculioniden aus China. (29. Beitrag zur Kenntnis der Curculioniden). *Entomologische Blätter*, 27：35-38.

Voss E. 1932. Weitere Curculioniden aus Yunnan und Szetschwan der Sammlung Hauser (Col. Curc.). (38. Beitrag zur Kenntnis der Curculioniden). *Wiener Entomologische Zeitung*, 49：57-76.

Voss E. 1933a. Vier neue Rüsslerarten aus Szetschwan nebst Bemerkungen zu bekannten Arten. *Entomologisches Nachrichtenblatt* (Troppau), 7：28-34.

Voss E. 1933b. Neu bekannt gewordene Rhynchitinen und Attelabinen der orientalischen Region (Coleoptera：Curculionidae). 40. *Beitrag zur Kenntnis der Curculioniden. The Philippine Journal of Science*, 51 (1)：109-118.

Voss E. 1934. Über neue und bekannte Rüssler aus Szetschwan und der Mandschurei (Col. Curc.). (47. Beitrag zur Kenntnis der Curculioniden). *Entomologisches Nachrichtenblatt* (Troppau), 8: 71-83.

Voss E. 1935. Ein Beitrag zur Kenntnis der Attelabiden Javas. (57. Beitrag zur Kenntnis der Curculioniden). *Tijdschrift voor Entomologie*, 78: 95-125.

Voss E. 1936. Monographie der Rhynchitinen-Tribus Auletini. 3. Teil der Monographie der Rhynchitinae-Pterocolinae (37. Beitrag zur Kenntnis der Curculioniden). (Fortsetzung). *Stettiner Entomologische Zeitung*, 97: 279-289.

Voss E. 1937. Über ostasiatische Curculioniden (Col. Curc.) (70. Beitrag zur Kenntnis der Curculioniden). *Senckenbergiana*, 19: 226-282.

Voss E. 1938a. Monographie der Rhynchitinen-Tribus Rhynchitini. 2. Gattungsgruppe: Rhynchitina. V. 2. Teil der Monographie der Rhynchitinae-Pterocolinae (45. Beitrag zur Kenntnis der Curculioniden.). *Koleopterologische Rundschau*, 24: 129-152.

Voss E. 1938b. Monographie der Rhynchitinen-Tribus Rhynchitini. 2. Gattungsgruppe: Rhynchitina. V. 2. Teil der Monographie der Rhynchitinae - Pterocolinae. (45. Beitrag zur Kenntnis der Curculioniden.). (Cont.). *Koleopterologische Rundschau*, 24: 153-171.

Voss E. 1939. [new taxa]. *In* Dalla Torre K W & Voss E. Pars 167. Curculionidae Ⅲ Rhynchitinae Ⅱ, Allocoryninae, Pterocolinae. 57-127. *In* W Junk & Schenkling S. (eds) *Coleopterorum Catalogus* Berlin: W. Junk.

Voss E. 1941. Bemerkenswerte RüsselKäfer aus Mandschukuo (Coleoptera: Curculionidae). (90. Beitrag zur Kenntnis der Curculioniden). *Arbeiten über Morphologische und Taxonomische Entomologie*, 8: 109-118.

Voss E. 1943. Neue und bemerkenswerte Rüssler der palaearktischen Region. (Col. Curc.). (99. Beitrag zur Kenntniss der Curculioniden). *Mitteilungen der Münchnener Entomologischen Gesellschaft*, 33: 208-233.

Voss E. 1944. Anthonominen-Studien (Col. Curc.). (97. Beitrag zur Kenntnis der Curculioniden). *Stettiner Entomologische Zeitung*, 105: 34-51.

Voss E. 1949. Über einige in Fukien (China) gesammelte Rüssler. 3. (Col. Curc.). 113. Beitrag zur Kenntnis der Curculioniden. *Entomologische Blätter*, 41-44: 153-164.

Voss E. 1955. Bemerkenswerte Ergebnisse einer Revision der Attelabiden des Ungarischen Naturwissenschaftlichen Museums zu Budapest, nebst Bemerkungen zur Cossoninen-Gattung Aphyllura Reitt. (Coleoptera). Annales Historico-Naturales Musei Nationalis Hungarici (Series Nova), 6: 269-277.

Voss E. 1956a: Über einige japanische RüsselKäfer (Col. Curc.). (133. Beitrag zur Kenntnis der Curculioniden). *Akitu - Transactions of the Kyoto Entomological Society*, 5: 13-16.

Voss E. 1956. Über einige in Fukien (China) gesammelte Rüssler. V, nebst einer neuen Gattung und Art aus Yunnan (Col. Curc.). *Entomologische Blätter*, 5 [1955]: 21-45.

Voss E. 1958. Ein Beitrag zur Kenntnis der Curculioniden im Grenzgebiet der Orientalischen zur paläarktischen Region (Col. Curc.). Die von J. Klapperich und Tschung Sen in der Provinz Fukien gesammelten RüsselKäfer. (132. Beitrag zur Kenntnis der Curculioniden). *Decheniana-Beihefte*, 5: 1-140 + [4, Verbreitungsübersicht].

Voss E. 1961. Contribution à l'étude de la faune d'Afghanistan. Voyages du Dr. K. Lindberg en 1959 et

1960. Curculioniden (Col. Curc.). 2. (167. Beitrag zur Kenntnis der Curculioniden). *Entomologisk Tidskrift*, 82: 180-190.

Voss E. 1962. Curculioniden aus Anatolien nebst einigen Bemerkungen (172. Beitrag zur Kenntnis der Curculioniden). *Reichenbachia*, 1: 5-15.

Voss E. 1965. Zur Nomenklatur der Gattungen *Cryptorrhynchus* 3. , *Ceuthorrhynchus* Germ. und *Coeliodes* Schönh. (Coleoptera: Curculionidae). 192. Beitrag zur Kenntnis der Curculioniden. Reichenbachia, 6: 89-91.

Voss E. 1967. 119. Attelabidae, Apionidae, Curculionidae. Ergebnisse der zoologischen Forschungen von Dr. Kaszab in der Mongolei (Coleoptera). 194. Beitrag zur Kenntnis der Curculioniden. *Entomologische Abhandlungen*, *Staatliches Museum für Tierkunde in Dresden*, 34: 249-328.

Voss E. 1969. Monographie der Rhynchitinen - Tribus Rhynchitini. 2. Gattungsgruppe: Rhynchitina(Coleoptera: Curculionidae). V. 2. Teil der Monograpie der Rhynchitinae-Pterocolinae (Fortsetzung). *Entomologische Arbeiten aus dem Museum Georg Frey*, 20: 117-375.

Voss E. 1971. Eine neue Gattung sowie einige neue und bemerkenswerte Curculioniden aus Iran (Col. Curc.). *Entomologie et Phytopathologie Appliquées*, 30: 1-6.

Voss E. 1973. Über einige Rhynchitinen der mediterranen Subregion (Col. Attelab.). *Entomologische Blätter*, 69: 37-41.

Wagner H. 1907. Neue Apionen aus Afrika aus dem Königl. Naturh. Museum zu Brüssel. *Annales de la Société Entomologique de Belgique*, 51: 271-279, 1 pl.

Wagner H. 1944. Über das Sammeln von Ceuthorrhynchinen. *Koleopterologische Rundschau*, 30: 125-142.

Walker F. 1859a. Characters of some apparently undescribed Ceylon Insects. *The Annals and Magazine of Natural History*, (3)3: 258-265.

Walker F. 1859b. Characters of some apparently undescribed Ceylon insects. *The Annals and Magazine of Natural History*, (3)4: 217-224.

Wichmann H E. 1915. Zur Kenntnis der Ipiden. 4. *Entomologische Blätter*, 11: 213-217.

Wiedemann C R W. 1823. Nöthige Berichtigungen und Zusätze zu der Beschreibungen der Käfer aus Ostindien und vom Cap, in dritten Stückes dieses und im vierten Bande des Germarischens Magazins. *Zoologisches Magazin*, 2: 162-164.

Wolfrum P. 1948. Neue Anthribidae aus China. *Entomologische Blätter*, 41-44 [1945-1948]: 133-148.

Wolfrum P. 1961. Anthribiden aus dem Institut Scientifique de Madagascar. *Entomologische Arbeiten aus dem Museum G. Frey*, 12: 291-325.

Wollaston T V. 1854. *Insecta Maderensia*; *being an account of the insects of the islands of the Madeiran group*. London: John van Voorst, xliii + 634 pp. , 13 pls.

Wollaston T V. 1857. *Catalogue of the coleopterous insects of Madeira in the collection of the British Museum*. London: Taylor & Francis, xvi + 234 pp. , 1 pl.

Wood S L. 1980. New genera and new generic synonymy in Scolytidae (Coleoptera). *The Great Basin Naturalist*, 40: 89-97.

Wood S L, Huang F S. 1986. New genus of Scolytidae (Coleoptera) from Asia. *The Great Basin Naturalist*, 46: 465-467.

Yin H F, Huang F S. 1996. A taxonomic study on Chinese *Polygraphus* Erichson with description of three new species and a new subspecies (Coleoptera: Scolytidae). *Acta Zootaxonomica Sinica*, 21(3):

345-354 (in Chinese and English). [殷惠芬, 黄复生. 1996. 中国四眼小蠹属研究及三新种和一新亚种记述(鞘翅目:小蠹科). 动物分类学报, 21 (3): 345-354.]

Zacher F. 1922. Eingeschleppte Vorratsschädlinge. *Verhandlungen der Deutschen Gesellschaft für Angewandte Entomologie*, 8 (2): 55-59.

Zherikhin V V. 1991. Dolgonosiki roda *Corimalia* Gozis (Coleoptera: Apionidae) iz vidovoy gruppy brunneonotata. *Entomologicheskoe Obozrenie*, 70: 903-911.

Zoubkoff [= ZUBKOV] B. 1829. Notice sur un nouveau genre et quelques nouvelles espèces de coléoptères. *Bulletin de la Société Impériale des Naturalistes de Moscou*, 1: 147-170, pls. 4-5.

Zump T F. 1931. Curculioniden-Studien I. Über die Tanymecinen-Genera *Xylinophorus* Fst. und *Eutinopus* Fst. *Coleopterologisches Centralblatt*, 5: 123-137.

Zump T F. 1936. Zwei neue RüsselKäfer aus China. Curculioniden-Studien XV. *Mitteilungen der Deutschen Entomologischen Gesellschaft*, 7: 14-16.

Zump T F. 1937. Neue ostpaläarktische Rüssel Käfer aus der Sammlung des Herrn G. Frey, München. *Entomologische Blätter*, 33: 21-30.

中名索引

（按首字音序排列，右边的号码为该条目在正文的页码）

学名索引

（按首字母顺序排列，右边的号码为该条目在正文的页码）

English Summary

Galerucinae

Nie Ruie, Yang Xingke

(Institute of Zoology, Chinese Academy of Sciences, Beijing 100101)

Sermyloides shaanxiensis sp. nov. (Fig. 48)

Description.

Body length (linear distance from labrum to elytral apex): Male 5.0 ~ 5.5mm; Female 7.0mm.

Generally yellow-brown, antennomere 1 yellow-brown with a black strap in dorsal view, antennomere 2 ~ 11 black; 1/2 apex of elytra black and with creamy yellow "T" shape band in each elytron. Vertex glossy with sparsely big punctures; a depression with one pair of brown hair spots above clypeus, between compound eyes, under antenna; a flaky process under antenna, with hairs apically. Basally lateral area and interior eyes with several long hairs. Antennae as long as body, antennomeres 1 clubbed, 2nd the smallest, 3rd 6 times as long as 2nd flat with hooked process apically, 4th slightly shorter than 3rd, the rest with around equal length.

Pronotum transverse, nearly 2.7 times as broad as long; the middle area without depressions, clearly punctured; scutellum trapezoid, with densely punctured and small pubescent. Elytron narrow basally, wide apically, a oblique depression between scutellum and underneath humeral angle; the middle area of elytra surface raised with big punctures, space between punctures bigger than diameter of puncture; epipleuron glabrous; legs long; Last sternite of male with light trilobate shape. Female: frontal area flat; a small depress under each antennae cavity; antennae 4/5 time as long as body, the 3rd normal; last sternite completely.

Type material.

Holotype: ♂, Shaanxi, Zhouzhi, 2006. Ⅶ. 15-23 (IZAS). Paratype: 1 ♂, the same data as holotype (IZAS); 1 ♀, Shaanxi, Ningshan, Huoditang, 1300 ~ 1500m, 2013. Ⅷ. 14, Zhengzhong Huang(IZAS).

Diagnosis.

This species is similar to *Sermyloides wangi* Yang, 1993, but may be separated from the latter by the structure of frontal depression and the bands of elytra.

Etymology.

This new species is named after its type locality "Shaanxi".